Mémoires

Fils de la nation

Jean-Marie Le Pen

Mémoires

Fils de la nation

Éditions Muller

Février 2018
ISBN 979-10-90947-21-4

Éditions Muller
3, rue de l'arrivée – 75015 Paris

Homo natus de muliere brevi vivens tempore

Vulgate, Job, XIV, 1
Repris par l'office des morts

I.

Première partie

L'enfant de La Trinité

« Il n'est pas nécessaire d'espérer pour entreprendre,
ni de réussir pour persévérer.
La vie commence toujours demain. »

1. Panama

Ce livre vient d'un vieux projet. Sur mon bureau encombré, je trie des chemises multicolores où se mélangent manuscrits ou tapuscrits de différentes ébauches et documents relatifs à diverses époques de ma vie. Le tout a une fâcheuse propension à glisser à terre.

J'ai commencé à rédiger la première mouture de mes *Mémoires* en 1975, à Panama. J'y arrivais de France avec mon épouse Pierrette et mes amis Feuga, pour les aider à acheminer leur voilier, l'*Eryx II*, jusqu'aux Marquises. L'année précédente, nous leur avions donné le même coup de main des Canaries aux Antilles, j'avais glissé sur l'enrochement du départ à Santa Cruz de Tenerife, me luxant l'épaule, et fait la traversée le bras en écharpe. Cette fois, je regarderai où je mettrai les pieds.

Je ne connaissais pas autrement Panama. Pour ma paroisse politique, le scandale de Panama avait été en d'autres temps (les années 1890) une grande cause d'indignation. La compagnie financière du canal, l'entreprise française qui avait été choisie pour percer l'isthme et avait échoué, avait grassement payé des parlementaires (les « chéquards ») afin qu'ils ne posent pas de questions gênantes sur sa faillite. J'ai appris cela comme tout le monde en cours d'histoire, et j'ai lu *Leurs figures* de Maurice Barrès, mais, à la différence de ce qui s'est passé pour beaucoup de nationalistes, ce ne fut pas une préoccupation de jeunesse. D'ailleurs, dans ma Bretagne natale, profonde et tranquille d'avant la Seconde Guerre mondiale, aucun bruit des affaires parisiennes, même contemporaines, ne pénétrait. Plus tard, il devait m'arriver de boire de bons coups au bar du Pont-Royal avec les écrivains que l'on surnomma les Hussards, Michel Déon, Antoine Blondin l'ami de François Brigneau, Jacques Laurent, Roger Nimier. Celui-ci, Breton comme moi, était tombé dans le chaudron politique tout petit, il raconte les peignées qu'ils se mettaient avec Jean Daladier, le fils d'Édouard, le président du Conseil, en cour de récréation en 1934. Ce genre de souvenirs m'est étranger. Je n'ai pas entendu crier « À bas les voleurs ! », j'ai ignoré l'affaire Stavisky, le 6 février (j'avais six ans), et même le Front populaire – j'en avais huit. Je n'ai commencé à connaître les malheurs de la France qu'en 1939, et les scandales de la République qu'après la Seconde Guerre mondiale – même si la politique se glissa l'espace d'un jour à l'école quand y fut organisée une collecte au profit des réfugiés de la guerre d'Espagne.

Je débarquai d'avion à Panama le 3 novembre 1975 avec des préoccupations de marin. Nous arrivions de Paris pile pour un long week-end de fêtes religieuses et patriotiques dont nous devions attendre la fin pour lever l'ancre. Ce n'était pas le premier contretemps du voyage. À notre arrivée à l'aéroport un douanier avait ouvert ma valise et rameuté ses collègues pour en rire : je transportais des fromages, propres à égayer notre traversée, mais qui résumaient pour lui une puanteur bien française. Nous avions d'ailleurs subi notre première humiliation dès l'embarquement à Orly. Le personnel de notre avion, vénézuélien, m'avait fait mesurer les illusions que gardaient encore les Français sur la permanence de notre influence dans le monde. Nous dûmes parler anglais ou espagnol. On ne nous fit même pas l'honneur de traduire en français les vœux de l'équipage au départ de Paris. Ce que j'avais passionnément aimé et admiré jeune garçon, la Marine française, l'armée française, l'empire français, jusqu'à la langue française, diminuait à vue d'œil.

En attendant de prendre la mer, nous visitâmes la ville dans la touffeur de l'automne tropical. Elle nous parut amicale et j'y remarquai sans déplaisir ce prestige que l'Espagne conservait de Porto Rico à Caracas et Valparaiso, alors que l'Europe sociale-démocrate ou libérale la vilipendait sottement à cause du général Franco. Le mouvement national avait eu le mérite d'arracher ce grand pays au joug humiliant de la misère, aux déchirements de l'anarchie et aux menaces du communisme. L'Espagne avait sa place en Europe dans son intérêt et le nôtre, on ne disait pas encore gagnant-gagnant. Le rayonnement de son histoire et de sa culture, en Amérique latine surtout, pouvait nous être utile : je croyais à l'Europe des nations et des synergies, non à ce que Bruxelles a fait depuis de notre continent.

Panama fait partie de ces républiques bananières d'Amérique centrale dont nos écoliers n'arrivaient déjà pas à retenir la liste, une liste qui a un petit air de déclinaison latine. Le gouvernement d'alors était, selon l'usage de l'époque, révolutionnaire. Son chef n'était pas un musulman comme pouvait le faire croire son insolite prénom d'Omar (on s'est habitué depuis), mais un général, amateur de formules marmoréennes dont la plus modeste « Panama, puente del mondo y corazon de l'universo » servait de devise à ce petit État d'un million et demi d'habitants alors, trois millions aujourd'hui. Sa devise actuelle n'est pas mal non plus : pro beneficio mundi, pour le bénéfice du monde. Il est vrai que la voie d'eau que le Panama abrite est la plus importante de la planète, « the cross-road of the world », comme disait le général Torrijos avec simplicité.

Le 3 novembre 1975, Panama fêtait justement le 72e anniversaire de son indépendance à l'égard de la Colombie. En 1903, cette rupture était arrivée à point nommé pour permettre au nouvel état de traiter avec les États-Unis et de leur concéder à perpétuité la zone encadrant le canal qu'ils projetaient d'y creuser, dix ans après l'échec du Français Ferdinand de Lesseps, le père du canal de Suez. Comme le temps passe ! Badinguet, quand il n'était pas encore Napoléon III mais simple conspirateur, demandait à son procès : « Combien dure la perpétuité ici » ? Au Panama, elle n'aura pas duré plus de cent ans, et le canal est désormais la propriété du pays, qui en tire de confortables revenus.

C'est l'épilogue paisible d'une extraordinaire histoire. Le canal est une authentique merveille du monde et sa construction fut une des plus belles pages de l'aventure humaine, l'une des plus tragiques aussi, l'histoire d'une guerre livrée à la nature hostile. Les Français perdirent une bataille de vingt ans, les Américains gagnèrent la guerre, déjà. Ils la firent en respectant un de leurs principes d'action qui est à leur honneur : ménager leurs hommes à tout prix. Le paludisme, la fièvre jointe aux difficultés financières, avait vaincu Lesseps et tué vingt mille ouvriers sur l'infernal chantier ouvert dans la jungle. Les Américains liquidèrent d'abord ses vecteurs meurtriers, l'anophèle et l'Aedes aegypti. Puis seulement ils attaquèrent la montagne et la vainquirent en dix ans ! Cette défaite de la France et la victoire de l'Amérique modifiaient le siècle naissant, elles annonçaient aux confins du monde le déclin de l'Europe.

Le 4 novembre 1975, je déambulais dans le vieux quartier qu'avaient ravagé en 1671 les pirates de Morgan. Un monument très simple, surmonté d'un coq de bronze, y commémore le sacrifice de nos compatriotes. Il s'élève sur la plazza de Francia que borde notre ambassade et dont elle pourrait être le gardien avec ses flamboyants et ses merles siffleurs. Le silence n'était rompu cet après-midi-là que par leurs chants, le vent du large et le bruissement du Pacifique. Une terrasse tournée à l'ouest comme une proue de navire abrite des métopes gravées qui content l'odyssée des vaincus. Leur souvenir y dort en paix. Ici, on ne déboulonnera pas la statue du vainqueur de Suez comme on le fit en 1956 à Port-Saïd. On n'y est pas ingrat et la fierté, ombrageuse, n'insulte jamais le génie malheureux.

J'y rêvais doucement le lendemain en regardant défiler les deux bords du « cross-road of the world ». L'une des jungles les plus difficiles du globe est devenue un aimable petit paradis surtout composé de parcs nationaux. En débouquant du canal, nous fîmes route d'abord vers les îles Perles, où le courant de Humboldt est si poissonneux qu'il suffit de laisser traîner un morceau de papier à chocolat au bout d'une ligne pour attraper quelque chose. Nous avons aussi pêché de ces espèces de grandes étrilles, mais avec la carapace plus dure, rouges et bleues, très bonnes. J'ai plongé pour les attraper, j'étais le seul, l'eau est à quatorze degrés. Puis ce furent les Galápagos, qui appartiennent à l'Équateur et se trouvaient alors fermées à toute visite. Y relâchant, nous avons signalé une avarie de moteur. L'autorité de Quito est bon enfant. On feignit de nous croire et nous pûmes explorer pendant dix jours cet archipel si remarquable : il n'y a pas que les iguanes, il y a la flore. En bas, c'est la pierraille, aride, quelques centaines de mètres plus haut, c'est la selve tropicale. Drôle de coin. On a passé un jour deux fois la ligne en faisant le tour d'une île, Santa Isabella. Puis nous mîmes cap à l'ouest, des orques épaulards vinrent nous saluer, et nous ne rencontrâmes plus âme qui vive, même un oiseau, pendant deux mois.

On s'embête, pour rester poli, pendant deux mois, sur le Pacifique. Bon, il y a le quart à faire, mais le reste du temps la vie quotidienne y est monotone dans un espace restreint. Parmi les « distractions », il y avait encore à l'époque le point à calculer – on naviguait sans balise Argos ni GPS, ni bien sûr Galileo. J'en ai conservé un exemplaire, sur un morceau de carton à dessin. Ce n'est pas si simple. On n'a que son sextant, le bateau qui bouge et le ciel, quand les nuages veulent bien le dégager. Et puis il y a les calculs, plutôt barbants.

C'est peut-être pour cela que je me suis lancé dans l'aventure d'écrire, pour fuir l'ennui. Jusque-là ma paresse et ma pudeur m'en avaient dissuadé. Tout d'un coup je me suis laissé faire une douce violence. Comme un parlementaire radical-socialiste, j'ai cédé aux sollicitations de mes amis qui me poussaient à raconter ma vie. Pensez : j'avais passé quarante-sept ans ! J'étais éditeur de disques, j'avais été orphelin de guerre, étudiant, mineur de fond, marin pêcheur, parachutiste, deux fois député, tribun, paria, frondeur, fondateur et chef d'un parti politique. Il était temps de dresser un bilan. Bloqué sur quelques mètres carrés dansant sur l'océan, je ne pouvais plus me retrancher derrière mes activités professionnelles ou politiques ni mes obligations familiales. J'étais quasiment forcé de prendre la plume.

Je ne l'ai pas reposée. En finissant ces *Mémoires* commencés voilà quarante ans, je peux l'avouer en touchant du bois, j'ai eu une belle vie. Le petit Jean-Marie Le Pen, né sur le coup de trois heures du matin le 20 juin 1928 à La Trinité-sur-Mer (Gémeaux ascendant Taureau, donc, Dragon dans le calendrier chinois), n'a pas eu trop à se plaindre dans l'ensemble. Mais le soir du plus beau jour comporte toujours une ombre de tristesse. La mienne vient de mon plus long amour, la France. Je vais raconter l'histoire d'un petit Breton poussé dans la Grande France. Or ces aventures picaresques s'inscrivent dans une tragédie : à mesure que je grandissais puis que je prenais une certaine importance, mon pays rapetissait, jusqu'à changer du tout au tout, comme jamais il ne l'avait fait en deux mille ans d'histoire. Cet étrange phénomène fut le ressort de ma vie politique et le chagrin de ma vie tout court.

Il ne doit pas prendre cependant toute la place. Sur l'océan du grand âge mieux encore qu'au milieu du Pacifique on mesure que la vie est brève comme le chante l'office des défunts, et l'on distingue ce qui en fait le prix. Alors on se retourne naturellement vers l'origine. Pour ma part : mon père, ma mère et moi, à La Trinité-sur-Mer.

2. La Trinité-sur-Mer

Chaque époque a ses préjugés. Hier, les vieilles disaient : « Il faut faire comme on a été appris », ou : « Bon sang ne peut mentir ». Ce n'est pas du goût de la nôtre. Elle agit comme une secte. Elle rejette toutes celles qui l'ont précédée, les signale au mépris de ses adeptes, tient l'hérédité pour suspecte et secondaire, la tradition pour néfaste, le concept d'identité pour creux ou fallacieux, elle arrache les enfants à leur famille et à leur histoire pour les faire devenir ce que ses idéologues prétendent bon. Puis, satisfaite, elle nomme cela liberté, éducation, laïcité.

Je l'en désapprouve. Sans doute le petit de l'homme n'est-il pas à la naissance ce qu'il doit devenir, mais on ne devient jamais que ce qu'on est. Un chat ne fait pas des chiens. L'homme ne saurait s'abstraire de sa nature. Je sais bien que de l'existentialisme sont nées beaucoup d'idéologies en isme qui proclament que chacun est ce qu'il veut être, et le déclinent de toutes les manières, mais pour moi ce sont des sottises, et dangereuses. Elles engendrent la haine de soi et de ses ancêtres. Je préfère être pieux. Rendre grâce au ciel de ce que mon père, ma mère et mon pays ont fait de moi et pour moi. Je me sais le produit d'une terre, d'un peuple et d'un moment de l'histoire, j'en suis fier. J'en sais gré à mes ancêtres, même s'ils ne furent pas parfaits. J'accepte entier le legs qu'ils m'ont laissé, sans quoi je ne serais pas. Et j'en demande bien pardon aux culs-bénits de la pensée unique, mais je suis un « de souche ». Breton et Français toujours.

Je suis breton, Celte de pure souche morbihannaise, fils de ce Morbihan qui signifie « petite mer », à l'extrémité d'une grande terre, paysan par ma mère, marin par mon père.

Je tiens en effet au Morbihan tant par ma mère dont la famille vient de la région de Baden près d'Auray que par mon père, né comme moi à La Trinité, mais venu, par son père et sa mère, de Persquen dans la région comprise entre le Faouët et Guéméné-sur-Scorff, au nord-ouest du Morbihan.

C'est le hasard qui fit se rencontrer sur la côte ces deux « Pourlettes », ainsi nommait-on les habitants de la région de Guéméné : l'un terminant son service militaire dans la marine et l'autre venue, petite Pourlette, servir dans la maison bourgeoise du docteur Rigoine de Fougerolles.

Avant de devenir laboureurs de la mer par mon grand-père Pierre et son fils Jean, mon père, tous les Le Pen et tous les Hervé ont été, et ce, depuis avant la Révolution, comme en témoignent les travaux de généalogie qui me furent offerts gracieusement, laboureurs, oui tous laboureurs, et donc soldats sans doute.

C'est ainsi que je suis né dans un village de pêcheurs juché comme une acropole de mer Égée sur une colline qui domine l'aber de Crach. Quand j'étais petit garçon, la vie y était dure, parfois triste, mais elle était belle aussi, et gaie, et libre.

C'est aujourd'hui l'un de ces ports de plaisance que la démocratisation de la voile multiplie dans leur uniformité tout autour de l'Europe, encore qu'on n'ait pas tout à fait réussi à gâcher ici un site exceptionnel.

C'était, il y a cent cinquante ans, un hameau qui faisait partie de la paroisse de Carnac avec qui elle se partage les célèbres alignements mégalithiques, témoins d'une civilisation antérieure aux Celtes. Enfant, j'allais rêver parmi les dolmens et les menhirs.

La Bretagne se fait ici moins rude qu'en ses caps extrêmes. L'abri que lui fournissent les îles du Ponant et la baie de Quiberon, l'ensoleillement qui permettait naguère encore la récolte du sel marin, contribuent à faire de cette suite de presqu'îles qui s'échelonnent de

L'Odet à la Vilaine, un paysage tout de douceur. Le pays des anciens Vénètes rappelle celui des Grecs.

La lumière y est exceptionnelle, et je ne connais guère de spectacle plus émouvant que la tombée du jour l'été, quand la lumière rasante éclaire à travers la forêt des mâts les maisons blanches coiffées de bleu dans les ajoncs et les pins de Saint-Philibert. Il y a ici, comme partout ailleurs, des moments pour « voir » le paysage, pour sentir le pays.

La mer qui s'acharne sur les côtes sauvages de Belle-Île ou de Quiberon se fait calme et l'eau remonte profondément à l'intérieur des terres dans une caresse furtive et bi-quotidienne. Chateaubriand a dit ailleurs ce paysage où terre et mer se mêlent intimement. Les vaches paissent les herbes de la mer et les paysans pêchent à pied. Les ostréiculteurs sont de ces êtres hybrides, mi-paysans, mi-marins, ce qu'atteste leur régime social à cheval sur les métiers de la marine et ceux de l'agriculture.

Au temps de ma petite enfance, avant la Seconde Guerre mondiale, La Trinité-sur-Mer me semblait un tranquille microcosme. Du point de vue administratif, la commune n'était pas très ancienne, mais elle était active. Elle s'était séparée en 1864, sous le second Empire, de Carnac. Celle-ci n'était pas encore une ville balnéaire mais un bourg d'éleveurs qui faisaient défiler leurs bêtes à cornes tous les ans lors de la fête patronale de san Cornely, saint Corneille.

Mais l'enfant que j'étais regardait surtout la mer.

Mon bourg doit décidément beaucoup à Napoléon III : c'est lui qui a institué l'élevage organisé de l'huître en France et lancé les premiers parcs à huîtres. La Trinité fut dès lors un grand centre ostréicole, elle se targuait d'être le « berceau de l'huître plate ». Des maisonnettes avaient poussé sur les bords du fjord, devant lesquelles s'accumulaient au printemps les « tracas », rangées de tuiles badigeonnées de lait de chaux où allaient se fixer les « naissains » d'huîtres. À la fin de l'été, quand ces naissains, ces coquilles minuscules, atteignaient la taille d'un ongle, les femmes du pays les décollaient des tuiles, qu'elles grattaient à sec avant de les repasser à la chaux et de les réemployer.

Les naissains quant à eux étaient ensuite élevés dix-huit mois avant d'être vendus, soit pour l'engraissage sur place, soit pour l'exportation vers Belon ou Marennes. Si les marennes diffèrent beaucoup des belons au moment où on les consomme (adultes, à trois ou quatre ans), les unes et les autres sont identiques à la naissance et viennent toutes du banc d'huîtres mères de la Baie de Quiberon.

Il y avait aussi une fabrique de brouettes, une tuilerie, et après la deuxième guerre mondiale une petite usine de pâtisserie était venue s'établir à Crach. Elle produisait entre autres la Trinitaine, une espèce de tube de pâte craquante, un peu comme les cigarettes, en plus gros, qui partait comme des petits pains.

La Trinité était alors aussi la tête d'une petite ligne commerciale dont l'autre extrémité était Cardiff en pays de Galles. Deux goélettes d'un armement de Paimpol, anciens terre-neuvas convertis en caboteurs, chargeaient les poteaux de mine qui s'empilaient sur les quais et déchargeaient du charbon au retour.

En outre, la plaisance se développa chez nous entre les deux guerres, attirant une clientèle de touristes fidèles qui se faisaient construire des villas. La Trinité devint l'un des principaux clubs de régates de France, créé dès 1892, juste après Le Havre. La Société des Régates s'en occupait, qu'on a rebaptisé bêtement Société nautique. Je me souviens de magnifiques voiliers qui avaient appartenu au roi d'Espagne, en particulier le *Cantabria*, le *Toribio*, le *Gwalarn*, l'*Osborn*, une classe de longs voiliers les huit mètres J.I. qui en mesuraient quatorze, très fins, très élégants. J'ai navigué plus tard sur l'un d'eux, le *Coq gaulois*. Avant-guerre, nous regardions passer des jeunesses turbulentes et leurs bateaux.

Nous admirions plus encore la Royale, quand l'escadre de l'Atlantique venait en baie de Quiberon. La France avait alors la troisième marine de guerre après la Royal Navy et l'US Navy. Il y avait entre autres les cuirassés *Bretagne*, *Provence*, *Lorraine* et leurs navires d'escorte, les torpilleurs et contre-torpilleurs, les plus rapides du monde disait-on. Je les regardais fier et excité, je rêvais de devenir un jour officier sur l'un de ces navires.

Mais le spectacle quotidien, au port, sur les quais, dans les rues, était celui qu'offraient les marins pêcheurs. La Trinité a la chance d'être l'un des rares ports en eau profonde de la région, accessible à toute heure de marée, qui plus est abrité des houles du grand large par la presqu'île de Quiberon et les îles de Houat, Hoëdic et Belle-Île. Au moindre coup de chien, les bateaux du coin s'y réfugiaient – et d'autres, venus de plus loin. Les sardiniers de Quiberon et du Finistère qui suivaient la remontée saisonnière de la sardine, les Boneuis du Bono, les Sinagots de Séné sur leurs bateaux à fond plat noirs avec des voiles latines rouges, toutes les flottilles descendant des petits villages de pêcheurs cachés au fond des fjords, baptisés rivière d'Auray ou rivière de Vannes, y côtoyaient les grands thoniers aux gréements multicolores d'Yeu et d'Étel, alors premier port thonier de France. Les îliens formaient aussi des communautés très unies et solidaires, Grésillons, Belle-Îlois, Houatais.

Quand le mauvais temps s'installait, tout ce monde s'installait aussi.

Ces jours-là, dame, il faisait chaud sur le quai, les cafés, surtout ceux où mijotait la godaille (ces poissons qu'on ne vend pas et qu'on réserve aux proches) des équipages, étaient pleins d'hommes rudes en vareuse et pantalon de toile « bleu de chauffe » uniforme des marins d'ici, la toile rouge indiquant les marins finistériens, des « *chtous* » comme on disait, au parler guttural et à l'allure farouche.

On buvait sec et le quai était souvent le théâtre de batailles violentes et brèves qui se terminaient tantôt dans le port, tantôt devant la chopine de réconciliation. Pour ces hommes éloignés de leur foyer et dont les bateaux étaient dépourvus de tout confort, le bistrot était le seul refuge. À midi, on y faisait immuablement la cotriade.

3. La vie dure

On a parfois relevé que j'avais le poil raide, j'ai encaissé quelques claques dans ma vie sans dévier de mon cap. C'est que je viens d'une lignée et d'une époque où l'on a connu la vie dure. Cela tanne le cuir.

Jeunes mariés, mes parents habitaient en haut du bourg, une maison basse au toit d'ardoise et aux murs crépis blancs qu'ils partageaient avec deux autres familles. Seuls les bourgeois habitaient des maisons à étage. La pièce unique était divisée en deux par une cloison de bois, d'un côté la chambre, de l'autre la cuisine, salle à manger, salle de séjour. Quand je suis né, le sol était encore en terre battue. Il n'y avait bien sûr ni gaz, ni électricité, ni eau qu'il fallait aller chercher à l'une des pompes ou robinets du village. Le plus proche de chez nous était au quai à plusieurs centaines de mètres en contrebas. Les grands portaient deux seaux de dix litres, les petits un broc de quatre litres.

Pour laver, les femmes allaient au *douet* (lavoir) où, dans le bain crémeux des lessives précédentes, on battait hardiment le linge en déchiquetant les réputations.

À la maison, j'ai vu en grandissant poser une chape de ciment dans la salle commune, puis du parquet dans la chambre des parents, avant d'avoir plus tard ma chambre. L'électricité, elle, est venue peu avant la guerre, une lampe par pièce, le grand luxe, comparé à la maigre lumière que dispensait jusqu'alors une lampe à pétrole de verre bleu que je conserve comme un trésor. Elle me garde de l'orgueil.

Il me faudra attendre l'après-guerre pour découvrir chez mes amis Chanlin à Vannes ce qu'est un appartement bourgeois, avec une cuisine, une salle à manger, un salon, un vestibule, des chambres. Mon père gagnait pourtant bien sa vie, mais tel était alors le niveau de vie normal d'un jeune ménage à La Trinité. Et je venais d'un milieu beaucoup plus pauvre encore.

Je sais par tradition orale que Pierre mon grand-père était le douzième d'une famille de quinze enfants dont le père fut, encore jeune, tué dans un accident de charrette, l'accident de la route de l'époque. Il n'y avait alors aucune disposition sociale ou familiale prévue pour y parer. La maman garda près d'elle les trois plus petits, les autres durent partir pour gagner leur vie.

Pierre avait cinq ans et eut la chance d'être embauché comme « bugul » (berger de vaches) dans une ferme où il était nourri à l'infortune du pot, et logé dans le grenier à foin. On lui devait, en outre, par an, une culotte, une chemise et des sabots. Il ne lui serait pas venu l'idée de se plaindre. Il mangeait à sa faim. Le temps des disettes n'était pas si loin.

Il grandit, fit son service militaire à Madagascar, lors de l'expédition Gallieni contre la reine Ranavalo, en 1895. À son retour il acheta un bateau, une maison, épousa une payse. Elle se nommait Marie, c'était un bout de femme haute d'un mètre cinquante, mais d'un caractère de fer. Il en eut cinq enfants, l'aîné Pierre qui resta sans postérité, ma tante Marie-Anne mariée à un Le Rouzic qui eut quatre mioches, Louis qui resta célibataire et Yves qui mourut à l'âge de dix ans d'une méningite. Jean, mon père, fut seul à continuer le nom de Le Pen.

Marie, sa mère, allait par le pays poussant sa brouette pleine de poissons, le dernier né assis sur la pêche du jour. Ils vivaient du produit de la vente et économisaient sou à sou pour investir. En 1925, en plus de la maison et du bateau, ils s'achetèrent une camionnette. Un changement de vie et une ascension sociale considérable. Cela demandait une énergie extraordinaire. Dès que ma grand-mère voyait un billet, elle l'attrapait et ne lâchait plus. Elle le cachait on ne savait où. Ils ne vivaient que sur la monnaie, les pièces. On l'a dite grippe-sou. C'est facile à qui vit dans l'opulence. Elle avait peur de manquer. Elle et mon grand-père, partis de rien et analphabètes, ont donné à leurs enfants une vie décente.

Hélas, ils s'entendaient mal. Un jour de mauvais temps mon grand-père Pierre rentra la cale vide, il avait perdu son chalut en plus. Quand il s'assit à table, son assiette resta vide. Il demanda :

– Alors, Marie, y'a rien à manger ?

Elle répondit sans bouger :

– Ceux qui gagnent pas mangent pas.

– Mais, Marie…

– Ceux qui gagnent pas mangent pas.

Il était timide. Il resta muet et partit chez Dantec, la petite épicerie bistrot où il avait ses habitudes. Après quelques pernods, il eut le courage de jeter le mobilier par les fenêtres. Il était fruste et entier, mais un peu de douceur aurait suffi à le faire fondre. Hélas, la vie n'avait pas donné à ma grand-mère Le Pen de grandes réserves de douceur. Elle luttait pour vivre et pour les siens, et elle était aussi dure pour elle-même que pour les autres. Après l'un de ses accouchements, malgré les conseils du médecin, elle se leva pour aller au lavoir, afin d'accomplir toutes ses tâches sans perdre un moment. Et quand son mari fut mobilisé en 1914, elle éleva seule sans aide trois de ses cinq enfants.

Ces deux têtes de pierre finirent par se séparer. À propos de l'argent du ménage auquel ils contribuaient tous deux. Pierre découvrit un jour le magot de Marie, cousu dans un jupon. Il eut un geste pas très élégant, ni opportun. Il mit la main dessus. Une somme, 140 000 francs ! Pour donner une idée, la maison leur en avait coûté dix mille, un peu plus tôt il est vrai. Avec les précieux billets, il acheta quelques actions d'une valeur marocaine qui devait se dévaluer presque aussi bien que l'emprunt russe. L'État et les banques s'entendent à merveille pour nous tondre et le papier qu'il avait acheté si cher ne valut vite plus grand-chose. Je le sais, j'ai brûlé ma part d'héritage en une seule nuit au quartier latin.

Ma grand-mère découvrit qu'il l'avait volée. Ce fut la fin de leur ménage. On ne divorça pas, bien sûr, cela ne se faisait pas, cela ne leur vint même pas à l'esprit. On se sépara.

Ce fut une séparation… de proximité. Elle dura vingt ans.

Pendant vingt ans, ce couple qui avait élevé cinq enfants, vécut en vis-à-vis, porte-à-porte à un mètre de distance, sans jamais s'adresser la parole. Jamais. Quand l'un de nous rendait visite à « l'autre », la réflexion ne manquait pas de tomber :

– Maint'nant tu vas aller voir la vieille garce ?

Ou :

– Alors comme ça, tu as été voir le vieux singe.

Quand le grand-père entra en agonie, ma mère demanda à Marie de venir. Elle refusa. Net. Malgré l'insistance de sa bru. Elle salua juste le corps de son mari une fois bien sûre qu'il était mort. Et encore ! Elle n'entra pas dans la pièce, ne prononça pas une parole, fidèle à son vœu d'éternel silence et de vengeance. Elle se contenta d'un signe de croix de loin, précipité, avare. Le minimum conjugal de l'adieu.

Du côté de ma mère, on était moins rugueux, il régnait chez eux une douceur de mœurs, une gentillesse souriante, mais la vie n'était pas toujours plus facile.

À l'inverse des Le Pen qui ne surent jamais lire ou écrire mais seulement compter, mon grand-père Vincent Hervé avait été au collège jusqu'en 4e. Il avait trois sœurs qui vivaient bourgeoisement à Auray, c'était « les tantes d'Auray ». Ma grand-mère, comme lui, savait lire et écrire, et parlait aussi bien le français que le breton.

Vincent s'était cassé la jambe dans sa jeunesse et marchait avec une canne. Avec Marie-Vincente (on disait Maruissan), il eut sept enfants : cinq garçons et deux filles, Marie, ma mère, et Jeanne, qui seront toutes deux veuves de guerre. Ils les élevèrent sur une ferme de quinze hectares dont cinq de lande. C'est dire que ce n'était pas ripaille à tous les repas.

Ma mère et ses frères et sœurs allaient à l'école au bourg de Locmariaquer, à pied, à cinq kilomètres. On partait et on rentrait de nuit, d'abord dans un chemin creux puis un sentier en dur, enfin la route nationale. Été comme hiver, on portait ses sabots autour du cou et on marchait pieds nus pour ne pas les user. On ne les chaussait qu'en arrivant dans le village où il fallait faire bonne figure.

La ferme comptait un cheval, un ou deux cochons et leur portée, une dizaine de vaches, des poules.

On ne mangeait des œufs qu'une fois par an, le jour de Pâques mais ce jour-là, à volonté. On déjeunait de tartines beurrées, à condition de n'être pas punis. Car dans ce cas, la maîtresse grattait le beurre et ne donnait à manger que le pain sec.

Marie-Vincente allait à vélo au marché d'Auray le lundi à treize kilomètres où elle vendait ses œufs, son beurre, un poulet ou deux dont le profit permettait l'achat d'un vêtement ou d'un outil.

La ferme au toit de chaume où nichaient des dizaines d'hirondelles, comportait quatre pièces. L'une servait d'écurie au cheval, une autre, la principale, d'étable aux vaches : elles ouvraient au centre sur celle qui était réservée aux humains, dont le sol était de terre battue. S'y trouvaient une table, deux bancs et les deux lits : celui du père et celui de la mère. L'âtre ronflait en permanence sous les pommes de terre qui formaient l'essentiel du menu et de la baillée des cochons. Les poutres vermoulues attestaient de l'âge avancé de la demeure. Seule note de modernité, une centrifugeuse à main permettait de séparer la crème du lait pour faire le beurre, le petit-lait allant, lui, à la baillée des cochons, on l'y mélangeait à des patates écrasées et des tranches de betteraves.

La dernière pièce comportait une armoire, une table et trois lits : les deux filles dormaient dans l'un, les cinq frères dans les deux autres, au moins jusqu'au moment où les plus âgés partirent sur le trimard. Louis et le benjamin Vincent s'établirent paysans au hameau, l'aîné Joseph fut marin de commerce, Robert boucher et Jean sous-officier de l'aéronavale.

Généralement, on mangeait des pommes de terre, avec du lard à midi et du lait caillé à dîner. C'est la guerre et les tickets de rationnement qui apprirent aux paysans à consommer du fromage ou du chocolat.

À la maison, nous étions un peu plus choyés. Maman préparait toutes sortes de soupes délicieuses. Nous ne passions pas un repas sans soupe, de légumes, de bœuf, de porc, de poisson, au lait, à l'oignon, avec ou sans vermicelles, perles du japon, lettres de l'alphabet – tout ce qui peut accompagner le pain et varier les jours. Le mot cuisine me rappelle maman et ses soupes, je demeure amateur de plats simples qui nourrissent. Je fais attention à ce qu'il y a dans mon assiette mais je ne me prétends pas fine gueule, je ne ferais pas un détour pour une table réputée. Pour me réchauffer, après le vent de mer, je préférais le viandox au café.

Il y avait bien sûr aussi du poisson à la maison, quand mon père rentrait de la pêche, la godaille, mais ce n'est pas cela qui me l'a fait aimer, au contraire, je finissais par ne plus pouvoir le voir. À tel point que plus tard, jeune homme, lors d'une campagne à la sardine vers Quiberon, je suggérai de remplacer dans nos gamelles le poisson par de la viande : le patron me fit comprendre que ce n'était pas à un Parigot de décider de l'ordinaire du bord. Quoi qu'il en soit, les beaux morceaux de viande, surtout la viande rouge, étaient quasi inconnus. J'aimais que mon grand-père Le Pen m'invite le dimanche à partager son rôti, qu'il faisait cuire dans le four du boulanger.

Pour dire vrai, on se rattrapait de cette ascèse lors des fêtes. Elles étaient nombreuses : fêtes religieuses « carillonnées », fêtes familiales, baptêmes, premières communions et surtout mariages où étaient invités non seulement la famille mais le ban et l'arrière-ban des connaissances. Il y avait aussi les enterrements, avec là un bémol, avant de commencer le repas, on récitait un pater et un ave, le dos tourné à la table.

À Baden, juste après la guerre, je fus invité au mariage de deux de mes cousins, le frère et la sœur. Trois jours de ripaille pour huit cents invités.

Pour les spartiates affamés que nous étions, les fêtes étaient l'occasion de « manger plein son ventre », de transgresser les règles ordinaires d'une lésine que dictait la peur ancestrale de la disette, de cesser de manquer, de jouir de l'ivresse d'avoir trop, j'ai retrouvé cela dans les gueuletons de la Légion. Depuis, j'ai connu l'aisance, et, il faut bien le dire dans la France d'après les années soixante, la pléthore permanente. Combien de fois ai-je dû faire attention pour ne pas passer la barre des cent kilos ! Car, à celui qui a eu faim et qui aime bien manger, tout profite. Pendant que beaucoup d'hommes sont proches de la famine, l'Occidental, le Français d'aujourd'hui, a des préoccupations de repu – même et presque surtout le pauvre, que la publicité gave de nourriture à bas prix dont il s'empiffre pour calmer son angoisse du lendemain, et que menace en conséquence l'obésité : le système touche ici au comble de l'immoral.

Nous pouvons le déplorer mais nous ne saurions reprendre la vie que l'on menait voilà quelques dizaines d'années. Et cela ne touche pas seulement à la table ou à l'argent. La vie de nos parents serait trop dure pour les sybarites que nous sommes devenus. J'en veux pour preuve l'anecdote que voici.

Les touristes qui peuplent nos côtes l'été n'ont pas idée de ce que sont en hiver les forces déchaînées de la mer. La tempête isole parfois plus d'une semaine les îles, pourtant proches, de Houat, et d'Hoëdic. Houat est une île admirable qui embaume l'œillet et le lys de dune, l'un finement poivré, l'autre plein de miel, au début de l'été. Elle était peuplée de pêcheurs avant-guerre (elle le reste, même si sa population diminue sans cesse) et c'était un régal de voir les enfants blonds sortir des maisons basses. L'île n'avait pas d'autre eau que l'eau de pluie et, les étés secs, on devait la ravitailler par bateaux-citernes. Avec le développement de la plaisance et des campings, la situation s'est aggravée, de sorte que l'État a installé dans les années soixante une usine de désalinisation expérimentale fonctionnant sur le principe de l'osmose inverse. Hélas, comme trop souvent en France, ce bijou technique a été mal conçu et le prix vingt fois trop élevé de l'eau douce obtenue a forcé à abandonner l'usine puis la démanteler. Ce n'est qu'en 2016 qu'un projet de captage a enfin passé le stade de l'enquête publique. On verra ce qu'il en adviendra, mais revenons pour l'instant à l'Houat complètement isolée de l'entre-deux-guerres.

Le recteur était le roi de cette république des travailleurs de la mer. Il remplissait beaucoup de fonctions qui n'appartiennent généralement pas à l'ordre ecclésiastique : instituteur, officier d'état civil, et aussi celle d'accoucher les femmes. Il n'y avait pas, bien sûr, de médecin dans l'île. Les îliens dépendaient de celui de La Trinité, lequel en échange d'une indemnité publique, s'y rendait quand le temps le permettait.

Un jour, un accouchement tourna mal, il fallait un médecin. La tempête faisait rage depuis plusieurs jours et le temps était si bouché qu'on ne voyait aucun des vingt phares qui balisent les dangers innombrables de cette partie de côte. Dans la chambre où l'on avait appelé le recteur, le futur père tordait son béret dans ses grosses mains couturées par les coquilles de crabe. D'un coup il lâcha :

– Je vais y aller chercher le médecin.

– T'es fou mon pauvre gamin, dit le recteur.

Mais à la fin, il ne s'y opposa pas. Avec son beau-frère et deux camarades, les voilà partis aux bas ris dans les rouleaux. Arrivés à La Trinité, ils montent à la villa du médecin, le docteur Rozé à l'époque. Celui-ci vint ouvrir, les quatre hommes ruisselant sous la pluie qui tombe à torrent.

– C'est pour une femme à Houat, il faut venir, elle va mourir.

Le médecin se récria, il était médecin, pas marin, encore moins suicidaire. Interdits, les hommes se regardent. Ils insisteront. Le médecin persistera dans son refus et leur fermera la porte au nez. Les hommes s'éloignent, courbant l'échine sous la bourrasque.

Un quart d'heure plus tard, ils étaient de retour, carillonnant à qui mieux mieux. Le médecin finit par ouvrir en maugréant :

– Encore vous ! Je vous ai déjà dit…

Il n'eut pas le temps de finir sa phrase. L'un des matelots avait sorti un cabillaud et l'avait pratiquement assommé. Ils le ficelèrent, le montèrent à bord et repartirent dans la furieuse tempête. La femme fut sauvée. Un mois plus tard, La Trinité avait un nouveau médecin.

4. Un métier d'enfer

Quand j'étudiais le droit à Paris, ma bourse ne suffisait pas à me faire vivre et j'ai tâté pas mal de petits boulots pour mettre du beurre dans les épinards : ambulant des PTT, mineur de fond, métreur d'appartement, enfin marin pêcheur, au chalut et à la sardine, ou même une année sur l'un de ces thoniers à voile qui allaient bientôt disparaître.

On m'a demandé à ce propos, les Français aiment les comparaisons académiques, quel est le plus dur des deux métiers, la mer ou la mine. Je n'en ai qu'une expérience limitée, et qui remonte à plus de soixante ans, mais alors, il n'y avait *pas photo*, comme on dit. Pour moi, le métier de marin de chalutier était bien plus pénible que celui de mineur, qui n'était pourtant pas une planque. Je sais que, depuis, des améliorations concrètes ont été apportées pour les rendre l'un et l'autre plus humains, dans la mesure où on les pratique encore chez nous. Je m'en réjouis. C'est la preuve que le progrès social n'est pas toujours une illusion.

Ni avant la guerre ni pendant, je n'ai pêché avec mon père : il refusait de m'emmener, par précaution, comme la reine d'Angleterre évite d'emmener ses héritiers dans son avion. L'événement a justifié sa prudence. Dans les années trente, le moteur diesel commençait sa conquête et l'étranger, notamment suédois, faisait de gros efforts pour placer ses marques. Grand-père avait donné un chalutier à mon père, *Persévérance,* en guise de paiement différé des années de travail accumulées auprès de lui. Il y avait dessus un « bolinder », moteur monocylindre, dont il fallait chauffer préalablement la tête de cylindre, « la boule », avec une lampe à souder avant de lancer à la main un énorme volant. J'ai travaillé après la guerre sur un bateau équipé d'un engin de ce type, un 90 chevaux. Les trépidations étaient telles que les boulons devaient être matés au marteau pour éviter qu'ils ne se dévissent et nous portions tous des suspensoirs très serrés, faute desquels l'orchite était assurée, on tenait à ses génitoires.

On naviguait à la « part ». Déduits les vivres et le fuel, le bénéfice de la vente était partagé en parts égales. Sur les petits bateaux, une part pour le bateau, une pour le chalut, une pour le matelot, le mousse ou le novice avait une demi-part, le patron une demi-part supplémentaire. Cette répartition où le travail de l'homme prend toute sa valeur et où les frais financiers pèsent relativement peu n'est plus possible. Le modèle économique d'aujourd'hui et la modernisation technique exigent des investissements considérables, la part de la machine, donc de l'armement, est devenue prépondérante.

L'embauche se faisait de gré à gré, en toute liberté. Le contrat de travail était librement établi et révocable par l'une ou l'autre partie, d'une simple phrase :

– Patron, je ne suis plus content d'être à bord, je vais aller au syndic.

La discussion s'amorçait souvent sans prévenir au moment d'embarquer. Sur un coup de cafard, une rancœur plus souvent, née d'une humiliation, que libéraient les libations qui avaient précédé le départ. Il ne restait plus au patron qu'à se rendre avec son rôle d'équipage chez le syndic des gens de mer pour régulariser la situation et se chercher un remplaçant.

Réciproquement, si le patron était mécontent d'un matelot il ne se payait pas de formes :

– Alexis, prends ton sac et débarque.

Parfois le bateau partait avec un équipage ivre mort, le novice à la barre jusqu'au moment du réveil. L'ivrognerie était un des fléaux de la Bretagne, qui y ravageait sa santé. Les sociologues se sont penchés sur cette attirance pour l'alcool et l'attribuent au climat humide, à la solitude, l'ennui, au caractère pénible de l'effort physique. Je crois, moi, que cela correspond à une faiblesse psychologique. Le Breton est un mélancolique et un timide à jeun avec son puissant tempérament refoulé. On dit parfois d'untel :

– Quand il est à jeun, il n'ose pas dire que son cul est à lui.

Alors il va boire pour se donner le courage de vous dire vos vérités. L'alcool le métamorphose et libère les violences que refoulent les pressions sociales.

– C'est un travailleur et il ne boit pas.

Tel était alors le brevet du bon mari qui assurerait la vie du foyer. Tant au moins qu'il serait vivant.

Mon père ne buvait pas plus qu'il ne fumait, et il travaillait dur. Sa *Persévérance* était un sloop à voile et à moteur. Ce type de bateau avait généralement quatre hommes d'équipage. Le sien, seulement trois. On travaillait plus mais on était moins à partager. Le plus dur était de remonter le chalut. On virait au treuil à bras et la pochetée ruisselante arrivant sur le pont, les deux hommes du treuil se relevaient au bord de l'épuisement. Couché à une heure de l'après-midi, on se levait à quatre. Le bateau appareillait à cinq. Il était rentré le lendemain matin pour la vente.

Et voici pourquoi, si dur qu'ait été le métier de mineur, celui de marin pêcheur l'était plus encore : le mineur, ses quarante heures finies, fussent-elles infernales, avait droit à deux jours de repos, une vie familiale, des amis, des loisirs. Le marin ne connaissait ni jour, ni nuit, ni dimanche, ni jours fériés. Il se trouvait privé sa vie durant de tout ce qui constitue le pauvre bonheur des hommes, caresser sa femme et ses enfants, jouer aux cartes avec les amis, ou flâner sur le quai. Il n'avait droit à cela que deux jours par quinzaine. Quand il rentrait le corps encore balancé par le roulis, il arrivait à la maison comme un étranger qui salit le carrelage. Les femmes vouées à la solitude et dotées de l'autorité familiale s'y habituaient.

Au moins le pêcheur ne risquait-il pas la silicose du mineur, il travaillait sous le ciel du Bon Dieu, dira-t-on. Sans doute, mais il vivait sous la pluie, la neige, le vent, les paquets de mer que chassait la tempête, tandis qu'il fallait, engoncé dans son ciré, les mains nues, étriper un par un les poissons avant de les glacer dans la cale. Tout cela vingt-quatre heures par jour, entrecoupées de brefs moments de sommeil sur la paillasse d'une couchette, sans même retirer son ciré ni ses bottes. En cas de mauvais temps, les chaussettes pourrissaient, les pieds aussi.

Et puis, il y avait le risque. Les naufrages ne faisaient pas les manchettes des journaux et les pêcheurs n'étaient pas des clients politiques dociles. La sensibilité populaire ne leur accordait pas l'intérêt qu'elle donnait aux catastrophes de la mine. Mais ils payaient leur tribut à la camarde, les marins bretons, tant à la mer qu'à la guerre.

Chaque année, des bateaux faisaient leur trou dans l'eau, présumés disparus quand la date de leur retour se trouvait suffisamment dépassée. Ils ne seraient réputés perdus, corps et biens, que si quelque épave caractéristique était retrouvée par un bateau ou rejetée sur le rivage, parfois des mois plus tard. Certaines années furent terribles : 1932, 1952 où deux ouragans d'équinoxe décimèrent la flotte de thoniers, plus de cent morts en 32, plusieurs équipages en 52, le père, les frères de la même famille sur le même bateau.

Parfois, c'était le miracle :

– Ils ont été sauvés par un chalutier espagnol.

Ou :

– Ils sont à Anvers, un cargo les a repêchés.

Mais le plus souvent, l'attente restait vaine et l'espoir déçu. Alors la misère s'installait au foyer, simplement, en plus du chagrin.

Mon petit voisin mourut au cours d'un de ces voyages et je vois encore descendre son cercueil au bout d'un palan sur la cale. La mer avait rendu celui-là.

D'autres avaient de la chance. Je pense à Paul Le Govic, matelot préféré de mon père avec qui il navigua pendant quinze ans. On l'appelait j'ignore pourquoi Bamboula, selon une curieuse coutume de son village du Bono, où l'on surnommait tout le monde. On lui aurait plus justement donné le surnom de Baraka. Il fut rescapé de trois naufrages, restant des heures accroché à des épaves. La première fois, il avait treize ans, son bateau avait fait naufrage en plein hiver, il était resté accroché, une jambe cassée, à un espar que les marins qui le sauvèrent le lendemain allaient devoir monter à bord avec lui, ses bras tétanisés ne pouvant s'en détacher. Il n'y a d'autre explication de ces survies que l'exceptionnelle vitalité de Paul, jointe à une santé physique peu commune. Il était encore à soixante ans champion de cross et d'aviron. Il avait même attrapé à la nage un dauphin égaré dans le bassin de retenue d'un moulin à marées de Plougoumelen.

Chasseur, pêcheur hors pair, Paul était d'une race indomptable. Il aurait pu être trappeur. Il pêchait encore le rouget avec sa plate et comme je lui demandais où il couchait en attendant de relever son filet :

– Avec mon ciré, je me couche dans les cailloux, dame, dans le goémon.

Tout simplement.

Après la guerre, la tempête, la brume, les mines et le vin rouge ont décimé en peu d'années la flottille de la SARPEC à La Trinité. Le naufrage était si banal qu'on ne racontait que les très exceptionnels. Tel celui que je me fis confirmer par un jeune homme du Bono, rencontré au café à Auray, dont j'avais lu l'extraordinaire histoire dans le journal. Enlevé par un paquet de mer, il se relève, suffoquant, crachant et blessé, devant des marins qu'il ne connaît pas. On lui demande :

– Qu'est-ce tu fais là ?

Lui répond sur le même ton :

– Vous êtes qui ?

La lame l'avait déposé sur un autre chalutier à la cape sous le vent.

Un autre rescapé d'un naufrage se présente à la prochaine marée pour compléter un équipage. Le capitaine lui demande :

– Qu'est-ce que tu fais là ?

– Je rembarque.

Il y a un moment de surprise, presque de gêne, ses camarades sont à peine enterrés. Mais il a déjà posé son sac. Il hausse les épaules pour s'expliquer :

– J'sais rien faire d'autre.

Et, à moi, avant d'embarquer, devant une chopine au zinc :

– Qu'est-ce tu veux, mon pauvre Jean, c'est la vie.

Métier de marin, métier de chien, disait-on couramment. Pourtant mon père n'en voulut pas d'autre. Une place dans l'hôtellerie de luxe lui fut proposée. Il refusa finalement. Son frère, mon oncle Pierre, qui devait finir directeur d'un restaurant connu, la reine Pédauque, était maître d'hôtel au Crillon dans les années vingt. Quand mon père eut fini son temps de service, en vingt-deux, il l'invita à Paris :

– Il y a trop de malheur à la mer. Viens donc ici, tu seras mieux.

Mon père tenta la chose. Il s'habilla (cravate blanche et queue-de-pie, « déguisé en pingouin »), apprit le métier et les manières que les gens riches ont en naissant, fut garçon un an dans l'un des plus beaux hôtels de la capitale. Puis il remercia son frère et repartit pour La Trinité, reprit le bateau et le métier de son père, se maria. Ce devait être dur, et dangereux, un peu juste aussi au début pour nous faire vivre, mais il serait toute sa vie son propre patron. Ne dépendant que du temps, de la chance et de son travail. Ne devant de compte qu'à Dieu, aux siens et à lui-même. Il ne voulait pas finir « larbin ».

On était chatouilleux sur la liberté, chez les pêcheurs. On n'aimait déjà pas les fonctionnaires ni les ouvriers d'arsenal, réputés ivrognes et paresseux. Tous ces gens qui acceptaient de se soumettre à une hiérarchie contraignante, les « bœufs », comme on les nommait, les fayots, les *beans*. Les gendarmes, les gardiens de phares, les douaniers, les garde-pêches, tous ces métiers de fainéants, disait mon père. Mon père n'aimait dépendre de personne en fait, pas même des mareyeurs. Une fois, je l'ai vu rejeter à l'eau le poisson qu'on ne lui prenait pas un bon prix. Je crois que je tiens un peu de lui.

5. Le dernier des cap-horniers

Fidèle à mon nom (en breton, *Le Pen* veut dire « chef »), j'étais un chef naturel. Président de la Corpo de droit quand j'étais étudiant, initiateur d'une opération d'aide aux Néerlandais sinistrés par les tempêtes de 1953, puis député à vingt-sept ans, chef de parti, j'ai toujours aimé être premier, et quand j'ai servi mon pays en Indochine et en Algérie, je me suis engagé chez ceux qu'on disait les meilleurs, les parachutistes de la Légion.

Cette soif d'excellence, où il entre certainement de l'orgueil, je la dois à mon père. C'est lui, d'abord, qui a voulu que je fasse des études supérieures pour sortir d'une condition difficile qui lui avait pesé. Puis il appartint lui-même à une élite très restreinte, une survivance de la marine en bois, il fut l'un des derniers cap-horniers. C'est en hommage à sa mémoire et pour transmettre le souvenir d'un passé tout proche que je brosse ici ce chapitre un peu à part en m'aidant de quelques souvenirs qui ne sont pas à moi.

Août 14, c'est la guerre. Mon grand-père Pierre Le Pen part dans les premiers jours de la mobilisation. Ma grand-mère Marie reste seule, sans ressources : le père mobilisé, comment nourrir cinq enfants même en travaillant ? Les bateaux, sans hommes, sont désarmés les uns après les autres.

La mère envoya sur le trimard les deux aînés qui avaient leur certificat d'études. Jean mon père, qui n'avait pas encore treize ans, partit pour le long cours grâce à la recommandation d'un « pays », capitaine d'armement à Nantes.

Il est difficile d'imaginer aujourd'hui ce qu'étaient les grands voiliers, « ces oiseaux du cap » qui, mus uniquement par la force des vents, s'en allaient, parfois pour des années, de port en port autour du monde.

Voici, telle que me la raconta mon père qui en avait gardé l'empreinte, et que l'ont croquée le commandant Lacroix et Yvon le Scal, la saga héroïque d'une caste de mer.

Après avoir été, de Colbert à Louis XVI, la deuxième puissance maritime du monde, la France avait décliné tout au long du XIXe siècle et en 1894, elle n'occupait plus que la neuvième place derrière la Grèce. Les gouvernements s'étaient émus, et pratiquèrent, dès lors, une politique d'aide à la construction et à l'armement qui produisit cent cinquante grands voiliers de 1896 à 1904.

Riche en charbon, l'Angleterre avait, elle, choisi délibérément la vapeur mais Allemands et Français se livrèrent autour des gros cargos à voile une bataille homérique. On lança, en France des bateaux de cinq mille tonnes de port en lourd, en Allemagne des cinq mâts de sept mille tonnes, la palme revenant au France II, cent vingt-huit mètres, huit mille tonnes de port en lourd et six mille mètres carrés de voilure. Ces bateaux, dont les progrès techniques dataient de la ruée vers l'or dans l'Ouest américain, pouvaient concurrencer victorieusement la vapeur pour les marchandises pondéreuses et sur de grandes distances : blé de France, nitrate du Chili, nickel de Nouvelle-Calédonie, riz indien, laines d'Australie, charbon anglais, bois scandinaves, ciments et fers allemands.

La plupart d'entre eux étaient des frégates à trois mâts de trois mille tonnes et de quatre-vingts mètres de long. L'équipage, recruté en majorité sur les côtes de Bretagne du Sud était mené par un capitaine qui avait gravi un à un les échelons de la hiérarchie. Il comptait vingt-quatre hommes. Si l'on met à part le commandant, le cuisinier, le charpentier, le mécanicien et les mousses, il ne restait dans chacune des deux bordées que neuf hommes, l'un d'eux de barre et l'autre de veille au bossoir. C'est donc sur sept hommes seulement que reposait la manœuvre de trois mille mètres carrés de toile soit une moyenne de plus de quatre cents mètres carrés par homme. Les bâbordais étaient sous les ordres du second, les tribordais sous ceux du maître d'équipage : le Bosco.

Les équipages, souvent recrutés au pays, étaient complétés par les capitaines auprès des « marchands d'hommes, ou chez les hôtesses où ces compagnons du Tour du monde se reposaient des fatigues de la campagne. « Branle-bas chez son hôtesse Bitte, bosse et largesses » dit la chanson.

À peine appareillé, le navire bien calé dans ses lignes d'eau envoyait toute la toile possible car pour tous, et singulièrement l'armateur, le temps c'était de l'argent. Souvent il ne fallait pas attendre d'être loin du port pour faire connaissance avec le mauvais temps. Mais ce n'était que bluette de jeune fille à côté de ce qui les attendait dès que serait franchie la zone des alizés, paradis du marin, à mesure qu'on s'approchait de la route des trois caps et surtout de celui qui lui vaudrait le nom envié et redouté de « cap-hornier ». En effet, déjà monnaie courante ailleurs, les coups de temps étaient la règle au cap Horn.

Doubler l'extrême pointe de l'Amérique du Sud signifiait faire treize cents milles marins, soit deux mille cinq cents kilomètres, dans une des mers les plus hostiles du monde. Dans le meilleur des cas, il y fallait au moins un mois, dans des mers énormes aux vagues hautes comme des immeubles de cinq étages. Sous un ciel bouché, alternant les grains de vent, de pluie, de neige et de grêle. Vingt-deux jours sur trente, le vent souffle à plus de soixante-dix kilomètres heure, cinq jours sur sept de l'ouest, la mer est à un ou zéro degré, l'air (le vent) entre plus dix et moins trente degrés l'hiver.

Les équipages qui pendant la traversée des alizés avaient profité de leurs sept heures et demie de sommeil quotidien préparaient le navire pour les latitudes terribles : les Roaring forties comme disaient les Anglais, les Quarantièmes rugissants.

On dégréait les voiles de beau temps et on les remplaçait par les « chemises de bonne sœur », toiles épaisses et raides comme de la tôle.

Arrivés dans ces latitudes, les hommes ne connaissaient alors ni trêve, ni répit. De jour comme de nuit, la bordée de quart était appelée à la manœuvre sur le pont ou dans la mâture. Engoncés dans leurs vêtements cirés, les jambes lourdement bottées, ils montaient par les enfléchures jusqu'à cinquante mètres au-dessus du pont. Le froid, coupant comme un rasoir, brûlait les visages et engourdissait les mains. La pluie, la neige, la grêle aveuglaient. En hiver, il faisait nuit, dix-huit heures par jour, de trois heures de l'après-midi à neuf heures du matin, autrement dit les trois quarts du temps il faisait noir. À tâtons, il leur fallait alors se glisser le long des vergues, les pieds en équilibre sur le marchepied, simple fil d'acier parfois enrobé de verglas. En bout de vergue, celle-ci arrivait au genou et l'on pouvait basculer, au milieu, elle arrivait à la poitrine et on risquait de passer dessous. Tous les mouvements imprimés à la coque par la mer démontée se répercutaient là-haut par des ballants vertigineux, brusquement stoppés par les coups de mer. Il fallait alors crocher de toutes ses forces dans l'épaisse toile à voile raidie encore par le gel et tenter de brasser le cacatois ou le perroquet à peine étouffé par ses cargues. Ballonnée par le vent, la toile battait follement, arrachant les ongles et menaçant à tout instant de jeter bas les matelots. Décimètre après décimètre, main sur main, ils finissaient pourtant par la former en un gros boudin que l'on serrait par des rabans.

Il ne restait plus qu'à passer à une des autres voiles d'une mâture qui en comptait trente.

Sur le pont, entre deux manœuvres, on dormait debout jusqu'au ventre dans l'eau, amarré par un bout aux râteliers de pied de mat. Si l'on y manœuvrait, on devait veiller aux lames qui déferlaient et au cri « un paquet », on bondissait dans les enfléchures, tandis que deux à trois cents tonnes d'eau bouillonnante balayaient le pont.

Qu'un pied vînt à manquer, qu'une poigne lâchât sa prise et c'était la mort sans phrase, que l'on s'écrasât sur le pont ou que l'océan vous emportât. Par mauvais temps, un homme à la mer était un homme perdu, auquel on ne jetait même pas de bouée, pour abréger une agonie sans espoir.

Sur la dunette arrière, le capitaine, prêt à donner ses ordres au timonier à sa barre veillait à la côte ou aux icebergs.

L'air soufflait en tempête dans les trente mille mètres de filin d'acier qui composaient la toile d'araignée des haubanages, les faisant hurler dans des registres différents comme des milliers de cordes de violons grattées par un archet géant. Sur le fond des hurlements de vent, le choc des filins et des poulies sur les mâts métalliques, le grincement des espars, le claquement frénétique des voiles, le fracas formidable des vagues se brisant tout autour et sur le bateau lui-même jouaient une symphonie fantastique pour titans de la mer. Dans ce hourvari infernal, les cris des hommes n'étaient que murmures et les chants sauvages qu'ils poussaient de leurs voix rauques pour appuyer leurs efforts inhumains étaient emportés par les paquets de mer arrachés aux crêtes blanches des lames par la brise en furie.

Encore heureux si personne n'avait vu ou cru voir dans la mâture, l'Oiseau Biligou, messager de malheur.

Le quart terminé, tribordais ou bâbordais, les mains en sang dans leurs vêtements trempés qu'ils ne quittaient parfois pas pendant plusieurs semaines, regagnaient le poste avant, se contentant de vider leurs bottes. Ivre de fatigue, chacun se faufilait dans la caisse métallique de sa couchette et tombait comme une masse sur sa paillasse mouillée pour trois heures de sommeil, à condition que la bordée de repos ne soit pas rappelée sur le pont par quelque incident.

Il fallait alors au chef de bord une dialectique virile et de larges épaules pour arracher des corps brisés de fatigue à leur pauvre tanière et les ramener dans l'enfer du pont.

Le règlement interdisait en principe de faire travailler les mousses dans la mâture. Quand, à seize ans, ils deviendraient novices, au contraire, les exercices les plus pénibles leur seraient réservés. Mais

« on était là pour apprendre » et l'administration était loin. Alors, on tirait de chacun le maximum de ce qu'il pouvait donner.

La nourriture qu'on devait dépêcher en une demi-heure prise sur le temps de repos était spartiate. À midi, ou du lard salé, du singe ou de la morue, plat agrémenté de patates ou de fayots, le soir invariablement soupe de fayots et fayots. Les Norvégiens, eux, ne connaissaient qu'un plat : midi et soir, bouillie de froment. Les Français avaient droit en outre, chance insigne, à un demi-litre de vin par jour. Le capitaine, seul dans sa cabine, mangeait un menu amélioré.

Formé à la dure, il avait gravi un à un tous les échelons de la hiérarchie, en bavant à chacun d'entre eux, il n'avait pas une âme de première communiante. Certains étaient très durs, voire un peu sadiques. Un jour que le patron du Duquesne qui employait mon père s'était fait faire une jatte de pruneaux au vin, dessert royal en l'occurrence. Il en restait. Sans oser demander la permission de les manger, mon père les regardait avec un regard éloquent.

– Tu les aimes bien ?

– Oui balbutia l'enfant.

– Eh bien ! Ouvre le hublot et jette les un par un.

Quelques jours plus tard, on avait tué le dernier cochon du bord, et mon père, ramenant le sang caillé à la cuisine, glissa sur le pont verglacé. Celui-ci se répandit dans un endroit fraîchement passé au minium. Craignant d'être grondé, il se mit à genoux et ramassa le tout avec ses mains. S'étant vu, comme il s'y attendait, priver de boudin, il eut la joie de voir le capitaine en proie à une diarrhée carabinée. Plus de vingt ans après, il en riait encore en me le racontant.

Le cap franchi, à bout de forces, on gagnait rapidement les latitudes moins sévères et quelques jours de beau temps effaçaient les mauvais souvenirs, séchaient les guenilles humides et cicatrisaient les plaies et les douloureux clous de mer. Scorbut, béribéri, furoncles étaient les maladies les plus graves, avec les fractures. Du reste, il valait mieux ne pas tomber malade car l'hôpital du bord se composait d'une caisse de médicaments dont la nomenclature remontait à Louis-Philippe et dont l'ipéca était l'ingrédient principal.

Le Scal rapportait cette anecdote tenue d'un cap-hornier allemand : sur le Passat, il y avait dans la boîte des flacons numérotés de un à dix dans lesquels le lieutenant puisait en exécution d'une notice écrite. Un jour, venant à manquer de la potion requise et qui portait le numéro sept, il mélangea pour faire bon compte une partie des flacons trois et du flacon quatre !

Le chargement en rade de Valparaiso ou d'Iquique, une fois arrivé à bon port au Chili, pouvait passer après l'enfer pour des vacances, malgré les corvées d'entretien.

Mais, quand il fallait repartir, quand le subrécargue lancerait le fameux « Hisse le foc, tout est payé ! », on repartait pour une nouvelle aventure.

Le voyage de retour serait moins dur et la maison était au bout de la route.

Le métier exigeait des hommes une trempe exceptionnelle au physique comme au moral. Il exigeait une somme impressionnante d'aptitudes professionnelles. Aussi, du marin au capitaine lui-même enfant de la balle, les longs courriers constituaient-ils une caste à part. Elle avait ses règles et ses traditions. Soumis par leur statut d'inscrits maritimes[1] à une obligation de discipline sévère, les marins en tiraient aussi des avantages. À bord, chacun se sentait solidaire de cette communauté fermée, encadrée par une hiérarchie polie par les siècles, cohabitant et collaborant sans familiarité dans le respect réciproque. Le prestige du long-cours, le goût des voyages, l'amour de la mer, l'habitude ancestrale permettaient de recruter dans la population côtière bretonne les équipages nécessaires à cette activité périlleuse et mal payée, dont mon père gardait des souvenirs terrifiants.

Ce métier de trompe-la-mort, dont n'auraient pas voulu des bagnards même en échange de leur liberté, était payé trente francs

1. Les inscrits maritimes qui étaient « prêtés » par la « Royale » à la marine marchande, pouvaient faire 36, 42, 45 ou 52 mois de service militaire.

par mois au mousse, soixante-quinze au matelot, trois cents au capitaine. Les chances de jouir paisiblement de sa retraite en chauffant ses rhumatismes au soleil étaient minces : sur cent quarante trois-mâts nantais, quarante-six seulement échappèrent au naufrage, à l'incendie ou au torpillage.

Mais « tant que la mer est par-dessous, c'est le marin qui tient le bon bout ». Ces risques, ces souffrances ne tarirent jamais le recrutement tant au moins que la machine laissa survivre ces splendides cathédrales de voile, marchant « avec la respiration du bon Dieu » comme aurait dit maître Cornille, le meunier d'Alphonse Daudet. Quand l'évolution des techniques les condamna à la démolition, avec eux disparut la race des titans de la mer et fut tournée l'une des pages les plus poétiques et les plus émouvantes de notre histoire maritime.

Mais par un de ces paradoxes dont l'histoire est friande, au moment même où la machine imposait son monopole économique, la voile connaissait sous sa forme gratuite un succès immense.

Les courses à la voile autour du monde, ont pu, à tort, démythifier le cap Horn. Les matériels, les techniques, les parcours sont sans commune mesure. Cela ne retire aucun mérite aux marins d'ailleurs, surtout français, et majoritairement bretons, qui, à tout risque, continuent à faire vivre l'épopée de la voile.

Telle était la vie qu'allait connaître, à moins de treize ans, le petit bonhomme courageux qui, en avalant ses larmes, partait avec son baluchon sur le dos rejoindre Ipswich là-bas sur la côte est de l'Angleterre où l'attendait son bateau, le Duquesne, trois-mâts nantais.

Il n'emportait que quelques effets et un dictionnaire Larousse, cadeau de son maître d'école, qui le suivit autour du monde et que je conserve comme une précieuse relique dans sa reliure de toile à voile. Ajoutons cinq francs confiés avec mille recommandations par sa mère, deux francs pour un coffre de bois et trois francs pour une paillasse, plus les sous pour le voyage. Un voyage interminable pour un enfant qui n'avait jamais quitté sa maison et qui n'avait jamais navigué que sur le bateau de son père. Qu'on imagine l'itinéraire :

– La Trinité-Auray à pied.

– Auray-Paris Montparnasse en train.
– La traversée de Paris en métro.
– Le train à la Gare du Nord jusqu'à Calais.
– Calais-Douvres par le bateau.
– Douvres-Londres en train.
– La traversée de Londres en métro.
– Le train jusqu'à Ipswich.

Le tout dans des pays en guerre, sans savoir un mot d'anglais ! Il fut reçu à bord comme un chien dans un jeu de quilles – mais quand même enfin par des gens qui parlaient français. La grande aventure commençait qui allait transformer l'enfant en marin aguerri.

Des mois et des mois à la mer et hop ! Un saut à la maison et il change d'affectation et de rang, le voilà novice sur le Babin-Chevaye, un trois-mâts de la maison Bordes de Nantes, affrété par le gouvernement pour aller charger du nitrate au Chili.

La guerre, grande dévoreuse d'explosifs, exigeait des quantités toujours plus importantes de cette matière première. Mais l'ennemi veillait aussi sur les routes maritimes.

De retour du Chili, le 14 janvier 1918, le Babin-Chevaye est arraisonné par un sous-marin allemand qui le coule dans l'ouest-sud-ouest de Penmarch. Les deux baleinières de l'équipage étaient à soixante-dix miles de la pointe des Poulains à Belle-Île vers laquelle fit route celle du capitaine où était mon père. Malgré le mauvais temps, elle réussit à atterrir à Portivy sur la côte sauvage de Quiberon à quelques kilomètres à peine, à vol d'oiseau, de La Trinité-sur-Mer.

Le torpilleur Tromblon qui avait récupéré l'autre baleinière l'avait amenée à Port-Haliguen, encore plus près !

Mon père n'avait pas encore dix-sept ans.

Cinquante-quatre voiliers français devaient ainsi disparaître sous les coups des sous-marins et des corsaires allemands.

La guerre et la vapeur avaient eu raison de la marine à voile.

6. L'Église et l'école

Notre existence était réglée par deux cloches, celles de l'église et de l'école. La Trinité fut une paroisse avant d'être une commune, elle s'était construite autour de son clocher et vivait au rythme des fêtes religieuses. Noël, Pâques, la Pentecôte, le jour des Morts, la Fête-Dieu, et tous les saints. On célébrait avec faste les sacrements. Baptêmes, communions privées ou solennelles, confirmations, mariages, tous se succédaient, y compris le dernier, que suivait la bénédiction de l'enterrement. L'autorité du recteur et de son vicaire ne souffrait guère de discussion et l'Église donnait le ton de la vie sociale. Tout le monde y participait, sinon les quelques mécréants qui demeuraient dehors lors des obsèques. Encore s'agissait-il plus d'une posture que d'une conviction vraie. Les tombes sans croix se comptaient sur les doigts d'une main. On accordait à Dieu au moins les grandes occasions de la vie – dont la mort.

J'allais enfant de chœur avec mon surplis bordé de dentelle en tête des processions, puisant d'une boîte à rubans l'été les pétales de rose dont je jonchais le chemin, précédant le curé sous son dais porté par quatre fidèles, et, plus important, l'ostensoir où se trouvait enfermé le Saint-Sacrement. Je n'en étais pas peu fier. Pour ma première communion, ma grand-mère Hervé m'avait offert un plus gros cierge que ceux de mes camarades. Il avait été retenu pour l'année dans le chœur, j'y jetais un coup d'œil à chaque messe. C'était mon cierge. Que celui qui n'a jamais péché me jette la première pierre.

Ma mère était pieuse, mon père croyant, ils m'avaient confié aux bonnes sœurs dès l'âge de deux ans. Je sus lire à cinq, mais lire vraiment, le journal, pas épeler mes lettres dans le livre de lecture. Je me souviens de ces dames que nous appelions « Mademoiselle », Mademoiselle Joséphine, Mademoiselle Henriette, et surtout Mademoiselle Renée, que je nomme en riant mon premier amour. Il y avait entre nous une grande affection réciproque. Puis j'entrai naturellement à l'école du vicaire, qui était un fort brave homme et prenait son métier très au sérieux, mais il lui arrivait souvent de devoir laisser ses élèves pour aller « porter le Bon Dieu », entendez donner l'extrême-onction à un malade, laissant sa classe à la surveillance du plus grand.

Il n'y pouvait rien, le pauvre, si l'enseignement de la laïque, plus régulier, était plus efficace. La République avait fini par remporter sa plus importante bataille. Sans doute l'école libre faisait-elle encore bonne figure, surtout l'école des filles tenue par des sœurs en civil. Elle paraissait plus convenable pour enseigner les futures mères de famille. On ne lui demandait pas d'en faire des intellectuelles mais des femmes honnêtes et, pour ça il faut le dire, la religion, ça aide.

Cependant j'étais un garçon, et un jour, de ma propre initiative, parce qu'un copain m'avait dit que l'école publique c'était mieux (comme les temps changent !), je quittai la classe du vicaire pour aller à ce qu'on nommait, en souriant à moitié, l'école du diable. J'y fus accueilli avec un peu de surprise et beaucoup de bienveillance, malgré une ironie passagère, par l'instituteur, le père Pourchasse. C'était un ancien combattant de la guerre 14-18 où il avait gagné la Croix de guerre et un œil de verre, un homme de gauche bon comme le pain et patriote. Il nous apprenait à chanter en nous accompagnant au violon, instrument taillé à coup sûr pour la pédagogie, puisque l'archet remplace avantageusement la règle quand il s'agit de vous taper sur les doigts :

Nous n'avons pas la taille d'hommes,
Nous sommes encore des enfants,
Mais par le cœur français nous sommes
Premiers, derniers, petits et grands,
Nous aimons la patrie, étant tous bons Français,
À Toi, France chérie, la grandeur et la paix.

Le soir, la nouvelle de mon entrée à la communale fit un certain bruit à la maison. Ma mère était la meilleure des femmes mais vive comme la soupe au lait. Enfin mon père clôt une discussion longue et pénible :

– Puisqu'il a voulu aller à l'école laïque, qu'il y reste.

Nous ne nous en sommes pas si mal trouvés, mes parents et moi. À l'époque, l'école du diable ne dispensait pas l'évangile selon saint Marx ni les sottises mortelles du pédagogisme qu'elle répand aujourd'hui. Elle se retrouvait avec l'Église pour célébrer le culte de la patrie, et notre enfance, à mes condisciples et à moi, fut pieuse envers nos parents, notre pays, notre Dieu, l'un l'autre se mêlant et s'épaulant.

Je n'ai jamais eu le temps de parler politique ni religion avec mon père, il était plus souvent en mer qu'à la maison, il restait la plupart du temps taiseux et il est mort quand j'avais quatorze ans. Mais, comme il s'était embarqué à treize ans sur un trois-mâts pour le cap Horn, il n'avait pu faire sa confirmation adolescent et tint à la faire avec moi. Comme l'évêque lui proposait de lui imposer les mains à part, à la sacristie, il répondit :

– Non, cela me paraîtrait contraire à l'esprit du sacrement, qui est la confirmation solennelle d'un engagement devant la communauté qui en est témoin. Je souhaite la recevoir en public.

Je ne garantis pas le mot à mot, mais la substance. Mon père était le président des jeunes de l'Union nationale des combattants, l'une des deux associations d'anciens combattants, classée plutôt à droite. Quand il est mort, j'ai gardé le drapeau. Mon père m'emmenait aux grandes cérémonies. Je me souviens d'un congrès à Muzillac où était venu aussi mon grand-père, il y avait bien dix mille personnes. Et les pardons de Sainte-Anne rassemblaient des foules immenses, plus grandes à mesure que l'on se rapprochait de la guerre, la prochaine, comme pour la conjurer.

La religion catholique, la famille et la patrie se trouvaient liées dans le culte des morts. La Grande Guerre avait fait l'union sacrée dans les cimetières. Les combats fratricides de la laïcité avaient été surmontés dans la fraternité des tranchées. Le culte des morts pour la France me paraissait alors, et me semble toujours, un des éléments fondateurs de la patrie, comme l'est aussi le respect des Français à naître : le peuple du passé donne la main à celui de l'avenir. Or notre société se moque des anciens combattants et pratique l'avortement de masse, dans un mépris total de la lignée qui implique le refus de la vie. Je me souviens des grands rassemblements au monument aux morts de Saint-Anne d'Auray où se trouvaient inscrits les noms de deux cent cinquante mille Bretons morts pour la France, et ce que nous y chantions :

Tes fils bretons morts pour la France
Ont espéré Sainte Anne en toi
Accorde-leur la récompense
De leur amour et de leur foi.

Ou :

Ô Marie, Ô Mère chérie
Garde au cœur des Français
La foi des anciens jours
Entends du haut du ciel le cri de la patrie
Catholique et Français toujours.

Ce n'est peut-être pas au goût du jour mais ces vers naïfs me parlent plus que les évangiles de la décadence. Je ne suis plus un catholique pratiquant. Nous avons rompu l'Église et moi quand j'avais seize ans. Je chamboule un peu la chronologie pour le raconter car ce fut un événement important. C'était après l'été 44. Je n'étais plus un enfant. J'avais connu la femme, la guerre. Les prêtres du collège peinaient à me tenir, je ne supportais plus la discipline bras croisés. Bref, ils ont décidé de me virer et, comme j'étais à la fois costaud et rebelle, ils ont trouvé un stratagème ignoble. J'étais alors, rappelons-le, déjà orphelin de père. Ils me convoquent :

– Mon enfant, une terrible nouvelle, votre maman est morte. Rentrez chez vous.

Je prends mon vélo et je pédale aussi vite que je peux, à travers mes larmes dont je n'imaginais pas qu'elles pouvaient couler autant. Maman. Morte. J'arrive à la maison, et je la vois, qui bine son potager. Est-ce que j'aurais une hallucination ? Mais elle, soupçonneuse :

– Qu'est-ce que tu fais là ? Et pourquoi pleures-tu ?

Je lui raconte ce qui s'est passé. Elle demeure estomaquée. Un jeune abbé passera pour tenter de lui expliquer la « ruse » dont ils ont cru devoir user. Elle le mettra à la porte, toute pieuse qu'elle est. Elle en oubliera même mon renvoi. Quant à moi, la confiance est perdue. Étudiant, je chanterai « A bas la calotte », chant anticlérical que braillent les Liégeois (notre Corpo de droit leur était liée par l'histoire) dans leur derby avec Louvain, université catholique, et qu'ils tiennent eux-mêmes de l'Université libre de Bruxelles :

Ils en auront, des coups de poing sur la gueule
Ils en auront, autant qu'ils en voudront
À bas la calotte, à bas la calotte
À bas les calotins.

Cela se chantait lors de parodies de processions le jour de la « Saint Verhaegen », c'est une production bien franc-maçonne, mais il ne faut pas prendre cela trop au sérieux : j'ai chanté aussi le répertoire bolcho, des chants anarchistes, d'autres de la SS, et ça ne fait de moi ni un communiste, ni un anarchiste, ni un nazi. J'ai voulu me rebeller un peu contre une Église à qui je dois beaucoup et que j'avais beaucoup aimée. Depuis j'ai suivi son évolution avec un souci brûlant et un cœur désolé. Ma sympathie reste aux traditionalistes. Avec ses prêtres ouvriers, sa théologie de la libération, et ses chrétiens de gauche que j'ai subis à l'université, l'Église qui a dérivé vers Vatican II a commis deux fautes.

La première est politique. Elle s'est alignée une nouvelle fois sur les puissants. En l'espèce, les syndicats, les partis de gauche, le prolétariat, au moment où le marxisme, disons même le communisme, avait le vent en poupe partout dans le monde. Ce fut d'autant plus bête que ce mouvement, qu'on disait irréversible, dans « le sens de l'histoire », fut passager. Aujourd'hui, les mêmes volent au secours de l'invasion triomphante avec l'approbation du monde et des médias, c'est le clergé du côté du manche.

La deuxième faute de l'Église à tendance moderniste, la plus grave, fut de renoncer largement au sacré. Sous couleur de réforme liturgique, il y a eu une rupture brutale, une sécularisation choquante que manifeste l'abandon de la soutane et des habits. Sans doute le clergé sent-il qu'il ne mérite plus de les porter. L'orientation nouvelle de la messe, l'abandon des cantiques, des ornements, la niaiserie des formes qui les ont remplacés, me navrent. L'abandon du latin, au moment même où l'on avait le plus besoin d'unité, face à l'impérialisme culturel de l'anglais, me semble si absurde qu'il n'a pu résulter que d'une volonté consciente de rompre avec la tradition pour troubler les fidèles, les couper de leur foi de toujours et de leurs devanciers. Toujours cette haine de la lignée, ce refus de transmettre. Le contraire de ce que j'ai appris et que j'ai essayé de faire. Toutes choses égales par ailleurs, j'ai pensé un moment que Mgr Lefebvre appliquait à l'Église ce que je tentais de faire en politique : enrayer autant que possible la décadence en attendant la renverse, que la marée remonte. Mais le jusant intellectuel, spirituel, et démographique, n'en finit pas, et tout se passe comme s'il devait être éternel.

La France et l'Église sont tombées de haut, et moi avec.

J'avais été élevé par mes parents et mes maîtres dans le culte de la patrie. Il n'y avait pas d'honneur plus grand que de la servir, pas de sacrifices qu'elle ne méritât. Le culte des héros anciens et contemporains s'exprimait dans les lectures. Chacun était libre de les choisir selon ses goûts. Jeanne d'Arc, Bayard, Du Guesclin, Surcouf, Napoléon, étaient communs à tous les petits garçons. S'y ajoutaient les grands noms de la conquête de l'Empire français, un empire de cent millions d'hommes quand la Terre n'en comptait pas deux milliards.

Explorateurs, pacificateurs et conquérants avaient leur place dans le Panthéon juvénile : Savorgnan de Brazza libérant des esclaves,

Partarrieu au Boudou en Haute-Volta, Caillé à Tombouctou, le Père de Foucault au Sahara, Bournazel au Maroc – et Lyautey, bien sûr.

Ailleurs, les enfants veulent être pompiers ou infirmiers, nous, nous rêvions d'être missionnaires ou soldats, aviateurs ou marins. J'ai un moment voulu être père blanc en Annam ou en AEF. Il n'y avait que deux maîtres dignes d'être servis : Dieu et la Patrie.

L'aviation exerçait sur nos jeunes esprits l'attrait de la nouveauté et aux côtés de Guynemer et de Fonck, les as de la Grande Guerre, s'inscrivait le nom de la conquête de la Ligne et de l'Aéropostale : Pons, père d'un de mes copains de la Corpo, premier mort sur Dakar-Natal, et surtout Mermoz à la stature et au maintien d'archange, dont nous connaissions par cœur la biographie qu'avait écrite Henry Bordeaux. L'un des membres d'équipage disparu avec lui, Henri Ezan, le navigateur était de La Trinité, frère de la directrice de l'école publique. Mort aussi cinq ans plus tôt, à trente-deux ans, notre cousin Le Bris qui détint huit records du monde en 1931, l'année de la grande exposition coloniale. L'aviation avait aussi ses héroïnes. Nous admirions Hélène Boucher et Maryse Bastier parce qu'elles alliaient au charme de la femme le courage de l'homme – et qu'on ne m'embête pas avec nos préjugés d'alors, ce sont les préjugés d'aujourd'hui qu'il est urgent de critiquer.

C'était le temps des taches roses, sur le globe terrestre, du cap Horn à Formose. Le peuple français, épuisé par l'effort surhumain de la Grande Guerre, se reposait dans l'admiration de son œuvre, de ses saints et de ses héros. La poésie d'un Péguy perpétuait la mémoire de leur sacrifice en même temps qu'elle nous en consolait. J'ai longtemps conservé au grenier à La Trinité six chromos de Jeanne d'Arc, représentant ses voix, le départ pour Vaucouleurs, la reconnaissance du dauphin, Orléans, le sacre et le bûcher de Rouen. Cela faisait grandir dans notre cœur un amour simple et pur de la France, comme celui d'un enfant. J'ai gardé cet amour et je n'en rougis pas. J'en remercie mes parents et mes maîtres, et les curés aussi. La République a donné sa chance à l'orphelin de La Trinité, la France a donné ses trésors au petit Breton. Quand je considère les pédagogues d'aujourd'hui, j'ai envie de les prendre par le fond de leur pantalon :

– Crétins ! Vous volez leur vie aux enfants que vous prétendez protéger. Regardez le tiers-monde, des gens y vivent heureux dans des conditions épouvantables. Parce qu'ils apprennent la joie de vivre malgré la difficulté. Enseignez à vos élèves la discipline, le travail dur, le courage, ils vous en seront reconnaissants, ils arracheront la vie à pleines dents. Ne leur donnez pas la becquée jusqu'à vingt-cinq ans.

7. Le bonheur en chantant

J'ai toujours vécu en chantant. Je chante partout. Sous la douche, comme tout le monde, à la cuisine, en banquetant avec mes amis bien sûr, au bureau, à la tribune de l'Assemblée Nationale, à la radio si on me laisse faire, sur les bateaux, en marchant, je chante partout. Et de tout. Des berceuses apprises de ma mère, des cantiques de ma grand-mère, des chants de marin de mon père, de la variété française de Tino Rossi à Céline Dion, des chansons à boire, du carabin gaillard, de tout vraiment, de quelque bord et de quelque inspiration que ce soit, des chants de Légion dont certains viennent de la *Wehrmacht*, les chansons de la Commune de Paris ou des républicains espagnols, d'autres anarchistes, quelques-unes fascistes et monarchistes bien sûr, à l'enterrement de mon ami Gubernatis je m'en suis souvenu :

Les rois ont fait la France
Elle se défait sans roi
Si tu veux la délivrance
Pense clair et marche droit.

Mon répertoire en a étonné plus d'un et m'a souvent servi. Je me rappelle être entré un jour étudiant dans un bistrot à Nogent farci de types de gauche qui commencent à chantonner en me voyant arriver :

C'est la lutte finale, groupons-nous et demain… euh… L'Internationale, sera euh… le genre humain.

Je leur ai jeté :

– C'est tout les gars ? Attendez, je vais vous aider, on va la chanter ensemble.

Et je commence le premier couplet :

Il n'est pas de sauveur suprême
Ni Dieu ni César ni tribun
Faisons notre salut nous-mêmes
Décrétons le salut commun (etc.)

Ils se sont sentis tout bêtes et m'ont laissé en paix.

Cet amour du chant, ce sont mes parents qui me l'ont donné, avec leur amour tout court. Ils chantaient sans arrêt, bien, fort et juste, parce qu'ils étaient heureux, et ils étaient heureux parce qu'ils s'aimaient et qu'ils aimaient ce qu'ils faisaient. Ma mère chantait dans sa maison parce qu'elle aimait s'en occuper, et s'occuper du bonheur de son époux et de son fils. Mon père chantait sur son bateau car il aimait la pêche en mer. Leur ambition commune se bornait à acheter un bateau plus gros, faire construire un jour une maison et m'offrir de bonnes études pour que je devienne, qui sait, officier de la marine marchande. Moi, je rêvais en secret du Grand Corps de la Royale, et je mettais les étrennes qu'on me donnait sur un livret de Caisse d'Épargne pour « aller aux grandes écoles ».

Je n'ai jamais cru que les hommes naissent égaux ni indépendants. Ils dépendent de leurs parents, de l'amour et de la chance qu'on leur donne, et je rends grâce au ciel d'avoir habité une forteresse d'amour et de tendresse. Quand plus tard je lus Maurras, je m'acceptai héritier, accédant grâce à ma famille et à mon pays au trésor incalculable de l'expérience humaine. Depuis, j'ai toujours trouvé ridicules et bébêtes les Jivaros tel Vincent Peillon qui veulent à toute force réduire les têtes des enfants, en décrétant que ce trésor ne doit passer que par l'école : il passe aussi, heureusement par la famille, la maison natale, l'armée, l'église, et tant d'autres endroits où la vie se propage.

Notre nid de La Trinité était le centre de ce biotope propice. Parmi les souvenirs les plus doux je garde celui du mois de janvier.

Mon père ne naviguait pas au cœur de l'hiver. Bien que le gel épargnât la côte, le froid suffisait à chasser le poisson de nos eaux peu profondes. Et puis le temps était trop mauvais, on cassait plus qu'on ne gagnait. Mon père ne restait pourtant pas inactif. Dans la salle commune, il préparait lui-même ses chaluts en arrondissant ses mailles sur un moule de buis lisse, avec de longues aiguilles de bois garnies d'un chanvre dévidé de lourds écheveaux. Nous travaillions ensemble le soir, après la classe – la nuit tombe vite en hiver. Je faisais mes devoirs, tandis que mon père faisait ses filets et ma mère du tricot. Chaque fois qu'il serrait le nœud de maille d'un coup sec du poignet, la table tremblait et ma plume faisait un sursaut. À l'école, j'étais grondé.

J'étais le préféré de mon grand-père Le Pen. D'abord j'étais le fils de Jean, son fils préféré qui avait choisi comme lui le métier de pêcheur, et j'étais aussi l'aîné de ses petits-fils. Il venait presque tous les soirs me raconter des légendes bretonnes, ou sa guerre, malgré les gros yeux que lui faisait ma mère.

Je fus un petit garçon gâté, une sorte de petit riche à ma manière, tout est relatif. Je portais des brodequins de cuir, pas des socques ni des galoches dont les semelles sont en bois. On me donna des leçons de violon, mes mains hélas n'étaient pas assez souples. À Noël, quand beaucoup de mes camarades de la communale se contentaient d'une orange, on m'offrait des jouets, cela me rendait passablement populaire auprès d'eux, j'étais un peu le chef, j'aimais cela. Je cherchais auprès d'eux les petits frères que je n'ai jamais eus. Pourtant mes parents auraient voulu d'autres enfants. Mais peut-être, gros bébé de cinq kilos, ai-je abîmé ma mère.

On avait un poste de radio, un *Radiola*. C'était chose si rare que les voisines venaient l'entendre le soir en jouant de l'aiguille à tricoter, instrument quasi rituel de la vie sociale. Sans vouloir faire de publicité, je me souviens de la marque de la laine, *Welcome Moro*. Les feuilletons sentimentaux avaient la préférence des dames, avec les chansons de Tino Rossi dont le cheveu plat et le physique de pâtre corse faisaient des ravages dans les cœurs celtes gavés de blondeur et de rousseur.

Maman ne ratait pas un de ses films que nous allions voir à pied ou à bicyclette à Carnac à quatre kilomètres de là. À marée basse, on passait par la plage, c'était plus court. Je me souviens d'un titre, le chant d'un gardian. Tino chantait, et maman répétait en fredonnant :

C'est le chant d'un gardian de Camargue
Belles filles, attendez son retour...

Sur l'écran il y avait la Camargue, les chevaux, les taureaux. Nous n'avions pas quitté le Morbihan, nous ne connaissions la France que par les livres et les images, elle était si belle, si diverse, le rêve était tout près, immense. On n'imagine pas comme le monde a rapetissé depuis.

Le premier film dont je me souviens, était muet. Je l'ai vu à La Trinité même, dans le hangar du camp des Américains. Il s'appelait *Titans du ciel.* Une histoire d'aviation. La fiancée remettait au bel aviateur un fer à cheval en cadeau, pour lui porter bonheur ; hélas lors d'un looping la chose s'accrochait dans les commandes, provoquant sa chute et sa mort.

Il y avait le théâtre local, le passage des cirques, Pinder et Médrano, l'homme le plus fort du monde Charles Rigoulot, le champion du monde de lutte, Henri Déglane. Des montreurs d'animaux venaient à l'école, ils avaient un énorme python. C'est dans la cour de récréation que j'ai vu trottiner mon premier tatou. Les spectacles forains duraient quinze jours, on y jouait au casse-gueule et même aux autos tamponneuses électriques, déjà. Le patron des foires, un gitan sédentarisé d'Erdeven, s'appelait Bernard Descamps, c'était un ami de ma mère. Il possédait une roulotte magnifique dont nous allions admirer le chic et le confort hypermoderne le 15 août. Il nous apportait des paquets de billets gratuits.

Sous le toit d'ardoises de la maison, un vaste grenier abritait mes rêves. On y accédait par un escalier fermé et c'était pour ainsi dire mon domaine privé. Mon père y entreposait les apparaux de la *Persévérance*, voiles, chaluts, filins et aussi, hors saison, les agrès et le matériel du *François-Marie*, le bateau de plaisance du baron Fournier-Sarlovèze, alors député maire de Compiègne.

C'est là que je m'isolais pour lire. De tout, mêlé dans la même passion, *Mickey*, *L'Illustration*, *Match*. J'aimais les hebdomadaires de bande dessinée, outre *Mickey*, *Hurrah*, *Bicot*, *Zig et Puce*, *Pim Pam Poum*, *Bécassine*, qui me faisait beaucoup rire, je n'ai jamais trouvé ça raciste comme certains cinglés jugent chic de le dire.

La mode était aux chewing-gums. Nous y trouvions des images représentant tout un monde de pirates, des vignettes qu'il fallait coller dans des albums, nous vivions avec eux, entre rêve et réalité. Nous courrions en commandos les bois que nous imaginions plein d'animaux fantastiques, ramassant les châtaignes et n'oubliant pas de voler des pommes au retour, en bons pirates. J'ai même persuadé ma mère que nous avions découvert un trésor, et, de guerre lasse, pour ne plus m'entendre, pour me confondre (ou l'avais-je à moitié convaincue ?), elle m'a accompagné le chercher. Il n'y avait rien, bien sûr.

Je lisais aussi la collection *Nelson* à laquelle s'était abonné mon père. J'en ai toujours quelques-uns même si j'en ai perdu une partie dans l'attentat de la villa Poirier. C'est là que je m'initierai à la littérature du XIXe siècle, à ses poètes, Hugo, Musset, Vigny, Lamartine, à ses romanciers, Balzac, Stendhal, mais surtout Alexandre Dumas. Je lirai plusieurs fois *Le Comte de Monte-Cristo* et *Les Trois Mousquetaires*. Il y a aussi des ouvrages qui traitent de la Marine et des héros de notre temps : Bournazel, Mermoz, Brazza, Guynemer, Fonck, etc.

C'est sans doute comme ça que se construisent les rêves.

Les vacances étaient notre récompense. Je les passais parfois à Kerdaniel dans la ferme de mes grands-parents Hervé, où j'assistai une fois avec horreur à l'assassinat d'un cochon maintenu par les hommes et qui poussait des cris déchirants avant d'être égorgé. Le souvenir m'en choque encore.

Les foins, le battage du blé étaient pour le petit citadin (relatif) que j'étais des fêtes extraordinaires.

Le bruit de la batteuse, entraînée par un manège de cheval, l'érection du pailler par les deux plus costauds du village qui montaient par une échelle vers le sommet portant de longues piques où étaient enfilées des bottes de paille d'une longueur et d'un poids impressionnants.

Les travailleurs buvaient sec. Le cidre coulait à flots et le soir venu, ça tanguait un peu dans les chemins creux, ça ronflait dans les greniers.

Mémé voulait absolument me couvrir d'une couette dans mon lit, même en été. Je mourais de chaleur, mais on craignait tellement alors le refroidissement et la maladie encore meurtrière : la tuberculose qui emportait encore beaucoup de jeunes gens et jeunes filles avant vingt ans, c'était une menace qu'on n'oubliait jamais. Il fallait à tout prix « éviter de prendre froid ».

On conduisait les vaches aux champs en passant par la fontaine où elles buvaient dans des auges en pierre. On essayait d'attraper les grenouilles et on dénichait d'innombrables oiseaux, merles, grives, chardonnerets, pinsons, bergeronnettes, fauvettes, alouettes, mésanges, rouges-gorges. Trouver le nid et en prendre les œufs était quelque chose d'extraordinaire, très intense, un bonheur absolument parfait, même si j'en éprouve aujourd'hui du remords. On collectionnait les œufs de taille et de couleurs différentes. Un jour, un de mes jeunes cousins, sans doute jaloux, écrasa toute la collection que j'avais rassemblée. J'étais puni par où j'avais péché.

Lorsque pendant un repas paraissait un chemineau, de ces gens miséreux qui passaient sur les routes, dormant sur la paille et vivant d'aumônes, il nous revenait à nous les enfants d'aller leur porter un bol de soupe et un morceau de pain. Cela nous dégoûtait, ou tout au moins nous coûtait un peu, mais c'était une façon de nous apprendre la charité – et de ménager la sensibilité du pauvre bougre : recevoir d'un enfant était moins humiliant pour lui.

J'aimais bien la ferme, l'eau du puits était très bonne au goût, je me plaisais à tourner la manivelle de la centrifugeuse pour écrémer le lait, j'aimais les bruits, le tintement de l'étain quand on lavait les ustensiles de la laiterie, mais tout me semblait plus dur et plus fruste qu'à la maison, il fallait se laver par exemple d'un peu d'eau prise au seau dans le creux de la main, et j'étais assez turbulent. Au bout de quelques jours nous étions las mes grands-parents et moi, et je revenais à La Trinité. Chic, ouf !

J'adorais ma grand-mère, une sainte femme qui allait en vélo, le dimanche à la messe au bourg, jusqu'au jour où une chute, à 80 ans la dispensa de ce devoir et la priva de ce plaisir.

Venant un jour, la visiter, je la vis agenouillée au bout d'un sillon. Je m'avançais croyant qu'elle avait eu un malaise.

– Qu'est-ce que tu fais là, mémé ?

– Je prie, Dame !

O tempora, O mores !

Il y avait cinq fermes dans le hameau de Kerdaniel : il n'y en a plus une seule.

Je regarde sur une étagère de mon bureau la photo de mariage de mes parents. Elle est sobre. Mon père et ma mère y sont beaux, certains visiteurs trouvent qu'ils se ressemblent. Ils paraissent pénétrés du moment, de l'acte qui les lie. Leur tenue est exempte des falbalas et poses exagérées de ces noces qu'on transforme en fiestas. Ils suggèrent un mot qu'on n'utilise plus que rarement : digne. Lui, en costume strict, pas très grand, un mètre soixante-dix, mais les épaules larges d'un ancien cap-hornier. Elle, en habit traditionnel, portant la coiffe du pays d'Auray et le costume de velours à châle décolleté dans le dos.

Elle devait l'abandonner quelques années après ma naissance pour se mettre « en chapeau » au grand regret de mon père qui appréciait les cheveux longs nécessaires au chignon. Elle était belle et bonne. Elle aimait la toilette et s'habillait elle-même, elle s'était achetée à cet effet une machine à coudre Singer. Elle portait des bas le dimanche, des chaussures à talon, mettait du rouge baiser, de la crème Tokalon et portait son manteau d'astrakhan dans les grandes occasions.

Lui, avait gardé de son passage au Crillon un appétit d'élégance vestimentaire qui le distinguait des autres patrons pêcheurs. Le dimanche, par exemple, les gens de mer portaient pantalon et vareuse, leur « bleu de chauffe » simplement lavé et repassé. Jean était lui en costume cravate, pardessus à col de velours, chapeau mou. Vêtu comme à la ville. Un vrai Milord. Il achetait une livre de dragées et en offrait aux femmes et aux jeunes filles, quand après la messe, nous allions nous promener sur le quai. Maman ne s'en offusquait pas. Ils n'étaient pas riches mais possédaient un trésor rare, ils s'aimaient. Ils me firent le plus beau cadeau qu'un enfant puisse recevoir : un foyer heureux, uni, et tendre. Il y avait bien sûr des coups de gueule, mais ils étaient vite oubliés par des baisers et des caresses. Et vite couvert par des chansons. Je termine ce chapitre où je l'ai commencé. Chez Le Pen tout finissait par des chansons.

C'était le cas dans toute la France d'alors. Le pays chantait. Peintres, charpentiers et maçons sur leurs échafaudages, boulangers au fournil, tout le monde à l'atelier. Des goualantes, de l'opérette, de l'opéra aussi. Il me semble que ça s'est terminé avec le transistor. Alors beaucoup de Français ont jugé plus commode de se taire et d'écouter. Ce n'est pas un progrès. Le chant est aussi naturel à l'homme qu'à l'oiseau. Les deux fonctions de la musique sont complémentaires. On se limite aujourd'hui à la fonction passive d'écoute. On se mutile de la fonction active. Sans doute reste-t-il des gens qui chantent ou jouent d'un instrument, mais cela fait partie de la culture savante. La culture populaire ingurgite une soupe toute faite et servie par la télé, la radio, les concerts, internet. Le peuple a perdu sa voix.

Nous chantions à l'école, le maître était aussi professeur de chant. Les mélodies de mon enfance me sont restées gravées dans la tête et dans le cœur. L'église était le temple du chant collectif, chants en latin de la liturgie que l'on connaissait ou cantiques des processions et des pardons qui se transmettaient de génération en génération. La lutte impitoyable menée depuis les années soixante contre la musique sacrée, les noms en latin, les cantiques traditionnels, a eu pour effet et pour but de désarticuler le corps social, de séparer les peuples chrétiens, en les privant de leur langage commun, et d'opérer la même rupture entre les générations, les familles. Du passé faisons table rase, proclame *l'Internationale*. Elle a gagné.

Son attaque décisive a été portée dans les années soixante. Le matérialisme aime à répéter qu'on est ce qu'on mange. Je crois plutôt qu'on est ce qu'on chante, vous êtes fait par la poésie que votre oreille entend et que votre cœur sait. Cela fait des siècles que les Estoniens expriment leur identité par le chant, et c'est en chantant qu'ils ont reconquis leur indépendance sur l'URSS. Nos peuples d'Europe sont liés par des langues cousines, des mythes, des chants cousins, des cantiques qui se ressemblent, grégoriens ou slavons, une poésie qui vient à la fois d'un socle populaire commun et de textes conservés par la culture savante depuis Homère. Dans les années soixante, tout a été attaqué ensemble chez nous : la liturgie romaine et le grégorien, la poésie classique, la musique. On essaya de remplacer Mozart et Beethoven par la musique sérielle, mais cela n'a pas très bien marché, en même temps qu'on remplaçait la goualante, le musette, la chanson traditionnelle par une pop façonnée sur le rock – et cela a marché, dans l'ensemble.

Il en résulte une rupture totale non seulement du répertoire, mais de la langue, de la métrique, de la scansion. On m'a reproché d'avoir dit un jour que le rap était une attaque barbare contre la poésie populaire. C'est pourtant cela : il y a une synergie caractéristique entre les paroles du rap, souvent agressives, pleines de haine contre la France, les Français, et la métrique du rap, destructrice de la poésie française, de l'harmonie de notre langue. Ce monstre plein de syncopes a remplacé nos octosyllabes, décasyllabes et alexandrins. C'est le grand remplacement du chant de la France.

Alors l'orphéon de village se raréfie et les ouvriers ne chantent presque plus, la société ne chante plus ensemble. Cela creuse un grand vide. C'est peut-être une compensation à cela que pas mal de jeunes cherchent dans leurs raves-parties déjantées, ils veulent retrouver un langage commun, un moment où ils s'expriment ensemble, ce que les pontifiantes fadaises de la Kultur officielle ne leur donnent pas. Nous, cela nous était donné sans que personne n'ait à s'en occuper. Quand le peuple chantait lors des pardons, on aurait dit la mer, qui revient sans cesse sur elle-même, qui ne finit jamais.

Mais tout finit. C'est le pardon de Sainte-Anne qui m'y fait penser. Un jour ma mère avait quelque chose à faire à Lorient, nous sommes allés à Sainte-Anne-d'Auray, je ne sais plus exactement pourquoi, avec mon père – mais je me souviens très bien que je montais mon vélo neuf, un Alcyon avec dérailleur et guidon course à la Vietto, s'il vous plaît. Au retour, sur la route de Crach, nous croisons un homme ivre, qui agite un papier au bout de son bras. C'était son fascicule de mobilisation. Il nous crie :

– C'est la guerre !

Nous sommes le 2 septembre 1939.

II.

Deuxième partie

Orphelin de guerre

1. Soleil noir

Pour rédiger ces *Mémoires*, il me faut parfois préciser une date, un fait : j'ai relu à cet effet l'une de mes biographies. Exercice étrange. Certaines vedettes n'aiment pas leur image au cinéma, je ne suis pas sûr d'approuver complètement tout ce que j'ai dit ou fait dans le passé. Je découvre ainsi que mes filles avaient placardé en 1984 dans leur chambre une de mes phrases : « La guerre est un soleil noir qui fait mûrir les hommes ». Sans doute. Mais il en brûle beaucoup dans cette opération, et si la guerre luit pour tout le monde, ce n'est pas hélas par souci de justice.

Je suis né entre deux guerres énormes, 14 et 39, j'ai participé à deux guerres plus petites mais non négligeables, l'Indochine et l'Algérie. J'appartiens donc à une génération que la guerre a enfantée, mûrie si l'on veut, traumatisée, formée, d'autant que nous vivions avec la crainte de la Troisième, qui serait la vraie dernière, la nucléaire. Un homme d'aujourd'hui ne saurait sentir tout cela, mais je peux essayer de le lui expliquer, en prenant garde que dans cette affaire sentiments et points de vue n'ont cessé de varier.

La Seconde Guerre mondiale – la plus grande tuerie que le monde ait connue, pensé-je au moment où j'écris – fut une catastrophe pour l'Europe et la France. Je ne l'ai pas su tout d'abord. À la fin de l'été 39, je voyais bien qu'elle ne suscitait pas l'enthousiasme des foules mais je faisais confiance comme tout le monde à notre armée, la première du monde, de l'avis des experts internationaux. J'avais onze ans. Pour moi, la guerre, c'était la Grande Guerre, telle que mon grand-père et mon père me l'avaient décrite, et telle que j'en percevais depuis toujours les conséquences.

Quand grand-père provoquait l'irritation de maman en me débitant ses souvenirs de guerre, il n'en montrait pourtant que le visage le plus souriant : il en était revenu vivant, entier, décoré. Il pouvait raconter avec ironie ces histoires absurdes qui accompagnent la France depuis que la conscription existe. Mobilisé en 14 à quarante ans, père de cinq enfants, comme fusilier marin de la brigade de l'amiral Ronarc'h dans les marais flamands, il est affecté au début de 1917 à Verdun, noria mortelle où tournent la plupart des régiments. Un jour d'accalmie son capitaine met à jour ses états administratifs et le convoque :

– Mais enfin Le Pen, qu'est-ce que vous faites là à votre âge, avec votre famille ? Vous n'auriez pas dû être mobilisé !

– Mon capitaine, on m'a dit de v'nir, j'suis v'nu.

Il sera enfin affecté à l'arrière, dans une poudrerie du sud de la France. Ce souci soudain du soldat coïncide avec l'arrivée du général Pétain à la tête des armées françaises. Le futur maréchal devait prendre alors un ensemble de décisions (permissions, soupes chaudes, suppression d'inutiles offensives sanglantes) propres à rétablir le moral des troupes, ce qui lui vaudrait plus tard la gratitude des anciens combattants.

Mon père à la même époque était mousse sur un trois-mâts cap-hornier, je l'ai dit. Mais il fut appelé sous les drapeaux après la signature de l'armistice. En effet la guerre ne s'est pas terminée tout à fait pour la France le 11 novembre 1918. Il y eut une queue d'orage jusque dans le début des années vingt, en Pologne et en Russie contre les Bolcheviques, en Asie mineure parce que la Turquie nouvelle de Mustapha Kemal ne respectait pas le traité de Sèvres. Signé avec l'empire ottoman pour ramener la paix, il n'avait pas prévu les forces nécessaires pour maîtriser les revendications des nationalistes turcs.

Mon père fit son service dans la marine, sur le croiseur *Edgar Quinet*. Celui-ci se trouva engagé en Méditerranée, notamment à Smyrne, aujourd'hui Izmir, que les Turcs incendièrent en tuant des milliers de Grecs. Notons à ce propos que le massacre des Grecs d'Asie mineure, dont les ancêtres s'étaient installés plus de mille ans avant Jésus-Christ, donc deux millénaires avant les Turcs, et qui ont civilisé la région, fait beaucoup moins de bruit chez nous que d'autres massacres mieux médiatisés. Le croiseur *Edgar Quinet* effectua en 1922 deux missions d'évacuation de la ville. Avant la catastrophe, il amena à Bizerte les Français de la ville et les enfants des écoles. Comme il était retourné pour prendre d'autres réfugiés à son bord, il ne put entrer dans le port du premier coup, à ce que me raconta mon père :

– Il n'arrivait pas à refouler la masse des cadavres qui encombrait l'eau.

Les cadavres, la France n'en avait pas manqué non plus. À La Trinité, sur deux cents hommes en âge d'être mobilisés, soixante-sept sont inscrits sur le monument aux morts de la Grande guerre. Plus d'un tiers. Pour la Bretagne, deux cent cinquante mille, un million cinq cent mille pour toute la nation. Plus trois millions de blessés. Le pays de mon enfance avait le noir pour couleur. Le Morbihan pourtant si riant baignait dans la mort autant que dans la mer. Tous les jours à toute heure, je verrai des gueules cassées, des mutilés. Les deux cordonniers de La Trinité étaient unijambistes. Il y avait aussi des gazés. Et même quand ils avaient la chance d'être indemnes, beaucoup d'anciens combattants demeuraient marqués à jamais par l'enfer qu'ils avaient vécu. Ils l'avaient ramené en eux, ils ne seraient jamais plus jeunes. Peut-être pas complètement vivants.

En même temps, la guerre avait brisé la vie de millions de femmes qui ne connaîtraient jamais le bonheur d'un foyer. On croisait partout leurs silhouettes noires, dans les rues, à l'église, au pardon, vestales obligées d'un culte belliqueux. Il ne leur resterait que la piété et le dévouement pour donner un sens à leurs vies gâchées. Les demoiselles qui resteraient vieilles filles voyaient se faner inutilement leur jeunesse, veuves avant d'avoir été mariées. Sur cette terre modelée par la guerre, la mort traînait partout. La

France ne devait pas se relever de cette saignée. L'héroïque sursaut laissait le pays brisé sans ressort. L'entre-deux-guerres le déçut et le désespéra.

L'année de ma naissance, 1928, est une année ambiguë, à mi-chemin de la Grande Guerre et de la prochaine. La grande crise de 29 était encore à venir. On s'accrochait aux espoirs de la « der des ders », on n'imaginait pas encore la tuerie à venir. Les anciens combattants croyaient désespérément que leur sacrifice, celui de toute une génération, écarterait à jamais les risques d'une nouvelle boucherie. Ils manifestaient, déjà pourtant séparés par la politique, contre ce qui montait confusément de l'Europe comme une menace. Ils jurèrent sur les drapeaux que leurs camarades dont les noms gravés dans le granit des monuments étaient la seule trace, n'étaient pas morts pour rien.

Mais à mesure que le temps passait, l'illusion de la « der des ders » qui avait justifié les plus extrêmes sacrifices s'évanouissait. Un mauvais traité, une politique de faiblesse que ne compensaient pas les rodomontades officielles, le lâchage de nos alliés anglo-saxons, la pression révolutionnaire des bolcheviques en Europe, l'ascension irrésistible d'Hitler, tout contribuait à rendre inévitable un nouveau conflit. À la menace du réarmement allemand, nous répondions par les grèves de 36 et le gouvernement du Front Populaire. Les Français dans leur immense majorité refusaient la guerre et firent un triomphe à Daladier quand il revint de Munich, quelques mois de répit dans son portefeuille.

Je l'ignorais et cependant l'année de mes dix ans jeta un trouble dans ma conscience de petit garçon patriote, à l'occasion de Munich justement.

Mon jeune oncle Robert, le boucher, avait été mobilisé durant la crise qu'on croyait heureusement terminée, il avait été rappelé avec tous les titulaires de ce qu'on appelait les fascicules blancs. Il en revint mi-goguenard mi-dégoûté :

– Si vous aviez vu cette gabegie !

Il utilisa en fait un mot plus militaire, que la politesse puérile et honnête réprouvait alors fortement. Rien n'était organisé, ni préparé. La gauche française avait jeté un désordre durable dans les casernes et dans les armements. Victorieuse aux élections, elle avait été incapable de gouverner, ni d'armer, ni de faire la paix. Aussi la France s'était-elle mise avec elle un peu plus à la remorque de l'Angleterre. En condamnant les expéditions de Mussolini en Afrique, elle poussait l'Italie dans les bras de l'Allemagne. Puis, sans s'être assurée de la solidité de son système d'alliances, sans avoir modernisé son armée face à une Allemagne qu'elle n'avait pas eu le cran d'empêcher de réarmer, elle allait déclarer la guerre sous le plus mauvais des prétextes, sauver un traité qui était déjà en lambeaux à propos d'une ville qui n'avait jamais été polonaise, Dantzig.

Six ans plus tard, la victoire des alliés devait installer l'URSS à quatre cents kilomètres de Strasbourg, la France n'étant plus qu'une puissance secondaire.

On me l'aurait dit en septembre 1939, j'aurais haussé les épaules. J'étais tranquille, je n'avais pas besoin que Paul Reynaud le clame, je le savais bien avant lui, nous allions gagner car nous étions les plus forts.

Mon père fut mobilisé dans les premiers jours de septembre, il désarma la *Persévérance* et rejoignit Lorient avec le grade de quartier-maître chef, l'équivalent de caporal-chef dans la marine ; cela faisait drôle de le voir avec un pompon rouge à près de quarante ans.

Neuf drôles de mois passèrent, le temps d'une gestation. Personne ne savait quoi penser. On parlait de Finlande, de Norvège, de route du fer, de révolte imminente contre le dictateur Hitler. Mai 1940 éclata comme une bombe. Tous les mensonges, toutes les démagogies allaient fondre en quelques semaines au vent brûlant de la bataille.

Quand la défaite fut consommée, ma mère et moi partîmes à Lorient pour essayer de voir mon père. Il ne put nous consacrer que quelques instants. Il nous annonça que les Allemands étaient proches et que l'amiral de Penfentenyo avait décidé de défendre la ville. Tout ce qui était en état de flotter évacuait à toute vitesse. À quai le *Victor*

Schœlcher chargeait l'or de la Banque de France. Le feu avait été mis aux réservoirs de fuel de la marine et d'énormes colonnes de fumée noire montaient dans le ciel, des explosions retentissaient sans que l'on sache si elles étaient le fruit de sabotages ou de bombardements.

L'espionnite faisait rage. La défaite de la première armée du monde ne pouvait être que le fait d'une gigantesque trahison. Les gens affolés voyaient partout des espions, sous la forme de la cinquième colonne ou de parachutistes, la dernière nouveauté de la guerre. On prétendait qu'ils utilisaient toutes sortes de déguisements, en particulier les vêtements ecclésiastiques. Malheur aux bonnes sœurs bien charpentées affligées de grands pieds. Elles étaient serrées de près par une foule hostile.

Les journaux annonçaient que la veille un train de munitions avait été touché par l'aviation allemande en gare de Rennes et l'on comptait des centaines de morts dans les trains de blessés et de réfugiés qui l'encadraient. L'angoisse se lisait dans les yeux des adultes. Cette vulnérabilité, cet éclatement de la cuirasse qui les protégeait, cette réduction de la toute-puissance parentale me laissait plein de considération pour cette réalité nouvelle. Tous mes oncles étaient mobilisés et l'on en était sans nouvelles. Ma mère avait recueilli une de ses jeunes belles-sœurs qui venait d'accoucher. Son mari était dans l'armée du Nord. Sa dernière lettre annonçait qu'ils entraient en Belgique, depuis rien…

Nous rentrions à La Trinité quand d'une maison qui longeait la route, une femme nous fit signe d'entrer :

– Le maréchal Pétain va parler à la TSF, venez.

Quelques minutes plus tard, la voix d'un vieux monsieur, brisée par l'émotion, annonçait que la France demandait l'armistice. La voix, légèrement tremblée, expliquait, convainquait. Je comprenais qu'une chose grave venait d'arriver. L'armistice, la défaite : ces mots n'avaient pas grande signification. Mais je savais que la France avait perdu, et j'étais triste. Ma mère me serra contre elle et dit :

– C'est fini maintenant.

Comme au chevet d'un grand malade. Je me demandais si les Prussiens allaient m'empêcher d'aller à l'école ou m'apprendraient l'allemand de force comme dans *La Dernière Classe* d'Alphonse Daudet. Je n'entendis pas à la radio de Londres le lendemain un sous-secrétaire d'État de l'ancien cabinet Reynaud lancer son appel à la poursuite des combats, et je ne connais personne qui l'ait entendu, pas même les pêcheurs de l'île de Sein que j'ai interrogés. Comme je leur demandais, beaucoup plus tard, pourquoi, alors, ils avaient quitté leurs maisons pour rejoindre l'Angleterre, tous me répondirent :

– Pour ne pas être faits aux pattes par les Allemands, dame !

Ainsi firent ceux de Jersey et Guernesey. Quelques jours plus tard, je vis mon premier Allemand. Je roulais seul à vélo sur la route qui menait au village de ma grand-mère. Un homme qui me semblait énorme me doubla sur sa moto, l'arrêta, mit sa béquille et vint vers moi. Sous son visage gris de poussière, les lunettes laissaient deux traces blanches avec deux yeux clairs. Il dit seulement « Locmariaquer ». Tout ému, je lui indiquai du doigt la direction. Il partit dans une pétarade. Je me reprochai ce renseignement. N'aurais-je pas dû me taire devant cet ennemi ?

Il fut suivi de beaucoup d'autres qui arrivaient en camion ou à pied. Ils étaient très jeunes, si différents des troupiers français défaits. Il n'y eut ni viols, ni exactions ni violences. Les consignes de correction étaient observées avec rigueur. Les soldats se baignaient nus en compagnies entières. Quand, à la messe du dimanche, on en vit plusieurs, portant à la main le ceinturon où pendait leur arme, on fut un peu plus rassurés.

Petit à petit, on apprenait la vérité sur la débâcle, des nouvelles parvenaient. Un jour, on vint nous dire que mon père était vivant à Toulon, en zone libre. Ma mère se remit à chanter.

Pourtant, la guerre n'était pas finie. La colère déferla quand on apprit que les Anglais avaient coulé une partie de notre flotte à Mers el-Kébir. Le *Bretagne* y avait sombré le 3 juillet avec une grande partie de son équipage. La plupart des marins étaient des Bretons. On racontait que non contents d'avoir attaqué notre escadre à quai, les Anglais avaient mitraillé les rescapés sur les radeaux, ce que me confirma l'un des rescapés revenu au village avec une jambe en moins. Cette insupportable agression échauffait les esprits, venant après Dunkerque. Moins d'un mois auparavant, l'appui des batteries de l'amiral Abrial et le sacrifice de l'armée française du nord avaient permis à l'Angleterre de rembarquer son corps expéditionnaire quasi intact, profitant de l'arrêt de l'attaque blindée allemande.

À la fin de l'été, mon père rentra. Il avait eu la chance d'être démobilisé régulièrement, évitant ainsi d'être piégé par les Allemands. Beaucoup de soldats, rentrés chez eux pendant et après la débâcle, furent conviés à se rendre dans les mairies pour y être démobilisés et faits prisonniers après l'armistice par la *Wehrmacht* qui les attendait. C'était certes légal, puisqu'ils n'étaient pas démobilisés, mais ils tombaient en fait dans une souricière tendue par un ennemi qui grossissait ainsi le nombre de prisonniers en âge de porter les armes, dont il allait se servir comme d'un moyen de pression sur la France.

Parti de Lorient avec son remorqueur, mon père était descendu sur la Gironde. Au Verdon, il avait, sous un bombardement aérien, réussi à prendre en remorque le bateau du commandant de Sèze, de Baden, qui touché par une bombe, menaçait de couler et à l'échouer sur la plage, sauvant ainsi beaucoup d'hommes. Ils avaient réussi, grâce aux mécaniciens de la marine à former un train et à gagner la zone libre avant que les Allemands ne soient en mesure de s'y opposer. Quand il revint, j'étais catastrophé pour la France, mais, quand je me comparais aux autres, j'étais heureux. Jusque-là, la famille est saine et sauve. Sur tous mes oncles mobilisés, seul un était prisonnier. Sa femme vivait chez nous avec son bébé. L'été 40, je naviguai sous les ordres de grand-père, qui, comme beaucoup de retraités de la marine avait gardé un petit bateau, le *Stiren er Mor*, « l'étoile de la mer », et pratiquait la pêche au maquereau.

2. L'apprentissage de la discipline

La Trinité s'installa dans la guerre. Elle en avait pour ainsi dire l'habitude. En 1917, elle avait abrité un camp où passaient des troupes américaines entre leur débarquement et leur montée au front, avec une unité de ballons captifs. Plus loin dans le temps, sur terre comme sur mer, on s'est battu dans le coin, mais sans beaucoup de succès pour nos armes, comme j'allais bientôt l'apprendre en cours d'histoire. César a écrasé le peuple de mes ancêtres Vénètes dont la civilisation était pourtant brillante et la flotte puissante. Simon de Montfort et le Prince Noir ont défait Charles de Blois et attrapé Du Guesclin qui fixa lui-même sa rançon, énorme comme sa valeur et son orgueil. Les Anglais ont étrillé une escadre française au XVIIIe siècle. Enfin, les émigrés faits prisonniers dans la presqu'île de Quiberon furent fusillés par la Convention bien que le général Hoche à qui ils s'étaient rendus leur ait promis la vie sauve.

Cette fois, la situation n'était pas meilleure, même si l'uniforme avait changé. La *Wehrmacht* occupa méthodiquement la place. Un million de soldats allemands allait s'installer en France, vivant sur le pays et du pays. On allait compter mois après mois ceux qui venaient chez nous. À l'été 40, ils avaient plutôt bonne mine, il faut l'avouer. Il y eut assez vite une division de chasseurs de sous-marins, avec l'appui technique d'une unité d'entretien de l'arsenal de Lorient logée dans l'orphelinat des Maisons Claires que finançait un philanthrope de Los Angeles, et un détachement de la douane armée allemande, la Gast. Cela faisait pas mal de monde. Sur les bateaux de guerre accostés en bout de quai, l'alerte aérienne jetait aux postes de combat des athlètes en maillot de bain avec comme seule protection leurs casques d'acier. Ils semblaient faire corps avec leurs canons aux affûts quadruples et la détestation qu'ils nous inspiraient n'allait pas sans une certaine admiration. Plus tard la plus grande base sous-marine de la côte se construirait à Lorient et Hitler, qui ne doutait de rien, bâtirait un mur contre l'Atlantique.

Je ne vis même pas la fin de l'installation de premiers détachements, la cloche de la rentrée avait sonné. Loin de La Trinité, à Vannes. Loin de la maison de mes parents, dans un internat religieux. Quand les Allemands arrivèrent, j'y peinais depuis près de deux trimestres.

En septembre 1939, mon père m'avait inscrit au collège des Jésuites de Vannes où je ne pus entrer faute de place qu'en janvier 1940. Il avait voulu, quoiqu'il pût lui en coûter, que j'aille dans le meilleur établissement de la région, et celui-ci avait une flatteuse réputation qui dépassait de loin les limites du département. J'entrai dans un monde entièrement nouveau. L'enfant poussé à la diable découvrait une cité policée d'où toute fantaisie était bannie y compris dans le costume, uniforme à boutons d'or coupé à la française, avec collet de velours bleu roi, col dur obligatoire, cravate noire ou bleu marine, chaussures noires.

Entré au collège avec trois mois de retard, j'avais eu du mal à m'adapter à l'éloignement familial et à la discipline sévère. Ma turbulence naturelle ne me rendait pas invulnérable aux lazzis que mes petits camarades réservaient au sauvageon que j'étais. Ma carence en belles manières me poussait à obtenir des revanches sur le plan du travail, mais je souffris souvent dans ma fierté d'être taquiné par ces jeunes bourgeois. Au collège, le petit coq de village était devenu un petit pauvre.

La discipline, les horaires, les programmes se déroulaient quoiqu'il arrive, avec le schéma trimestriel qui était remis à chaque élève sous le nom de *Règlement* et qui organisait minute par minute notre emploi du temps. Nous comptions sur la guerre pour modifier cette contrainte ennuyeuse : elle devait dépasser nos attentes, mais plus tard.

Durant l'hiver 40, sans être fraîche et joyeuse, elle n'apparaissait pas comme le monstre dévorant que décrivait mon grand-père Pierre Le Pen. Les « Rien à signaler sur l'ensemble du Front » alternaient avec « les activités de patrouilles ». Au reste, j'étais aux prises avec les troupes de César dans le *De Bello Gallico* qui me paraissaient des ennemis autrement réels que les modernes Germains.

Mon père m'écrivait sur des cartes postales représentant différents bâtiments de notre marine de guerre, la plus belle et la plus moderne que la France ait eue depuis Louis XVI. Je caressais l'espoir presque insensé à l'époque de commander un jour à l'un de ces bateaux et de pénétrer dans cette forteresse sociale qu'était à mes yeux le Grand Corps.

Cependant la pédagogie des Jésuites ne laissait guère de place aux rêveries, qu'elles fussent historiques ou sociales. Levés à l'aube, à six heures l'hiver, l'été ce serait à cinq, couchés tard, tous nos instants étaient consacrés à l'étude. Les récréations, elles-mêmes, devaient être actives, *mens sana in corpore sano*, et préparer les jeunes chrétiens aux taches éminentes de la responsabilité sociale. Tout était conçu pour les y entraîner rationnellement et le collège était un microcosme de la vie. L'esprit d'émulation culminait dans la journée annuelle de concertation, mot qui gardait encore son acception exacte de combat : les deux bordées, menées par les chefs de classe, s'affrontaient dans des joutes intellectuelles assez proches de nos jeux télévisés, devant l'assistance des parents.

Tout au long de l'année, cet esprit était soigneusement entretenu. L'excellence, somme des compositions mensuelles, et la diligence, basée sur les notes des devoirs et des leçons, donnaient lieu à l'attribution de décorations élégantes et à des témoignages aux noms latins : « *Egregie, optime, bene* », chèques qui pouvaient soit racheter des punitions soit permettre des sorties supplémentaires.

La vie religieuse comptait beaucoup, elle comportait une messe quotidienne où chacun était tenu d'assister. Les fêtes étaient célébrées avec un faste exceptionnel. Le sport détonnait un peu dans ce tableau. Des horaires et des installations importants étaient consacrés à l'activité physique. Il y eut même un petit scandale à Vannes quand, l'équipe première du collège ayant défié l'équipe locale du VVUS (Véloce Vannetais Union Sportive), aujourd'hui en deuxième division, on vit jouer, au poste d'avant-centre et en culottes courtes, un jeune professeur jésuite, naguère international militaire. Mais c'était un scandale d'avant-guerre. Maintenant, les jeunes étaient mobilisés. Nos professeurs étaient âgés.

Le collège avait été en partie réquisitionné par un hôpital militaire et nous n'étions séparés que par des grilles de convalescents enturbannés de blanc. Au loin, des infirmières poussaient des brancards roulants.

En mai 40, l'hôpital brusquement s'anima, des ambulances faisaient la navette entre les trains sanitaires, puis vinrent les pitoyables convois de réfugiés et nous abritâmes dans nos classes des élèves belges qui nous racontaient leur fuite, les attaques des avions allemands, la déroute des armées. Le 10 juin, le collège, réquisitionné par l'autorité militaire, nous renvoyait dans nos foyers avec un mois d'avance sur la date des vacances, à la grande satisfaction de tous les collégiens.

L'été passa, la rentrée 40 se fit dans l'immense joie de savoir que mon père était vivant et l'immense tristesse de voir la France vaincue et mon village occupé. La vie du collège reprend, qui ne laisse pas un instant à soi, la discipline spartiate s'appesantit à nouveau. Un jour mon copain Bourdin est collé, ses parents qui ne le savent pas viennent de Rennes le voir le dimanche. Ça ne leur est pas si facile. On ne circule pas comme on veut. Ils sont reçus au parloir :

– Nous sommes venus voir notre fils.

– Hélas vous ne le pouvez pas. Il n'est pas visible.

– Mais pourquoi ?

– Il est puni.

– Écoutez, tout de même, nous avons fait un long trajet pour le voir.

– Si vous le désirez, vous pouvez le ramener avec vous.

C'était la menace sans phrase d'une exclusion immédiate. Les parents Bourdin n'ont pas moufté. Ils sont rentrés chez eux sans voir leur fils.

Les travaux et les jours reprennent, trop durs pour être monotones. Exaltants aussi, pour qui comme moi comptait sur le savoir pour m'élever au-dessus de ma condition. Il ne nous fallait pas grand-chose, du travail et de l'appétit de savoir. En littérature nous avions deux livres de morceaux choisis, première deuxième troisième, et quatrième cinquième sixième. Rien du matériel énorme, des ordinateurs connectés que la moindre maternelle revendique aujourd'hui. Et l'on devait apprendre par cœur. Cent vers grecs, deux cents vers latins et quatre cents vers français par trimestre. Ce n'est plus à la mode, mais cela formait l'esprit. Les sportifs le savent, ils répètent jusqu'à l'épuisement le même geste pour le savoir parfaitement, pour durcir leurs muscles, pour affiner leur corps et leur sensibilité. La compétition de haut niveau, la musique, toutes les formes d'art et d'artisanat, demandent une application de tous les instants, un entraînement, un apprentissage qui demande de l'abnégation. On nous faisait faire la même chose avec notre esprit. Et notre récompense, à l'étude, quand les devoirs étaient finis, c'était de lire des morceaux choisis de littérature. Quelques livres de poèmes reposent aujourd'hui sur ma table de chevet, j'éprouve à les lire un plaisir qui s'apparente à celui de chanter, j'en sais encore un petit paquet par cœur.

Ainsi passaient les saisons. Nous attendions les vacances, les grandes, Noël, et Pâques, avec la crainte d'être collés pour Noël ou Pâques. La vie matérielle devenait de plus en plus difficile, les restrictions frappaient durement le collège. L'hiver 41 connut une innovation dont on se serait passé : l'économe coupa le chauffage faute de charbon. Avec le froid et l'humidité me vinrent des engelures qui s'infectèrent, sanguinolentes, j'avais les doigts comme des bananes, on voyait presque l'os, à peine empaquetés dans la gaze chiche de l'infirmerie – malgré cela nous n'avions pas le droit de mettre nos mains dans nos poches. La nourriture ne nous consolait pas. Je me souviens de jours avec rutabaga le midi et le soir, un croûton de pain au goûter, sans chocolat bien sûr : les biscuits vitaminés du Secours National étaient un maigre adjuvant, et nous nous ruions dessus, tous, pauvres et riches. C'était la dèche pour tous.

Au début, la direction avait toléré les colis extérieurs, mais elle avait été amenée à les supprimer afin d'éviter la corruption morale qu'ils permettaient, qu'ils engendraient presque fatalement. Il n'avait pas fallu longtemps pour que s'établisse à partir des parents les plus fortunés ou favorisés par leur profession, une situation analogue à celle de l'extérieur. Quelques élèves demeuraient gras et roses, les autres crevaient de faim. Ceux qui ne recevaient presque rien, dont j'étais, ma mère habitant une zone côtière interdite, une ville où il y avait peu de fermes, et n'ayant pas l'argent pour acheter au marché noir, regardaient sans joie les nantis, qui dédaignaient les ratas infâmes de la « dépense » (ainsi nommait-on les cuisines du collège) et se nourrissaient de jambon, de beurre, de fromage, de chocolat amoureusement et avaricieusement conservés dans des coffrets aux tailles impressionnantes, enjolivés de sculpture et défendus par des cadenas à serrures secrètes.

L'hiver 42-43 devait être décisif. Il commença par une triste nouvelle qui nous fut communiquée un matin de novembre au réfectoire par le terrible Préfet de discipline, le Père Dutilleul, dont pour la première fois, la voix cinglante se voila.

Après nous avoir fait lever, il avance :

– Messieurs, je vous annonce une grave et triste nouvelle, ce matin, à cinq heures, la flotte française s'est sabordée dans le port de Toulon.

L'événement nous accabla. La flotte restait le dernier atout de la France dans cette partie d'enfer. L'Afrique du Nord aux mains des Anglo-Saxons, la zone libre envahie par l'Allemagne, la France divisée, occupée, privée d'un million et demi de prisonniers, subissant des privations de plus en plus sévères, écrasée à la fois sous le joug de l'occupant et les bombardements des Anglo-Américains, tout cela nous crevait le cœur à tous tant que nous étions, même si nos opinions respectives reflétaient la diversité du monde extérieur dont nous étions coupés. Pour moi c'était en plus la fin d'un rêve : être officier de marine.

Chacun manifestait ses convictions comme il le pouvait. Si la discipline, très stricte, ne permettait guère les discussions politiques, les gaullistes, qui portaient non la croix de Lorraine mais un insigne rectangulaire avec des hirondelles tricolores et l'inscription « nous reviendrons », et les pétainistes qui exhibaient les différentes formes de francisques, se faisaient quelques croche-pieds. La direction du collège quant à elle était patriote et bien-pensante. Un jour, le ministre de l'éducation nationale, M. Lamirand vint faire une conférence au collège et l'on adhérait, au moins officiellement, aux principes moraux de l'État français. Pour moi, je croyais naïvement, comme des millions de Français, et comme l'un des résistants les plus connus, le colonel Rémy, à un accord tacite entre les deux soldats, le vieux et le jeune, l'épée et le bouclier unis pour duper l'ennemi et servir la France. Cette illusion devait fondre plus tard à l'écoute de la BBC.

Me reste encore de l'époque une anecdote que je ne saurais dater avec précision mais qui se situe certainement après la rentrée de l'automne 42, on va voir tout de suite pourquoi. Les questions militaires nous passionnaient tant que j'avais introduit au collège un exemplaire de *Lectures pour tous* consacré à la Grande guerre. Rien d'affriolant on le voit, rien qui pût heurter à première vue la morale sourcilleuse de nos éducateurs. Cependant je fus pris, et mené illico devant le père Dutilleul, le préfet de discipline. Mes condisciples hochaient la tête. Mon affaire était entendue, c'était un cas de renvoi automatique, immédiat et définitif : nulle publication d'aucune sorte ne pouvait entrer au collège sans la signature du préfet de discipline, après une procédure dont il fixait souverainement la longueur et le résultat.

Le père Dutilleul m'attendait dans son bureau, austère à son habitude. J'attendis, debout, on ne s'asseyait pas. Je n'avais rien à dire pour ma défense. Il n'avait pas le goût des discours inutiles :

– Le Pen, par l'effet d'une mansuétude exceptionnelle, Monsieur le père recteur a décidé que vous feriez cinq jours de cachot. Vous pouvez disposer.

J'obéis. Je n'en revenais pas. Je demeurai donc cinq jours seul, isolé dans une pièce fermée à clef dont la fenêtre portait des barreaux, à méditer et compter les secondes. J'avais un lit pour dormir, une tinette, et la nourriture n'était pas pire que les autres jours. Cela marque un garçon de quatorze ans.

C'est la seule fois que j'ai fait de la prison dans ma vie. Je n'en garde nulle rancune aux Jésuites. On a peut-être déjà compris que je suis d'un tempérament rebelle. Je ne supporte pas aisément la discipline. Les deux seules institutions dont je l'ai acceptée sans discussion sont les Jésuites et la Légion étrangère. Parce que l'autorité y repose sur l'exemple.

Il faut tout de même que je précise avant de clore ce chapitre la cause de l'exceptionnelle mansuétude dont je bénéficiais : j'étais orphelin. À l'été 1942, mon père était mort pour la France et j'étais devenu pupille de la Nation.

3. La mort de Jean

C'était un dimanche. Le 22 août. Je ne me souviens pas du temps qu'il faisait, l'air commence à fraîchir parfois, les jours raccourcissent, à cette époque de l'année, ni à quoi nous nous sommes occupés, maman et moi, après la messe et le déjeuner : elle peut-être à se reposer en tricotant, ou écouter le poste, moi sans doute à lire. Mon père était parti la veille en mer, il aurait dû revenir mais nous ne nous inquiétions pas trop de son absence, avec la pénurie de fuel, il arrivait souvent qu'on doive se rabattre sur le port le plus proche du lieu de pêche. La journée avançait, les vacances tiraient sur leur fin, la guerre pesait, on y pensait malgré soi.

1942 allait être le grand tournant. En Russie, l'offensive allemande de 1941 s'était enlisée dans le premier hiver et les brillantes reprises du printemps 42 avaient manqué de souffle et de profondeur. Faute d'avoir été estoqué du premier coup, le géant russe exploitait les atouts de son immensité et de son climat. Hitler s'était trompé sur Staline comme Anglais et Français s'étaient trompés sur son propre compte : le communisme ne s'effondrait pas plus qu'il ne s'était effondré lui, ni jadis la France révolutionnaire, sous les coups de l'Europe. Le régime politique d'un pays en guerre bénéficie de la charge sentimentale du patriotisme et des disciplines qu'elle entraîne. Secouée par Pearl Harbor, l'Amérique préparait fiévreusement sa revanche en Asie et mobilisait son formidable potentiel économique. Les affaires allaient mal pour l'armée allemande en Libye et en Tripolitaine et l'année ne finirait pas avant que les Alliés n'aient débarqué en Afrique du Nord.

Les combats allaient devenir toujours plus acharnés, la vie plus dure, les bombardements plus atroces en Europe.

Pour nous, ce furent les dernières heures de ce vingt-deux août qui furent terribles. La fatalité entra en fin d'après-midi sous les traits d'un sergent allemand qui salua :

– Madame Le Pen ?

Ma mère acquiesça. L'air marri, il ajouta :

– La Guerre, grand malheur. M. Le Pen mort, M. Le Berre mort, M. Le Govic vivant.

Il salua et tourna les talons. Ma mère, livide, comme assommée, me prit dans ses bras et éclata en sanglots. Je n'arrivais pas à m'imaginer mon père mort. Quand je compris que je ne le reverrai pas, une vague me submergea. Un voisin entra qui savait depuis plusieurs heures. Personne n'avait osé nous porter la nouvelle.

Le mardi, Paul Le Govic, le matelot préféré de mon père, rescapé pour la troisième fois d'un naufrage après avoir passé dix heures dans l'eau, vint nous voir à sa sortie de l'hôpital et fit à ma mère qui le pressait de questions le récit que je transcris ici.

Mon père sortit le 21 août dans l'après-midi, un samedi, contrairement à l'habitude : il fallait satisfaire une grosse commande de soles, le plat de luxe du restaurant en cette période de restriction. Il est moins de cinq heures, la *Persévérance* doit passer par la Gast pour une fouille complète à l'aller comme au retour, c'est à ce prix que les autorités d'occupation ont levé l'interdiction de s'éloigner de plus d'un mille édictée à leur arrivée. Avant de partir avec son panier d'osier, le bagage du marin pêcheur, mon père m'a fait une recommandation :

– Il faut être très gentil avec ta maman, tu es grand maintenant.

Est-ce moi qui l'imagine après coup, ou y a-t-il mis une nuance de gravité ? J'ai promis avec sérieux.

La nuit tombe bientôt et il vente grain de nord-est. Tant mieux ! On va pouvoir travailler à la voile pour économiser le gasoil de plus en plus rare. Le chalut a été mis à l'eau vers 9 heures et dans une demi-heure, il va falloir virer. Paul est de quart à la barre, attentif à tenir le bateau dans son cap, tâche d'autant plus difficile que le chalut a tendance à le faire abattre. *Persévérance* tire comme le bœuf dans son sillon. Fond de sable a dit la sonde, on peut espérer une belle pêche de soles. Job Le Berre dort dans sa couchette, mon père, qui ne dort jamais en mer, profite du temps de repos pour s'occuper du moteur.

À l'est, dans l'obscurité la plus totale, on devine la ligne noire de la côte, pas de phares, pas de feux, pas de lumières. C'est le couvre-feu. Dans le ciel d'été, les nuages masquent de temps en temps un maigre croissant de lune. Le clapotis frappe l'arrière du bateau freiné par le chalut, de plus en plus fort. Paul vérifie ses marques, le bateau n'avance plus. Il appelle :

– Jean, on est croché.

Mon père monte sur le pont après avoir vérifié sur la carte. Il connaît les fonds sous-marins à cent milles à la ronde et voit littéralement à travers l'eau. Chaque ombre, chaque épave sont inscrits dans sa tête mieux que sur une carte et ici, ce devrait être clair. Alors, ce ne peut être qu'un avion récemment touché, une pochetée de poissons – ou bien une mine. Aveugles mais ultrasensibles, il y en a des dizaines sur ces fonds, de toutes nationalités. Celles que la Marine française avait posées, les Allemands les ont draguées avant de tirer dessus à la mitrailleuse : beaucoup ont explosé, d'autres sont tombées au fond, intactes. Celles qui se sont détachées des barrages allemands, arrachées aux orins de leurs corps-morts par l'usure et les mauvais temps. Et puis les anglaises, larguées par avion contre les sous-marins basés à Lorient et les chasseurs de sous-marins basés à La Trinité, ou encore mouillées par les sous-marins britanniques. Elles tuent souvent par ici. Et même quand elles ne tuent pas, elles sont la terreur du marin. Certains équipages les remontent au filet jusque sur le pont et rentrent au port après des heures de route, le cœur au bord des lèvres et les nerfs tendus à craquer. Ce sont d'énormes choses imprévisibles. De trois cents à huit cents kilos d'explosif brisant, mélinite ou tolite, elles peuvent exploser par le choc, le bruit, la différence de niveau d'immersion, elles peuvent être piégées ou à retard. Chaque fois que le chalut monte à bord, sur tous les chalutiers, chacun y pense et essaie de distinguer dans la poche du filet si *Elle* n'est pas là, ronde ou cylindrique, monstrueuse. La mort.

Au fond, pêcher c'est monter au front chaque jour. La guerre ajoute aux dangers naturels du métier. Elle mêle tout, ouragan, rocher, incendie, avion anglais qui vous straffe au passage, batterie côtière allemande qui vous trouve suspect – et la mine qui ne connaît que des ennemis. Comme il faut bien vivre, on continue, on s'efforce de penser qu'on a de la chance ! Si Dieu veut ! Et à Dieu vat ! On ramènera ce qui se trouvera. Palanquée de poisson, épave d'avion qui arrache le filet ou mine qui vous prendra la vie. Jean qui rit ou Jean qui pleure, à pile ou face.

Au jeu qu'il pratique tous les jours Jean Le Pen ne sait pas encore qu'il vient de perdre.

– À virer !

Paul qui navigue avec mon père depuis douze ans et Job, un Breton taciturne des Côtes du Nord, commencent à appuyer sur les manivelles du treuil à mains. Contre le vent, le bateau remonte le long de sa fune, le fil d'acier qui sert à tirer le filet. Il arrive à l'aplomb du chalut. Il faut maintenant un effort pénible et prolongé pour amener celui-ci du fond de trente mètres jusqu'au bord. Jean jette un coup d'œil à sa montre, il est onze heures.

Les bras moulinent plus lentement, le choc du cliquet du treuil s'espace, le bateau retombe au creux d'une lame, avec lui le chalut à peine décollé du fond y retombe.

C'est tout. Un petit choc sur le sable dans l'immense océan. L'instant d'après, le monde a changé d'assiette pour les trois hommes.

– C'était fou, dira Paul Le Govic.

Une formidable explosion a projeté une gerbe d'eau de cent mètres de haut et quatre-vingts de large mêlée de débris de toutes sortes.

Un bruit d'enfer, un arrachement indescriptible, l'eau qui vous étouffe, puis les gestes naturels salvateurs. Jean émerge au milieu de morceaux de bois, de milliers de poissons morts. Par miracle, il n'est pas blessé. Il n'a plus aux pieds les sabots-bottes de bois qu'il préfère au caoutchouc, et que l'explosion a arrachés. Il se libère de son pantalon ciré. Il crie :

– Paul, Paul !

Celui-ci est là tout près. Tous deux sont d'excellents nageurs et des athlètes.

– Au secours !

C'est Job qui appelle. Il n'est pas très bon nageur. Mon père tire vers lui une caisse pour qu'il s'accroche. Il le soutient mais vite Job ne se débat plus, il est mort. Son corps flotte, la tête dans l'eau. Le bateau a complètement disparu et ne flotte à la surface que ce qu'il y avait sur le pont. Fûts de gasoil pleins, caisses à poisson, et la plate malheureusement brisée et qui est pleine d'eau. Celle-ci porte un homme dans l'eau jusqu'au cou, mais dès que le deuxième s'assied, elle chavire. Ainsi les deux hommes, face à face, s'appuient-ils sur elle en nageant avec les jambes.

Nager jusqu'à terre, c'est exclu. Le vent et le courant portent au large. L'espoir, c'est un bateau de pêche, mais demain c'est dimanche et les bateaux ne sortent pas. De toute façon, les barrages allemands ne s'ouvrent qu'à six heures. Dans le meilleur des cas, pas de chance avant neuf heures du matin. Dix heures dans l'eau, même l'été, c'est limite, même avec une bouée de sauvetage et on n'en a vu aucune dans l'obscurité. Sans doute ont-elles été déchiquetées ou emportées par le courant. Mais tant qu'il y a de la vie, il y a de l'espoir. Alors, ils luttent :

– Si on s'en sort, on devra un pèlerinage à Sainte-Anne, à pied.

– Avec des haricots dans les souliers !

Dès qu'ils se reposent un peu sur l'épave qui affleure l'eau, celle-ci s'enfonce et ils doivent nager. Pourtant, ils parlent. Mon père enrage de son portefeuille resté dans sa couchette et qui contient toutes les économies de la famille. Il les porte sur lui dans le cas où, dans un des points de vente, il trouvait à acheter des fils à chalut, du gasoil, du filin, de la toile à voile, toutes matières rarissimes et qui se paient comptant.

Ils parlent des heures mais sans évoquer d'issue fatale. Au contraire, mon père pense déjà au prochain bateau qu'il a en projet de construire aux chantiers Costantini et dont il va falloir accélérer la mise en route. Ça promet, avec toutes les restrictions ! Paul lui raconte ses naufrages. Il a été deux fois le seul rescapé. La première fois, mousse à quatorze ans, il est resté au mois de décembre huit heures dans l'eau froide, accroché à une épave. Cette chance a paru suspecte aux patrons et à leurs équipages :

– J'ai eu du mal à trouver un embarquement, après !

Pourtant il est très bon matelot, sobre et travailleur. On attribue au sort ce qui tient à une résistance exceptionnelle. Ce qu'il a fait à quatorze ans, il peut le faire à trente-cinq, sportif comme il est. Paul fait avec mon père une paire de choix. On dit d'eux qu'ils ont la chance de s'être trouvés.

La nuit s'écoule lentement, la côte s'éloigne et le vent qui s'est levé leur jette à la figure des petites pichenettes aigres. De temps en temps, on avale une gorgée. Le froid pénètre les muscles, le corps se fait de plus en plus lourd. Ils parlent de moins en moins. De temps en temps :

– Ça va ?

Cinq heures déjà, à l'est le ciel pâlit, le jour va se lever mais comme c'est long ! Paul a la chance d'avoir le dos à la lame et de pouvoir vomir l'eau de mer mêlée de gasoil qu'ils ont avalée et qui intoxique lentement. Les visages sont déjà enflés et violacés par l'eau froide, les mains blanches, vidées de sang et lourdes, lourdes. Chacun maintenant est dans son silence, avec ses souvenirs et sans doute la prière puisqu'il n'y a plus que Dieu maintenant pour les entendre. Jean a levé la tête :

– Paul, Paul !

– Oui, Jean…

– Adieu Paul.

Paul s'arrache à sa torpeur, fait le tour de la plate en nageant. Il est seul. Il essaie de plonger mais il n'a plus de force, alors il pleure comme un enfant. Il réussit à s'asseoir dans la plate coulée dans un équilibre que respecte la mer maintenant calmée. Le soleil se lève à l'horizon. Il sera repêché à neuf heures par un cousin du Bono, inconscient, paralysé, dix heures après l'explosion. Avant de perdre connaissance, il dit :

– Jean, Job, il faut les chercher !

Mais les recherches resteront vaines ce jour-là.

Conduit au poste de contrôle maritime allemand, Paul est ranimé, interrogé. Il y reste plusieurs heures. Il ne sera acheminé à l'hôpital que lorsqu'ils auront vérifié sa déposition.

À la maison nous demeurons prostrés, sanglotant. Le coup est tombé comme le merlin à l'abattoir. L'esprit rejette de toutes ses forces l'affreuse réalité. Avec ma jeune tante, nous échafaudons mille hypothèses optimistes auxquelles le cœur veut s'accrocher. Après tout, on n'a retrouvé aucun corps, on n'a que la notification de cet Allemand, la confirmation vague, d'après ouï-dire, du voisin. Il faut savoir, savoir. Mais c'est dimanche et tout est fermé. Alors ma mère, dans son chagrin, trouve une place pour les autres, comme toujours. Elle pense à Aline, la femme du matelot Le Berre :

– La pauvre Aline ! Est-ce qu'elle sait, au moins ?

Nous allons la voir. Ils vivent, avec les deux enfants, depuis qu'ils sont venus des Côtes du Nord, dans la pièce unique d'une masure au bout du bourg. Son chagrin est déchirant.

Les jours suivants, nous vivrons terrés dans la maison, tandis que défilent la parentèle, les amis, les voisins, les curieux, qui viennent partager le chagrin. Le dixième jour, la dernière lueur d'espoir s'éteint. On a trouvé sur une plage de Saint-Gildas-de-Rhuys un corps déposé par les courants, probablement mon père. C'est à soixante kilomètres de La Trinité. Il faut aller reconnaître le corps et le ramener chez lui. Il n'y a pas de liaison par bus et l'essence est rarissime. Berthe Bellec, notre voisine, la sœur aînée d'Alain Barrière, se met à notre disposition avec sa camionnette de mareyeur. Nous passons prendre Paul Le Govic à Plougoumelen.

À Saint-Gildas m'attend l'une des pires épreuves de ma vie. Arrivés sur la plage où sont déjà le maire, un employé municipal et les gendarmes, nous sommes conduits, Paul, maman et moi, jusqu'à un gros paquet ficelé dans une grossière toile noire. Je réalise alors seulement que mon père est mort, qu'il est là, dans une réalité terrifiante.

Malgré maman, j'ai voulu voir et c'était horrible. Le visage n'est plus qu'une plaie livide, méconnaissable.

Il fait beau, au loin la mer scintille, indifférente.

Il faut maintenant mettre en bière. Les hommes présents chargent le cercueil sur la camionnette, après que la maire nous a donné le permis de transport. Paul et moi faisons le voyage de retour assis sur le cercueil. Quand nous le déposons chez lui, je reste seul avec mon père, encore quelque temps.

De retour à la maison, maman me dit :

– Tu sais, il ne faut plus que tu te conduises comme un petit garçon, tu es l'homme désormais.

4. Pupille de la Nation

Il a bien fallu continuer à vivre. Ma mère pleurait toute la journée, et je l'entendais sangloter la nuit. Elle s'est réfugiée à l'église, à la messe tous les matins à cinq heures. Elle mena comme une somnambule les obsèques. Toute La Trinité était là, dernier hommage à celui que tous aimaient bien. Il y a huit cents mètres de l'église au cimetière, les derniers n'étaient pas partis quand le cercueil arriva devant la tombe. Cela voulait dire quelque chose : assister à l'enterrement, c'était perdre une journée de travail, et personne ne vous la remboursait.

Moi, sur le moment, mon chagrin est plus assourdi, mon père était si loin, y compris pendant les vacances. Les miennes se terminent, je rentre au collège. Je porterai jusqu'en 1944 une bande noire à mon revers de costume. L'absence du père grandira avec le temps. Mais tout de suite je me fais un serment : sans les Allemands, il ne serait pas mort, eh bien, j'en tuerai un. J'étais féru de romans de chevalerie.

Ma mère a trente-six ans. Toute la charge du foyer lui tombe sur les épaules. Finis les chants et l'insouciance. Les femmes, chez nous à l'époque, se mariaient pour ne pas travailler, pour s'établir, fonder une famille. L'épouse avait une importance déterminante, c'était elle, à bien des égards, le vrai chef de famille, la patronne. Une année de crise, quand le poisson ne se vendait pas bien, maman avait dû faire des ménages. Elle en avait honte. Quelle déchéance, pour une maîtresse de maison, une mère de famille. Cette fois, c'est différent. Nécessité fait loi. Il faut trouver de l'argent. Elle met à profit ses talents : elle sera couturière. Elle travaille à façon. Elle agrandit son potager derrière la maison. Patates, choux, navets, poireaux, carottes fournissent la soupe, agrémentée par la godaille de copains : les amis de mon père ne nous oublient pas, les gens de mer sont solidaires.

Aux vacances, je prendrai ma part de travail. Au mois de juin 43, prenant prétexte d'inscriptions hostiles écrites dans les rares couloirs communs aux collégiens et aux Allemands, ceux-ci décident la totale réquisition du Collège Saint-François-Xavier. L'internat ferme. Je devrai aller ailleurs à la rentrée. En attendant, en tant qu'homme de la maison, je dois soutenir ma mère, nouveau chef de famille. Cela n'a rien d'exceptionnel chez nous. Au même âge, mon père servait sur un cap-hornier et grand-père avait gardé les vaches à six ans. Ce n'est pas du Féval ni du Dickens, c'est la vie. Philippe le Hardi avait treize ans à la bataille de Poitiers, il était majeur et écuyer de son père Jean II le bon, à qui il disait :

– Père, gardez-vous à gauche, père, gardez-vous à droite.

C'est avec grand-père que je vais gagner quelques sous. Pour aider ma mère à joindre deux bouts qui refusent énergiquement de se rapprocher malgré les sacrifices spartiates qu'elle s'impose, je m'embarque sur son bateau, le *Stiren Er Mor*, l'Étoile de la mer. Il ne s'agit plus maintenant des promenades que j'effectuais les années passées pour mon plaisir. Ma part de pêche, on attend de moi que je la gagne, bien que sur mon livret d'inscrit maritime, je ne sois encore officiellement que mousse.

Pour pêcher le maquereau à la traîne il faut être en mer avant le lever du jour et se lever à trois heures du matin. Nous disposons de laissez-passer pour rompre le couvre-feu permanent en zone interdite. Au retour vers quinze ou seize heures, quand je vais prendre mes leçons de maths, j'ai de la peine à garder les yeux ouverts.

Grand-père m'a appris à naviguer et à pêcher. J'ai encore ses préceptes dans l'oreille :

– Trop fort n'a jamais manqué.

Ce qui se comprend tout seul, ou :

– *Bouit Frech Pesque Aben* !

Les boëtes fraîches pêchent vite.

On appâtait avec un morceau de chair et de peau de maquereau, on la laissait tant qu'elle n'était pas mangée. Mais à la fin cela ne donne plus. Il ne faut pas être fainéant, il faut visiter les lignes régulièrement pour changer l'amorce. Il disait aussi :

– Les lignes qui sont à bord ne pêchent pas.

C'était une façon de me prendre en défaut, de m'engager à remettre à l'eau celles que je laissais mariner dans la saumure. Cette sagesse peut paraître courte, mais elle est efficace. La mer demande plus de bon sens que de belles phrases. Il s'exclamait aussi :

– *Malhor ru* !

Malédiction rouge ! J'ignore ce qu'il entendait par là.

Un soir nous rentrons trop tard, le couvre-feu est tombé, l'entrée du port barrée. Nous donnons dans le barrage. Les Allemands nous observent, nous n'avons pas fière allure, ils finissent par tirer un coup de semonce qui touche la voile. Grand-père m'ordonne d'amener la grand-voile :

– Plus vite, plus vite !

Ce n'est pas facile, j'ai les deux drisses de mât et de pic dans la main, je vous épargne les détails techniques, mais sans gants, quand elles filent, ça brûle horriblement, et tout d'un coup je lâche tout. La vergue de pic tombe sur grand-père. Il n'est qu'à moitié assommé car il hurle :

– Nom de Dieu ! Je crois que ma tête est rentrée dans mon ventre !

Il se retourne sur le maladroit qui en est cause. Il lève la main, mais je me réfugie sur le bout-dehors :

– Si tu me frappes, je plonge.

Ce sera ma seule mutinerie à bord. Sous l'œil d'un ennemi goguenard mais plus du tout bon enfant.

Les choses ont en effet bien changé depuis juin 40. À leur arrivée les Allemands étaient euphoriques, et très corrects, on doit le dire en dépit du crétinisme ambiant. Cela s'explique aisément. Ils avaient été agréablement surpris par le succès de leur offensive éclair. La réputation de l'armée française leur avait fait craindre une résistance plus opiniâtre et mieux organisée.

Sans doute la campagne de France n'avait-elle pas été la promenade de santé qu'une mémoire défaillante décrit aujourd'hui, ils avaient eu vingt mille tués. C'est à la fois beaucoup et peu selon le point de comparaison qu'on choisit : moins d'un dixième de Verdun, les deux tiers d'une journée sur la Somme, mais les quatre cinquièmes des pertes militaires françaises en Algérie. Somme toute, ils avaient pris une revanche éclatante de 1918, aux moindres frais à leurs yeux, et leur domination sur le territoire occupé était absolue : cela, joint à la sévérité de leurs tribunaux militaires, explique qu'ils aient observé avec scrupule les consignes de bonne conduite. Le gouvernement du *Reich* respectait mal la convention d'armistice mais le troupier allemand se tenait honnêtement dans l'ensemble.

Les Allemands bénéficiaient aussi, disons-le, de l'impopularité des Anglais, traditionnelle chez nous, que Mers el-Kébir avait accentuée. Cela ne signifiait d'ailleurs nulle fraternisation, ni familiarité, ni de leur part ni de la nôtre. Je n'ai jamais vu par exemple, à La Trinité, de femmes françaises au restaurant avec des uniformes vert-de-gris. On cohabitait sans heurt, mais sur son quant à soi.

L'évolution des rapports de force à l'est et en Méditerranée d'une part, et de l'autre le poids de l'occupation et les effets de la résistance modifièrent peu à peu ces rapports. L'invasion de la zone libre en novembre 42 et le sabordage de la flotte dévièrent l'animosité de l'Angleterre sur l'Allemagne. Le tribut quotidien qu'ils exigeaient de la population, la disette générale qu'il provoquait, le maintien des prisonniers de guerre en Allemagne, le contrôle permanent qu'ils exerçaient sur la circulation des biens et des personnes, tout cela rendit les Allemands très impopulaires, détournant la population de toute collaboration sincère, malgré la propagande. Même ceux que le sentiment patriotique n'étouffait guère n'aimaient pas les Doryphores parce qu'ils bouffaient toutes les patates.

La *Wehrmacht* commençait à devenir nerveuse. Elle sentait notre hostilité, que seule sa force résiduelle empêchait de se traduire en actes. En outre, depuis février 1943 était institué le STO, le service du travail obligatoire, afin d'envoyer en Allemagne des dizaines de milliers d'ouvriers français pour remplacer les ouvriers allemands mobilisés. Le gauleiter Sauckel qui augmentait sans cesse ses exigences auprès du président du conseil Pierre Laval fut le véritable sergent recruteur du maquis. C'est en grande partie pour fuir le départ en Allemagne que des milliers de jeunes quittèrent leur foyer pour gagner la campagne ou la montagne, où s'étaient constitués les maquis.

Surtout, les Allemands s'attiraient une haine profonde des populations quand ils fusillaient en représailles de faits de résistance, même s'ils invoquaient le droit de la guerre. Les règles déjà draconiennes qui s'appliquaient chez nous en zone interdite se durcirent encore. Espionnage et sabotage étaient punis de mort. La détention d'armes par un civil français également.

Ce dernier fait nous opposa, maman et moi. Elle avait souhaité que je devinsse l'homme, je le fus un peu trop à son goût. Le 23 décembre 1942 la République m'avait déclaré pupille de la Nation. Plus tard, elle inscrirait le nom de mon père sur le monument aux morts. J'étais fier de mon père, plus fier encore peut-être de devenir pupille de la Nation. J'aimais déjà la France comme tous ses fils, mais j'étais ainsi un peu plus son fils que les autres, et je me sentais un peu moins orphelin pour cela. Ce fut un merveilleux cadeau de Noël. Je décidai d'être digne de ce bonheur et de cet honneur. Or nous avions à la maison un fusil Lebel et un pistolet. Ma mère proposa à l'homme que j'étais :

– Si on les jetait ?

Mais je répondis, raide comme la justice :

– Non, nous les garderons.

Nous les tenions de mon père. Dans la panoplie de ses tracasseries administratives, la *Wehrmacht* subordonna en effet dans les premiers mois de la guerre l'autorisation de pêcher à l'interdiction de s'éloigner de plus d'un mille des côtes. Ça avait poussé mon père à jeter ses filets plus près. Par exemple pour la morgate, la seiche, cela rendait très bien. Il lui arriva ainsi de remonter dans la rivière d'Auray un pistolet et un Lebel qu'il garda pour lui, et un mousqueton que prit Paul Le Govic. Depuis, le Lebel, un modèle de 1896 à canon long dit canne à pêche, était couché, avec ses munitions, dans le grenier, sous un lot de vieilles voiles, non loin de la gaine de toile cirée noire où était rangé le drapeau de soie des jeunes de l'UNC.

Quant au pistolet, amateur d'Edgar Poe, j'avais imaginé de le placer dans une boîte d'Elesca sur l'étagère de la cheminée de la cuisine, visible comme le nez au milieu de la figure. Je me proposais, en cas de perquisition de jouer le tout pour le tout. Telle est l'inconscience juvénile, qui provoqua tant de drames alors.

Ma mère s'inclina. J'étais le fils de son époux mort. Et puis cela satisfaisait sans doute secrètement son patriotisme. Il était très intransigeant. Un jour, comme elle allait à vélo, ainsi que chaque semaine, chercher deux cent cinquante grammes de beurre à Kerdaniel à la ferme de ses parents, elle vit dans la pièce commune deux jeunes soldats allemands manger une omelette qu'ils avaient commandée à ma grand-mère (on les comprend : l'ordinaire des troupes germaines était spartiate). Furieuse, elle attire sa mère à part.

– Tu n'as pas honte ! Faire à manger aux Boches !

– Je fais pour eux ce que j'espère une paysanne allemande fait pour mes fils qui sont prisonniers en Allemagne.

Cette logique des cœurs simples va bien au-delà des discours, je l'approuve aujourd'hui, mais elle ne convainquit pas ma mère alors, ni moi.

Par chance, il n'y eut jamais de perquisition et nos armes ne furent pas découvertes par l'ennemi, mais maman m'avoua plus tard qu'elle avait eu souvent la tentation d'aller les jeter à l'eau. Pour l'heure, elles faisaient ma fierté. Je n'en partageais le secret qu'avec deux camarades intimes. Les jours de congé, nous procédions à la cérémonie des couleurs dans le grenier. Puis nous nous adonnions au nettoyage attentif des armes, dont le démontage et le remontage, appris sur le tas, devenaient pour nous des jeux d'enfants.

Pupille de la Nation, deux fois fils de France je devais donc porter aux affaires de mon pays une attention redoublée. En gardant les armes de mon père avec ma mère, je défiais l'occupant. Au péril de ma vie. J'étais l'un des plus jeunes résistants de France. C'était un peu la suite de mes histoires de pirate, sauf que c'était la vraie vie avec un vrai risque.

5. Lorient

J'obtins une bourse pour la rentrée de l'automne 1943, mais il fallait trouver un établissement qui veuille bien m'accueillir. Ils devenaient rares et pleins à craquer : aux réfugiés belges de 1940 s'ajoutaient des réfugiés de Brest et de Lorient bombardées. Les conditions d'internat étaient si pénibles, le ravitaillement si précaire que certains collèges n'acceptaient plus d'internes.

Cependant, j'obtiens une place au collège Saint-Louis de Lorient, replié dans une île édénique, Berder, dans le golfe du Morbihan, cette petite mer intérieure semée de cailloux granitiques couverts de pins, que séparent des bras de mer agités de courants de marées puissants dont se jouent les autochtones au mépris apparent des lois physiques.

Le contraste était éclatant entre ce décor agreste et maritime et celui du collège. Les locaux nous paraissaient vieux et désuets. Ils étaient inadaptés à l'ordre serré : cela présentait l'avantage de rendre plus libérale une discipline déjà moins dure que celle des Jésuites.

Nous occupions les bâtiments principaux d'une institution de retraités dirigée par des bonnes sœurs. Notre cour de récréation était un bois de pins et nous descendions sur la côte. Par vent du nord, j'entendais clapoter la mer en m'endormant. Ici point de route pour rejoindre notre dortoir, dont les fenêtres étaient à un mètre du niveau de la marée haute, nous marchions près d'un kilomètre d'une grande allée bordée de cyprès géants, de ces cyprès à gros fruits qui bordent notre façade atlantique et nous viennent d'Amérique du Nord, prennent le nom de cyprès de Monterey ou de Lambert, et ont le port de vieux cèdres. C'était un trajet propice à toutes sortes de dissipations innocentes. Le printemps 44 y fut d'une beauté indescriptible. Sous un ciel léger la brise de terre odorante arrachait aux pins des nuages de pollen tandis que des théories de Sinagots venus de Séné, aux coques noires et voiles rectangulaires rouges, descendaient le courant de marée, découpant l'azur du ciel de leurs voiles, comme des couperets sanglants. Avec les vaches et les pommiers en fleurs ils composaient une marine façon Rosa Bonheur.

Cette idylle nous était donnée après des mois particulièrement durs. À l'hiver 42-43 les choses avaient tourné à l'aigre pour les Allemands et nous nous en réjouissions, mais cela ne voulait pas dire qu'elles s'amélioraient pour nous, au contraire. Non seulement ils devenaient plus agressifs, mais encore leurs ennemis anglo-saxons redoublaient de coups, dont la plupart nous atteignaient nous, la population civile.

Pour Noël, nous avions rendu visite à la sœur de maman qui habitait Lorient, dont les Allemands avaient fait la plus grande base sous-marine de l'Atlantique. L'élite de la *Kriegsmarine* y stationnait entre deux missions. Les sous-marins allemands du dernier modèle, dotés du Schnorchel et pourvus d'équipages excellents pratiquaient la chasse solitaire ou en meute et causaient des pertes terribles aux convois alliés qui apportaient en Angleterre et en Russie les énormes tonnages exigés par la guerre. Ils envoyèrent ainsi par le fond quatre millions quatre cent mille tonnes en 1940, soit l'équivalent de la flotte norvégienne, la même chose à peu près en 1941, huit millions de tonnes en 1942, soit un bateau toutes les quatre heures. Jusqu'en 1943, les Allemands ont coulé plus de transports que les alliés n'en construisaient, ce n'est qu'à la fin de l'année que le solde est devenu positif.

Il faut dire que la *Kriegsmarine* y mettait les moyens : elle a aligné mille cent cinquante sous-marins dont sept cent quatre-vingt-un ne reviendront jamais. Deux tiers de pertes ! Lorient était au cœur de cette offensive fiévreuse dont Brest et Saint-Nazaire étaient les bases annexes pour l'Atlantique. Compte tenu des risques terribles de leurs missions, les sous-mariniers étaient les seuls auxquels l'autorité militaire tolérait de « dégager » dans les bistrots de la ville, et même, au retour de mer, de boire jusqu'à l'ivresse.

De son côté, l'aviation alliée faisait tout pour réduire ce nid de torpilles. Les bombardements se suivaient et empiraient à chaque fois, mais la base était indestructible. Des milliers d'ouvriers français de l'organisation Todt y avaient construit de monumentaux hangars de béton armé dont les toits épais de huit mètres résistaient aux bombes les plus puissantes, y compris les monstrueuses jumelées de douze tonnes.

En désespoir de cause, les Anglais se sont attaqués au point faible du dispositif, la ville elle-même. Deux ans avant Dresde, quatre mois avant Cologne et six avant Hambourg, huit mois avant Nantes, deux ans après les bombardements plus restreints de Munich et Coventry, la ville a été entièrement incendiée et rasée par l'aviation alliée. En janvier 1943, elle fut attaquée pratiquement tous les soirs. À cinq kilomètres à l'entour, on pouvait assister à de fantastiques feux d'artifice qu'y dessinaient les projecteurs, les canons, les traçants de la DCA, les fusées éclairantes, les éclatements de bombes ou les avions en flammes, ou les incendies allumés au sol. Les 23 et 24 janvier 1943, Lorient fut entièrement réduit en cendres par un bombardement incendiaire au phosphore.

Elle ouvre la longue liste des villes martyres françaises, Brest, Saint-Nazaire, Nantes, Rennes, Saint-Malo, Rouen, Le Havre, Caen, etc. Au froid, à la faim, à la peur, s'ajoutent d'inoubliables misères, celles de perdre les siens, ses pauvres biens, ses souvenirs, tout l'environnement d'une vie. C'est la première fois qu'en France une ville entière est ainsi rayée de la carte. Le fait est si peu banal que les pompiers du quart nord-ouest de la France sont là. Brest, Nantes, Saint-Nazaire, Rennes. On pense qu'il s'agissait pour les Alliés de chasser de la ville les milliers d'ouvriers qui travaillaient à l'arsenal et à la base sous-marine.

Cela réussit pleinement. Les habitants de Lorient et des communes avoisinantes fuyaient, ayant tout perdu, dans la tenue de nuit qu'ils portaient en descendant aux abris. Chacun s'efforçait de trouver un refuge, chez un parent, un ami ; ceux qui n'avaient ni l'un ni l'autre, étaient parqués dans des écoles ou d'autres bâtiments publics. Une partie d'entre eux trouva finalement refuge à La Trinité, qui accueillit notamment les pêcheurs de Locmiquélic, Port-Louis et Riantec venus sur leurs bateaux. Ainsi s'explique la croissance démographique importante de notre commune pendant la guerre.

Les populations civiles bombardées ne portaient naturellement pas les aviateurs alliés dans leur cœur, j'en atteste. La propagande allemande eut la partie belle pour attiser des inimitiés ancestrales déjà avivées par Dunkerque et Mers el-Kébir. C'était terrible : on n'aimait pas les Allemands, mais on ne pouvait pas aimer non plus les Anglais, la France était vraiment seule, écrabouillée.

Heureusement, il n'y eut cette fois pas trop de morts. Cela ne devait hélas pas durer. Jusqu'à la fin de la guerre, les estimations varient de soixante à cent vingt mille morts dans les bombardements alliés de la façade atlantique française. Bien plus que les pertes américaines lors de la bataille de Normandie.

J'ai revu Lorient juste avant qu'elle ne soit rayée de la carte. La sœur de ma mère dont l'époux était chef mécanicien sur un gros chalutier nous y invita pour Noël 1942, notre premier Noël sans mon père. La ville était déjà abîmée par les premiers bombardements, de toute manière elle était sale et laide, elle déparait à mon goût le site admirable du confluent du Blavet et du Scorff.

Ma tante nous logera durant tout notre séjour, huit nuits, dans la cave sordide de l'immeuble qu'elle habitait. Malgré tout, nous apaisons nos douleurs en les partageant. Depuis des mois elle attend un mari dont elle est sans nouvelles : il a disparu avec son chalutier. Depuis, la pauvre femme est la proie des voyantes. Chaque semaine, en échange de son bon argent, elles le voient, avec toute l'obscurité nécessaire à ne pas être démenties et à exploiter la crédulité de leur pauvre dupe, tantôt sur une île, tantôt à l'hôpital, tantôt recueilli sur un paquebot. En même temps, ma tante s'épuise en démarches auprès de la Croix-Rouge pour savoir s'il n'a pas trouvé refuge en Angleterre. Elle veut encore y croire, ou faire semblant. À la fin de 1944, le territoire ayant été libéré et les communications étant rétablies, le doute ne sera plus permis, elle prendra enfin le voile des veuves.

Retournons à Berder au printemps 1944. L'agrément des beaux jours se trouva rehaussé par l'excitation générale qui nous gagnait. On savait l'Axe partout en recul. Les Alliés, notre armée d'Afrique en tête, remontaient l'Italie depuis septembre 43. Au Garigliano en mai 44, le général Juin venait d'ouvrir les portes de Rome. On attendait le débarquement de l'Atlantique. Chacun avait son idée là-dessus, les plus raisonnables pensaient au Pas-de-Calais, plus proche de l'Angleterre, d'autres faisaient des suppositions folles, pourquoi pas la Bretagne ?

C'est là qu'un matin à quatre heures, nous fûmes réveillés par un roulement sourd et lointain. Vers le nord-est à peu près. Qu'est-ce que ça pouvait être ? Un bombardement de Rennes ? Cela durait. À cinq heures, notre surveillant, l'abbé Guyodo, venu pour le réveil confirma qu'il s'agissait du débarquement allié en… Normandie. Il allait s'illustrer bientôt au maquis de Saint-Marcel, puis comme aumônier de parachutistes, et la paix revenue vicaire du village voisin de Crach.

Trois ou quatre d'entre les plus grands, qui avions des préoccupations patriotiques, étions admis à une certaine intimité avec lui et à ce titre, nous pûmes entrer dans son alcôve pour écouter la radio dont les communiqués laconiques confirmaient qu'une opération de débarquement était en cours en Normandie sous une importante couverture aérienne et navale. L'exaltation s'empara du collège. À midi, le préfet annonçait :

– Préparez vos bagages et partez dans les plus brefs délais.

Il prenait là une lourde responsabilité car depuis plusieurs jours la radio anglaise répétait qu'en cas de débarquement, les civils ne devaient se déplacer à aucun prix, l'aviation alliée ayant reçu l'ordre de tirer sur tout ce qui bougeait. Le risque était gros. Un avion anglais était d'ailleurs passé le matin en rase-mottes, battant des ailes. Mais l'événement donna raison à l'abbé, il n'y eut aucun accident, nous connaissions les chemins détournés. Tout le monde applaudit et partit dans une joie indescriptible.

6. Saint-Marcel

Il était temps qu'ils arrivent. Il était temps que cela finisse. Nous n'en pouvions plus. Cinq ans que cela durait. Les bombardements, c'était horrible, mais le plus dur, tous les jours, c'était la faim. Maintenant toute la nourriture était soumise au rationnement. On utilisait des tickets. Encore fallait-il qu'il y ait de quoi acheter. Les plus chanceux, les J3, j'en étais, avaient droit à une barre de chocolat par mois et trois cent cinquante grammes de pain par jour ; grand-père et grand-mère, classés vieillards, à cent cinquante grammes. Même pour ceux qui avaient de l'argent et peu de scrupules les choses devenaient difficiles. Le kilo de beurre atteignait cent mille francs au marché noir. On ne pouvait plus les voir, ces Allemands qui interdisaient tout et prenaient pour eux tout ce qui restait de mangeable.

Eux non plus n'en pouvaient plus. Toutes ces Marie-Louise à peine tirés de la *Hitlerjugend* et ces vieux rappelés qui se relayaient pour prendre quelque repos dans les villas des vacanciers essayaient de montrer de la tenue, mais les pauvres n'avaient plus rien à voir avec les conquérants de quarante. On sentait malgré la discipline militaire que le bel instrument du grand état-major allemand était fêlé, ils étaient au bout du rouleau. La pénurie d'hommes obligeait d'ailleurs l'OKW de Berlin à utiliser des troupes non allemandes en France pour conserver de quoi garnir le front de l'Est. Chacun a entendu parler des exactions de la division SS bosniaque musulmane *Handschar*. Chez nous en Bretagne, c'étaient des Géorgiens anticommunistes, qui ne voulaient pas se battre contre leurs frères russes rouges, mais qui attendaient les Américains pour les « accueillir ». En attendant, ils étaient chargés du maintien de l'ordre. De ne savoir parler ni allemand ni français renforçait leur sauvagerie naturelle. Ce sont eux qui menaient les opérations anti guérilla. L'infanterie allemande démoralisée commençait à craindre la résistance, elle ripostait de plus en plus volontiers avec brutalité et sans discernement.

L'annonce du débarquement aggrava les choses. Le prestige du vainqueur céda devant ce début de défaite. Des commères lançaient des réflexions à voix haute sur les chances de la *Wehrmacht*, et le commandant d'armes Bergstreiser, que l'on surnommait Musso(lini) à cause de son embonpoint confortable, avait beau rouler des yeux furibonds, ça n'y changeait rien. Ordre fut donné à la population de déposer devant l'autorité d'occupation tous les postes de radio.

– Sous peine de mort !

La formule était devenue rituelle. Tout était désormais interdit sous peine de mort, sur toutes les affiches, dans toutes les proclamations. On en riait sous cape mais ça n'en était pas moins inquiétant. Les Allemands entendaient ainsi couper toute communication entre la population et les Alliés. Ils craignaient que les Anglais ne lancent un débarquement secondaire dans un site qu'ils connaissaient pour l'avoir utilisé pendant la révolution, la baie de Quiberon, afin de prendre à revers les défenses de Bretagne. L'état-major interallié y avait d'ailleurs songé, mais n'avait finalement retenu qu'un largage de parachutistes français qui devaient, en liaison avec les unités FFI, fixer loin du front de Normandie le plus possible de troupes allemandes par des sabotages et du harcèlement.

Malgré la confiscation des postes de TSF, ou peut-être à cause d'elle, les indiscrétions inévitables provoquèrent un afflux de volontaires qui, s'il fut flatteur pour le patriotisme et le courage des Bretons, désorganisa complètement le plan primitif et faillit tourner à un désastre comparable à celui du plateau des Glières en Haute-Savoie.

Le bruit courut qu'on mobilisait l'armée secrète, et en tout cas les jeunes des classes 41-42-43. Tous devaient gagner le maquis tant pour éviter que les Allemands ne les raflent que pour constituer une armée de libération ! Ces nouveaux soldats de l'an II étaient invités à se munir de vêtements de rechange, qu'ils devaient porter sur eux. Ça leur donnait une silhouette bien nourrie qu'ils avaient perdue au fil des années de privation. Certains partirent dans le déguisement du poilu en campagne, deux musettes leur battant les flancs et la couverture roulée en sautoir. Les Allemands ne voyaient pas ou feignaient de ne pas voir cette agitation.

L'attente avait été si longue, l'exaltation de la liberté et le goût de la guerre étaient si profonds que ce fut la levée en masse.

Le matelot de mon grand-père, Léon, avait les renseignements nécessaires et nous étions convenus de partir le lendemain matin à quatre heures. J'eus le tort d'en faire confidence à ma mère. Celle-ci s'y opposa avec une fermeté inattendue. Elle me dit en pleurant qu'elle avait déjà perdu mon père, qu'elle n'avait plus que moi. À la fin je pensai cependant l'avoir apaisée et me couchai. Quand je fus endormi, elle prit mes deux pantalons et s'enferma dans sa chambre. Le lendemain Léon, fidèle au rendez-vous, vint frapper à mes volets. Je m'aperçus que je n'avais pas de vêtements. Je compris et me précipitai sur la porte de maman, mais, prévoyant l'éclat, elle s'était barricadée, et j'eus beau supplier, menacer, tempêter, elle demeura intransigeante.

Pas de culotte, pas de maquis. Léon partit seul.

J'étouffais de rage à l'idée que je ne participerais pas à ce qui me paraissait une merveilleuse aventure. Aussi décidai-je d'user de ruse. Je laissai passer un jour. Le surlendemain, ayant juré à ma mère obéissance, je récupérai mon pantalon et partis avec un camarade rejoindre le point de ralliement du bois de Saint-Billy à quelque cinquante kilomètres de chez nous, le 6,35 de mon père dans la poche arrière.

Nous eûmes la chance de trouver sur la route un camion venu livrer des troncs de sapin à l'organisation Todt, qui remontait au-delà de Vannes. Puis comme nous nous dirigions vers Saint-Billy par la route, prêts à sauter dans un champ en cas de mauvaises rencontres, deux gars de Carnac nous annoncèrent que le rendez-vous de

Saint-Billy avait été grillé et attaqué par les Allemands : le rassemblement avait lieu à Saint-Marcel dans les bois de Sérent.

Comme le soir venait, nous demandâmes asile à un couple de paysans. Ils refusèrent, les Géorgiens avaient la réputation de brûler les fermes et de fusiller sans jugement ceux qui étaient soupçonnés d'héberger des maquisards. Enfin, une veuve accepta que nous couchions dans le foin au-dessus de sa cuisine. Le bruit des animaux et l'excitation nous tinrent éveillés longtemps après que nous eûmes bu la bouteille de cidre et mangé la tartine de pain beurré qu'on ne refuse à aucun passant. La fatigue nous terrassa au milieu de rêves glorieux.

Le lendemain, nous préférons par prudence marcher à travers champs à quelques centaines de mètres de la route. Après bien des détours, nous tombons sur un groupe armé en embuscade. Son chef nous indique que les gars de Lorient dont nous devrions dépendre se trouvent de l'autre côté du bois. Ne nous connaissant pas, il se méfie. Il nous fait donner un petit morceau à manger mais refuse de nous armer. Nous passons la nuit.

Au matin du 18 juin, nous étions réveillés par des tirs d'armes automatiques, tout le bois sembla s'enflammer. Nous marchions au canon les mains vides quand un homme coiffé d'un béret basque avec un galon nous ordonne de porter des caisses de balles vers les lignes. Nous ne nous le fîmes pas dire deux fois et courûmes en portant notre fardeau.

Puis vint une occasion de tirer. Nous voyant novices, un voisin me donne un bout de saucisson en rigolant :

– Mange ça petit, ça t'occupera.

Nous étions à l'abri d'un talus planté de chênes qui dominait un champ descendant en pente douce. À deux cents mètres, des silhouettes empanachées de feuillages, se défilaient le long d'une haie. Nous les choisîmes comme cible. L'un d'eux tomba, plusieurs crièrent :

– Je l'ai eu !

Pas moi. Je ne me faisais quand même pas d'illusion sur l'effet de mon six trente-cinq à cette distance.

Des explosions violentes éclatent derrière nous.

– Ils nous balancent des mortiers, dit le « rigoleur » qui avait décidément l'air de s'y connaître.

Deux officiers nous croisent, dont l'un portait un pansement au bras gauche. C'est Michel de Camaret, futur compagnon de la Libération. Il sera quarante ans plus tard député du Front National et racontera dans un discours sa brève rencontre avec le « gamin au six trente-cinq ». L'autre était un Denys-Cochin, futur membre du conseil municipal de Paris.

Cinq autres hommes à béret rouge avec un fusil-mitrailleur passent en courant en nous criant de nous replier.

– C'est les paras, dit laconique le rigoleur.

– Des Anglais ?

– Mais non ! Des Français, couillon !

Il nous avait adoptés, celui-là. Il nous donnait confiance par son calme olympien. D'une grosse musette, il tira du pain, du lard qu'il coupait avec un gros canif et une bouteille de cidre.

– C'est pas le tout, faut bouffer les gars, moi, j'amène toujours ce qu'il faut. Pour bien se battre, faut bien bouffer.

Cette philosophie était faite pour me séduire, moi qui n'avais quasi rien mangé depuis 48 heures.

– D'où vous êtes ?

– De La Trinité.

– Ah je connais ! La Mère le Rouzic !

Cette fameuse étape gastronomique ne pouvait bien sûr être ignorée d'un homme qui savait ce que manger veut dire. Il plisse des yeux et ajoute :

– C'est un bon caboulot.

Un caboulot ! Pourquoi pas un bouge ! Si Mme Le Rouzic l'avait entendu ! Mais l'heure n'est plus à la gastronomie. Un groupe d'une dizaine d'hommes armés arrive en trottant.

– Faites gaffe, ils ne sont pas loin, dit l'un d'eux.

Il secoue la tête :

– Parait qu'on a été vendus aux boches.

L'éternelle ritournelle ! En France on ne peut pas perdre sans avoir été trahi. Vers dix heures du soir nous parvint l'ordre de rentrer chez nous.

Voilà tout ce que j'ai vu et fait à Saint-Marcel. C'est-à-dire pas grand-chose. Ce ne fut pas Valmy, pas Waterloo non plus, j'ai encore moins compris ce qui se passait que Fabrice del Dongo. Quand même, j'ai eu le bonheur de voir des Français combattre ensemble l'ennemi, sans se chicorner entre eux. Le malheur aussi que tout soit organisé à la va-comme-je-te-pousse et qu'on foute le camp devant une force mécanique et une puissance de feu supérieures. Sur le bilan militaire, on épiloguera sans fin. Les combats de Saint-Marcel figurent parmi les principaux de l'histoire des maquis, mais il y a eu beaucoup moins de pertes chez les Allemands qu'on ne l'a dit sur le moment. Là n'est pas l'important : une vraie ardeur patriotique a gêné la *Wehrmacht* dans sa remontée vers la Normandie. Hélas, beaucoup de gars se sont fait prendre et fusiller en demeurant trop près de Saint-Marcel après la dispersion, ou en cherchant refuge dans des villages où ils n'étaient pas connus.

Quant à nous, nous mîmes deux jours à rentrer à la maison, manquant nous faire prendre par une patrouille de Géorgiens à cheval. Nous avons dû nous jeter à plat ventre sous un buisson de ronces. Enfin, affamé, plus sale qu'un peigne, j'arrive chez moi avec un petit air de triomphe. J'étais trempé comme une soupe, cela gouttait sur le ciment. Ma mère m'attendait :

– D'où viens-tu ?

– Du maquis, répondis-je en bombant le torse.

J'étais assez fier de moi. Mais elle, vive comme l'éclair :

– Prends toujours celle-là !

Je me changeai pensif. C'était une claque magistrale, la dernière qu'elle m'ait donnée, ma première décoration de guerre.

7. L'été le plus long

Commence, pour la France et pour moi, l'été le plus long. Les Allemands sont dans la seringue, partout, mais ils s'accrocheront ici jusqu'au 8 mai 45, et, l'hiver prochain, pendant l'offensive des Ardennes, les Alliés auront une peur bleue de finir à la baille. En attendant, les troupes anglo-saxonnes ont gagné la bataille des plages en Normandie, et cependant, malgré les erreurs du commandement allemand, elles piétinent. Elles ne perceront vers Avranches que le 30 juillet. En résumé nous ne sommes pas au bout de nos peines, mais personne ne le sait. Ce que l'on voit, ce sont des Allemands de plus en plus nerveux et des Français de plus en plus farauds. De la part de ces derniers, c'est une erreur. Avec mai-juin 40, les derniers mois de la guerre seront chez nous les plus dangereux.

Saint-Marcel nous avait enhardis, nous les gamins. À seize ans on ne doute de rien. L'appétit d'action et de spectacle est immense. Fin juillet début août, nous apprîmes que les Américains se rapprochaient de nous. Un char allemand était en position au Chat Noir à quatre kilomètres de La Trinité : nous entreprîmes de l'attaquer par ruse avec mon pistolet. Nous avions monté un petit scénario pour nous approcher de l'engin. Je ne devais alors rien de moins que bondir sur le blindé et tuer les occupants au pistolet. Par chance, la chance joue un grand rôle dans la vie des hommes, le char avait quitté sa position. Beaucoup de morts furent causés par des actions semblables à celle dont nous avions rêvé.

La *Wehrmacht* se repliait maintenant en toute hâte sur les ports d'Atlantique selon un plan préétabli, qui allait déboucher sur les fameuses « poches allemandes », réduits fortifiés autour de points stratégiques ou de bases navales importantes. En France, ils se retrancheraient ainsi à Dunkerque, Calais, Boulogne, Le Havre, Cherbourg, Saint-Malo, Brest, Lorient, Saint-Nazaire, La Rochelle et des deux côtés de l'entrée de la Gironde, à Royan et la Pointe de Grave. L'avance alliée en Normandie, puis vers la Bretagne et vers Paris, couplée au débarquement de Provence, leur coupait d'ailleurs la route d'une retraite vers le *Reich*. Cela devait déterminer le visage de la guerre sur la façade atlantique : Cherbourg, Saint-Malo, Le Havre, Brest, Boulogne et Calais allaient tomber avant la fin du mois de septembre, mais les autres poches, en particulier celle de Lorient, qui comptait la presqu'île de Quiberon à moins de cinq kilomètres à vol d'oiseau de chez nous, résisteraient jusqu'au printemps 45.

Il n'y avait plus de transports civils ni de ravitaillement, tous les services étaient désorganisés. Je fis avec deux voisines deux voyages à bicyclette avec mes pneus renforcés de ficelle dans le nord du Morbihan pour en rapporter des denrées qui nous manquaient et qu'on trouvait là-bas en abondance. En chemin je fus arrêté à Naizin par une patrouille russe. Elle fouilla mes mottes de beurre à la baïonnette et me fit vider mes sacs de farine sur la route. Mes compagnes désespéraient de jamais me revoir. Les Géorgiens étaient coutumiers de fantaisies cruelles. Ceux-là, après m'avoir tenu pendant une heure les mains appuyées sur le mur de l'église, me donnèrent l'ordre d'aller. Je refis tant bien que mal mon bagage et me mis en selle, craignant jusqu'au virage de recevoir une rafale dans le dos. Une fois qu'il fut passé, je pédalai comme un fou jusqu'au village voisin où m'attendaient mes compagnes.

Ma mère m'accompagna pour une autre expédition dans la même région. Passant par Locminé, nous trouvâmes les volets de maisons fermés et des soldats en position au carrefour. Une femme nous fit entrer dans un couloir :

– Malheureux, n'allez pas par là, vous allez vous faire tuer !

Par les fentes des contrevents, nous vîmes passer une vingtaine d'hommes, encadrés par des Allemands armés de mitraillettes. Nous sûmes plus tard qu'ils étaient conduits dans une carrière proche pour y être fusillés. La guérilla faisait maintenant rage dans toute la région. Nous résolûmes de ne plus nous risquer, dussions-nous serrer nos ceintures au dernier cran.

Les jours passaient, la Libération tardait. Cependant, au début du mois d'août, l'arrivée des Américains fut annoncée comme imminente. Les derniers convois allemands passaient de plus en plus difficilement sur les routes. À Auray, un policier français lança une grenade sur un char qui riposta. Puis plusieurs dizaines de civils furent alignées le long d'un mur en guise de menace et quelques maisons furent incendiées. La tension était telle que la catastrophe tenait à un fil. L'occupant, exaspéré par l'action des francs-tireurs et l'attitude hostile de la population, ne répugnait plus beaucoup à tirer.

Un matin à quatre heures, nous fûmes sortis du lit par des coups donnés à la porte. C'était les Allemands. Ma mère n'ouvrit pas. Ils venaient sûrement pour les armes ! On les entendit hurler à travers la porte :

– M. Le Pen !

– Il n'y a pas de M. Le Pen, répondit ma mère. Il est mort.

L'Allemand précisa :

– M. Pierre Le Pen !

Ouf ! Ma mère indiqua l'adresse.

Un nouveau danger nous attendait bientôt. Les Allemands rembarquaient leurs munitions et réquisitionnaient tous les bateaux de pêche à cet effet. Le père Hirez s'y était soustrait en sabordant le sien, grand-père n'avait pas eu le cœur de sacrifier son *Stiren Ar Mor*. Alors il s'exécuta, à sa manière. Il nous embaucha Léon le matelot et moi, pour charger des obus de 75, avec la consigne d'en laisser glisser discrètement quelques-uns dans l'eau.

Nous nous demandions où les Allemands allaient nous emmener, dans quelle aventure, le transport des munitions fut-il civil et requis, constituant alors une des cibles favorites de l'omniprésente aviation alliée. Mais, Dieu merci, dans l'armée, fût-elle allemande, le contre-ordre suit souvent l'ordre. Cela ne manqua pas. Nous fûmes invités le lendemain à décharger dans une péniche qui venait d'arriver en remorque. La gabegie dans la précipitation du départ était telle qu'il ne vint à personne l'idée de recompter les obus. La veine était avec nous.

Enfin, la *Wehrmacht* partit. Le port, les quais et l'arsenal avaient été minés. Dans l'après-midi, le commandant d'armes décida de rendre les postes de TSF confisqués. Leur restitution donna lieu à des incidents entre les femmes et les soldats qui estimaient que leur chef se donnait trop de mal. Comme Bergstreiser faisait livrer les postes à la mairie pour les rendre à leurs propriétaires, une vieille dame, madame de Kerviler, l'apostropha en termes cinglants, ce qui agaça la troupe présente. Or il se trouva qu'au même moment, mon camarade Albert Janot coupait la drisse du pavillon allemand qui flottait sur la Kommandantur. À cette vue, le commandant saisit son revolver et tira un coup de semonce en l'air. Les femmes s'enfuirent immédiatement.

À cinq cents mètres de là, le coup de feu, la course des femmes en corsages clairs, la chute du pavillon allemand, ont déclenché l'alerte ; à leurs postes de combat, les marins faisaient pointer leurs canons quadruplés, tandis que les curieux étaient invités avec fermeté à dégager les quais.

Ainsi frôlait-on à tout moment l'incident dramatique entre des civils inconscients ou exaltés et des soldats exaspérés et inquiets. Quelques drames de l'occupation n'ont pas eu d'autre cause.

Je fus bien près d'en provoquer un moi-même. On se rappelle peut-être le serment que j'avais fait de venger la mort de mon père en tuant un soldat allemand ? Le temps me parut venu de le tenir.

Le soir, je guettais le départ des Allemands en compagnie de mes inséparables copains René et son frère Albert, quand passe un soldat, seul, les grenades à la ceinture et l'arme à la bretelle. Il crie de loin en loin :

– *Achtung* ! Attenzion, mines dans cinq minutes !

Un bref conciliabule dans l'ombre et je bondis à la maison chercher mon pistolet. C'était l'occasion ou jamais de remplir mon serment ! L'heure de la vengeance ! On s'emparerait de ses armes et on le traînerait dans le jardin.

Je reviens deux minutes plus tard. Mes copains étaient là, fidèles, le suivant à quelques pas. Nous continuâmes cette étrange procession, moi serrant mon 6,35 dans ma poche, lui, répétant à intervalles réguliers :

– Attenzion, mines dans cinq minutes

Mon cœur battait à tout rompre. Le doigt sur la détente, je ne me résolvais pas à tirer, pris par une terrible émotion. Que se passa-t-il en moi ? Répugnai-je à tirer dans le dos ? Fus-je impressionné par l'avertissement favorable à la population, il nous prévenait tout de même que les mines allaient être armées ? Je l'ignore toujours. S'il s'était retourné, s'il avait fait le moindre geste de défense, je tirais. Mais il continuait sa route imperturbable. Au bout de deux cents mètres, nous rebroussâmes chemin. Je n'étais pas fier de me dégonfler devant les copains :

– Désolé, les gars, je n'ai pas pu.

Quelques minutes plus tard, le grand pont Eiffel qui reliait Saint-Philibert à La Trinité était coupé par une gigantesque explosion et s'écroulait dans la rivière, puis ce fut le tour des quais, et des navires que les Allemands laissaient là. L'arsenal brûlait. Un beau feu d'artifice. L'occupation était finie.

Je confesse qu'à aucun moment nous n'avons envisagé ce qu'auraient pu faire les Allemands en découvrant le cadavre de leur camarade. Je frémis en pensant qu'il y avait encore en rade trois bâtiments de guerre. Pour moi, pour La Trinité, je ne regrette pas d'avoir manqué à mon serment.

8. Drôle de paix

Les Allemands sont partis mais ils sont à deux pas, ils tiennent solidement, depuis le 12 août, la poche de Lorient. Une base sous-marine inexpugnable, plusieurs bâtiments de surface dotés de DCA, deux cent cinquante canons dont plusieurs 340 de marine pris aux Français, et plus de vingt-cinq mille hommes répartis entre la forteresse de Lorient proprement dite, la presqu'île de Quiberon, les îles de Houat, Hoëdic et Belle-Île. Les Américains et les forces françaises du général de Larminat ont manqué l'occasion de donner l'assaut tout au début, quand les éléments allemands n'étaient pas regroupés, ils ont maintenant pour consigne d'assiéger sans trop chercher le contact : la prise de Brest en septembre a coûté très cher en hommes et en matériel. Priorité à la bataille dans le Nord-Est, qui vise à envahir le *Reich*.

Ajoutons que les hommes des poches sont beaucoup plus coriaces que l'aspect général de la *Wehrmacht* à l'ouest ne le laissait prévoir. La marine et l'aviation ne connaissaient pas les servitudes accablantes des combattants terrestres, des fantassins surtout, la faim, le froid, la fatigue, la vermine. La guerre n'est pas moins dangereuse pour elles, mais elle se joue pour ainsi dire à pile ou face : quand on a perdu on meurt rasé de frais. Ceux qui restent gardent donc les vertus, la prestance et le moral de l'été 40. N'ayant pas été vaincue, la *Kriegsmarine* sera, dans les poches de l'Ouest, l'âme de la résistance à outrance. Elle embrigade dans ses unités tous les ressortissants allemands quels que soient leurs corps d'origine.

On avait connu la drôle de guerre voilà cinq ans, voici la drôle de paix : à une occupation pas drôle succédera une libération moins drôle encore, car la guerre civile menace, la pire des guerres.

Il n'y a presque pas d'opérations, mais cela n'empêche pas les alertes, les privations, les escarmouches. Après la rentrée scolaire, les batteries de soixante-quinze Français et les canons de 155 de la 93e division américaine tâtent les défenses de Lorient. Au bout de quelques heures, le commandement allemand fait savoir que si cela ne s'arrête pas il fera donner les grosses pièces de marine contre Vannes, la ville où loge l'état-major. Dans les bureaux de celui-ci, on en fait des gorges chaudes. D'après les calculs ces canons n'ont pas la portée nécessaire. Le lendemain au premier coup de midi le premier obus tombe sur la place de l'hôtel de ville. Du trois cent quarante de marine. Ça déménage. Quand ils passaient au-dessus de La Trinité, très haut dans leur trajectoire courbe, pour aller toucher Vannes, cela faisait le bruit d'un train qui passe en gare sans s'arrêter. Il n'y en aura que trois, à titre d'avertissement définitif. Heureusement que les artilleurs sont gens ponctuels. Un quart d'heure plus tard, c'était la sortie du lycée Jules Simon. On observera dès lors un raisonnable modus vivendi jusqu'à mai 45. Puisque les Allemands n'ont aucune intention de percer, on les encercle de loin en attendant que la poche tombe d'elle-même quand Berlin aura décidé de capituler.

Les pires situations n'excluent pas cependant un petit sourire. Ma grand-mère alors âgée de 76 ans allait de temps en temps chercher à la côte une cotriade de berniques, petit plaisir interdit pendant l'occupation. Elle se trouvait à sa pêche le jour où les Allemands, pour museler les canons français de la pointe de Kerbihan qui harcelaient leurs camions sur la route de Quiberon, exécutèrent un tir de contre-batterie avec leurs 340 situés à Plouharnel, débouché zéro. Le premier coup tomba très près d'elle. La pauvre femme qui pesait bien 40 kg tout habillée fut projetée à terre par le souffle de l'explosion. Abasourdie, elle se releva et courut pour s'éloigner, subissant encore deux autres formidables éclatements avant de quitter la zone de tir. Elle ne voulut jamais démordre que c'était elle qui était visée :

– Ils ont le diable dans le ventre, ces gens-là. Tirer sur une pauvre vieille comme moi, quand même !

Avec les quelques sous-marins et navires lance-torpilles qui lui restent, la *Kriegsmarine* de Lorient va se payer le luxe de surprendre par une opération de commando un élément français venu occuper l'île de Houat, sans qu'aucun coup de feu ne soit tiré. De temps en temps une offensive à but alimentaire enfonce avec l'appui de quelques chars le rideau de troupes alliées. Une fois raflés vaches et cochons, elle se retire à l'abri de gigantesques champs de mines.

La Trinité est libérée depuis le 11 août. On ne me tient plus. Je nage dans l'exaltation, je veux être partout, tout faire, me montrer partout. J'ai seize ans, je suis orphelin et pupille de la Nation. Je veux me distinguer, Saint-Marcel n'était qu'un hors-d'œuvre.

Je commence par faire office de démineur amateur. Avant de partir, une unité allemande s'est débarrassée à marée haute, d'obus de 75, de mines antichars, de fusées d'obus, de cartouches, de grenades. Les gros malins : on retrouve tout ce matériel tel quel à marée basse sur le sable vaseux. Un second maître de la marine, auto promu lieutenant FFI cherche des volontaires pour les ramasser. Ça ne se bouscule pas. Décidément prêt à tout pour me faire valoir, je m'y colle, dûment conseillé par lui : il reste allongé sur le quai au-dessus de moi, je ne vois que son front qui dépasse. Je brandis un objet décollé de la vase, il se soulève :

– Ça, c'est un obus de soixante-quinze.

J'en montre un autre, il risque un œil :

– Ça, c'est une mine antichar.

En fait les mines n'étaient pas armées, les grenades avaient leur goupille et les obus étaient séparés de leur fusée, il n'y avait pas grand risque : encore fallait-il aller y voir pour le savoir. Je retrouvai même toutes les pièces d'une mitrailleuse Hotchkiss, dispersées sur une cinquantaine de mètres, que l'on parvint à remonter.

Ce mois d'août me laisse un goût bizarre. L'été fut chaud sous les maillots cette année-là. Carnac avait été l'une des premières plages déminées. Les touristes s'y pressaient, surtout des femmes que leurs maris retrouvaient certains week-ends par le train des cocus. Je perds mon pucelage avec une voisine et n'en suis pas peu fier, je suis le plus bruyant des petits coqs. Je sors le soir, la nuit, tirer quelques coups de fusil aux moineaux avec le Lebel de mon père que j'ai trafiqué en fusil de chasse pour tirer du plomb. Il pleut, tout l'été, sans discontinuer. La seule distraction est le dancing. Une aubaine pour les jeunes mâles locaux, pas pour la révision des devoirs de vacances.

Je ne me rappelle pas qu'on ait pavoisé cependant. Leur présence à Lorient est embêtante, quand même.

Par contre on voit apparaître comme des escargots après la pluie les résistants, ceux de la première heure, peu nombreux, et ceux de la onzième, plus communs.

Je suis stupéfait de les reconnaître. Les mêmes qui ont détalé comme des lapins à Saint-Marcel avec moi défilent maintenant en roulant des épaules. Ce ne serait que de la vanité vénielle s'ils ne s'érigeaient en justiciers. Ils arrêtent qui bon leur semble, embarquent en camion tout un lot de notables sous l'accusation de collaboration. Parmi les prétendus « collabos », la femme d'un retraité, Trinitaine depuis cinquante ans mais d'origine allemande ou autrichienne, le maire, le président de l'UNC, ceux qui passaient pour monarchistes. Des amis de mon père qui était le benjamin du conseil municipal, des gens parfaitement honorables. Cela me perturbe. Du jour au lendemain, ceux qui n'étaient pas gaullistes ou communistes ou n'aimaient pas les Anglais deviennent suspects.

Il y a aussi ceux qui ont été en rapport de travail avec les Allemands. Les femmes en particulier. On s'en prend de préférence à celles qui sont sans mari et pauvres. On les traque dans un enthousiasme goguenard, un rien salace – très salace, en fait. Certains sont d'autant plus prompts à les traiter de putains que la « viande à boches » leur paraît tendre. Dans les disputes locales, il est arrivé à certaines d'entre elles de lancer des menaces, auxquelles leur proximité avec les Allemands donnait de la gravité. Elles le paient cher. Ainsi seront raflées, pêle-mêle, celles qui rigolaient avec les boches et celles qui travaillaient à leur service comme bonnes ou cuisinières.

Les justiciers ne se sont jamais demandé comment une femme seule pouvait survivre sous l'occupation. Il fallait pourtant travailler pour vivre, et l'occupant était le plus gros fournisseur d'emplois. La propagande de Londres ne voulut voir dans ces malheureuses que des prostituées traîtresses à leur patrie et à leurs hommes, comme en témoigne *La valse des vaches,* due à la plume de Pierre Dac :

On a reproché à tous nos poilus d'avoir pas gagné la guerre...
Ils ont répondu qu'ils étaient vendus, pourtant on les a pas crus...
Pourtant rien de plus facile : à titre de renseignement
On peut voir partout en ville ces vaches au bras des Allemands
La valse des vaches qui, dans la nuit
Vont, pour gagner un mark, vendre leur corps à l'ennemi
Pendant que leurs maris, leurs frères sont là-bas, crevant de misère,
Mais voilà c'est la guerre.

Ce n'est pas du meilleur Pierre Dac.

Un soir, dans un garage, sous la menace de leurs armes, plusieurs de ces justiciers, ayant reçu dit-on carte blanche des autorités militaires de Vannes, procédèrent en public à la tonte des pauvres filles. Les unes accablées de honte éclataient en sanglots, les autres bravaient l'adversité. Les grosses plaisanteries fusaient dont on devine le sujet. Elles sortaient de la tondeuse, hideuses, quand un des assistants, un communiste, entreprit de les marquer au fer rouge. Il avait confectionné une sorte de tampon en forme de croix gammée et le faisait rougir à la lampe à souder. C'était trop. Il y eut des murmures et quand la femme hurla sous la brûlure, des protestations fusèrent. Les hommes se regardaient quand l'un d'eux, Jean Mèdes, cria :

– Arrêtez !

C'était une baraque, il avait gagné sa croix de guerre dans les corps francs de 39, on l'écouta. La grande majorité se rangea derrière lui. Les apprentis tortionnaires, se voyant isolés, quittèrent les lieux en promettant que ça ne s'arrêterait pas là.

Durant ces semaines d'un été interminable, avant que des tribunaux réguliers ne limitent la casse, l'arbitraire fut la chose la mieux partagée en France, avec la vengeance. Chez nous à Auray, des parachutistes ivres abattirent des prisonniers allemands sous le prétexte qu'ils appartenaient à la DCA et que la DCA tirait sur les paras. Un vieux libre-penseur protesta : ils le fusillèrent.

Tout cela me dégoûta. Je pensai encore à maths élém à l'époque, j'avais à la maison du matériel de dessin industriel. Je rédigeai avec mon pinceau à encre de chine deux affiches identiques que je plaçai, l'une à la mairie, l'autre sur le quai. Des samizdats bretons, en quelque sorte, ou, puisque j'y employais l'encre de Chine, des dazibaos. Je redécouvrais ainsi une invention d'Olympe de Gouges, le placard politique à la main, dont elle se servit pour dénoncer les crimes de Marat, Robespierre et de la Montagne, ce dont elle mourut guillotinée. J'attaquais, moi, les rodomonts sadiques de La Trinité et leurs tondeuses, je les appelais « es patriotes » (je voulais dire les « pseudo-résistants »). Ma mère n'avait pas fait de longues études mais connaissait mieux sa langue que moi, elle rectifia doucement :

– Pseudo-patriotes, pas es.

Je ne l'écoutai pas. J'étais trop indigné par ces combattants de pacotille qui s'attaquaient injustement aux faibles. Mon affiche exigeait d'eux qu'ils s'expliquent. Je croisai l'un d'eux alors que j'avais encore de l'encre sur les mains. On se colleta.

L'affaire fit quelque bruit. Le nouveau maire convoqua ma mère. Pour lui, le texte ne pouvait avoir été écrit par un garçon de seize ans, il voulait savoir qui me l'avait inspiré, de qui j'étais l'instrument. Ma mère me l'avait vu rédiger :

– Il l'a écrit tout seul. Sur la table. J'étais là.

Elle ajouta que nous n'avions pas de comptes à rendre, et notre réputation suffit à terminer l'incident. Cela n'épuisa pas ma soif de reconnaissance. Je voulus m'engager dans les fusiliers marins avec mon ami Jojo, c'était possible à seize ans, mais il fallait l'autorisation des parents et ma mère me la refusa évidemment. Pour plus de sécurité, elle se rendit au bureau de la marine et à la mairie afin de manifester publiquement son opposition formelle.

Qu'à cela ne tienne, je filai à Sainte-Anne-d'Auray en novembre 1944 pour m'engager dans le corps franc commandé par le colonel Valin de la Vaissière. Celui-ci, avec beaucoup d'humanité et de bon sens, me représenta que je ferais mieux de rentrer chez moi, soutenir ma mère et préparer mon baccalauréat. J'en fus très dépité. À quelque temps de là, il écarta de son régiment un résistant qui le prit mal et lui logea une balle dans le crâne, tuant aussi le commandant Verrier. C'étaient des durs, plutôt rouges, un mélange FFI-FTP. Je ne sais pas ce que j'aurais donné, chez les *cocos*. Cela aurait peut-être changé ma vie, qui sait ?

Depuis que j'étais un homme je n'étais plus très assidu en classe. Nous approchions de l'épisode où les chers abbés du collège Saint-Louis de Lorient me renverraient en m'annonçant la mort de ma mère, que j'ai déjà racontée. Ensuite, je dus m'inscrire en catastrophe au lycée de Vannes. Là, nouvelle catastrophe, pour la première fois de ma vie les mathématiques ne me sont pas enseignées par un abbé en soutane, mais par une dame, avec de jolis cernes sous les yeux et des jambes que je voyais sous son bureau, je m'étais rapproché de l'estrade. Cela créait forcément des turbulences sentimentales et je m'en expliquai avec son petit ami, un surveillant de quatre ans mon aîné. L'affrontement physique n'était pas aussi mal vu qu'aujourd'hui, mais il ne fallait que cela fasse trop de bruit ni que la cause choque les bonnes mœurs. On me renvoya encore. Une fois qu'on est pris dans le mouvement, il ne s'arrête plus : tu as été viré alors tu seras viré, tu es dans le collimateur du censeur et du surveillant général à la moindre alerte.

Était-ce avant ou après la reddition de la *Wehrmacht* ? Je ne m'en souviens plus avec certitude, mais je me souviens bien de celle-ci. Le 8 mai 1945, la capitulation allemande mettait fin au conflit européen déclenché près de six ans plus tôt. J'allai assister à la reddition des troupes allemandes de la poche de Quiberon qui s'effectuait à l'abbaye de Kergonan à Plouharnel où passait la ligne du front. Les soldats, en ordre et tenue impeccable, étaient encadrés par des militaires français. Un par un, les troupiers ennemis déposaient leurs fusils et leurs couteaux baïonnettes en les rangeant en piles régulières.

À l'arrivée d'un groupe d'officiers de marine au port hautain, la foule commença à huer, jeter des pierres. L'un d'eux fut atteint au visage. La vue du sang excitait des sentiments différents dans l'assistance quand l'officier allemand le plus gradé sortit des rangs pour demander d'assurer la protection de ses hommes à l'officier français. De mauvaise grâce, celui-ci fit reculer les civils à bonne distance.

On exhuma au Fort de Penthièvre et à la citadelle de Port-Louis des charniers de résistants fusillés avant la formation de la poche. Les officiers généraux de la garnison allemande furent conduits devant les fosses ouvertes et contraints de défiler devant les misérables dépouilles. Le spectacle inclinait à la méditation. L'Europe avait accumulé en un quart de siècle plus de ruines, de deuils et de haines qu'en mille ans de guerres ! Quel allait être son avenir ?

J'allai voir le 23 juillet le général De Gaulle à Auray. Pour toucher le grand homme. Il n'avait pas encore acquis le métier des bains de foule et passait hiératique, un peu excédé, au milieu de la masse enthousiaste. Je serrai cette main indifférente. Il me parut laid et dit quelques banalités à la tribune tendue de tricolore. Il n'avait pas une tête de héros. Un héros doit être beau. Comme saint Michel ou le maréchal Pétain. J'étais à nouveau déçu.

Ma mère inquiète m'arracha à ces rêveries. À mesure que passaient les semaines se posait une question plus pressante et plus concrète : où allait-on trouver un lycée qui veuille bien m'accueillir à la rentrée ?

9. Résistances

La guerre est finie. Elle n'est déjà plus qu'un souvenir. L'atmosphère de dangers et d'imprévus qui a baigné les six années qui me séparent de l'enfance s'évanouit. L'air me semble plus léger, et en même temps les choses ont plus de poids. Bizarre. Nous ne savions plus ce qu'est la normale.

C'est l'heure des bilans. Ils sont lourds. Très lourds. Le soulagement immense n'efface pas les deuils, dans la famille et dans le pays. La France pleure plusieurs centaines de milliers de morts, en grande partie des civils. Moins que d'autres pays, beaucoup moins que pendant la Grande Guerre, mais c'est quand même énorme, plus que les pertes américaines sur les théâtres d'opérations d'Europe et d'Asie réunis. Des villes entières ont disparu. Tout est à reconstruire. La disette perdure, le rationnement ne sera supprimé qu'en 1950.

Je ressens une grande gêne. La Libération n'a pas été la joie sans mélange que j'attendais. Même dans mon village de Bretagne, elle a tourné au règlement de comptes entre Français. Sans doute notre pays occupe-t-il un strapontin chez les vainqueurs, mais à quel prix ? Et à qui doit-il sa part de victoire ? Aux forces françaises libres de Londres sous l'autorité du général De Gaulle, aux résistants des forces françaises de l'intérieur, dont les Francs Tireurs Partisans, les FTP communistes ? Pourtant la plupart des combattants de la Libération venaient de l'armée d'Afrique et l'armée d'armistice, instruments formés et préservés jalousement par Vichy.

À la fin de la guerre on a jugé le patriotisme des Français sur des critères politiques. On a fait des héros de certains combattants, d'autres des traîtres, on en a oublié beaucoup. C'est dû à l'ambiguïté du mot Résistance. Mon père n'a jamais eu l'occasion de me dire pourquoi il avait conservé son Lebel et son pistolet. Mais je me rappelle pourquoi j'ai pris sa suite. Pour honorer sa mémoire et pour désobéir, refuser l'ordre de l'occupant. Cela ne devait rien aux appels de Londres. Hélas, dès 1944, la résistance est devenue un label, qui opposait certains Français à d'autres. Tout de suite j'ai été profondément blessé par la guerre civile et par les mensonges historiques inventés pour la justifier. Mes affiches à l'encre de Chine furent ma première protestation. Il faut la compléter ici. Non sans passion. L'indignation du vieil homme que je suis devenu n'a pas faibli.

Commençons par nous mettre d'accord sur la situation de juin 1940. La France était battue, lâchée par ses alliés dont certains étaient écrasés. La Grande-Bretagne elle-même ne souhaitant ni ne pouvant lui porter assistance. L'Allemagne commençait à se partager l'Europe avec l'Union soviétique. L'exode jeta sur les routes huit millions de réfugiés, soit un quart de la population. Quinze cent mille prisonniers se faisaient ramasser par la *Wehrmacht*. On peine aujourd'hui à se représenter ce que pèse un million et demi de prisonniers, plus de trois et demi pour cent des Français, les plus actifs, soustraits à la communauté nationale : c'est un million de familles en difficulté (les lois sociales n'étaient pas ce qu'elles sont) et l'économie désorganisée. Jamais dans son histoire la France n'avait subi telle défaite ni tel choc en un mois.

Cela, ce sont des faits indiscutables, comme il est indiscutable que le gouvernement qui prit le pouvoir sous l'autorité du maréchal Pétain n'avait nulle responsabilité directe dans cette catastrophe. C'est parce que le Maréchal figurait un recours aux yeux de la population et des élites politiques que Paul Reynaud, à bout de nerfs, se résigna à lui céder la place, et que le président Albert Lebrun lui demanda de former le nouveau cabinet, avec mission de demander leurs conditions d'armistice aux Allemands.

Ce n'est donc pas le « gouvernement de Vichy » qui prit langue avec l'Allemagne le 17 juin, mais le dernier gouvernement, légal et légitime, de la Troisième République, dans le cadre ordinaire de ses institutions, sous le contrôle de la chambre élue par le front populaire. Le 10 juillet 1940, quinze jours après que l'armistice eut été signé et ses conditions connues, la chambre et le sénat réunis en congrès votaient les pleins pouvoirs politiques et constituants au maréchal Pétain. On a fait état de quatre-vingts opposants qui votèrent une motion différente : mais cette motion, présentée par des anciens combattants, donnait elle-même les pleins pouvoirs au Maréchal, sous une forme différente. Sans doute aussi y eut-il des absents, des gens qui ne prirent pas part au vote, ménageant à la fois l'avenir et le présent. Mais leur silence lui-même était un signe. Parmi ceux qui osèrent voter, de loin les plus nombreux, l'unanimité fut parfaite en faveur d'un grand soldat « républicain ». Les élus se jetaient reconnaissants dans les bras d'une figure providentielle. Les messages au Maréchal des deux présidents de chambre, qui eurent la chance de ne pas voter, montrent une admiration sans borne et une obséquiosité de belle facture.

Les seuls qui ne partageaient pas l'engouement général étaient les communistes, mais ils s'étaient exclus depuis un an du consensus national, en suivant, malgré quelques défections louables, l'URSS après la signature du pacte germano-soviétique. Le président du conseil radical Daladier avait dissous le parti le 26 septembre 1939 et déchu ses parlementaires de leur mandat. Son successeur, le bruyant patriote Paul Reynaud, n'avait pas abrogé ces mesures, au contraire. De l'autre côté, consigne stricte était donnée au PCF par Staline de ne pas soutenir la « guerre impérialiste » des alliés contre le *Reich*. Des sabotages eurent lieu contre l'effort de guerre français. Il y en eut plus à l'arsenal de Lorient du 2 septembre 39 au 10 mai 40 que pendant tout le reste de la guerre. Maurice Thorez, secrétaire général du parti, déserta sur ordre avant de s'enfuir à Moscou. *L'Humanité* sollicita des autorités d'occupation l'autorité de reparaître, en vain, hélas.

Si l'on excepte donc le parti communiste collaborateur des nazis et dissous pour cela, la vérité est que le congrès du 10 juillet, pour tenter de faire oublier la responsabilité qu'il avait dans la défaite, s'en remit tremblant et repentant à un sauveur. Il s'y trouvait poussé par la population française, qui exécrait le régime qui l'avait menée à un tel désastre. À ce moment, les élites républicaines étaient saisies de honte et d'effroi au spectacle de leur déréliction.

Je me fais l'effet d'enfoncer des portes ouvertes, à rappeler ainsi des évidences que tout Français un peu cultivé connaît, mais plusieurs décennies de propagande, couplées aux ravages causés par l'Éducation nationale, ont créé un vaste marais d'ignares intimidés et dupés par quelques idéologues habiles à travestir l'histoire, et je me sens investi d'une mission de rectification. Le public perçoit très mal aujourd'hui ce qu'était l'époque et ce qu'était la France. Une majorité de Français a perdu la mémoire orale, familiale, de ce que furent les difficultés d'alors. Une sorte de fausse mémoire s'est imposée, qui n'a rien à voir avec les données de l'histoire.

Les communistes ont contribué à cette falsification. Pendant vingt ans après la guerre, le PC s'intitula « parti des 75 000 fusillés », alors que les Allemands ne fusillèrent en France que 4 000 personnes, qui n'étaient pas toutes communistes, loin de là.

Aussi terrible que fût la situation, chacun tenta d'y faire face. Dans l'humiliation de la défaite, tous s'efforçaient de trouver dans notre passé des raisons de vivre et de croire à un avenir de liberté et de grandeur. L'Angleterre de son côté, à l'abri du formidable fossé antichar que constituait la Manche, refusait la proposition de paix d'Hitler et décidait, sous l'impulsion de Winston Churchill, nouveau premier ministre, de continuer la lutte. Un certain De Gaulle, que nul ne connaissait et que très peu entendirent, appelait sur la radio de Londres à rejoindre les Anglais. C'était un colonel récemment nommé général à titre temporaire, qui avait été quelques jours sous-secrétaire d'état du gouvernement démissionnaire de Paul Reynaud. Il n'eut pas grand succès. La France pensait d'abord à survivre. L'écrasante majorité de la population suivait le maréchal Pétain, en espérant qu'il pourrait la protéger.

On n'aura jamais fini d'épiloguer sur l'armistice, mais les alternatives militaires agitées par ses adversaires, le réduit breton et la fuite en Afrique du Nord n'avaient aucune consistance : poser les armes était une nécessité. Il se trouve qu'en outre, tout en préservant la flotte, l'armistice (couplée à la finasserie de Franco) détourna Hitler de passer en Afrique du Nord, ce qui devait être un atout maître dans la suite des opérations. Pour l'instant il avait pour objectif et pour effet de conserver un gouvernement à la France et une zone libre d'occupation, lui évitant l'administration directe, la poigne d'un Gauleiter dont on devait déplorer les effets ailleurs, en Hollande, en Pologne. Les conditions de vie des Français, quoique difficiles, s'en trouvèrent améliorées, et nos compatriotes juifs, Éric Zemmour l'a rappelé après Robert Aron et le rabbin Michel, évitèrent dans une grande mesure la déportation. Simone Veil, dans ses souvenirs, le reconnaît, et rapporte une conversation qu'elle eut avec la reine Béatrix des Pays-Bas, où celle-ci lui confie le désarroi des Néerlandais après le départ de sa mère la reine Juliana pour Londres : cela justifie la décision du maréchal Pétain de rester en France malgré l'occupation.

Cependant beaucoup de Français, à commencer par le maréchal Pétain, n'estimaient pas la guerre terminée par la signature de l'armistice, et, au fur et à mesure de son évolution, se remirent à espérer. De Gaulle ne fut pas seul à miser sur la victoire des thalassocraties sur le dictateur de Berlin. Les premières caches d'armes furent organisées par l'armée d'armistice qui fournit des cadres très vite à l'armée secrète. Cependant les actes inadmissibles commis par la Grande-Bretagne à Dunkerque et Mers el-Kébir dissuadèrent la plupart de ces premiers résistants de continuer la lutte à Londres. De nombreux marins, ulcérés par l'agression dont ils furent les victimes dans les ports britanniques en juin 40, décidèrent de rentrer en France.

Mais De Gaulle bénéficia de la présence fortuite en Angleterre du corps expéditionnaire rentré de Narvik en Norvège, essentiellement une demi-brigade de Légion étrangère où figuraient beaucoup d'Allemands et d'Espagnols antifascistes. S'y ajoutèrent des isolés, des combattants jusqu'au-boutistes, parfois aventuriers, souvent antirépublicains, venus essentiellement de la droite et de l'extrême-droite.

Les politiciens, les opportunistes, et tous les autres, ne vinrent qu'après, au fur et à mesure des déceptions et renversements de situation.

L'un des premiers fusillés de la Résistance, Honoré d'Estienne d'Orves, monarchiste et catholique, incarne bien la première vague de la résistance. Cet officier de marine opérait clandestinement en France des missions de renseignement contre l'armée d'occupation. Pris, il fut fusillé par les Allemands conformément aux lois de la guerre. Acceptant les conséquences de ses actes, il embrassa le chef du peloton qui commandait la salve, nulle haine n'étant nécessaire entre patriotes faisant leur devoir. On ne pouvait s'empêcher d'admirer les actes de tels individus, proprement héroïques. Mais la situation doit-elle s'apprécier du seul point de vue des individus ? Autrement dit, comment se présentait le destin collectif des Français ?

De Gaulle affirma dès ses premiers messages la conviction que les Alliés, avec les ressources de leurs empires et de l'Amérique, finiraient par gagner la guerre. Fondée sur l'observation de l'histoire, cette intuition était bonne, et l'événement la confirma. Mais cela entraîne-t-il ipso facto que l'action de Vichy fut inutile, voire répréhensible ? Nullement. Cela signifie moins encore que les citoyens et militaires français étaient fondés à désobéir au gouvernement du maréchal Pétain. Celui-ci était légal et légitime, il avait passé avec le *Reich* un acte régulier et contraignant. La France y était engagée, les Français avec elle. Elle était liée par la draconienne convention d'armistice : le Maréchal avait l'écrasante responsabilité de s'en accommoder pour permettre à quarante millions de compatriotes de survivre. Toute atteinte à la convention d'armistice ouvrait, en effet, aux autorités d'occupation un champ d'action que justifiait la sécurité de ses troupes. Et la disproportion des forces mettait le pays à la merci de représailles sans limites. Cette disproportion que l'on oublie parfois étourdiment aujourd'hui explique toute la guerre. Une image, malheureusement galvaudée, la résume : nous vivions littéralement sous la botte. Cela restreint considérablement les marges de manœuvre.

Que l'on puisse discuter ensuite de la politique de collaboration, de ses fautes, de ses excès, à condition qu'on examine les fautes et les excès de tous, je le veux bien, mais cela ne remet pas en cause ce que je viens de décrire. En somme, l'histoire a avalisé le jugement militaire du général De Gaulle mais cela ne délégitime pas pour autant l'action politique du maréchal Pétain ni la position morale des Français qui l'ont suivi. Si De Gaulle a eu de la vista, Pétain n'a pas manqué à l'honneur en signant l'armistice.

L'opinion majoritaire était d'ailleurs que la France avait besoin d'une épée et d'un bouclier contre les Allemands et je l'ai partagée longtemps, jusqu'au jour où l'écoute de la radio de Londres m'en détrompa. Il m'apparut vite que pour les gaullistes de micro, l'ennemi était à Vichy plus qu'à Berlin. Les Français parlaient aux Français pour leur enseigner plus la haine du Maréchal que celle d'Hitler. J'en fus atterré. Si j'avais été le sapeur Camember, j'aurais dit que l'épée poignardait le bouclier dans le dos.

Je ne comprenais pas pourquoi.

La raison en était pourtant simple : il fallait que De Gaulle abaissât Pétain pour monter lui-même. La défaite avait été l'occasion pour tous de communier dans l'exécration d'un régime qui avait déclaré la guerre et l'avait perdue sans l'avoir préparée, et le blanc-seing donné au maréchal Pétain en 1940 par les chambres réunies en congrès reflétait le sentiment du pays. Mais cette unanimité à laquelle poussait aussi le sentiment d'un danger mortel n'avait pas résisté longtemps aux difficultés morales et matérielles que propageaient la guerre et l'occupation. Les Français qui souffraient du froid, de la faim, de l'absence des prisonniers, des bombardements, supportaient difficilement la présence allemande tatillonne et souvent brutale.

Radio Londres soufflait sur ce feu, exploitant à fond toutes les difficultés d'une nation occupée. Anglais, l'émetteur n'aurait eu qu'une influence modeste : français, patriotique, il trouva une oreille chaque jour plus complaisante auprès de compatriotes qui adorent se trouver des boucs émissaires pour échapper à leurs responsabilités. La trahison leur parut la meilleure explication de leurs échecs. C'est de ce mensonge démagogique que De Gaulle tira son pouvoir. À la fin, on rendit le gouvernement de Vichy responsable de la défaite, de l'occupation et des malheurs de la Patrie.

Cette pédagogie de la guerre civile ne porta pas tout de suite ses fruits. Il fallut quatre ans d'agressions quotidiennes, de plus en plus excessives et haineuses, pour détacher une partie notable du peuple Français de son vieux chef. Même ainsi, jusqu'à la fin, jusqu'à l'été 44, les images d'archives en portent témoignage, la majorité conserva sa reconnaissance au maréchal Pétain. Les Français dans leur immense majorité espéraient la fin de la guerre et de l'occupation, mais cela ne les rendait pas hostiles à Vichy. Ce sentiment dominait même parmi ceux des résistants qui ne se battaient que pour la France et contre l'Allemagne.

Cependant la Résistance était devenue une affaire politique. On m'a vu à l'automne 1944 m'escrimer en vain pour entrer dans un régiment de FFI-FTP. Son armature était communiste et les communistes, qui formaient une part importante de la résistance française de l'intérieur, passaient pour les principaux opposants à Hitler. Les premiers patriotes. Il y eut alors un Front National communiste. Le PC avait à la fois des mitraillettes, des brassards et une propagande à tout casser : beaucoup le crurent, y compris moi un (très) court moment.

Une chronologie précise permet de restituer clairement la vérité. Le 21 juin 1941, Hitler rompt le pacte germano-soviétique et envahit l'URSS. Aussitôt Staline change ses consignes au PCF et celui-ci passe de la collaboration à la résistance. Jusqu'alors, celle-ci n'était le fait que d'individus peu nombreux et de groupes de militaires. Ne jugeant ni les reins ni les cœurs, je ne ferai pas d'hypothèse sur le patriotisme de tel individu communiste : ce qui est sûr, c'est que le patriotisme du parti est soviétique. Il entre en guerre, avec son appareil, contre les nazis, sur ordre de Staline, parce que cela entre dans le plan de guerre de celui-ci. Le PCF n'agit donc pas, comme, par exemple, les FFL, pour la France, mais pour le communisme international, comme l'avaient fait en Espagne les Brigades Internationales. Comme le feront sur son ordre les gens de l'Affiche rouge, le groupe Manouchian, la résistance de M.O.I., les réseaux de « la main-d'œuvre immigrée » : sous le nom de résistance, des étrangers vont faire la guerre en France à d'autres étrangers, pour le compte d'un gouvernement étranger, en y impliquant malheureusement le peuple français comme masse de manœuvre d'une stratégie révolutionnaire et comme victime de celle-ci.

Au patriotisme soviétique correspond en effet une stratégie soviétique. L'occupation jusqu'alors était pénible pour tout le monde, mais, comme on disait alors, « korrekte ». Le parti communiste changea cela en opérant des attentats individuels urbains contre l'armée allemande, très faciles à perpétrer du point de vue militaire (c'étaient de simples assassinats dans le dos), et très rentables du point de vue politique : l'objectif était de provoquer des représailles, qui susciteraient elles-mêmes rancœurs et haines, donc de nouveaux attentats qui eux-mêmes engendreraient de nouvelles représailles.

Ce fut un plein succès. Les Allemands devinrent d'autant plus durs qu'aux attentats qui menaçaient leurs soldats en France ou sur les arrières du front russe s'ajoutaient les bombardements qui écrasaient toujours plus leurs populations civiles. Ils devinrent impitoyables. Assassinats et exécutions sommaires se succédèrent, la machine infernale était lancée, elle rendit l'occupation irrespirable et divisa les Français.

La résistance intérieure, ainsi gonflée par la guerre à l'Est, connut une deuxième croissance avec le STO. Toute une classe d'âge chercha refuge à la campagne et finit dans les maquis. Ceux-ci ne suscitèrent pas l'enthousiasme des paysans, procédant souvent à des réquisitions sauvages de nourriture. Dans les régions où dominaient communistes ou républicains espagnols, les exactions furent nombreuses, elles tournèrent à la guérilla sociale et politique contre les possédants, les châteaux, les cathos, les partisans du Maréchal, ou simplement leurs adversaires d'avant-guerre. Joseph Darnand, secrétaire d'État au maintien de l'ordre, créa pour combattre cette « résistance » très particulière un organisme, la Milice, avec sa branche armée la franc-garde. Il monta des opérations contre les maquis. Une guerre civile doubla la guerre entre les peuples. Cela déboucherait sur les massacres de la Libération.

Ces massacres furent particulièrement massifs, indignes et odieux. Ils passent en nombre ceux de l'occupation, et sont pires du point de vue moral. Il n'y a pas pire pour une population que d'être dominée par des hommes armés indisciplinés. Tel fut le cas pendant plusieurs semaines à la Libération, tel n'avait pas été le cas sous l'occupation : sans doute la discipline imposée par les Allemands était-elle douloureuse, mais elle s'appliquait – et avec rigueur – à leurs propres troupes, les jugements de leurs tribunaux militaires le prouvent. L'épuration laissa, elle, toute licence à des quidams en armes menés par des idéologues de massacrer à loisir : de ce point de vue elle fut pire que l'occupation.

Ici arrivé, on doit conclure : la responsabilité opérationnelle, chronologique et morale de cette dérive incombe entièrement au parti communiste, et à l'horrible cycle agitation-répression qu'il a propagé pour atteindre ses objectifs révolutionnaires, cycle qui n'a pas cessé de ravager le monde depuis. Ce n'est pas un de ses crimes les plus minces.

De Gaulle a laissé faire les communistes.

D'abord, par la force des choses. Dans les débuts de la libération du territoire, il était le patron à Londres, à la radio, mais non sur le terrain. Après le débarquement de Provence et la remontée vers l'Alsace seulement, la présence de l'armée lui donna la force nécessaire à mettre au pas peu à peu les maquis. À l'extérieur, il n'était pas très sûr non plus de sa place, il demeurait vaille que vaille le poulain de Churchill, mais les Américains n'en étaient pas fous, ils lui avaient préféré Darlan, puis Giraud. Il lui fallait donc le soutien de Staline, vrai patron du PCF. C'est pourquoi il lui rendit visite à Moscou et accueillit des ministres communistes dans son gouvernement provisoire d'Alger.

Il s'accommoda des communistes par ambition aussi. Il partageait avec eux et les démocrates-chrétiens du MRP, le même intérêt. La Résistance, qui avait été un sursaut, devenait un système. Un système de partage du pouvoir, qui demeure en place aujourd'hui d'une certaine manière. Dans un livre intitulé *Les crimes masqués du résistancialisme*, Jean-Marie Desgranges, prêtre, résistant et député du Morbihan, lui a donné le nom de « résistancialisme ». C'est-à-dire « l'exploitation d'une épopée sublime par le gang tripartite à direction communiste ».

Pour le résistancialisme ce n'étaient pas ses actes au service de la France qui définissaient le résistant, mais son adhésion à un credo politique. À partir de là, la Résistance avec un grand R s'érigeait en tribunal permanent de la vérité patriotique. Un Jean-Paul Sartre illustre cette imposture. Il n'a jamais résisté, il a même eu des attitudes assez déplaisantes sous l'occupation, mais il fut après la guerre, le danger passé, l'un des phares du résistancialisme intellectuel.

Le tribunal résistancialiste s'appuyait sur quelques dogmes – sur quelques mythes. Celui du méchant collaborateur fonda son pouvoir. De même que le maréchal Pétain devait être un traître pour que De Gaulle devienne un sauveur, de même fallait-il que la France grouillât de collaborateurs à juguler pour que les archanges résistancialistes pussent prendre le pouvoir.

Cela entraîna nécessairement les pillages et les meurtres de l'épuration. La Libération aurait dû voir les retrouvailles de la Patrie déchirée, la réconciliation de Marthe et de Marie : elle fut au contraire une période de proscription et de terrorisme politique. Tout était bon pour prendre les places, les journaux, les appartements. À l'intérieur de la fonction publique, dans le spectacle, le journalisme, partout, médiocres et ratés repeints en patriotes exigeaient leur part de gâteau.

Pour masquer leur appétit, par haine idéologique et sociale aussi, ils se déguisèrent en justiciers occupés à châtier d'odieux coupables. Contre la collaboration, tout était permis, tout devenait saint. S'appuyant sur la cruauté de la répression allemande, qu'ils exagéraient d'ailleurs, ils réprimèrent, encore plus fort qu'elle, plus aveuglément. Jouant sur la peur d'un péril à peine évanoui, invoquant l'urgence du salut public, les plus cyniques déclaraient que c'était le prix à payer et le moyen de la révolution.

Il est juste de dire que les combattants, les vrais, méprisèrent pour la plupart cette curée et rentrèrent dans l'ombre où ils avaient combattu.

Les autres, brandissant les cadavres des victimes de la guerre, parlaient haut et criaient vengeance. Les partis politiques de la Troisième République eux-mêmes eurent le front de participer à ce partage des dépouilles. Ils avaient déclaré une guerre inconsidérée, mené la France au désastre, ils s'en voyaient non seulement blanchis mais honorés. Le PC qui avait fait lever la crosse avant 39 se bardait maintenant de tricolore. Les communistes hurlaient qu'on était scandaleusement indulgent pour les « collabos ».

Comprendre en effet ce qui s'était passé et les raisons de tous, admettre que la trahison n'avait été que l'exception, c'eût été lâcher le pouvoir qui s'offrait, trahir sa propre ambition. Accepter l'excuse de discipline et de hiérarchie c'était se fermer la porte aux honneurs. Il fallait des places vacantes, il fallait donc que la France ait été gouvernée par des traîtres et des collabos. Pour plus de sûreté on assassina, on laissa assassiner partout en France. On se vengea au nom de la patrie ou de l'humanité et les bandits de droit commun firent la loi.

Le maréchal Pétain, qui avait trouvé refuge en Suisse après que la *Wehrmacht* l'eut emmené de force en Allemagne, se présenta à la frontière française. Laval réfugié en Espagne rentra lui aussi volontairement en France. Ils rejoignirent en prison des dizaines de milliers de Français. Les journaux confisqués à leurs propriétaires par les partis vainqueurs hurlaient à la mort.

Le procès du Maréchal s'ouvrit devant une Haute Cour de Justice. Le vieux soldat se borna à lire une courte déclaration pleine de dignité. Condamné à mort pour intelligence avec l'ennemi et haute trahison, il fut enfermé au fort du Portalet dans des conditions d'extrême sévérité. Il devait mourir en prison à l'âge de 95 ans. Condamné à mort, Maurras, le nationaliste exalté, condamné aussi Laval l'ancien socialiste pacifiste, après un simulacre de jugement, une véritable parodie de justice, puis exécuté mourant sur un brancard ; fusillé, Paul Chack, l'écrivain anglophobe à l'âge de quatre-vingt-cinq ans, fusillé Brasillach le poète qui en avait trente-cinq...

En même temps que l'on tuait les hommes on condamnait les idées, bonnes ou mauvaises. On jetait bas tout ce qu'avait fait Vichy, pêle-mêle. La France était un vaste bûcher où l'on brûlait la collaboration.

Mais celle-ci, qu'était-elle ? Si collaborer avec l'occupant, c'était vivre avec, lui vendre des patates, demander un *Ausweiss* pour aller voir sa grand-mère, alors toute la France a collaboré. Si c'est faire du marché noir, il y a eu quelques dizaines de milliers de maquignons, BOF, ferrailleurs et trafiquants divers, qui s'en sont sortis pour la plupart, beaucoup en se reconvertissant opportunément dans la résistance comme l'excellent Monsieur Joanovici.

En fait, la vindicte politique de l'épuration a poursuivi sous le nom de traîtres et de collaborateurs toutes sortes de gens qui n'avaient rien d'autre en commun que d'être haïs par les épurateurs. De vrais traîtres, qui vendaient leurs concitoyens pour de l'argent, il y en eut très peu. Je pense à des gens comme le fameux inspecteur Bonny, si bien noté de la police républicaine d'avant-guerre. Mais les autres ?

Un précepte, maçon je crois, assure qu'il est plus facile de faire son devoir que de le connaître : il pourrait s'appliquer à ces années d'eau trouble. On se déterminait alors comme cela venait, en fonction d'une amitié, d'un événement. Je n'aurais pas, je n'ai pas, choisi de me rallier à l'Europe Nouvelle d'Hitler, comme l'ont fait deux ou trois partis actifs à Paris, venus surtout de la gauche, le Parti populaire français de Doriot, ancien secrétaire du PC, le Rassemblement national populaire, de Déat, ancien secrétaire de la SFIO. Mais dois-je dire pour cela que ceux qui, à leur appel, se sont engagés dans la croisade contre le bolchevisme sur le front russe furent des traîtres ?

Je ne le crois pas. La figure de Jean Bassompierre, engagé à l'Est, par exemple, est celle d'un héros : ses convictions sont fortes, ses motifs désintéressés, sa façon de combattre humaine, c'est un patriote français. Sans doute s'est-il trouvé dans « le mauvais camp » : mais quel moyen avait-il alors, et ceux qui se trouvaient de l'autre côté d'ailleurs, de l'apprécier ? Il faudra tout le sectarisme de l'après-guerre pour le fusiller en 1948, trois ans après sa capture en Poméranie. C'est dommage. Les après-guerres sont faites pour faire la paix, panser les blessures et se pardonner réciproquement les offenses. Ma tristesse est que la paix n'ait pas, n'ait jamais, été faite.

Ce qui a empêché de la faire, c'est le résistancialisme qui a perpétué la guerre civile pour pérenniser ses prébendes et son pouvoir. Et qui le perpétue toujours. Pour abattre un adversaire, l'exclure à vie, il suffit encore aujourd'hui de l'assimiler, par un tour de passe-passe adéquat, à Hitler. En n'oubliant pas de confondre, en dépit de toute raison, Vichy avec celui-ci. Sur cette lancée inepte, des crétins ont diabolisé la très belle devise Travail, famille, patrie, qui fut celle de saint Éloi et du syndicalisme antimarxiste, sous prétexte que ce fut celle de l'État français. À ce compte-là, on devrait marteler au fronton des mairies toutes les inscriptions Liberté, égalité, fraternité parce qu'elles furent le slogan de la Terreur ? Aujourd'hui, des journalistes, des intellectuels qui n'étaient pas nés lors de la Seconde Guerre mondiale utilisent toujours ces épouvantails que leur fournit le répertoire. Ils en vivent confortablement aux frais de la princesse.

Voici maintenant un plus grand méfait du résistancialisme : il est d'avoir cultivé et comme sanctifié l'ambiguïté du mot résistance dont j'ai parlé en commençant. Le mot recouvre en effet des réalités diverses, voire incompatibles. La Résistance n'était pas un phénomène homogène, ni dans ses buts, ni dans ses composantes, ni dans ses moyens. Elle était aussi bigarrée que la collaboration. On n'a pas tenu compte de ce caractère hétérogène, et cela a empoisonné notre vie nationale.

La résistance était diverse par ses intentions. Il y avait la réaction d'un patriotisme blessé qui croit la victoire finale possible, on la trouve à Londres, à Vichy, ailleurs. Il y avait la guerre idéologique menée par les ennemis du national-socialisme. Il y avait le parti communiste. Il y avait enfin tous ceux qui se trouvaient en butte à l'activité des services de police pour des raisons parfois honorables, souvent non.

La diversité caractérise aussi les méthodes et donc les hommes qui utilisent ces méthodes. Continuer la guerre une fois l'armistice signé est toujours illicite et Honoré d'Estienne d'Orves fut normalement fusillé : mais il ne commit pas de lâche crime de sang visant à susciter des représailles. L'assassin communiste qui prit le nom de colonel Fabien après avoir tué un Allemand dans le dos et lui sont deux types d'hommes opposés, leurs résistances ne sont pas les mêmes. Leur confusion sous un même mot ambigu a brouillé l'entendement des Français et servi à justifier plus tard toutes sortes de mauvaises actions.

Le pire legs du résistancialisme fut en effet l'inversion des valeurs morales. Elle a grandi grâce au compagnonnage inhabituel des politiques et des droits communs dans les réseaux, les prisons et les camps. Certains patriotes mêlés à la pègre contractèrent des dettes de reconnaissance à l'égard d'individus moralement tarés, qui en exigèrent le paiement après la guerre.

La promiscuité de l'univers carcéral, les souffrances communes, firent oublier que la dignité d'une situation naît de sa finalité. Un patriote ne se sentirait rien de commun avec un malfrat pour avoir pris le métro avec lui : de même la clandestinité ne doit-elle pas engendrer une solidarité, un esprit de corps, indus. Beaucoup l'oublièrent, tel ce directeur de la police qui déclara devant un tribunal que la morale du milieu valait mieux que celle que défend la loi, ou ce garde des Sceaux qui affirma qu'il serait toujours en toutes circonstances aux côtés de ceux qui sont en prison.

Je n'ai vu qu'une fois dénoncer cette collusion sordide, cette faillite intellectuelle et morale. C'était à La Trinité, le 11 novembre 1945 lors des cérémonies du monument aux morts. Le commandant

Rigoine de Fougeroles, officier à la Première Armée dont le frère avait été fusillé par les Allemands, repéra au premier rang de l'assistance deux pyjamas rayés fraîchement repassés qui prenaient benoîtement leur part de souvenir et d'honneurs. Or il les connaissait. Il se précipita sur eux pour les virer à coups de pied dans le cul, avec des paroles qui ne laissaient pas place au doute :

– Espèce de salauds, qu'est-ce que vous faites là ? Vous êtes des déportés de droit commun. Vous étiez des voleurs, c'est pour ça que vous êtes partis en déportation.

Le mélange du digne et de l'indigne est le signe d'une conscience erratique, d'un malaise philosophique – en l'espèce fruit du résistancialisme. Comment le peuple pourrait-il garder sa boussole quand on célèbre pêle-mêle des actes d'héroïsme assumés, des assassinats, des pillages, quand on assimile au combat patriotique de sanglantes provocations, quand on fusille ceux qui partent en croisade contre le bolchevisme et décore ceux qui font de même contre le nazisme ? Quand on dénomme patriotisme les actes commis par des agitateurs communistes étrangers au profit d'une puissance étrangère ?

Plus gravement encore, le résistancialisme, en institutionnalisant la désobéissance au pouvoir établi s'instituait en contre-valeur de l'autorité. Pascal a dit ces choses mieux que moi. Le résistancialisme a bravé l'obéissance et justifié toutes les rébellions, politiques ou morales. Il devait servir de modèle quelques années plus tard aux mouvements qui allaient se lever contre l'autorité de la France. Il exaltait l'attentat individuel, le meurtre « patriotique », le sabotage : on allait s'en souvenir.

Qu'on l'ait fait dans le feu de l'action pour exalter les énergies, passe encore, mais qu'on l'érige en modèle éthique et civique fut un funeste crime contre l'esprit. Nous allions le payer cher. Nous faisions du *Chant des partisans* un deuxième hymne national, nous l'enseignions aux enfants des écoles : nous allions bientôt déchanter. La phraséologie de la décolonisation doit tout au résistancialisme. Celle du terrorisme aussi.

Chantons un peu plus haut pour finir : passons de la politique à la morale. L'effort de la civilisation européenne et chrétienne a porté pendant dix siècles sur les moyens de civiliser la guerre à défaut de l'empêcher, c'est-à-dire précisément de distinguer le civil sans défense du soldat armé et d'imposer à celui-ci des lois de la guerre pour protéger celui-là. L'Église avait commencé au Moyen Âge en instituant la paix de Dieu et la trêve de Dieu, puis les juristes de toutes les nations s'attelèrent à la chose après l'horrible guerre de Trente ans, obtenant, de Louis XIV à Louis XVI, quelques succès.

Las, la guerre d'Espagne (celle de Napoléon) avait relancé une forme de combat total où civils et militaires s'étaient livrés à la plus odieuse barbarie dans la plus grave des confusions. Chrétiens et maçons se remirent à l'œuvre au XIXe siècle pour obtenir sous la houlette du Tsar Nicolas II à la conférence de la Haye, une base légale correcte : la Convention de Genève. Lors de la Grande Guerre, elle fut à peu près respectée, et la proportion des morts fut de plus de quatre-vingts pour cent de militaires et de moins de vingt pour cent de civils. Ce fait remarquable était le signe d'un progrès moral obtenu par le patient effort de siècles de civilisation.

Eh bien, la Seconde Guerre mondiale mit par terre ce bel édifice grâce à trois inventions occidentales, le camp de concentration (lancé par les Anglais au Transvaal, utilisé massivement par les bolcheviques puis les nationaux-socialistes), le bombardement de terreur des villes (lancé par Churchill, utilisé surtout par les Anglais et les Américains), et la guerre des partisans (menée massivement sur le front de l'Est, dans les Balkans, et un peu en France et en Belgique). Tout a été dit sur les camps, mais pas sur les deux autres horreurs.

Les bombardements des grandes villes furent proprement terroristes, en ce qu'ils visaient les civils pour obtenir un but politique. On a bombardé Tokyo, Dresde ou Hiroshima non pour en tirer un bénéfice militaire mais pour casser la résistance des gouvernements via les peuples, commettant ainsi un crime contre l'humanité.

L'action des partisans est plus complexe. Si le maquisard pris les armes à la main peut être fusillé en vertu de la Convention de Genève, encore risque-t-il honnêtement sa vie. Ce n'est pas le cas de l'homme qui tue dans le dos ou à la bombe pour provoquer des représailles avant de disparaître dans la ville qui est à la fois son refuge, sa cible et son champ de bataille. Celui-là est pire qu'un assassin, il mérite objectivement le nom de terroriste quelle que soit la sainteté de la cause qu'il invoque. Les bombes du FLN et celles de Daech sont les filles de *notre* Résistance communiste.

Je n'ai pas pour autant d'admiration pour le militaire qui procède à des représailles « disproportionnées » et fait fusiller cent civils innocents pour la vie d'un de ses soldats. Mais le responsable de ce chapelet de crimes, de la confusion du civil et du militaire qu'on avait mis tant de temps à distinguer, c'est le « résistant » que l'on désigne pourtant à l'adulation des générations. C'est la perversion morale qui érige en modèle la confusion du militaire et du civil, utilisée à des fins politiques.

J'en parle d'autant plus librement que j'ai failli, dans le bouillonnement de mes seize ans, abattre un homme dans le dos. Sans doute cela ne visait-il pas, loin de là, à lancer un cycle d'attentats et de représailles, mais cela n'en était pas moins une sorte d'assassinat romantique. À cet âge, surtout en matière de guerre, on est mû par une morale de *Western*, de bande dessinée. Les terroristes en tout genre le savent et recrutent des adolescents.

III.

Troisième partie

Le parisien de la Quatrième

1. Paris

Maurice Chevalier chantait au début de la guerre :

Paris sera toujours Paris,
La plus belle ville du monde…

La chanson fait bien sûr partie de mon répertoire. Celle de Joséphine Baker aussi :

J'ai deux amours,
Mon pays et Paris !

Paris occupe dans mon cœur une place à part. Revenant d'une virée nocturne, il m'arrivait de m'émerveiller avec Dutronc :

Il est cinq heures, Paris s'éveille.

Aujourd'hui ce que j'aime à Montretout dans mon bureau sur la hauteur de Saint-Cloud, c'est la vue magnifique que j'ai sur Paris. Il est des lieux où l'espace l'emporte sur le temps, où tout souvenir est vivant, immédiatement et toujours présent. Paris en est un. Qu'il soit permis au Parisien de La Trinité de flâner à travers les époques pour en dire deux mots.

En voyant, à l'approche de la gare Montparnasse, les lettres géantes *PARIS* peintes sur les murs de la saignée du chemin de fer, j'ai longtemps eu un coup au cœur. Cela remonte à ma dixième année. En 1938 mon père et ma mère ont tenu à m'emmener en voyage initiatique dans la plus grande ville bretonne de l'univers et j'en suis toujours demeuré amoureux. Ce que sont devenues la

France et sa capitale ne permet pas de concevoir l'attrait qu'exerçait alors Paris sur les esprits, sur celui d'un petit Breton en particulier. C'était à proprement parler la ville lumière, ses grandes avenues étaient éclairées le soir d'une manière qu'on n'imaginait pas en province. C'était la capitale de la mode, de la fête, des théâtres et des cinémas, de la littérature, de tout ce qu'on ne nommait pas alors la culture, mais les arts, les lettres, la beauté. Tokyo, Berlin, New York, même Rome et Londres, n'étaient que de très pâles dauphines de cette reine incontestée.

Ma première visite à Paris fut un émerveillement. Mon père nous servait de guide et nous montra tout ce qu'il convenait de voir. La Tour Eiffel, qui n'avait pas cinquante ans, avec son système hydraulique qu'il m'expliqua en détail. Nous montâmes au deuxième étage mais pas plus haut, le troisième était interdit. La Seine, qui m'avait déjà déçu parce qu'elle est moins large que la rivière de Crach à marée haute, me parut un piteux ruisseau. Un autre jour nous vîmes la perspective des Champs-Élysées, des Tuileries à l'Arc de Triomphe. Un troisième les Invalides, flanqués de leurs canons frappés de la devise royale, *Ultima ratio regum*, où nous nous recueillîmes émus devant le tombeau de l'empereur, dans une forêt de drapeaux glorieux. Tant de beauté, de gloire et d'espace me rendaient fier de mon pays.

Le dimanche, il fallut aller à la messe, sans oublier d'en rapporter la preuve par un certificat que je fis viser dans la sacristie, une fois à Notre-Dame et une fois au Sacré-Cœur de Montmartre. Notre église de La Trinité, qui venait pourtant d'être rebâtie et agrandie me sembla minuscule en comparaison.

Le métro me ravit, ses tunnels pleins de vacarme, ses murs pavés de céramique brillante qui reflétaient tant de lumières et tant de mouvement, ses immenses placards publicitaires, DUBO, DUBON, DUBONNET, l'un des apéritifs les plus populaires alors. Et son odeur si particulière. J'en ai gardé longtemps la nostalgie, quand je quittais Paris trop longtemps.

Un jour, on me confia à ma tante pour visiter les grands boulevards. Je me perdis, je crois volontairement, et je me débrouillai pour rentrer tout seul à notre station, Château-Rouge. J'étais fier comme Artaban.

Nous n'eûmes pas le temps de visiter le Louvre, mais mon père n'oublia pas de m'emmener au cirque Médrano, au zoo de Vincennes, et au cinéma Gaumont Palace, le plus grand du monde avec ses 6 000 places.

On ne pouvait quitter la capitale enfin sans passer une journée à la grande exposition internationale commencée en 1937. Elle tirait sur sa fin. Cela n'avait pas été la réussite qu'on attendait, les grèves à répétition du Front Populaire en avaient gâté les finitions, mais ce qui en restait me paraissait encore extraordinaire. Tout m'enchanta. Deux pavillons en particulier me tiraient l'œil. Se faisaient face au pied du Trocadéro et de la Tour Eiffel, comme une prémonition de ce qui allait survenir trois ans plus tard, celui du *Reich* et celui de l'Union Soviétique.

Les éphèbes géants d'Arno Breker, reproduction de ceux qui décoraient la chancellerie à Berlin, faisaient paraître encore plus monumental celui de l'Allemagne ; celui de l'URSS s'efforçait de le surpasser en présentant à l'entrée la statue gigantesque d'un homme et d'une femme qui projetaient devant eux dans un mouvement jumeau la faucille et le marteau, emblèmes du communisme.

Je ne devais revoir Paris que sept ans plus tard, après la guerre. C'était un petit matin de septembre 1945, mon père était mort depuis trois ans, j'en avais dix-sept désormais, et il était question que ma mère refasse sa vie. Les cahots du convoi sur les joints des rails s'espacèrent, une inscription indiqua 1,2 km, on entrait en gare, la fumée de la locomotive s'accumula, nous étions à Paris. Il y eut comme une respiration de tous les ressorts du wagon. Nous sortîmes du compartiment, le « fiancé » et moi. C'était un adjudant-chef de réserve, marchand de charbon dans le civil et affecté à la comptabilité. Sur le quai les soupapes des freins relâchaient de la vapeur, avec ce bruit qui caractérise pour moi l'arrivée. L'homme qui prétendait épouser maman me fit faire en quelques jours la tournée des grands ducs. Je vis mon premier opéra, *le Roi d'Ys*, et au théâtre une pièce jouée par Louis Jouvet, peut-être *Ces Dames au chapeau vert.*

Puis il disparut de notre vie et je me retrouvai à redoubler ma première, au lycée de Lorient, en candidat plus ou moins libre, ayant raté mon premier bachot. Je ne dépassais pas le quatorze en maths, même en travaillant comme un chien, et j'avais compris qu'il me fallait renoncer à *Maths élém*, à Navale et au Grand Corps.

Il me faudrait attendre un an pour qu'enfin muni de mon premier bac je reprenne la route de Paris, ou plutôt de Saint-Germain-en-Laye, pour y passer mon année de philosophie. La journée au lycée à transpirer sur Marx ou Durckheim, la nuit chez une vieille demoiselle toute ridée, Mademoiselle Cerf. Elle habitait un appartement sis avenue de la République où elle me louait une petite chambre pour presque rien. Elle m'aimait comme un Jésus, restait veiller le soir pour m'offrir une tisane quand je rentrais tard. J'avais eu cette excellente adresse par une demoiselle Ledoux venue en vacances à La Trinité : Marie-Claude. On s'était écrit, on était un peu fiancés, elle avait eu l'idée que je vienne à Saint-Germain pour échapper aux renvois auxquels j'étais abonné en Bretagne. Ce fut une bonne idée. Le surveillant général, un bon type qui avait appris la psychologie dans les *Stalags* où il était prisonnier de guerre, me jaugea tout de suite :

– Le Pen, ne venez pas au cours où vous avez envie de chahuter.

Il m'autorisa en sus à fumer pendant la récréation. La méthode s'avéra excellente. Il me permettait de terminer ma scolarité à la carte. J'écoutai avec attention le cours de notre professeur de philosophie, Achille Ouÿ, alors le plus jeune membre de l'institut. C'était un enseignant éminent mais aussi un militant communiste qui portait la marque de son époque. Il nous pria d'oublier la psychologie, la métaphysique et toutes les vieilles disciplines de la philo pour ne nous intéresser qu'à la sociologie. L'orthodoxie marxiste. Le dimanche, je me soustrayais à ces austérités pour fréquenter chez les parents Ledoux. Le rôti de la maman était aussi accueillant que la conversation du papa et le baiser de la jeune fille. À la fin de l'année scolaire j'obtins mon bachot avec mention et j'oubliai Saint-Germain-en-Laye pour Saint-Germain-des-Prés. À la rentrée de 1947, inscrit en faculté de droit, je découvrirais le Quartier latin. Je reviendrais quelques fois chez les Ledoux, en week-end, puis cela s'espacerait, et de mes fiançailles avec Marie-Claude il ne serait bientôt plus question.

Le soir de mon bac, mon oncle Pierre, l'homme du Crillon, me serra royalement la main, sans même un billet ; j'allai fêter ça avec un camarade au Moulin rouge.

L'avantage de l'université alors, et j'imagine que c'est resté un peu pareil, c'est qu'on avait tout son temps à soi, on organisait son travail comme on l'entendait. J'en profitai pour découvrir Paris. Le Quartier latin pour commencer où fleurissait le jazz après la Libération. Un couple de Bretons, les Perrodot, tenait le caveau Le Lorientais. J'y assistai à la naissance du *Be-bop* mais j'affectionnais surtout Claude Luter, qui donnait une nouvelle vie au New Orleans. Nous sommes restés copains jusqu'à sa mort voilà dix ans, il est venu souvent à Montretout. Il jouait, à l'époque, du cornet à piston et dans son orchestre, Moustache tenait la batterie, Mowgli Jospin – le demi-frère de Lionel – qui s'appelait Maurice était au trombone. On croisait Boris Vian. J'ai bu des canons avec lui. Et j'ai naturellement participé à la grande bagarre entre anciens et modernes quand Dizzy Gillespie est venu à Paris.

J'étais un étudiant sans le sou d'après la guerre. La contrainte terrible de l'occupation était finie mais restait celle de la pauvreté : nous n'étions pas riches et la France non plus, le charbon manquait pour se chauffer, le rationnement avec ses tickets continuait. Alors on se défoulait. On transgressait. C'était l'esprit estudiantin. Nous imitions Murger, les dandys du dix-neuvième, la vie de bohème. Le dimanche, purotins sans relations, nous nous réunissions à la CBSS, la Confrérie des bois-sans-soif, pour se piquer le nez et chanter les chansons du quartier. Cela réchauffe, cela désinhibe.

Nargue des pédants et des sots
Qui viennent chagriner notre âme !

Que fît Dieu pour guérir nos maux ?
Les vieux vins et les jeunes femmes.
Il créa pour notre bonheur
Le sexe et le jus de la treille
Aussi je vais en son honneur
Chanter le con et la bouteille !

Celle-là était bien innocente. Avec mes copains carabins de la Corpo de médecine, on en poussait de plus salées. La nuit, nous étions des enfants de la butte Montmartre et de Montparnasse. Quand nous avions trois sous, nous faisions avec François Brigneau le tour des boîtes où, à condition d'arriver à dix heures on offrait une coupe de champagne aux étudiants pour qu'ils servent en quelque sorte d'appelants. Il y avait encore beaucoup de chansonniers, des paroliers formidables, j'en ai connu un, Dimay, et aussi cette chanteuse qui découpait les cravates, Lady Patachou.

Beaucoup plus tard, pour me rappeler ce temps-là, je devais faire la connaissance de Michou, l'homme à la veste bleue, dans sa boîte de la rue des Martyrs, sorte de conservatoire d'un Paris qui tend à disparaître. Dans nos virées d'alors j'ai fait la connaissance d'Henri Botey, alias Monsieur Éric. Il était plus jeune que nous, partageait nos idées. Son père avait été fusillé par les Allemands et il était pupille de la Nation. Il m'offrit un jour un cadeau très rare, un caniche nain argenté – il devait y en avoir cinq à Paris. Plus tard je devais en faire le parrain de Marine dans l'urgence, à la place d'un parrain défaillant.

J'aimais aussi Paris le jour car il vous ménage d'inestimables rencontres fortuites. Croisant Orson Welles dans le jardin du Luxembourg, j'allai le saluer, il m'avait fasciné dans *Le Troisième Homme*, et comme j'avais grande envie de le connaître, je ne me suis pas laissé impressionner par son statut de star. Il parlait bien le français, nous nous sommes assis quelques instants sur un banc pour causer de cinéma. J'étais alors très copain avec Claude Chabrol. C'était une encyclopédie vivante du cinéma.

Jeunesse

1914.
Mon grand-père Le Pen sera mobilisé dans les fusiliers-marins à trente-neuf ans, et mon père, Jean, va s'embarquer à Ispwich sur un cap-hornier. Il a treize ans.

L'équipage d'un cap-hornier, ces voiliers-cathédrales qui défiaient les quarantièmes rugissants. Au premier rang, tenant la bouée, le mousse, mon père, Jean.

Jean Le Pen et Anne-Marie Hervé. Mes parents se sont mariés en 1927.
Je suis né en 1928.

Maman ne se mettra « en chapeau » qu'en 1934. Jusque-là, elle portait la coiffe d'Auray.

La maison blanche, à toit d'ardoise, était habitée par trois familles.
Nous y avions deux pièces.

École de la Trinité : 33 élèves qui marchent à la baguette laïque et obligatoire.

Drôle de guerre. Maman et ses deux hommes, mon père en pompon rouge, rappelé dans la Royale comme quartier-maître à trente-huit ans, moi en uniforme à la française du collège des Jésuites de Vannes.

Malgré les restrictions de papier, la paroisse publie chaque année un *Almanach de la Trinité*.
Celui de 1943 relate le décès de mon père.

Vacances d'après guerre.
Ma fiancée d'alors,
Marie-Claude, et moi,
à la Trinité.

Étudiant

Étudiant en droit. C'est le temps où l'on se fait des amis pour la vie.
Ici à table avec l'Italien Marco Panella, radical mais copain fidèle.

Avec Alain Jamet, qui sera blessé en Algérie, et Martin, qui y sera tué.

Président de la Corpo de droit, à l'heure des mondanités.
En conversation avec le doyen Juliot de la Morandière le soir du bal.

Le président en plein travail administratif, dans la cave de la fac, décorée avec les moyens du bord.

Ma bourse ne me suffisait pas pour vivre.
Je mettais du beurre dans les épinards en exerçant des métiers manuels. Ici mineur dans la Campine belge.

J'ai fait aussi plusieurs marées de pêche.
Ça ne facilitait pas la réussite aux examens : on ne révise pas en mer !

En 1953, la Hollande est envahie par la mer.
J'organise une expédition de secours d'étudiants avec l'aide de l'armée.
On colmate les digues.

Indochine

Diên Biên Phu est tombée mais la guerre n'est pas finie. Sur la piste d'aviation avant un saut d'entraînement.

Quelque part dans la jungle. Les amibes ont déplumé l'étudiant qui portait beau.

Avec mon ami Peyrat, Maroni qui sera tué en Algérie, et notre commandant de compagnie Denoix de Saint Marc avant qu'il ne rembarque pour la France.
Il me proposera d'entrer au SDECE.
Je préférerai faire de la politique.

À Saïgon, journaliste à *Caravelle* le jour, je me mets en « grand blanc » le soir pour faire honneur à Miss Saigon.

Je n'avais ni l'argent ni vraiment le goût d'être mondain, mais j'aimais briller en société, et la Corpo de droit, association d'étudiants que je présidais, j'en parlerai plus loin, me donnait une fois l'an l'occasion d'enfiler habit, plastron et cravate blanche, pour le grand bal. C'était l'une des principales soirées parisiennes de l'époque, avec le Bal de Polytechnique et celui des autres grandes écoles. Le premier auquel j'assistai fut présidé par le président de la République à la Maison de la chimie. Plus tard, président d'honneur de la Corpo, je pris la présidence du bal et le transportai à la faculté du Panthéon (Assas n'existait pas encore). On laissait entrer les étudiants qui n'avaient pas les moyens de s'offrir une tenue de soirée à condition qu'ils portent un costume sombre et achètent un nœud papillon noir, nous en avions préparé un stock. L'objectif premier était en effet de récolter des fonds. Le bénéfice fut de 600 000 francs avec lesquels nous fîmes l'acquisition d'un lingot d'or, sur le conseil de nos commissaires aux comptes, dont Jacques-Henri Lespagnon, fondateur de la Corpo en 1934 qui jusqu'à sa mort guida les présidents dans le respect d'une stricte gestion des fonds.

Paris était alors encore le jardin d'une race de femmes particulières, les grandes égéries de la République, à la lisière de la vie mondaine, des lettres et de la politique. L'une d'entre elles était Jeanne Loviton, alias Jean Voilier, pseudonyme sous lequel elle publiait des romans à succès. J'en fis la connaissance juste en face de la fac. Elle tenait une maison d'édition juridique et vendait des cours polycopiés aux étudiants : en tant que président de la Corpo j'essayais d'obtenir d'elle les meilleurs prix. Elle entrait dans sa cinquième décennie, avait un chien fou, une réputation (on la surnommait « turbulette »), j'étais un jeune homme qui portait plutôt beau, nous prîmes l'habitude de parler un peu plus longtemps des conditions commerciales qu'il n'était strictement nécessaire. Je savais qu'elle avait été la maîtresse de l'éditeur Robert Denoël, qu'elle avait même été un moment soupçonnée de son assassinat en décembre 1945, qu'elle avait pris sa succession et tout vendu à Gallimard. On se répétait le nom de ses autres amants célèbres, Giraudoux, Saint-John Perse,

Malaparte, Émile Henriot et même, presque jusqu'à la tombe du poète, Paul Valéry. Je ne m'inscrivis pas sur la liste, mais nos relations furent agréablement ambiguës, la dame du monde et le jeune homme entreprenant flirtaient un peu.

Quelques années plus tard, quand je devins député, une autre grande dame devait s'occuper de moi, la princesse Bibesco. Alors imprésario, mon ami Claude Giraud voyait beaucoup de monde et gagnait très bien sa vie. Pour m'aider à me faire connaître il finança Marthe Bibesco afin qu'elle donnât des déjeuners chez elle et me présente au Tout-Paris politique et diplomatique.

Il ne faut pas confondre Marthe Bibesco avec Jeanne Bibesco, morte en 1944, ancienne prieure du carmel d'Alger, dont Émile Combes fut amoureux et qui fut agent secret, ni avec Élisabeth Bibesco, morte en 1945, fille de lord Asquith, qui épousa Antoine Bibesco, ami de Proust et cousin germain d'Anna de Noailles.

Marthe Bibesco, née Lahovary, était, comme tout le monde dans cette famille roumaine et française, à la fois une femme de lettres et une dame de l'ancien monde. Elle avait reçu et le fils de Guillaume II d'Allemagne et Nicolas II de Russie et Churchill et Roosevelt et les Rothschild et Göring, ou avait été reçue par eux, elle connaissait bien et Cocteau et Rilke et Saint-Ex et Morand et Shaw, et bien d'autres. Quand je l'ai rencontrée, c'était une vieille dame encore jeune, qui habitait un appartement très haut de plafond à la pointe de l'île Saint-Louis, 49, quai de Bourbon. Le général De Gaulle manquait encore à sa connaissance. Installé à l'Élysée un peu plus tard, il devait faire grand cas d'elle et l'inviter à plusieurs reprises, lui déclarant un jour : « Pour moi vous êtes l'Europe ». Et c'est vrai qu'elle incarnait une certaine Europe des lettres, des cours et des ambassades, dont le français était la langue la plus courante.

Il manquerait quelque chose au tableau de mes émerveillements parisiens si je ne parlais des ballets du marquis de Cuevas. C'est encore Claude Giraud qui m'avait fait connaître Jorge Cuevas Bartholin, dit le marquis de Cuevas : il était l'imprésario de sa troupe de danseurs. Je les ai tous connus, Skibine, Golovine, Athanassov.

J'eus alors une toquade pour les ballets, d'autant plus marquée que j'avais rêvé un moment d'être danseur moi-même (une musique de ballet provoque encore aujourd'hui en moi des gestes de danse), mais j'étais trop grand, même pour être porteur. Giraud aussi aimait ce milieu puisqu'il épousa en secondes noces une danseuse étoile de l'opéra de Paris, Liane Daydé. Le marquis était un être exquis et cultivé, il n'aimait pas les femmes mais cela ne me gênait pas, il ne m'a jamais fait de proposition. Il finançait son ballet avec l'argent de son épouse, fille de John D. Rockefeller, dont je me souviens qu'un soir, arborant un maquillage étonnant, masque blanc, cils et sourcils noirs, pareille au mime Marceau, elle était demeurée muette pendant tout le dîner.

En mars 1958, Cuevas a une affaire et me demande d'être son témoin dans un duel à l'épée. Le 28, dans la foulée d'un meeting rue Damrémont, je suis gravement blessé aux yeux. La chose doit avoir lieu le 30 et je soutiens la candidature d'Ahmed Djebbour. Ça me paraît excellent pour faire le buzz : j'accepte à condition que ce ne soit pas un duel bidon. Car la querelle elle-même était à moitié bidon, c'est-à-dire qu'ils avaient organisé une fausse dispute et qu'elle a dégénéré : le marquis gifle Lifar, mais il frappe trop fort, cela s'envenime, le ton monte, et les voilà avec un vrai duel sur les bras. La chose, interdite, devenait rare en France et la police surveillait les récalcitrants. Il fallait donc trouver un endroit discret pour se battre. Au petit matin du 30 mars, il faisait frais, on arrive, les voitures en caravane, sur une friche industrielle bien miteuse, avec du mâchefer par terre sous le ciel blafard. Le marquis se drape dans sa cape :

– Yé né veux pas mourir dans cé décor dé merde.

Il était citoyen américain mais parlait avec l'accent de son Chili natal. On reprend les bagnoles et l'on atterrit dans la propriété du frère du directeur du combat. Là on tire de leur fourreau les épées, pas des fleurets, des engins impressionnants, et, le salut étant fait, ils commencent. Lifar était un athlète, il gesticule, se démène et fait si bien qu'il finit par s'embrocher tout seul sur l'épée du marquis, qui tombe dans mes bras :

– Yé toué mon fils !

Il n'avait tué personne heureusement, mais il y avait quand même une belle blessure, qui fut pansée. Tout était bien qui finissait bien. Après, le marquis était si content qu'il en devint plus expansif encore que d'habitude, en veine de générosité semblait-il. Il me reçoit chez lui :

– Yé té rémercie Jean-Marie, yé veux te faire oun cadeau.

Il me propose un collier serti d'énormes pierres, des turquoises, mais énormes, pas des turquoises de souk. J'étais gêné :

– Vous me voyez portant cela ?

Il réfléchit et commence à décrocher une paire de Purdey du mur :

– Alors accepte mes plus beaux fusils.

Ça me tentait déjà plus, mais c'était trop :

– Je ne chasse pas.

– Alors *oune* épée de Tolède. *Dé* mon pays.

Cette fois je me suis laissé faire. Venant de lui, ce devait être une pièce superbe. Il va la chercher, revient. C'était une épée miniature, comme on voit chez les marchands de souvenirs, dans les aéroports, pas plus grande que ça. Belle, quand même. Je me suis confondu en remerciements et je l'ai gardée. Par chance elle n'était pas à Rueil, où disparut dans les flammes, parmi d'autres souvenirs, l'épée du sacre de Bokassa.

Je ne sais plus si c'est par lui que j'ai connu Zizi Jeanmaire, elle tranchait sur les autres danseuses, elle avait des formes. Quant à Serge Lifar c'était un homme plein d'anecdotes. Mais ce qui m'étonnait le plus c'était sa fantaisie. Chez lui, il rangeait ses chemises, ses chaussettes, ses slips sur le plancher. Ma mère ne m'avait pas appris cela.

Je marchais dans Paris comme un enfant dans un magasin de boules de Noël, toujours surpris, toujours comblé.

2. Vivre à l'université

Donc, j'étais étudiant en droit. L'idée que j'avais eue de faire Navale n'était plus que le souvenir d'un rêve. Le droit mène à tout, à condition d'en sortir. Il suffirait de veiller à ne pas m'y endormir.

Venant après les strictes disciplines de l'internat, même avec le sas du lycée de Saint-Germain, la liberté de l'université me grisa un peu. Je trouvai à me loger dans l'appartement d'un ancien parlementaire de Vendée, Rochereau, le père d'un futur ministre de l'agriculture sous De Gaulle qui devait me soutenir pour la présidentielle de 1988. L'appartement se situait villa Poirier dans le quinzième arrondissement. Rochereau ne venait que deux à trois jours par an et en sous-louait une partie, deux chambres avec la cuisine et la salle de bains. Mon colocataire, Tanneguy de Liffiac, qui devait devenir interprète international, étant aussi impécunieux que moi, nous n'avions pas de quoi allumer la chaudière du chauffage central, nous fourrions l'hiver du papier journal entre le drap et les couvertures. J'ai passé ainsi toutes mes années d'étudiant sans feu, cela ne dispose pas idéalement à l'étude.

Nous mangions au restaurant universitaire. Quand les fonds étaient bas, nous subsistions de riz à l'eau ou de sandwich au fromage avancé que nous achetions à vil prix. Une année même, nous vécûmes plusieurs jours d'une bouteille d'huile de foie de morue maltée, qui faisait partie de l'équipement des bateaux de sauvetage et avait échoué là on ne sait trop comment. Une infection que l'on mangeait à la cuillère en se pinçant le nez et qu'on faisait passer à grands coups de verre d'eau. Durant toute la deuxième moitié des années quarante, j'ai fini les costumes de mon père que ma mère me retaillait avec talent. A la ville, je portais un duffle-coat que j'avais payé deux livres dans un surplus lors d'une escale en Angleterre. Je crois bien que j'en ai lancé la mode, avant Jean Marais. Avec mon « coturne » nous mettions en commun quelques pièces d'habillement. Je me souviens d'une chemise à col anglais que nous nous prêtions lors des sorties.

Nous restions le moins possible dans nos chambres, nous retrouvions surtout l'hiver des camarades à la Corpo de droit. C'était l'association des étudiants en droit de Paris, affiliée à l'UNEF, l'Union nationale des étudiants de France. J'allais en devenir membre puis président. Son siège se trouvait alors à cent mètres de la fac de droit au premier étage d'un immeuble vétuste et sombre sis au 179 de la rue Saint-Jacques – celui d'en face s'éclairait encore au gaz ! Elle s'était installée là en 1934 quand fut dissoute l'A (l'assemblée de tous les étudiants) de Paris et que les Corpos devinrent indépendantes, Jacques-Henri Lespagnon, dernier président de l'A devenant le premier président de l'ACED, association corporative des étudiants en droit. La Corpo avait un côté syndical, elle défendait les intérêts des étudiants mais elle avait aussi un côté ludique, voire folklorique. Aux yeux des jeunes filles du centre catholique et des amis socialistes de Michel Rocard cet antre enfumé et mal famé apparaissait comme une sorte de pandémonium où ils imaginaient on ne sait quelles bacchanales.

On entrait par une sorte de bar décoré de toutes sortes d'enseignes collectées lors de dégagements dont une plaque métallique « Union des épiciers de France » et d'une fresque gauloise. La grande salle qui donnait sur la rue était le centre vivant de la Corpo. S'y côtoyaient des garçons et des filles de la Fac, d'âge et d'origine sociale divers. Y trônait un piano que massacrait à qui mieux mieux au rythme endiablé du jazz Guy Tiopin ou Guy Pellevoisin. Un poêle unique entretenait une chaleur qu'épaississait encore la fumée des cigarettes. Normalement, on y jouait au bridge, loisir quasi incontournable des étudiants en droit, et le samedi on rangeait les tables et les chaises pour danser.

Les deux autres pièces étaient affectées, l'une côté rue au bureau du président, l'autre côté cour, à une table de ping-pong.

La Corpo était le havre des étudiants qui n'avaient pas de famille à Paris mais l'atmosphère y étant chaleureuse tout le monde ou presque y passait. Pendant des années, il fut notre foyer. Les voisins eurent souvent l'occasion de se plaindre du bruit que nous faisions. Ils ne devaient pas m'en tenir rancune quand je serais candidat aux législatives, au contraire, ils allaient me manifester leur sympathie, parfois même activement. Les étudiants plus riches ou plutôt moins pauvres fréquentaient les cafés du coin, encore qu'à cette époque, la condition estudiantine m'ait semblé assez homogène. Nous étions peu d'étudiants en France, un peu plus de cent vingt mille, nous formions une élite intellectuelle et sociale consciente de l'être, mais peu argentée. On ne venait pas en voiture à la Fac et les premiers à posséder des vespas furent souvent des étudiants d'Outre-Mer.

Dans le hourvari des conversations et la fumée de cigarettes, on pouvait, si l'on y tenait, étudier ses cours. Il y fallait l'application d'un moine ou d'un héros. L'université ne disposait alors que de deux salles d'études pour des milliers d'étudiants. La bibliothèque Sainte-Geneviève et celle de la Fac de Droit et de la Sorbonne étaient si exiguës qu'on y faisait la queue pour attendre son tour d'accéder à une place chauffée.

S'il était important pour moi d'étudier, il était capital de travailler tout de suite pour survivre. Le montant de ma bourse annuelle était de cent quarante mille francs, le ticket de resto-u de soixante francs. Heureusement le nombre d'heures de cours était limité, cela laissait de la place pour de petits jobs. Je fus successivement ambulant des PTT et métreur d'appartement. L'oncle de mon ami Pierre Durand était fonctionnaire à la SNCF gare du Nord. On nous embarqua dans un train pour y trier des sacs postaux le plus vite possible pendant que le convoi roulait. Nous avons tenu une semaine.

En revanche, en ces temps de restrictions du logement et de loi de 1948, le métier de métreur donnait durablement du travail, surtout dans les chambres mansardées des derniers étages. On y faisait des rencontres qui n'étaient pas toutes désagréables. Un jour nous nous trouvions un collègue et moi dans une chambre de bonne au septième étage d'un immeuble du septième arrondissement, occupés à emmener au septième ciel une étudiante d'excellente famille et sa copine quand on ouvrit la porte en frappant : c'était la tante, venue entretenir sa nièce de je-ne-sais-quoi. J'avais eu le temps de me désarrimer et de rabattre le drap. La petite se redressa avec dignité :

– Ma tante, je vous présente les métreurs.

La vieille ne s'est pas démontée, elle a incliné la tête en répondant :

– Passe donc me voir quand tu en auras le temps, j'ai à te parler.

D'anciens condisciples m'ont présenté comme un dragueur compulsif. Il est vrai que j'aimais les femmes, j'étais grand, fort, blond aux yeux bleus, cela plaisait à certaines, je ne vois pas pourquoi je me serais privé. D'autant que j'étais un amant sûr. En ces temps où la pilule n'existait pas c'était un avantage capital et cela se savait, les filles parlaient entre elles. J'étais gentil aussi, je leur parlais d'elles, pas seulement de moi, ça les changeait des autres garçons.

Ces activités ne furent pas toujours compatibles avec le succès de mes études. J'échouai une année, perdis ma bourse, dus travailler plus pour compenser. Heureusement l'année universitaire était courte, et je profitais des vacances pour rapporter plus d'argent.

C'est ainsi que j'ai travaillé quelque mois à la mine au printemps 1949, au puits numéro deux d'Eisden, dans la Campine belge, juste en face de la ville de Maastricht où mourut d'Artagnan. Lors d'un congrès de la presse universitaire en Belgique, j'avais appris que dans ces mines ultramodernes, on pouvait être embauché comme manœuvre à des salaires qui nous paraissaient incroyables, à nous Français de l'après-guerre.

Le puits numéro deux tenait ces promesses mirifiques, il détenait le record du monde d'extraction. Les tailles étaient de dimension exceptionnelle, une partie de la mine étant d'ailleurs le domaine des haveuses, ces machines extraordinaires qui taillent des tranchées et extraient automatiquement la houille. J'étais dans l'autre, où travaillaient les piqueurs, à l'ancienne, au marteau-piqueur, mais dans des veines de un à deux mètres d'épaisseur, et nous n'étions pas trop de deux pour pelleter le charbon sur le tapis roulant. Mon piqueur était payé au rendement, il venait au travail en voiture américaine, on se serait cru dans un film.

Je sais bien qu'à la même époque en France, beaucoup travaillaient encore au pic manuel dans des veines plus pauvres, et personne n'était à l'abri d'un coup de grisou, d'un effondrement, il y eut d'ailleurs le drame de Courrière, mais l'expérience d'Eisden fut pour moi exceptionnelle, bien qu'elle fût physiquement harassante. J'avais la chance d'être costaud et de m'adapter facilement, à l'aise de naissance avec les travailleurs manuels. La première fois que je pris l'ascenseur pour descendre les sept cents mètres du puits à une vitesse vertigineuse, j'eus une sensation de chute dans le vide que j'allais retrouver quelques années plus tard lors de mon premier saut en parachute. Dans les deux cas, on s'y fait vite.

La Campine belge n'est pas francophone mais je m'y étais fait un copain qui parlait le français, il m'initiait à toutes les ficelles d'un métier dont je mesurais le prestige. Il m'avait aussi trouvé une pension chez une veuve de mineur qui me couvait comme un enfant, mais comme elle ne savait pas un mot de français, cela limitait la conversation. Mon départ lui brisa le cœur.

Il reste que travailler sous terre, même dans des galeries longues et hautes avec une ventilation performante qui limite la sensation de chaleur, demeure écrasant. On est content de remonter, de boire un coup avec les copains, jouer aux cartes ou aux dominos, avoir son dimanche.

Depuis, chaque fois que j'ai entendu un Krivine, un Rocard, un Cambadélis, un Besancenot, une Arthaud, un Hollande, ou un autre, tous ces bourgeois baratineurs et filandreux, faire leurs discours aux travailleurs et sur les travailleurs, je me suis pris à rêver de leur donner une pelle, un marteau, un filet, n'importe quel outil, rien que pour un mois, pour un stage, dans un métier manuel un peu pénible. Leurs paroles rendraient peut-être alors un son plus juste que leurs éternelles incantations marxistes.

La pénibilité n'est pas une notion abstraite. Elle ne dépend pas seulement du libellé d'un métier mais des conditions pratiques dans lesquelles on l'exerce. En particulier de l'entreprise, de son patron. Il y a les bons et il y a les mauvais. J'avais eu de la chance à Eisden, je n'en eus pas en revanche quand je m'embarquai à Quiberon sur un sardinier pour une saison. Jusqu'ici j'avais toujours navigué avec mon grand-père, et, s'il lui arrivait d'être sévère, c'était un patron à la fois efficace et bienveillant avec moi. Cette fois je posai mon sac chez un étranger, et je n'eus pas le nez creux.

La sélection naturelle mettait en effet les bons patrons sur les bateaux performants avec de bons équipages. Ceux-ci pêchaient mieux. Plus rapides, ils arrivaient les premiers à la criée et obtenaient les meilleurs prix. Les mauvais à l'inverse cumulaient tous les inconvénients. C'était le cas du bateau sur lequel je m'étais engagé avec mon voisin Fernand de La Trinité.

Nous pêchions à la bolinche, filet tournant de deux à trois cents mètres de long et de plusieurs dizaines de mètres de hauteur. On attirait le poisson par de la *chtrouille* – mélange d'œufs de morue et de farine d'arachide – que lançaient à la main des seniors, occupant un canot, l'un le tenant debout à la lame à l'aide de ses avirons, l'autre jetant l'appât. Quand le poisson, des milliers de sardines, se rassemblait presque en surface, le boetteur levait le bras et le bateau encerclait le canot avec le filet, dont le fond était fermé le plus rapidement possible en virant les coulisses au treuil.

Il fallait alors remonter la ligne de plomb, 3 à 400 kg qui lestaient le filet. Fernand et moi, n'étant pas de Quiberon, avions la charge de cette corvée. Le filet était alors remonté à la main par les autres hommes d'équipage, une quinzaine, réunis à se toucher. Quand le fond arrivait, avec la prise, le plus costaud puisait avec un grand haveneau rond, la salabarde, au bout d'une longue perche, les sardines par paquet de dix kilos.

L'opération terminée, on recommençait, jusqu'au moment où il fallait choisir : pêcher plus ou arriver plus tôt à la vente pour avoir un bon prix.

Hélas, comme le patron buvait deux litres de vin et chaque homme un litre, payés sur le compte du bord (Fernand et moi buvions de la limonade), ça ne pouvait pas aller très bien – et c'était pour ça que le patron et plusieurs marins étaient communistes.

Le communisme permettait en effet aux médiocres, aux fainéants, aux poivrots de penser que leurs échecs étaient dus non à leurs défauts mais à la société capitaliste.

Non seulement je ne gagnai rien pendant ces trois mois, mais je dus emprunter de l'argent à ma pauvre mère pour payer le boulanger et le charcutier, le pain et le pâté de campagne de mes casse-croûtes de mer. Le soir, on mangeait la cotriade. Dans un grand faitout, on faisait bouillir des sardines, des maquereaux et d'autres poissons que nous pêchions. Cela, au moins, ne nous coûtait rien. On trempait la soupe et chacun piochait son morceau de poisson avec son pouce et son couteau, le tout étant accompagné de l'inévitable litre de vin rouge à 14°.

Une mauvaise marée ne dégoûte pas de la mer. Tout le temps de mes études, je ne passai jamais plus d'un an d'affilée sans y faire de fréquents séjours professionnels comme marin pêcheur ou amateur sur les yachts. Je n'acceptai pourtant pas, quelles que fussent mon impécuniosité et les sollicitations de ma mère, d'être matelot salarié de yacht. J'estimais, à tort ou à raison, que la subordination au plaisir des autres était une forme de déchéance. Pas plus que mon père, je n'avais de goût pour le service de maison.

Comme beaucoup d'enfants du peuple, je fus, on le voit, obligé de travailler pour financer mon état d'étudiant et mon désir d'ascension sociale, c'est pourquoi mes petits boulots tiennent plus de place ici que le Dalloz, et cela mûrit ma réflexion. Il n'y a pas plus ni moins de dignité dans le travail manuel que dans l'intellectuel. C'est leur utilité sociale et leur finalité qui établissent des hiérarchies dans les activités humaines. Chaque fois que cela est possible la machine doit libérer l'homme des travaux pénibles, dangereux ou répugnants. Mais bien sûr le progrès ne doit pas le rendre esclave de cette machine libératrice. Entre la productivité dont tous, y compris le travailleur, bénéficient, et le travail de celui-ci, un équilibre doit s'établir.

La condition ouvrière n'est un bagne que pour ceux qui ont une âme d'esclave, mais il faut faciliter la promotion, le perfectionnement, ou le changement d'activité de ceux qui le désirent et le méritent. La démocratisation de l'enseignement entendue comme la possibilité fournie à ceux qui n'avaient pas les moyens matériels et qui avaient la volonté de participer à la compétition qui classe les aptitudes est une chose excellente. J'en ai profité et je souhaite que le plus possible de Français en profitent.

Hélas, l'ascenseur social est en panne. Je ne vais pas dire que tout était parfait de mon temps, loin de là. La bourgeoisie avait par exemple élaboré une stratégie pour avantager ses rejetons : pour l'accession aux grandes écoles il y avait un âge maximal. Les enfants qui entraient en sixième à onze ans n'avaient droit qu'à une taupe pour réussir le concours, et encore, à condition de ne pas perdre un an en secondaire. C'est pourquoi les bonnes familles mettaient leurs garçons à l'école secondaire non pas à onze ans mais à neuf : comme cela, ils pouvaient doubler ou même recommencer une année de plus.

Malgré tout, le système des bourses et la méritocratie généralisée permettaient quand même dans l'ensemble la montée par capillarité des meilleurs éléments issus des classes pauvres. Aujourd'hui le déclin de l'institution scolaire, l'effondrement du niveau débouchent sur un bac sans valeur qui fait l'objet d'une distribution sociale. On a installé un moment une propédeutique pour établir une sélection à l'entrée de l'université, mais on y a renoncé et celle-ci est devenue pour partie un garage de médiocres attendant d'entrer dans la vie active – si peu active.

Je ne veux pas démêler ici la part de l'immigration, celle du laxisme, des pédagogies inappropriées et de l'esprit post-soixante-huitard dans cette catastrophe, je la constate. L'école ne sert plus aux jeunes pauvres d'ascenseur social. Cela a pour conséquence que les élites se reproduisent sans vergogne. Les riches finissent par décrocher un diplôme au bout d'un cursus paresseux ou s'établissent en faisant joueur leurs relations, notamment dans l'entreprise. Ailleurs triomphent les fils et filles de profs. Comme la noblesse d'ancien régime, ils disposent à la maison de répétiteurs, en l'espèce leurs parents, ils émergent donc sans difficulté d'une éducation nationale en perdition. Ils trustent les bonnes places dans les grands concours pour constituer la nouvelle noblesse de la fonction publique, faute d'un environnement social favorable à leur établissement dans des professions libérales par ailleurs en déclin. Les plus ambitieux choisissent l'ENA, l'ENM, les grandes écoles de commerce ou d'ingénieurs. Ainsi les gosses de profs remplacent peu à peu les gosses de riches à la tête des classes dirigeantes. Les études étant de plus en plus longues, les rémunérations souvent modestes et la considération en berne, ils penchent naturellement à gauche.

3. Président Le Pen

Lorsqu'il se flattait d'être à l'origine de l'essor du Front National (à tort : il l'a exploité habilement pour piéger la droite, il ne l'a pas « créé »), François Mitterrand affectait, pour se dédouaner aux yeux de la presse de gauche, de me tenir pour quantité négligeable, me traitant, avec un indulgent dédain, de « faluchard ». Il entendait ainsi que j'étais demeuré un éternel étudiant. La faluche, qu'il avait portée lui-même avant guerre, était depuis les années 1880, le béret traditionnel des étudiants français dans les grandes occasions et les dégagements : c'est celui que l'on voit sur le portrait – et sur le crâne – de Rabelais. Les traditions bachiques et grivoises des porteurs de faluches invoquaient ouvertement ce patronage. Notre faluche était en velours noir gansé d'un ruban rouge comme la robe des juges.

Comme était rouge aussi le vin de la CBSS, la Confrérie des Bois-sans-Soif : j'en étais le champion du cul sec, j'avais du mal à être ivre, je n'étais jamais malade, je devins titulaire de tous les grades des ordres estudiantins, je menais les guindailles du samedi, j'étais fort en gueule, cela me désignait, avec l'estime de mes pairs, à une carrière de président. Blague à part, je voyais dans le syndicalisme étudiant une initiation à la vie publique, je fis campagne, je fus élu. Sans la moindre fraude, contrairement à ce que ce pauvre Rocard a prétendu un moment.

La Corpo ne bénéficiait d'aucune subvention officielle, elles étaient réservées à la Maison du Droit, officine créée par le pouvoir pour nous concurrencer. Juste après la Libération, dans le premier gouvernement De Gaulle, avant que le Général ne démissionne sur un coup de tête, un gaulliste de gauche, le juriste René Capitant, avait fait passer une loi visant à mettre la représentation des étudiants dans la main de l'État, mais les « délégués Capitant », comme on les appelait, ne réunirent jamais le quorum nécessaire dans les Assemblées et tombèrent en désuétude. Vaille que vaille, partout en France, les Corpos étaient donc tenues pour représentatives des étudiants, même si ceux-ci étaient souvent peu nombreux à s'y inscrire. Il y avait des exceptions, comme celle de Lyon. À Lyon, la carte de membre était nécessaire pour s'inscrire au resto-u ! Cela gonflait les effectifs, le recrutement étant quasi forcé. Le président de ce bastion progressiste revendiquait cinq mille adhérents. Il a fait carrière depuis, jusqu'au Conseil d'État. Les petites ruses du droit s'apprennent très tôt. J'appris aussi très tôt que la majorité silencieuse ne trouve jamais de représentation dans le monde étudiant.

Quoi qu'il en soit, toutes les associations d'étudiants étaient fédérées dans une organisation nationale unique, l'Union Nationale des Étudiants de France, l'UNEF. À l'apogée de sa puissance elle était traversée par des courants politiques fort divers, et même contraires, mais cimentée par la conscience du particularisme estudiantin. Les tendances corporatives y affrontaient les tendances syndicalistes nées de la guerre et de la résistance. Celles-ci devaient finir par l'emporter au terme d'un long processus que la revue universitaire Persée a étudié dans un article intitulé : *L'UNEF : un exemple d'investissement syndical de la forme associative*. En 1946 le Congrès de Grenoble en avait posé le premier jalon en édictant une Charte dont l'article 1 annonçait la couleur : « l'étudiant est un jeune travailleur intellectuel ». C'était en particulier l'opinion d'un garçon à la parole déjà fuligineuse, Michel Rocard. Cette définition fleurait bon son origine soviétique. Je défendais une conception corporative, et j'eus l'occasion de la servir par des actes concrets au service des étudiants parisiens.

Par le jeu des positions d'office, un Président de Corpo était un homme très occupé. À la direction proprement dite de son association et de ses différents services, il ajoutait les rapports avec les autorités universitaires. Il siégeait de droit au conseil d'administration de l'UNEF, du COPAR, comité parisien des restaurants universitaires, au Conseil d'Administration de la Fédération des étudiants de Paris, au bureau de l'Office National du Droit, à l'OTU, office du tourisme universitaire, à l'OSSU, office du sport universitaire. Certaines de mes prérogatives n'étaient pas sans avantage. J'étais ainsi contrôleur des resto-u et comme le titre m'en faisait obligation je contrôlais les resto-u, leur organisation, leur propreté, et pour commencer la nourriture. Cela devait améliorer mon ordinaire. Le vulgum pecus était attaché en effet à son resto-u comme le serf à sa glèbe, même les jours où le menu était franchement dégueulasse : ma fonction me donna le droit de choisir parmi tous les restaurants universitaires de Paris suivant le jour.

J'étais en outre trésorier de l'Association sportive de Droit, et membre de droit du Comité du PUC où je pratiquais l'athlétisme et le rugby.

Je me suis toujours beaucoup intéressé au sport. Il touche à la philosophie de la vie, à la place du corps dans la personnalité. C'est un moyen de perfectionnement physique et moral.

En France, où l'on avait tendance à considérer que les activités intellectuelles devaient être réservées aux avortons, le physique était volontiers déconsidéré. On préférait construire des sanatoriums plutôt que d'essayer de prévenir la tuberculose par le grand air et des activités saines. À l'inverse de toutes les universités étrangères, y compris russes et espagnoles, l'université de Paris vivait à cet égard dans une misère insigne.

Les étudiants parisiens disposaient d'une piscine (petite), pour 100 000 étudiants, du stade Charléty (celui du PUC), et du terrain de la Cité Universitaire. Quand on sait qu'il n'est pas possible, sous peine d'en tuer le gazon, de jouer plus de trois fois par semaine sur un terrain, on admettra que les installations étaient pitoyables. Pas de douches chaudes, pas de douches du tout et bien souvent nous nous sommes retrouvés à trente autour d'une bassine d'eau après une partie de rugby disputée dans la gadoue. Après le débarbouillage des trois premiers, il n'y avait plus que de la boue. Nous devions rentrer chez nous sales et transpirants. Il ne faut pas s'étonner dans ces conditions du petit nombre de pratiquants.

Quelques hommes étaient conscients de l'importance nationale de ces problèmes, au premier rang desquels un véritable apôtre René Krotoff qui y ruina une santé pourtant magnifique et sa fortune. Il fit de longues années le siège de toutes les autorités pour obtenir entre autres que l'on construisît au Quartier Latin, un ensemble sportif couvert ce qui, sous nos latitudes, est plus utilisable durant l'année scolaire que des terrains de plein air, surtout en ville.

Le bâtiment qui s'élève aujourd'hui sur l'emplacement de l'ancien Bal Bullier au métro Port-Royal devrait porter son nom : il n'aurait jamais vu le jour sans lui. Au fil des années, ce pâté s'est hélas écarté de sa vocation sportive pour être dévoré par la bureaucratie sociale. Les termites gestionnaires de la misère et de la crasse ont découpé, l'un après l'autre, les gymnases modernes pour en faire des alvéoles pour leurs différents services.

Krotoff me fit entrer au bureau du Comité Pierre de Coubertin, présidé alors par Henri Bourdeau de Fontenay, premier directeur de l'ENA, qui s'était donné pour tâche de continuer le rénovateur des Jeux Olympiques et d'exalter en France le sport amateur comme moyen de réalisation et de perfectionnement humain. Le Comité siégeait sous les lambris du Grand Salon du *Figaro* et réunissait outre Bourdeau de Fontenay, le professeur Chailley Bert, le grand sportif et journaliste sportif Jean-François Brisson etc.

La diversité des tâches constituait une bonne école de vie publique concrète pour les représentants des étudiants et je m'étonne que l'UNEF d'alors n'ait pas donné à la France plus d'hommes politiques. Il est vrai que son caractère apolitique, au moins théorique, écartait des postes de responsabilités ceux qui comme mes amis gaullistes Jacques Dominati ou Pierre Dumas militaient au sein des partis.

Au bout de trois ans, je fus Président d'Honneur et passai la main à un camarade plus jeune. Nous avions réussi à convaincre les hôteliers et la profession des sports d'hiver d'accorder la gratuité aux étudiants, futurs clients à vie, pendant le mois de janvier, c'est-à-dire dans le creux entre les vacances de Noël et la saison des grandes compétitions de février. Mais, nous partis, l'affaire ne se fit pas.

Les dirigeants étudiants dynamiques et les ministres compréhensifs passaient, les uns au gré d'études plus ou moins laborieuses, les autres au hasard des vies ministérielles. Seuls s'incrustaient durablement dans leur médiocrité anonyme, les ronds de cuir.

Dans la nuit du 31 janvier 1953, la conjonction de fortes précipitations liées à une violente tempête d'ouest avec les grandes marées provoqua en Hollande des inondations catastrophiques et la rupture de digues qui protégeaient les espaces situés sous le niveau de la mer. Le bilan qu'on découvrit, même s'il ne fut pas connu tout de suite dans toute son ampleur, était terrible : plus de mille huit cents morts et cent six mille hectares dévastés, mille soixante kilomètres carrés, deux et demi pour cent de la superficie totale des Pays-Bas, une bande longue comme le littoral landais sur dix kilomètres de profondeur.

Je remontais le boulevard Saint-Michel quand je vis le titre de *France-Soir* sur huit colonnes. Une idée frappa mon esprit : il fallait montrer que nous, les jeunes Français, étions solidaires des Pays-Bas.

Nous étions sept ans après la fin de la Guerre Mondiale, convaincus que celle-ci avait été une véritable guerre civile ruineuse et meurtrière pour l'Europe. Nous ressentions la nécessité d'unir nos nations face à la menace que fait peser l'Armée Rouge.

J'entre dans le café le plus proche, l'Ololo Bar, je crois, situé près de la Place de la Sorbonne. Krotof m'avait enseigné deux formules :

– Primo, la vie commence toujours demain. Secundo, il faut toujours passer par la grande porte.

Sous-entendu, les PDG sont plus polis que les concierges. Je mets en application, je décroche le téléphone et j'appelle l'Élysée :

– Je voudrais parler au président de la République !

C'était Vincent Auriol, à l'époque. La secrétaire s'enquiert :

– Qui le demande ?

– Le Pen, président de la Corpo de droit

– Je vous le passe

Ça ne marcherait plus aujourd'hui. Avec le savoureux accent toulousain qu'il n'avait pas complètement perdu, Auriol, lui-même ancien président de l'AG de Toulouse, m'interpelle :

– Alors, Présideng, qu'est-ce qu'il y a pour ton service ?

– M. Le Président, de terribles inondations viennent de frapper la Hollande. Nous, étudiants français, souhaiterions témoigner que nous ressentons cette catastrophe comme touchant directement notre pays et pour cela envoyer à leur secours un contingent d'étudiants français volontaires.

– Je t'approuve et suis disposé à vous aider, mais je pars ce soir pour Muret. Je laisse mes consignes à Pleven, adresse-toi à lui et bonne chance.

Remonté à la Corpo, je réunis d'urgence le comité qui approuva chaleureusement mon initiative et la promesse de soutien de l'État.

C'est ainsi que fut fondé le GUSI, Groupement universitaire de secours immédiat. Une mise au point, tout de même : je ne voudrais pas me faire plus culotté que je ne le suis : j'avais été présenté à Vincent Auriol au bal du droit, c'est ce qui m'avait donné l'aplomb de l'appeler.

Un millier de tracts d'appel aux volontaires est distribué à la Fac de Droit et à la Sorbonne. Les candidats affluent, nous sélectionnons ceux qui ont fait leur service militaire ou la préparation militaire, les scouts, ceux qui nous paraissaient les plus costauds ou les plus déterminés. Ils étaient arrivés cent vingt, nous en retenons quarante. Autour du noyau de la Corpo sont venus s'agglomérer des étudiants extérieurs tel Jacques Peyrat, en doctorat comme moi, quelques étrangers, Someritis, un Grec qui deviendra en Grèce directeur socialiste de la télé, un Espagnol, Theodoro Cabastrero qui va choisir, lui, la marine marchande.

Entre-temps, j'ai pris contact avec le Cabinet de la Défense, où le lieutenant Guillou sera notre antenne. Précieuse. J'ai déjà monté avec lui quelques opérations Armées Jeunesse, dont un match de rugby contre les forces françaises en Allemagne. L'armée essaye de se faire connaître, je suis l'un des étudiants qui collaborent à cette opération.

Nous obtenons des tenues de combat militaires et des caisses de rations pour une quinzaine de jours. La SNCF offre le transport gratuit jusqu'à La Haye. De notre côté, nous faisons la tournée des commerçants des quartiers pour récupérer des bottes en caoutchouc. Deux copains de la Fac de médecine s'occupent de trouver des médicaments.

Le tour de force réussit. Quarante-huit heures après, nous embarquons à la Gare du Nord. Dans les catastrophes, le temps de réaction est essentiel. La plupart des organisations caritatives sont bureaucratiques, elles respectent les week-ends et quand elles sont en mesure d'opérer, l'événement est déjà loin.

À La Haye, ils ne savent pas quoi faire de nous. Nous sommes le dernier groupe autorisé à entrer. La Hollande a fermé ses frontières aux bénévoles individuels. À l'usage, ils se révèlent souvent des boulets, inutiles et même gênants, il faut les loger, les nourrir, les soigner.

Notre organisation disciplinée, notre allure quasi militaire font le meilleur effet, on nous propose de faire le tri des colis arrivant en gare de Scheveningen. Je refuse net :

– Maldonne, nous ne sommes pas venus pour ça.

Fidèle au slogan de René Krotoff, je demande à rencontrer un ministre. L'un d'eux accepte : le ministre des eaux, il y en a un en Hollande, ça se comprend. Par chance, il parle français. Il me reçoit chaleureusement. Je lui explique :

– M. le Ministre, nous n'avons pas la fatuité de croire qu'à quarante nous allons sauver la Hollande. Notre geste a une signification morale et politique. Il montre qu'il y a une solidarité des peuples européens face à la menace. Il faut que nous allions à l'endroit le plus dangereux.

Sa réponse me comble :

– Je vous comprends. Allez à Schouwen Duiveland. Il y a beaucoup de morts et nous redoutons les grandes marées suivantes qui peuvent tourner au cauchemar.

Nous voilà repartis. Quelques heures de trajet, la désolation à l'arrivée. Le bétail mort dans les champs flotte sur l'eau salée.

Nous sommes affectés au renforcement d'une digue très menacée. Le soir, nous tombons de fatigue, couverts de boue. Le froid est la grosse affaire, on râle quand on voit des soldats hollandais se chauffer aux braseros.

Par chance, je passe un marché avec l'officier commandant une unité américaine de chalands de débarquement, des Ducks, qui a monté une tente douche simplissime mais efficace, où nous pouvons prendre des douches chaudes.

Dans les derniers jours arrivent non les carabiniers mais les hommes du Premier Régiment du Génie appelé d'Allemagne. Incroyable : comme les Pontonniers d'Eblé à la Berezina, nos pioupious se mettent dans l'eau glacée jusqu'au ventre pour retaper la digue. Extraordinaires. On fraternise. Les officiers ne sont pas peu surpris de trouver là, qui les ont précédés de plusieurs jours, des civils français… en tenue de combat !

La grande marée est venue, les digues ont tenu, le danger principal est écarté, nos gars sont fatigués. Ils veulent rentrer, mais trois universités hollandaises, pas une de moins, nous invitent pour honorer notre geste. Ce n'est pas le moment de partir. J'exhorte mes troupes à faire honneur à la France. Suivent trois jours de fête triomphale, dans un pays où les Français n'ont jamais été trop appréciés pourtant. Louis XIV, ce n'était déjà pas top, le général Pichegru n'a pas amélioré les choses en emportant d'assaut avec ses cavaliers la fière marine de l'amiral Reiytjes prise dans les glaces.

Je garde quelque fierté de cette équipée hollandaise. Et une conviction européenne forte. Député, quatre ans plus tard, je voterai contre le traité de Rome, dont je perçois tout de suite l'esprit supranationaliste et les pièges qu'il réserve malgré ses avantages immédiats. Cela fera de moi un adversaire résolu de l'usine à gaz bruxelloise et de la révolution mondialiste par le libre-échange, non un ennemi de l'Europe. Surtout pas un ennemi de l'Europe. Je suis Français, patriote, solidement enraciné dans ma petite patrie la Bretagne, mais je me sens aujourd'hui comme en 1953, profondément européen, solidaire des peuples européens devant la submersion migratoire comme je l'étais alors devant la submersion marine.

Mais la situation est plus grave qu'alors. À l'époque, il n'y avait pas de saboteurs, et le ministre des eaux fédérait toutes les énergies pour réparer les digues et remédier aux ravages de l'invasion de la mer. Aujourd'hui les dirigeants de l'Union européenne et les responsables des nations qui la composent ont pour devoir d'ériger des digues solides contre l'invasion en cours, mais ils ouvrent au contraire toutes grandes les vannes devant la submersion. Ce sont des saboteurs. Ils trahissent leur devoir d'état, ils trahissent leurs nations, ils trahissent l'Europe qu'ils magnifient en paroles. Dans le génie civil des relations humaines, il ne faut se priver de rien : les canaux et les ponts sont utiles, mais il faut savoir aussi bâtir des murs, j'en demande bien pardon au pape François.

4. Anticommuniste, forcément anticommuniste

J'ai dit quelque part que j'étais devenu anticommuniste à seize ans. Je me vantais. À seize ans, j'ai failli prendre ma carte du parti que me proposait un copain boulanger. J'ai attendu dix-sept ans pour devenir vraiment anticommuniste. Ce que mon père m'avait montré à Lorient, ce que j'avais vu à la Libération à La Trinité, finit par cristalliser. Puis à la Corpo mon anticommunisme se solidifia, se consolida, s'étoffa, se pourvut d'arguments.

On m'a demandé si j'étais monarchiste. Non, mes amis Ledoux l'étaient, je les écoutais avec plaisir, j'en prenais une teinture, j'ai fréquenté Pierre Boutang, Georges-Paul Wagner, Gubernatis qui l'étaient, j'ai même vendu une fois l'Action française, avec « un article de Charles Maurras détenu dans les prisons de la République », c'était agréablement provocateur, je garde de la sympathie pour la famille royaliste et pour les rois qui ont fait la France, je ne crois pas que mon pays soit né en 1789, mais j'ai toujours été du moment présent : la monarchie n'a aucun sens aujourd'hui, et je ne sais pas de quoi demain sera fait.

À la Corpo, *association aconfessionnelle et apolitique d'extrême-droite*, il y avait des gaullistes et des monarchistes, nous avions tous nos opinions, j'avais les miennes, à vrai dire je ne me sentais vraiment proche de personne, je me sentais proche de moi. De droite. Anticommuniste. La gauche était un adversaire avec qui nous parlions, le communisme un ennemi irréconciliable. C'était quoi, la droite ? Ceux qui n'étaient pas de gauche, car la gauche tonitruait partout, tenait tous les secteurs d'opinion.

Je commençais à comprendre, derrière le rideau de fumée des propagandes, ce qui s'était réellement passé avant et pendant la guerre, le rôle odieux du PC, et je découvrais la situation où il nous mettait, dans le monde grâce aux journaux, à l'université grâce au poste d'observation où je me trouvais.

L'Europe sortait exsangue et ruinée de la guerre. Celle-ci avait eu pour but affiché de protéger l'intégrité territoriale de la Pologne, elle aboutissait à la perte du tiers du continent. Le grand vainqueur était l'Union Soviétique. Elle augmentait notablement ses territoires et s'entourait d'un glacis de nations réduites en esclavage. Le déclin européen amorcé après la Première Guerre Mondiale s'accélérait. La France et l'Angleterre avaient beau chanter victoire, elles descendaient du rang de grandes puissances à celui de puissances moyennes, laissant face à face deux géants, l'américain et le russe. Les empires coloniaux dont elles se faisaient gloire allaient se dissoudre dans les années prochaines, non sans remous sanglants.

L'Europe était ramenée à ses frontières de l'an mille.

Cependant, aidée par les États-Unis, elle s'efforçait avec plus ou moins d'ardeur et de soin, à relever ses ruines et restaurer son économie délabrée.

Or, la France était engagée depuis 1945 dans un conflit qui durait, contre le Vietminh appuyé par l'Union Soviétique. Toujours fidèle à sa vraie patrie, le Parti Communiste menait contre la guerre d'Indochine une campagne très active et son comité central avait donné la consigne : contribuer à la défaite de l'armée française partout où elle se battait.

Il tenait cent cinquante sièges de députés et je ne sais combien de mairies, il tenait aussi les entreprises et la rue par l'intermédiaire de la CGT. En 1947 eurent lieu des grèves insurrectionnelles. Il y eut des morts. En même temps parut un livre d'un ancien apparatchik de haut rang du Parti Communiste Russe, Kravchenko, *J'ai choisi la liberté*, qui rappelait la situation de l'Union soviétique, connue avant la guerre mais que la propagande résistancialiste avait eu pour objet et pour effet de faire oublier. Le PCF, aidé par la presse bien-pensante et singulièrement par *Le Monde*, s'employa à discréditer Kravchenko en le faisant passer pour un agent américain. Sartre et Beauvoir se distinguèrent dans cette manipulation qui devait culminer dans un procès en 1949.

En 1946, le résistant David Rousset, déporté à Buchenwald et Neuengamme, avait raconté son expérience dans un livre, *L'univers concentrationnaire*. Il eut le malheur de ne pas attaquer Kravchenko mais au contraire de confirmer ses accusations contre le « goulag » soviétique (mot qu'il fut l'un des premiers à utiliser en France) : cela lui valut d'être traité de « trotskiste falsificateur » par l'hebdomadaire communiste *Les lettres françaises*. Le communisme pesait sur la France, sa vie intellectuelle, sa presse, d'un poids terriblement lourd : la Pensée Unique ne date pas d'aujourd'hui.

À l'université cela s'était traduit par le noyautage des associations par le parti communiste. Quand j'arrivai à la faculté, le PC tenait toutes les Corpos. Il fallut quatre ans pour les lui reprendre. La première libérée fut la Corpo de droit, grâce à mon prédécesseur Jacques Vignardou. Ce fut mon mentor. Il me chargea du journal de la Corpo, *La Basoche*.

L'état estudiantin étant essentiellement provisoire, en tous les cas l'était-il alors, de nouvelles couches arrivèrent à l'université et permirent la reconquête des Corpos, sauf celle de Lettres qui demeura un bastion de gauche. Dans la France entière, les étudiants corporatistes l'emportèrent majoritairement sur les syndicalistes de gauche, et leur interdirent de monopoliser l'UNEF unitaire à leur profit comme ils l'espéraient, s'y employant depuis la Libération.

Ils avaient pu mettre la main par contre dès sa naissance sur l'UIE, l'Union Internationale des Étudiants. Copie de l'ONU, cette organisation estudiantine mondiale avait son siège à Prague. Dès 1948, elle n'était plus, sous la direction du communiste tchèque Jiri Pelikan, que la filiale estudiantine de la FMJD, Fédération Mondiale de la Jeunesse Démocratique, communiste. Depuis, devenu journaliste, figure du printemps de Prague, Pelikan devait finir ambassadeur de Tchécoslovaquie en Italie, y demander l'asile politique, prendre la nationalité du pays, s'inscrire au PS et mourir à Rome. À l'époque, c'était un apparatchik dans toute la verdeur de sa jeunesse, l'ardeur de ses convictions et la brutalité de ses méthodes.

La France, l'un des cinq grands, membre fondateur de l'UIE, prit la décision de s'en retirer à la suite de nombreuses organisations nationales, dont pourtant souvent les dirigeants étaient de gauche. L'une des dernières unions non communistes à y rester fut celle des étudiants suédois alors dirigée par Olof Palme, qui deviendrait Premier ministre de son pays et serait assassiné.

Les pays de l'Est y étaient représentés par de véritables délégations de seniors. À l'époque, l'Union Russe était présidée par Alexandre Chelepine qui serait plus tard secrétaire de la puissante Union des Syndicats Soviétiques et manquerait de succéder à Brejnev à la tête de l'URSS. Il était assisté d'une grosse fille sympathique, secrétaire générale des Komsomols, Tamara Erchova.

L'UIE prenait position contre la bombe atomique, contre l'Alliance Atlantique, pour le soutien des mouvements anti colonialistes. Cela provoquait en France des affrontements et mettait l'UNEF en contradiction avec son statut apolitique et la volonté manifestée par la majorité de le respecter.

Alors que l'URSS avait sans doute l'un des plus grands empires coloniaux, l'internationale communiste exploitait à fond le mouvement anticolonial pour avancer ses pions. Dans le mouvement étudiant, elle se servait à cet effet d'une date qui ne dit plus grand-chose aujourd'hui, le 21 février. On y commémorait l'anniversaire du soulèvement des Cipayes, la rébellion de mercenaires indiens contre les Britanniques en 1857. C'était l'occasion chaque année d'actions et d'agitations diverses. Les cellules du PC s'efforçaient d'obtenir des prises de position des organisations étudiantes. Cela provoquait nécessairement des tensions et c'était le but recherché.

À la fin, la question coloniale, ou plus exactement l'exploitation qu'en faisaient les communistes et leurs alliés, vint à bout de l'unité et de l'apolitisme de l'UNEF.

Les remous qui agitaient les pays coloniaux avaient à l'intérieur de l'UIE de profondes répercussions. La gauche estudiantine plus radicale que ses aînées, obéissait volontiers aux mots d'ordre communistes, transmis par les différentes courroies du PC suédois au nom de la libération des peuples. À Prague, la délégation du Vietminh fut applaudie pendant quarante minutes par l'assemblée UIE debout, tandis que la délégation anglaise restait assise et la délégation française se partageait en trois, debout, assise et entre les deux. La scission de l'UNEF couvait. Elle se dessinerait en 1957 à l'occasion de la guerre d'Algérie : la tendance de gauche syndicaliste parvint alors à faire voter une motion « anticolonialiste », donc, en pratique, dirigée contre la France en Algérie. Après quelques péripéties, cela devait aboutir en 1962, au départ des corporatistes qui allaient fonder la Fédération nationale des Étudiants de France (FNEF) : c'était la fin de la grande UNEF.

Je voudrais insister encore sur deux points. Le premier, dans notre monde estudiantin, le grotesque se mêlait très souvent à la violence, la blague à l'affrontement idéologique. À la Sorbonne en 48 pour l'anniversaire de la parution du *Capital* de Marx, c'est Maurice Thorez, le secrétaire général du PC, le ministre du général De Gaulle, le déserteur de 1939, qui vint faire le discours. Il eut le malheur de déclamer le plus sérieusement du monde :

– Avant Descartes, c'était le chaos !

Il prononça le « chat haut ». Ce fut le délire et la bagarre générale.

Deuxième point, plus politique, les communistes, occupés tant à saper les intérêts de la France qu'à noyauter les institutions, avaient des alliés, presque aussi vérolés qu'eux, les chrétiens progressistes. La gauchisation et la communisation de l'Université sont certes le fruit d'un travail en profondeur tenace des militants du PC. Elle n'aurait pas eu ce succès sans la complicité active des organisations d'action catholique. Lors des conseils, des commissions, des congrès où l'on tournait en rond, j'observai en effet l'action corrosive menée au sein de l'université par le christianisme progressiste.

Jusqu'en 1950, les étudiants catholiques, groupés dans les groupes cathos de faculté, avaient vécu d'une vie autonome, des activités intellectuelles et spirituelles. Mais en 1950, sous la direction de leurs aumôniers dominicains et encadrés par la JEC, les étudiants catholiques reçurent la consigne d'entrer massivement dans les Corpos et d'y soutenir les listes de gauche qui, sous le nom de Comités d'Action Syndicale, s'opposaient aux dirigeants sortants généralement antimarxistes. Le RP Liégé, qui ne portait déjà pas la soutane et s'habillait en civil, cas rare à l'époque, donnait des conférences contre la « sale guerre d'Indochine ».

Si, en fac de Droit, cette manœuvre échoua car elle ne put faire élire contre moi Schwarzstein qui ne s'appelait pas encore Rochenoire, elle fut favorable à Rocard à l'École des Sciences Politiques et contribua à assurer la domination des communistes à la Fac de Lettres, où le futur cardinal Lustiger, qui m'a toujours poursuivi d'une haine fidèle, était alors président de la fédération des groupes d'études de lettres. J'affirme qu'il ne s'agit pas là de mouvements provoqués par le choix d'individualités mais d'une stratégie cohérente élaborée et réalisée avec l'accord de l'encadrement clérical et de la hiérarchie. Il ne fait aucun doute que la destruction de l'organisation unitaire des étudiants a été une victoire des frères révolutionnaires.

Ces *Mémoires* sont l'occasion pour moi de fixer quelques réflexions d'ensemble. Je veux dire un mot de la question centrale du communisme, aujourd'hui oubliée ou très mal comprise.

Je serais hypocrite si je prétendais que je ne lis pas les livres qu'on écrit sur moi. Deux d'entre les moins malintentionnés, celui de Philippe Cohen et celui de Serge Moati, me laissent rêveur. À les lire, l'anticommunisme serait chez moi une obsession, un fantasme, presque une maladie. Moati écrit que je voyais « des cocos partout », qu'il me tardait de « casser du coco », comme si c'était le résultat d'une fièvre, d'une haine délétère. Cohen rapporte les paroles d'une amie de Corpo qui me jugeait d'ordinaire « tolérant », mais soudain « complètement fermé » avec les communistes.

Il est vrai que je veillais à ce que nous nommions « l'apolitisme » et qu'on nommerait peut-être aujourd'hui le « pluralisme » soit respecté, je protégeais ceux qui distribuaient la presse gaulliste, monarchiste et même trotskiste. La République n'était pas, comme pour mes camarades royalistes, un problème pour moi. Mes parents et grands-parents y avaient fait leur trou, et malgré tous ses défauts, on pouvait y vivre ensemble. Mais je changeais de ton avec les communistes. Il s'agissait de briser un étau de fer, de mettre hors d'état de nuire un ennemi. J'avais ainsi interdit de quartier latin un chef coco, Malgrange, qui m'en remercia chaudement des décennies plus tard, il avait réussi ses examens grâce à l'arrêté d'expulsion que je lui avais signifié :

– Sans toi Jean-Marie, j'aurais traîné dans toutes les manifs.

Ce n'était pas tel brave type ou tel salaud que j'avais dans le collimateur, c'était le monstre communiste. Ce point est capital et il faut déterminer tout de suite qui, de Moati ou de moi, a raison. Si le communisme n'était pas une menace mortelle, alors j'étais un obsédé, ridicule ou odieux selon les moments. Sinon, il faudra reconnaître que ma position était lucide, courageuse et nécessaire.

J'ai parfois l'impression de vivre un cauchemar idiot. Qui peut nier que le communisme fut de 1917 à 1989 l'un des faits principaux de l'histoire du monde ? Qu'il fut la grande question du XXe siècle ? C'est clair, avec le recul du temps, ce fut le totalitarisme le plus long et le plus sanglant de l'histoire, à ce jour. Le Cambodge, l'Ukraine, la Chine, les goulags, le Laogaï, notamment, en témoignent. C'est le plus grand pourvoyeur connu de misère, d'oppression et de mort.

J'ai fait partie de ceux qui ont eu raison contre les compagnons de route qui tentaient d'imposer une image flatteuse et fausse de cette horreur. J'avais vu ce que valait le communisme avec la Seconde Guerre mondiale, je voyais ce qu'il tramait. Comment aussi il a mené en France, de 1939 à 1962, une politique antinationale, en même temps que, grâce à la CGT, il ruinait l'économie, notamment dans un domaine qui me tenait à cœur, les ports. La CGT a dévasté l'activité des ports de notre façade atlantique aussi sûrement que l'aviation anglo-saxonne en avait écrasé les bâtiments. Sans nuire le moins du monde à ce qu'elle nommait en son jargon le grand capital : le grand commerce se transporta ailleurs et l'agitation communiste française fit la fortune de Rotterdam.

Cela ne faisait pas de moi un zélateur d'Hitler comme certains l'ont prétendu : tout montrait, simplement, que le principal péril était alors le communisme. Les faits l'ont confirmé. Mais il est de bon ton chez les intellectuels parisiens de ne pas tenir compte des faits. Sartre disait :

– Tout anticommuniste est un chien (notez que c'est « l'extrême-droite » qui est censée être brutale et animaliser l'adversaire !).

Sartre était alors le pape d'une secte toute-puissante dont les excommunications discréditaient absolument ceux qu'elles frappaient. La presse et le bourgeois osaient rarement passer outre ses injonctions. Celui qui se dressait pour défendre la liberté devenait donc un fasciste. Ce fut la ruse grossière des années d'après-guerre et de décolonisation.

Les choses, à lire Moati, ont un peu changé : on n'est plus fasciste quand on est anticommuniste, on est cinglé. J'affirme moi, que les anticommunistes des années quarante et cinquante ont sauvé l'honneur de la France, son honneur intellectuel et son honneur tout court. Nous avons fait notre devoir quand il fallait se battre contre le monstre, et que les attachés de communication du monstre (comment nommer autrement Sartre et ses complices ?) paraient celui-ci de toutes les vertus, et nous, ses adversaires, de tous les vices.

5. Saint-Maixent

On se lasse du Quartier latin. Je n'étais pas un étudiant très assidu, il m'était arrivé de redoubler, mais enfin au printemps de 1953 j'avais ma licence en poche, mon certificat d'aptitude à la profession d'avocat. J'étais inscrit en doctorat de sciences économiques, quand guindailles et cours tout à coup m'ennuyèrent. La Hollande m'avait confirmé mon goût pour l'action et le commandement. L'armée et l'Indochine m'attiraient. La France s'y battait, j'avais toujours aimé l'Empire.

J'en avais rêvé sur mon pupitre dès avant le collège, car que faire à l'école à moins que l'on ne songe ? La route de l'Asie commençait au sud, longeant l'Espagne et l'Afrique où sont les cannibales, butinant aux rivages de l'Inde des comptoirs aux noms de comptines, Chandernagor, Pondichéry, Yanaon, Karikal, Mahé, pour arriver à l'Indochine qui d'un nom révèle la dualité d'un continent. Le temps n'était pas à la repentance, on célébrait les soldats de Tuyên Quang, la France protégeait sous son drapeau un pays plus grand qu'elle contre les pirates, les Chinois et bien d'autres prédateurs. Ces images d'enfant devinrent à l'âge adulte d'exigeantes maîtresses. Mon Ilion fut l'Indochine. J'étais né à quelques kilomètres de Lorient, le port de la Compagnie des Indes. Peut-être les souvenirs héréditaires des voyages du passé coulaient-ils dans les veines de marins de chez moi.

À Berder, durant l'année scolaire 43-44, j'avais fondé au collège une section de la Ligue maritime et coloniale et je m'en étais bombardé président. La LMC était une organisation qui faisait de la propagande pour la grande France. L'après-guerre me confirma dans ce sentiment. Avec trois couleurs pour un drapeau, l'union française me paraissait tracer un avenir généreux : l'épanouissement et l'émancipation des peuples colonisés dans la République française. Noires, jaunes, maghrébines et européennes, les troupes du Corps expéditionnaire d'Extrême-Orient formaient des sortes de brigades interraciales contre le racisme annamite du Vietminh et d'Hô Chi Minh.

Puis les Français affrontaient depuis huit ans le communisme international. Le Vietminh, soutenu dès le début par l'URSS, s'appuyait depuis 1949 sur la Chine maoïste. La France avait été la seule au début à combattre l'hydre, mais depuis 1950 et la guerre de Corée, les États-Unis d'Amérique, d'abord hostiles, la soutenaient. Nos soldats étaient la principale digue contre l'avance des rouges jaunes. L'avenir ne se jouait pas entre le Panthéon et le local de la Corpo, mais en Indo.

C'était la guerre froide, la Troisième Guerre mondiale menaçait. Dans le meilleur des cas, si nous ne finissions pas sous un champignon atomique, l'armée soviétique se ruerait sur l'Europe occidentale, une fois balayées les maigres défenses alliées de l'OTAN. La *Wehrmacht* lui avait donné cinq ans l'occasion de s'entraîner, c'était un formidable instrument militaire. En attendant, l'histoire s'écrivait à l'autre bout du monde. En Corée où la paix allait être signée le 27 juillet 1953. Et en Indochine. Puisque c'est en Asie que se déciderait le sort du monde libre, eh bien nous irions en Asie. Je décidai de m'engager. Il était temps d'aller consolider au Tonkin la digue qui avait tenu à grand-peine dans la péninsule coréenne.

Je voulais aussi témoigner, comme en Hollande. Montrer à nos combattants d'Extrême-Orient qu'ils n'étaient pas seuls. Le PC menait au profit du Vietminh contre l'armée française une sale campagne où la traîtrise politique le menait à l'oubli de la simple humanité. Qu'il fût un pantin dans les mains de Staline, on s'y était habitué, mais ses actes passèrent la limite du dégoût. Il donna pour consigne officielle de refuser le don du sang pour les blessés d'Indochine. Des manifestants jetèrent sur les voies de chemin de fer les brancards et les blessés d'un train sanitaire. Il peut paraître moins grave en comparaison que les dockers CGT aient refusé de charger les cargos à destination du corps expéditionnaire ou que dans les arsenaux certains aient saboté les munitions, mais quand la grenade d'un soldat ne fonctionnait pas, sa vie et celle de ses camarades étaient mises en danger. En Indochine, les traîtres communistes eurent du sang français sur les mains. Par un juste retour des choses, le musée communiste de Diên Biên Phu leur tresse aujourd'hui des couronnes de louanges.

Pupille de la Nation, j'étais dispensé de service militaire. Il me parut cependant que noblesse oblige : chéri et protégé de la France, je devais la chérir et la protéger plus qu'un autre. J'appelai Guillou au cabinet de Pleven pour entrer dans une unité d'élite. Je demandai les commandos de la marine. Opérant dans un paysage de rivières, de canaux et de fossés, ils disposaient d'une grande autonomie d'action et le commandement de ces petites unités qui opéraient en liaison avec les blindés amphibies était l'un des plus séduisants.

Au cabinet de la Marine il y eut un barrage que je n'ai jamais élucidé. À défaut, je choisis les paras de la Légion étrangère et j'obtins du cabinet de la Défense que mes camarades et moi serions affectés au BEP si nous réussissions le stage EOR et le brevet para.

Dès qu'en effet j'avais annoncé mon intention de partir, deux de mes camarades de la Fac de Droit, Jacques Peyrat et Pierre Petit, mon équipier au rugby, manifestèrent le désir de m'accompagner. Nous dûmes attendre octobre 53 pour intégrer l'école d'officiers de réserve (EOR) de Saint-Maixent où nous entrâmes comme deuxièmes classes dans une promotion où tous étaient déjà sergents ou aspirants PMS (préparation militaire supérieure).

L'ambiance y était médiocre. La plupart des élèves officiers considéraient l'école comme une planque, au mieux le moyen de faire un service moins ennuyeux et mieux payé, ils ne s'en cachaient pas. Volontaires pour l'Indochine, nous étions regardés comme des bêtes curieuses par les instituteurs antimilitaristes et les séminaristes progressistes, deux catégories dont je me suis toujours demandé ce qu'elles venaient faire dans une activité de guerre à laquelle leurs métiers les préparent mal. Un chef de chantier de bâtiment me paraîtrait mieux armé pour le commandement que ces pédagogues pacifistes.

L'encadrement subalterne des compagnies était composé de lieutenants qui avaient fait au moins un séjour en Indochine, l'encadrement supérieur était de la « baraque Juin », c'est-à-dire des anciens de l'armée d'Italie. Il était en effet de tradition que le chef désigné dans un poste élevé s'entourât de ses collaborateurs de toujours. À l'époque il y avait ainsi dans l'armée française une mafia 2e DB, une mafia Juin et une mafia de Lattre.

Le colonel commandant l'école nous fit venir dans son bureau :

– Messieurs, vous êtes volontaires pour l'Indochine aux paras de la Légion ?

– Oui.

– Avez-vous l'intention de rentrer dans l'armée pour vous y faire activer ?

– Non.

– Alors voulez-vous bien me dire pourquoi des garçons intelligents diplômés de la Faculté de Droit et de la Sorbonne veulent aller se faire casser la gueule en Indochine, sinon parce qu'ils y sont contraints ?

Poursuivant son monologue interrogatif, il prit l'air grand fraternel :

– Allons, dites-moi, quelle bêtise avez-vous faite ?

J'étais écœuré et je lisais le même sentiment dans les yeux de mes camarades. Cet imbécile, militaire de carrière, officier supérieur, chargé de l'instruction des officiers de réserve, n'arrivait pas à imaginer qu'on pût aller se battre en Extrême-Orient autrement que pour des raisons médiocres. Je pris la parole :

– Je suis désolé de vous décevoir, mon colonel. Mais il n'y a aucune raison romanesque à notre engagement. Nous nous sommes engagés par patriotisme. Des Français meurent en Indochine, dans l'indifférence générale, nous ne voulons pas être complices, c'est tout !

Mouché, le colonel se tut et nous demandâmes la permission de nous retirer mais je compris que nous ne nous étions pas fait un ami.

La suite le confirma. Nous étions friands de cinéma, il n'y avait d'ailleurs pas d'autres distractions à Saint-Maixent. Un soir, lassé de voir pour la quatrième fois consécutive à l'affiche du ciné-club un film communiste, je demandai le rapport du colonel. Je lui fis part de mon étonnement. Il me répondit sèchement que cela ne me regardait pas.

Je sortis de son bureau et du même pas me dirigeai vers le poste de police d'où il était possible aux élèves de téléphoner à l'extérieur et, toujours fidèle au précepte de Krotoff, j'appelai le ministre de la Défense. Mieux que pour la Hollande ! Cette fois je n'étais plus président de rien mais deuxième pompe et je demandais le ministre : record du monde du dépassement de voie hiérarchique ! J'obtins Pleven et lui fis part brièvement de ce qui me préoccupait. Après tout, si l'armée elle-même tolérait la propagande communiste alors que nous étions en guerre avec le communisme indochinois aidé du PC français, ils n'avaient qu'à me renvoyer à la maison.

Mon appel y fut-il pour quelque chose ? Une enquête de la sécurité militaire permit d'apprendre que tous les ciné-clubs militaires étaient affiliés à... la Fédération Communiste des Ciné-clubs. C'était d'une simplicité évangélique, il suffisait qu'un petit groupe opportunément placé en fasse la demande pour obtenir les « bons » films. Et si on lui en demandait de « mauvais », la Fédération s'arrangeait pour ne pas les fournir.

L'épisode n'améliora pas nos relations avec le colonel Croûton, on le pense bien. On l'appelait ainsi parce qu'il prenait de temps en temps la parole pour rappeler aux militaires le respect dû au pain. C'est très bien en soi, mais nul ne l'entendit jamais, au grand jamais, parler ni de respect dû au drapeau, ni de l'amour de la France. Notre chef de section, le lieutenant Pelletant, que j'avais surnommé Bambi et qui devait tomber au champ d'honneur en Algérie, nous mit en garde :

– Ne bougez plus une oreille, en haut lieu, la « Strasse » de l'école brûle d'envie de vous virer.

La Strasse, en argot militaire, c'est la hiérarchie. Nous nous tînmes à carreau désormais. En vain : notre cote d'amour, déterminante pour le classement de sortie, resta au plus bas. Mais au fond, on s'en foutait, du rang de sortie. Nous connaissions notre arme, la Légion, et à la Légion le top du top : le Bataillon Étranger de parachutistes. Nous connaissions aussi notre affectation, l'Indochine : quelques bataillons de paras avaient sauté en pays thaï pour y installer un camp retranché conçu pour barrer aux Viets la route du Laos et casser leur corps de bataille. Le bled se nommait Diên Biên Phu. Nous avions hâte de les rejoindre avant qu'ils n'aient fini le travail. Malheureusement, sur la fin de nos classes au mois de mars, les choses semblèrent se gâter là-bas. On parlait de points d'appui qui tous avaient des prénoms féminins, Béatrice, Gabrielle, Claudine, Éliane. Hélas, comme chez les dames en chair et en os, les forteresses réputées imprenables tombaient. Ils allaient avoir besoin de renfort. Nous piaffions d'y aller, mais il restait à régler un détail : notre brevet de parachutistes. Il fallait le passer en Algérie.

Nous fûmes d'abord affectés à Sétif au troisième BEP alors commandé par Dussert. On parlait encore en ville des émeutes qui avaient eu lieu en 1945. On y diffusait alors la vérité de l'époque, savoir que, le 8 mai 1945, le jour même de la victoire, des provocateurs indépendantistes avaient fomenté des émeutes épouvantables (plus de cent Européens, juifs en majorité, massacrés), qui avaient engendré en retour une répression elle-même sans douceur, mille cent soixante-deux Arabes tués. Le gouvernement du général De Gaulle l'avait ordonnée, les communistes qui en faisaient partie l'avaient approuvé, et Étienne Fajon avait dénoncé dans l'humanité le « complot fasciste » des émeutiers. Aujourd'hui, dans Wikipedia, bible démocratique, il n'y a pas d'entrée « Émeutes de Sétif », mais une entrée « Massacre de Sétif, Guelma et Kerata », décrit comme la « répression sanglante qui suivirent les manifestations indépendantistes et anticolonialistes ». Le bilan est monté à plus de vingt mille morts (quarante-cinq mille selon les autorités algériennes). Ce qu'on appelle communément l'histoire n'est que la succession d'opinions dominantes, sauf pour quelques esprits vétilleux dont je m'honore d'être.

Nous reçûmes notre formation à l'école de Philippeville. Le premier saut m'impressionna. L'instruction se faisait à bord du trimoteur allemand Junker 52, prise de guerre, qui présentait l'avantage de voler lentement : cela rendait moins brutale l'ouverture du parachute, dont le pliage était dit « à voilure d'abord ». Le choc marquait cependant de beaux bleus aux épaules. Plus tard, on changerait pour le pliage « suspentes d'abord », beaucoup plus souple. Une fois brevetés, nous repassâmes par Sétif avant d'embarquer à Alger sur *Le Pasteur*, paquebot construit pour faire la ligne Bordeaux Rio de la Plata, donc d'un faible tirant d'eau adapté à la remontée des fleuves, ce qui lui permettait en Indochine de passer dans la rivière de Saïgon. Nous venions d'être nommés sous-lieutenants.

À bord, d'autres troupes avaient embarqué, dont une unité d'artillerie marocaine et le Septième régiment de tirailleurs algériens. Les hommes n'avaient pour la plupart aucune instruction militaire.

Beaucoup, venus du bled, des Nementcha ou des Aurès, n'avaient jamais mis de chaussures.

Des sergents à grosse moustache leur enseignaient les premiers rudiments :

– Le fusil mas 36, il a un fût en bois et un zil en fer.

Puis, manœuvrant la culasse, ils ajoutaient :

– Et il marche comme ça, trac à trac !

On fit escale deux jours à Port-Saïd, il fallait réparer une avarie. Autour du bateau grouillait une multitude d'embarcations de commerçants. Les échanges se faisaient par des paniers attachés à des filins. On écrivait des cartes postales pour la France, on jetait à l'eau des pièces de monnaie qu'allaient chercher de petits plongeurs.

Descendu à terre, je fis la connaissance d'une jeune Française qui me convia à déjeuner chez ses parents à Port-Fouad, sur la rive asiatique du Canal. Ils habitaient une belle villa, le père était l'un des pilotes du Canal. Mon amie d'un jour m'emmena me baigner sur une petite plage de sable. Je ne me doutais pas qu'il s'agissait pour ainsi dire d'une reconnaissance : deux ans plus tard, j'y débarquerais dans la première vague d'assaut de la Force H franco-anglaise pour l'opération de Suez.

Au débouché de la mer Rouge, à l'escale à Djibouti l'un de nos camarades, le sous-lieutenant Bonelli, se risqua à profiter dans un décor sordide des charmes suspects d'une putain locale. Il fut le seul d'entre nous. Passé le cap Gardafui, on entra dans l'Océan Indien. *Le Pasteur*, avec son faible tirant d'eau, roulait bord sur bord dans un mouvement qui durait près d'une minute et qui avait vidé le restaurant des officiers de tous ses invités, à l'exception de quatre ou cinq dont j'étais, insensibles aux effets du roulis. La plupart voyaient la mer pour la première fois et dégueulaient tripes et boyaux. Officier de jour, je fis libérer de leur prison à fond de cale des malheureux qui étaient en train de s'asphyxier dans leur vomi.

Nous découvrîmes le continent asiatique à Singapour, enclave à population majoritairement chinoise. Nous usâmes dans des lupanars aseptisés de filles glabres mais pubères. J'eus grand mal à dissuader mon ami Peyrat de se faire tatouer le dos d'une frégate multicolore. Pour lui faire comprendre qu'elle serait indélébile, je lui racontai l'histoire de mon père. Il portait à l'intérieur du bras gauche un tatouage bleu représentant une femme dont les avantages étaient cachés par les anneaux d'un serpent. Pour faire plaisir à ma pieuse maman, il avait décidé de s'en débarrasser. Le dermatologue l'en dissuada :

– Votre tatouage est profond. La cicatrice que je serais obligé de vous faire serait très laide.

Ma mère avait renoncé, de bonne grâce, à faire disparaître l'image peccamineuse. Elle en fut récompensée. C'est à son tatouage que l'on identifia le corps de mon père quand il eut passé dix jours en mer après le naufrage de sa *Persévérance*.

Remontant au nord-nord-est, *Le Pasteur* fit escale dans la rivière de Saïgon. Ce n'était pas le cap Horn comme mon père ni Madagascar au temps de la reine Ranavalo, mais devant la perle de l'Asie des centaines de sampans offraient aux pioupious tirés de leur hexagone que nous étions l'exotisme qu'ils attendaient. Puis, longeant les côtes de l'Indochine, il nous débarqua à Haiphong au Tonkin. Hélas, les classes interminables, la permission de trois semaines qui les séparait de l'instruction parachutiste, cumulées à celle-ci et à la longueur du périple du *Pasteur*, tout ce temps gaspillé contre notre volonté pesait d'un poids qui nous tombait d'un coup sur le cœur. À quoi servait-il que Saïgon parût si belle ? Diên Biên Phu était tombée quand nous accostâmes.

6. Mon Indochine

Nous arrivions après la bataille, pas après la guerre.

Trois ans plus tard, alors que, jeune député poujadiste, je parlais à la tribune de l'Assemblée Nationale, Pierre Mendès France demanda à m'interrompre, ce que je lui accordai. L'ancien président du conseil, signataire des désastreux accords de Genève qui mirent fin à notre guerre d'Indochine, s'en félicita en clamant, au bout d'un long plaidoyer pro domo :

– Monsieur Le Pen, si je n'avais pas fait la paix, vous ne seriez pas là pour en parler, vous seriez mort.

C'était méconnaître la réalité du terrain, j'aurais très bien pu mourir malgré ses négociations, malgré les accords de Genève. Je le lui répliquai en concluant :

– Ou vous saviez, et vous êtes un traître, ou vous ne saviez pas et vous êtes un jobard.

Cette réalité, qu'un chef de gouvernement digne de ce nom aurait dû reconnaître, est que la guerre d'Indochine ne s'est pas terminée à Diên Biên Phu, elle a continué jusqu'à la fin juillet ou à la mi-août selon les endroits, et l'armée française n'a quitté les lieux qu'à l'été 1955, même plus tard pour certaines unités. Quelques jours avant que nous ne touchions terre à Haiphong, alors que Mendès s'affairait au bord du Léman, se déroulait sur le Hauts plateaux de l'Annam l'une des plus sanglantes et plus catastrophiques batailles de la guerre. Le GM 100, groupe mobile numéro 100, allait subir une gigantesque embuscade quatre jours durant et perdre le tiers de son effectif, soit 1 200 hommes. Le 17 juillet, c'était au tour de deux compagnies du régiment de Corée d'être liquidées. Et même une fois les accords signés le 20 juillet, des accrochages locaux continuèrent, des coups de canif dans le cessez-le-feu jusqu'au décrochage définitif au Tonkin à l'automne.

Les Français d'aujourd'hui ne savent pas grand-chose de cela, je l'ignorais d'ailleurs en débarquant. Je ne suis pas resté longtemps en Indochine, un peu plus d'un an, mais j'y ai appris beaucoup de choses. L'armée, l'Indochine elle-même, son peuple, son histoire, l'histoire de sa guerre, la vie, aussi. Cela fait beaucoup. Je vais essayer de ne pas être trop long.

Commençons par la guerre d'Indochine, dont les Français, quand ils ne l'ignorent pas complètement, méconnaissent le déroulement et les enjeux réels. L'Indochine française se composait du Cambodge, du Laos, et du Vietnam. Ce dernier était lui-même la réunion de trois entités, les trois Ky comme on les appelait, le Tonkin au nord, la Cochinchine au sud et l'Annam au centre. Politiquement, à notre arrivée au XIXe siècle, celui-ci dominait. Il y avait un empire d'Annam dont la capitale était Hué, et, dans mon enfance entre les deux guerres, on ne parlait pas de Vietnamiens mais d'Annamites. L'histoire de la région du XVIIe au XIXe siècle fut celle d'une conquête progressive du Sud par l'impérialisme annamite sur les Chams et Khmers. Nous y mîmes un frein, puis le Vietminh d'Hô Chi Minh l'a reprise et étendue, après notre défaite, au Cambodge et au Laos.

Le Tonkin, l'Annam et la Cochinchine, les trois Ky, étaient loin d'être construits sur le même modèle. Si leur réunion faisait partie du programme tant des nationalistes que des communistes du Vietminh, l'histoire et la sociologie maintenaient de forts particularismes, ethniques et religieux. Il existait de grosses minorités catholiques au Tonkin et en Cochinchine, des sectes, et aussi une curieuse religion syncrétiste qui comptait Victor Hugo dans son panthéon, les caodaïstes. En dehors de l'ethnie Viet dominante, on trouvait de nombreux Thaïs au Tonkin, des Chams au sud de l'Annam, des Khmers en Cochinchine, et, tant sur les hauts plateaux du centre que sur la périphérie montagneuse du Tonkin, une mosaïque de tribus qui devaient nous être dans l'ensemble fidèles, mues par leur haine de l'impérialisme Viet. Le nom de l'une d'entre elles suffit à expliquer cette haine : les Hmong des hauteurs s'appelaient en annamite Méo, ce qui signifie « sauvages », « barbares ».

La conquête française n'avait pas été facile, mais le pays fut pendant plusieurs décennies assez tranquille, fort bien mis en valeur, on parlait alors de « perle de l'empire ». Sans doute existait-il une pauvreté paysanne sur laquelle s'appuya la propagande indépendantiste, mais il faut pour l'évaluer la comparer au reste de l'Asie, et à la situation d'aujourd'hui. Quand je quittai l'Indochine en 1955 par avion, nous fîmes escale à Bombay : je fus effrayé de voir la misère qui régnait dans les rues. Cela ne veut pas dire que tout était parfait en Indochine, cela ne veut surtout pas dire que la volonté d'indépendance n'existait pas. D'abord restreinte à quelques mandarins après la conquête, elle s'était étendue entre les deux guerres à certaines élites lettrées et aux agitateurs communistes : notre défaite au début de la Seconde Guerre mondiale et l'occupation japonaise devaient la rendre commune, au moins dans la bourgeoisie évoluée.

Après la défaite de 1940, l'amiral Jean Decoux, gouverneur général de l'Indochine, dont les moyens de défense sur terre, air et mer étaient restreints (il n'avait notamment pas de blindés), voulut maintenir la colonie à l'abri de toute incursion étrangère, surtout japonaise. À cet effet, il demanda de l'aide matérielle aux Anglais, qui étaient trop menacés eux-mêmes pour lui en fournir, et la garantie des États-Unis, qui refusèrent. Il se trouva donc forcé de subir les troupes d'occupation japonaises. Suivirent quatre ans d'un jeu diplomatique tendu. Les Japonais jouaient la carte raciste de la grande Asie. À cette fin ils aidèrent les nationalistes et le Vietminh, comme devait le faire aussi l'OSS, les services américains. Le Mikado voulait évincer tous les blancs d'Asie et Roosevelt entendait en finir avec les empires anglais et français. Diplomate hors pair, Decoux parvint à maintenir à peu près les intérêts français en promouvant des réformes propres à satisfaire la soif croissante d'autonomie des peuples d'Indochine. Las, comme beaucoup de marins, il était resté fidèle au gouvernement du maréchal Pétain, et les réseaux gaullistes importèrent sur le sol indochinois leur guerre civile. Là-dessus il y eut un coup de force japonais au mois de mars 1945. Par traîtrise et au mépris des conventions militaires, l'armée impériale s'empara de presque toutes les garnisons françaises, massacrant militaires et civils, hommes et femmes. Une colonne parvint à fuir vers le nord à travers la jungle jusqu'en Chine, la colonne Alessandri. Aux yeux de la population du Vietnam, les Français avaient perdu la face et n'avaient plus « le mandat du ciel » pour diriger le pays.

Puis la guerre prit fin. Après le bombardement d'Hiroshima, le Vietminh, qui s'était gardé on l'a vu de s'attaquer aux forces d'occupation japonaises, déclara l'indépendance et força à l'abdication Bao Daï, l'empereur d'Annam sur lequel nous étendions notre protectorat. Avec son envoyé sur place, l'amiral Thierry d'Argenlieu, De Gaulle décida de rétablir l'autorité française sur l'Indochine. La conférence de Postdam, téléguidée par Roosevelt, avait donné à l'Angleterre tutelle sur le sud, à la chine nationaliste de Tchang Kaï Chek tutelle sur le nord. De Gaulle envoya la 2e DB de Leclerc rétablir le drapeau français. Les combats ne furent pas tendres. Les Anglais n'y mirent pas d'obstacles au sud, Sainteny et Salan durent négocier pour le nord avec les Chinois – ils devaient réussir et l'histoire a constaté qu'ils avaient travaillé pour le roi de Prusse, en l'occurrence Hô Chi Minh, car sans l'action de la France, la Chine aurait refermé son poing sur le Tonkin.

Une fois la reconquête militaire des grandes villes acquise, se posa la question politique. Personne ne remettait en cause l'indépendance, mais toutes les parties n'entendaient pas la même chose par le mot. Côté français, les choses n'étaient pas très claires et l'on mit longtemps à se décider. Côté Hô Chi Minh au contraire, c'était net et sans bavure : il voulait tout le pouvoir tout de suite pour le Vietminh. Des négociations eurent lieu à Fontainebleau au printemps 46, qui échouèrent, et la légende veut que la France ait manqué là une occasion en or. Il n'en est rien. Le maréchal Leclerc, qu'on utilise souvent comme autorité pour le faire croire, avait au contraire parfaitement décelé la duplicité d'Hô Chi Minh, il l'a écrit. Derrière sa barbiche, ses airs de doux lettré et ses protestations pacifiques se cachaient une volonté de fer et un appétit sans borne. Le Vietminh avait éliminé ses concurrents nationalistes lors de purges massives et sanglantes. L'incident de Haiphong en novembre 46 et le coup de main sur Hanoï en décembre dissipèrent les dernières illusions : la guerre d'Indochine était commencée.

Jusqu'en 1949 et à la victoire de Mao Tse Toung, la France parut avoir l'avantage, sur le papier, puis le Vietminh put s'appuyer sur l'immense puissance de la Chine devenue communiste. D'un point de vue militaire, il faut prendre garde à la baisse tendancielle du corps expéditionnaire, couplée à la montée symétrique de l'armée vietminh. Les premiers soldats du corps expéditionnaire s'étaient portés volontaires pour aller combattre le Japon, ils furent en quelque sorte détournés contre les Viets. Ceux-ci n'étaient au début que des partisans assez mal armés. Les choses évoluèrent au fil des années jusqu'à Diên Biên Phu, où ce fut la formidable supériorité de l'artillerie Viet et l'insuffisance de notre aviation qui décidèrent du sort de la bataille.

Le général de Castries, qui fut avant Diên Biên Phu l'un des plus brillants officiers de cavalerie de l'armée française, estimait que l'infanterie Viet avait mis à profit sept ans de guerre : pour lui, à la fin, elle était « supérieure à celle de l'armée allemande » qu'il avait eu l'occasion de combattre en 1944 et 1945. Pendant ce temps-là, le corps expéditionnaire, usé par sept années de combat, ne trouvait pas une relève suffisante, la cause en étant politique : à Paris, on avait honte de la « sale guerre », le PC avait fini par imposer son langage, et les politiciens, effrayés par son coût, dégageaient les crédits minimums, de quoi mener des opérations au rabais sans moderniser le matériel ni renouveler la troupe. En outre, cette guerre était meurtrière, plus de quatre-vingt mille morts militaires, en particulier parmi les officiers : cinq promotions de Saint-Cyr avaient été dévorées. Cela explique que notre candidature, à mes amis et moi, ait été reçue avec faveur malgré notre peu d'expérience.

Sur le plan politique, après bien des méandres, l'empereur Bao Dai avait accepté de s'engager plus ou moins et de prendre la tête du Vietnam dans le cadre de l'Union française. Il devait le payer après notre départ. Réfugié au sud, il serait déposé par Ngo Dinh Diem, le poulain des Américains, et finirait plus tard sa vie en exil en France. Je l'y ai connu alors. Il habitait un petit appartement. C'était un homme taciturne, pas le genre à pleurer sur le lait répandu, digne. Il avait longtemps vécu une vie de viveur, n'avait pas toujours été très ferme dans ses choix politiques, mais il supportait l'exil en souriant. Il me fit mandarin de l'empire d'Annam, le dernier je crois, et me décora du Kim Khanh.

Tout cela pour dire que l'indépendance du Vietnam était acquise en théorie et que petit à petit les politiques français commençaient à la mettre en pratique, reprenant le fil de la politique interrompue par De Gaulle en 1945. L'armée française ne se battait pas pour du caoutchouc ou de la canne à sucre. Comme le dit le général de Lattre dans son magnifique discours aux lycéens de Saïgon en juillet 1951 :

– Cette guerre est la plus désintéressée que la France ait menée depuis les croisades.

Malgré les tripatouillages de la Quatrième République, malgré les scandales, celui de la piastre notamment, c'était vrai. Le sang français versé en Indochine le fut pour la France et les peuples d'Indochine. Cela ne veut pas dire que, sur le plan opérationnel, il le fut toujours intelligemment. L'affaire de Diên Biên Phu montre combien le renseignement est déterminant : faute d'avoir su que des batteries Viet installées dans des casemates creusées à flanc de montagne pourraient tirer à vue sur le camp retranché, annihiler son artillerie et le priver de son terrain d'aviation, le commandement fit un choix désastreux qui, sans cela, aurait pu se défendre sur le plan stratégique. Sans doute est-il difficile de se maintenir loin de ses bases sans communication par terre, mais le pilonnage du camp par l'artillerie adverse n'était pas envisagé, et la voie des airs semblait promettre un ravitaillement sans difficulté particulière, comme l'année précédente sur le hérisson de Na San, situé dans la même région.

On a donc reproché à celui qui a conçu et dirigé l'opération, le général Navarre, un choix qui, compte tenu des éléments d'information en sa possession, n'était pas plus bête qu'un autre. La véritable erreur dont il aura été personnellement coupable est l'opération Atlante lancée en même temps sur les hauts plateaux, censée les « nettoyer », et à laquelle Giap en fin renard bien sûr n'opposa rien pendant de nombreuses semaines afin de l'endormir.

Sans doute Navarre a-t-il péché par excès d'optimisme, mais il s'est trouvé deux cas, durant la guerre d'Indochine, où l'excès de prudence s'est avéré tout aussi catastrophique. Témoin ce qui s'est passé en juillet 1954 à An Khe, quand le *Pasteur* était sur le point de nous débarquer. Traumatisés par Diên Biên Phu, Ély et Salan qui avaient remplacé Navarre décidèrent d'évacuer la base militaire du GM 100. Mais celui-ci était puissamment retranché, approvisionné et aurait pu tenir de longs mois en cas d'attaque, les circonstances n'étaient pas les mêmes que dans l'ouest du Tonkin, la logistique Viet n'y avait nullement amené à pied d'œuvre les moyens offensifs nécessaires à le réduire. Le commandement céda à l'affolement et choisit l'évacuation par voie de terre qui est, quand on ne tient pas solidement les voies de communication, la plus périlleuse des solutions.

De fait l'embuscade Viet eut les résultats les plus funestes.

Pourtant, Ély, qui décida la chose, et Salan qui en dirigea le détail, étaient en général prudents et disposaient pour apprécier la situation d'un précédent.

Un précédent récent, célèbre et terrible, celui de la RC4, la retraite de Cao Bang. Pendant les premières années de la guerre, la France avait bordé la frontière de Chine d'un chapelet de postes légers, tenus par de partisans, arrimés de loin en loin à des bases militaires plus importantes, de Lao Cay au nord-ouest à Lang Son au sud-est en passant par Cao Bang. À partir de 1949, Mao étant derrière la frontière, le dispositif n'était plus tenable, plusieurs postes furent pris ou évacués, et Lao Cay évacuée. Se posa la question de Cao Bang. La Légion, qui tenait solidement la ville, admirablement située, ne voyait pas d'urgence à l'évacuer. Le général Carpentier, récemment nommé à la tête du corps expéditionnaire, ne connaissait nullement l'Indochine et n'écouta aucun conseil. Il décida l'évacuation. Deux routes s'offraient : par la RC4 vers Lang Son le long de la frontière de Chine, ou vers le delta et Thai Nguyen par la RC3. Il choisit la première, proche des bases d'approvisionnement chinoises de Giap, et passant à travers des pitons calcaires idéalement disposés pour l'embuscade. L'opération eut lieu en octobre 1950 et fut un désastre. Les pertes militaires françaises approchèrent deux mille tués et disparus, sans compter trois mille prisonniers dont la plupart ne revinrent pas. Par comparaison, on compte deux mille trois cents morts au combat à Diên Biên Phu, c'est-à-dire à peine plus : la différence gît dans le nombre des prisonniers, onze mille sept cents, dont les deux tiers moururent en captivité dans les mouroirs Viets.

Quand *Le Pasteur*, avec son faible tirant d'eau, se fraye quasiment un chemin entre les jonques pour trouver son quai dans la rivière de Saïgon le 4 juillet 1954, nous n'espérons plus contribuer à la victoire. Plus de trois semaines ont passé depuis notre départ d'Alger. Alors, Diên Biên Phu était déjà tombée, mais nous pensions qu'une revanche était encore possible. Georges Bidault était ministre des affaires étrangères. S'il n'avait pas pu obtenir de soutien aérien des Américains pendant la bataille, on disait qu'il négociait avec les Chinois pour les détacher du vietminh. Et tant qu'il y a de la vie… Après tout, après Cao Bang, on avait eu De Lattre et c'était reparti en fanfare. Las, cette fois, ce sera Mendès. Pendant que l'eau défilait sous l'étrave du *Pasteur* a eu lieu une nouvelle crise ministérielle et Pierre Mendès France a pris les manettes. Cela veut dire qu'on partira d'Indochine la queue entre les jambes.

Parlementaire, j'aurai des mots avec ce personnage, qu'on décrit volontiers en homme d'État intègre mais qui était en fait aussi suffisant qu'insuffisant, et très déplaisant. Au moral comme au physique. C'est ce qui m'inspira un jour cette phrase :

– Monsieur Mendès France, vous n'ignorez pas que vous cristallisez sur votre personne un certain nombre de répulsions patriotiques et presque physiques.

On m'a accusé d'antisémitisme, à cause du « physiques ». C'est l'effet d'une obsession. Il me répugnait physiquement parce qu'il était moche à tout point de vue, il avait foutu le camp de France en 40 sur le Massilia, il s'apprêtait à larguer l'Indochine à Genève. Ce n'était pas son diagnostic qui était faux, savoir que la France devait choisir entre mettre le paquet ou négocier, c'est sa diplomatie sur la place publique qui fut désastreuse. Il se donna urbi et orbi un mois pour faire la paix à Genève : c'était se mettre pieds et poings liés dans la main du Vietminh et de ses alliés. Comme un joueur de poker qui montrerait son jeu avant de miser. Le résultat fut d'ailleurs qu'il accorda d'emblée aux Viets beaucoup plus qu'ils n'espéraient obtenir. Cela, un homme normalement sensé, jouissant d'une longue expérience politique, ne pouvait l'ignorer.

En prenant pied sur le sol d'Indochine, nous n'avions donc plus l'élan des nuits de mai, où partout dans le corps expéditionnaire, matelots, tringlots, artilleurs, tout le monde était volontaire pour sauter sur Diên Biên Phu afin de sauver les copains. Nous venions juste boucher les trous pour faire notre devoir. Le premier BEP que nous venions quasiment reformer avait été anéanti une première fois sur la RC4, puis une deuxième à Diên Biên Phu.

Nous rembarquons presque aussitôt pour Haiphong, à notre gauche défile la gigantesque crête de dragon de la cordillère annamitique. Sept cents milles plus tard, nous voici à quai à nouveau. À peine descendue l'échelle de coupée, nous sommes conduits en camion sur le piton de Kien Anh afin d'y protéger une piste pour avions à réaction, la première d'Indochine, encore en chantier. La France la terminera pour les Viets, en exécution des accords de Genève.

Très rapidement, avec la compagnie de Touchet, je pars pour Hanoi, tandis que le bataillon s'installe sur le piton. En passant à Hai Duong, nous sommes stoppés par un violent échange d'artillerie. La capitale du Tonkin, fébrile, s'attend au pire. On pense alors que les divisions Vietminh libérées du poids de Diên Biên Phu vont, à peine réorganisées, se jeter sur le Delta qui n'a plus rien à leur opposer. On ignore que le Vietminh s'est épuisé à venir à bout du camp retranché, qu'il lui est difficile de lancer quelque offensive que ce soit. On ne sait rien des suites de la bataille, on ignore le sort atroce de nos prisonniers contraints à rejoindre à pied dans des conditions inhumaines des camps à des centaines de kilomètres dans le nord où ils mourront de misère, de maladies ou de mauvais traitements dans une proportion très supérieure à celle des camps de concentration allemands.

La ville n'est pas sûre, elle fourmille de tireurs isolés qu'on n'appelle pas encore snipers, on essaie de les débusquer, on multiplie les patrouilles pour rassurer une partie de la population, empêcher l'autre de bouger, on enlève les drapeaux rouges qui commencent à se montrer, on fouille pour trouver des armes, dans une atmosphère pourrie pour un bilan décevant. Un soir, de sortie avec un camarade officier, je vais aux toilettes du restaurant et dans la cour derrière, je découvre une section entière de bodoïs (combattants vietminh) remarquablement armés qui dort par terre. L'officier qui la commande m'a vu aussi, il sourit d'un air compréhensif :

– Vous savez, la guerre est finie.

Il a fait ses études au Quartier latin. Nous allons en bavarder plusieurs minutes pendant que la section dort. Puis il nous laisse filer. Quand l'armée, informée par mes soins, interviendra sur les lieux, il n'y aura plus personne.

Le cessez-le-feu est appliqué au nord dès le 27 juillet, au sud le 11 août. À mesure que l'été avance la tension monte. L'armée française a deux cents jours pour vider les lieux à compter de l'armistice. Les lieux, c'est-à-dire le Tonkin et le nord de l'Annam jusqu'au 17e parallèle, fixé comme frontière provisoire par les accords de Genève. C'est bientôt la fièvre commune à toutes les évacuations. Je retrouve les fumées noires que j'ai vues voilà quatorze ans à Lorient. Les stocks de parachutes, de godasses et de paperasses brûlent. On fout le camp. Comme toujours. J'aurai passé ma jeunesse à voir l'armée française foutre le camp. Et à foutre le camp avec elle.

La rue d'Hanoï devint hostile. Elle savait que les Viets allaient devenir les maîtres, ils l'étaient déjà la nuit, ils le seraient le jour. Mon bataillon descendit vers le sud. Nous n'abandonnions pas seulement le terrain, les installations, les équipements que nous ne pouvions emmener, mais une partie des populations. Les partisans des minorités ethniques, les catholiques dont ceux des évêchés de Phat Diem et de Bui Chu, et bien d'autres populations qui nous étaient attachées pour une raison ou une autre, savaient ce qui les attendait malgré les promesses de la propagande vietminh. Ils se précipitaient sur les plages et les ports pour qu'on les embarque avec nous. À l'honneur de la marine et de la Quatrième République, je dois reconnaître qu'elles ont fait moins mal que ne devaient faire les Américains en 1975 ou De Gaulle en 62. Le lieutenant de vaisseau Guillaume (« le crabe tambour ») se distingua par sa générosité et son héroïsme. Mais quand même, il y eut des oubliés. Et en nombre. Hélie Denoix de Saint Marc, qui allait devenir mon commandant de compagnie se souvint d'avoir abandonné tout un village en haute région. Sur la côte, l'abandon fut encore plus massif.

Le bataillon était à Do Son pour protéger le rembarquement d'éléments du corps expéditionnaire qui rejoignaient le sud par la mer. Des milliers de civils suppliaient qu'on les embarque sur des bateaux déjà chargés. On en prit un grand nombre, puis l'ordre arrive. On n'admet plus personne. C'est horrible, mais c'est comme ça. La sécurité était à ce prix. Des centaines d'oubliés trépignaient. Il y avait une femme très belle, son enfant sur le bras, qui tendait devant elle un petit cadre, c'était la photo d'un légionnaire, le père de l'enfant, mort dans l'un de nos désastres. Je l'ai fait passer. Puis nous embarquâmes nous-mêmes, la mort dans l'âme.

Nous voici à Hué. De l'autre côté de la ligne. Dans ce qui sera la République du Vietnam. La vieille capitale impériale a souffert de la guerre. Les Viets ont massacré les civils par milliers. Le bataillon s'y établit pour se refaire. On complète les effectifs, on reprend l'entraînement. Est-ce la détente d'une paix relative ? Déjà en butte à la bourbouille, aux moustiques, à la dartre annamite, j'échappe au paludisme et à la chaude-pisse, mais j'ai le malheur d'emplir ma gourde à la grande vasque d'une pagode et j'attrape une dysenterie amibienne. C'était une maladie coloniale particulièrement pénible. Elle se manifeste par une fausse diarrhée toutes les cinq minutes, et en permanence une immense faiblesse. À l'hôpital, je subis un traitement de piqûres très douloureuses dans le dos, des injections d'émétine-strychnine. Pour ma consolation les chambres étaient fraîches et sous leurs blouses blanches, les infirmières laissaient libre cours à mon imagination. Et je finis comme un coq en pâte pour ma convalescence dans une chambre du grand hôtel Morin, le « palace » de Hué, au bord de la Rivière des parfums, hélas nommée ainsi par antiphrase ou humour noir.

J'avais à peine rejoint le bataillon que nous filions à nouveau vers le sud, par la route dite mandarine, à travers le col des Nuages. Notre prochain cantonnement était Tourane, aujourd'hui Da Nang, au pied de la montagne des Singes, tout près d'une plage de sable aussi blanc qu'à La Trinité. De nouveaux renforts arrivent d'Afrique. Le commandant Jeanpierre, rescapé de la RC4 prend la tête du bataillon, et le capitaine Denoix de Saint Marc devient mon commandant de compagnie. Au menu des prochaines semaines, la formation. Le matin, petit cross, retour en chantant, petit-déjeuner, instruction. Au cours d'un saut d'entraînement le capitaine de Saint Marc, victime d'une torche, se plante dans une ancienne rizière dont le sol était un peu moins dur que le béton. Cela lui vaut quelques tassements de vertèbres dont il souffrira toute sa vie.

La Légion n'était pas tendre avec ses punis. On les collait au « tombeau » : c'était une tranchée très peu profonde où ils se tenaient allongés, avec une toile de tente par-dessus. Pour Noël, ils avaient le droit de sortir pour manger un… morceau de pain. Le 24 au soir, officier de jour, je prends sur moi de faire donner une cuisse de poulet à un pauvre bougre. Le lendemain Jeanpierre me convoque :

– Vous n'êtes pas là pour réinventer le règlement de la Légion étrangère.

– Pardon, mon commandant, mais l'ordinaire ne fait-il pas partie des responsabilités de l'officier de jour ?

Il hausse les yeux au ciel et maugrée :

– Si, c'est bon, allez !

Je croise à Tourane le capitaine Subra avec qui j'avais travaillé pendant l'expédition de Hollande, c'était un officier du régiment de génie qui nous avait aidés à renforcer les digues. On fraternise à nouveau. Il range son matériel avant de rentrer en France :

– Nous partons, je liquide mes stocks, veux-tu des explosifs ?

Ce n'est pas de refus. Je reviens au régiment avec un chargement de plastic, des détonateurs, du cordeau Bickford. Jeanpierre me dit :

– Vous ferez l'instruction explosifs.

Cela me servira plus tard après un attentat dont je serai la cible à Paris. Quand l'immeuble a sauté villa Poirier, j'ai tout de suite su que c'était du plastic, à l'odeur.

On a le temps pour de grandes conversations, au mess, après dîner. La guerre est notre sujet préféré. Avec la politique. Je mêle les deux. Un jour, j'annonce :

– La prochaine, vous verrez, ce sera l'Algérie. Ils vont nous foutre dehors eux aussi.

Intense rigolade. Tollé des autres officiers. Oui, il y a bien eu des attentats pour la Toussaint 54, et alors ? Là-bas c'est chez nous. Il n'y a pas la Chine à côté. On fera intervenir l'aviation, la vraie, pas les surplus américains ou les restes de la Luftwaffe, celle d'Allemagne et de métropole, l'affaire sera vite réglée ! J'argumente. Le mouvement général de décolonisation, le communisme en sous-main… Mes camarades et supérieurs me trouvent agaçant. Eux, ils connaissent vraiment la guerre. Certains sont des héros. Nous sommes des étudiants venus à la rescousse, c'est sympathique, mais je devrais écouter les professionnels. J'insiste. J'aime bien la controverse et je suis sûr d'avoir raison. J'insiste tant qu'à la fin le ton monte et l'officier le plus âgé dans le grade le plus élevé clôt la conversation :

– ça suffit maintenant, taisez-vous Le Pen. C'est un ordre.

Je ne sais plus qui c'était, peut-être Jeanpierre, peut-être Denoix de Saint Marc. Denoix de Saint Marc était un homme remarquable mais, comment dirais-je, pas tout à fait de chez nous. Plusieurs anciens du REP, et d'autres régiments connus, je pense à des figures de l'Indochine, Cabiro, « Le Cab », Luciani, Sergent, sont venus plus tard au Front National. Pas Saint Marc. C'était du point de vue politique un bourgeois modéré, son petit-neveu Laurent Beccaria a joué là-dessus pour s'en faire une vache à lait. J'ai lu ce que Saint Marc a dit de moi à l'un de mes biographes. Comme d'habitude, c'est équitable, estimable, cela prend acte du fossé qui sépare le militaire du politique, même quand tous les deux se croisent fortuitement sous l'uniforme. Il m'aimait bien mais me reprochait de ne pas m'en tenir à ma stricte fonction de chef de section, d'avoir trop d'idées, de m'extraire du terre à terre technique pour ce qu'il nomme avec une ironie sans agressivité des « considérations stratégico-économico-géographico-planétaires ».

Au fond, il avait raison. Avec moi, « ça brassait, ça théorisait », j'étais venu en Indochine pour défendre la France que j'aimais, et, découvrant la réalité de ses adversaires, je cherchais les moyens de les vaincre. J'étais sous-lieutenant mais j'essayais de réfléchir comme un président du conseil. Ça ne m'empêchait pas de courir le même risque que mes camarades. Cela, toujours juste, Saint Marc l'a reconnu. À ceux qui prétendent qu'arrivés comme les carabiniers d'Offenbach, nous nous la serions coulée douce en Indochine, Peyrat, Petit et moi, il répond :

– Le Pen et Peyrat participent au dernier mois de la guerre d'Indochine. Ils ne participent pas à de grandes batailles, ni à des accrochages sanglants et héroïques, mais certaines balles qui nous ont sifflé aux oreilles auraient pu faire d'eux les derniers « morts pour la France » en Indochine.

Cela ne sera pas le cas. Nous bougeons, c'est la règle à l'armée. Ordre est donné de faire son paquetage. On part pour Saïgon. Le bataillon est muté en Tunisie. Or Peyrat, Petit et moi sommes engagés pour la durée de la guerre d'Indochine, et elle n'est pas terminée. On demande à Jeanpierre

– Et nous ?

– Vous restez en Indo. Ne vous inquiétez pas, je vais demander à Masselot de vous prendre.

Masselot, patron du deuxième BEP, s'engage à nous accepter en sureffectif. Un déjeuner commun est organisé, pour la première et la dernière fois, entre les deux unités. Mais sans doute leur mentalité différait-elle trop, l'esprit de corps, l'esprit de clan n'était pas le même, et Masselot reniera sa parole. Une fois le cul du *Pasteur* disparu, il nous mute à la BAPS, la base aéroportée sud.

Le commandement nous trouva des places. Petit parlait bien l'anglais, il fut affecté à la Commission internationale de l'armistice Jacques Peyrat et moi échouâmes à *Caravelle*, le journal du corps expéditionnaire.

Nous logions à Dakao, au bord d'un arroyo envahi de moustiques dans la cité Heyraud où des Français avaient été massacrés par leurs blanchisseurs vietnamiens en 1945. Nous avions une jeep à notre disposition, prenions notre petit-déjeuner au mess à des heures non réglementaires, ce qui nous valait les regards furieux des officiers supérieurs et généraux dont c'était le privilège de grade ordinaire.

Caravelle n'avait pas besoin de nous. Aussi notre tâche fut-elle laissée à notre initiative. Nous créâmes deux revues hebdomadaires et fûmes bientôt adoptés par l'équipe du journal. Jacques Peyrat se consacrait à la culture et aux techniques. Je me chargeai de la politique, avec pour toute équipe et tout instrument une paire de ciseaux : je lisais, découpais et collais sous le titre « Lu pour vous ». J'y ajoutai un éditorial qui prit avec le temps plus d'importance. Cela me remit l'esprit à la politique.

J'avais fait la connaissance d'une très jolie maquettiste PFAT (personnels féminins de l'armée de terre), Luce-Marie Millet. Elle était racée, élégante avec des yeux très bleus, des mains fines, très belle. Pas du tout une femme pour sous-lieutenant, plutôt le niveau général. Une raison de plus d'être mal vu au mess. Il s'établissait en effet une hiérarchie quasi militaire pour les conquêtes féminines suivant les grades, du tout-venant local pour le bidasse, à l'européenne de classe pour les officiers supérieurs et généraux, en passant par la jolie Indochinoise, la belle Eurasienne, les PFAT moches, puis moins moches. Ce classement d'aspect racial n'était pas raciste mais social. Il s'agissait de sortir ces dames, et cela ne nous empêchait pas de rentrer avec d'autres. J'eus une amie chinoise à Hanoï, ravissante, un personnage extraordinaire qui montait une Harley-Davidson, ce n'était pas courant à l'époque. Peyrat quant à lui sortait avec une petite Corse avec qui il faillit se marier.

Sur une photo d'album je suis en grand blanc à côté d'une jeune femme en robe de soirée comme cela se faisait dans les années cinquante. C'est Miss Saïgon. J'avais du succès. On y voit aussi deux relations de l'époque, deux agents des services américains. Je les ai revus trente ans plus tard par hasard à deux semaines d'intervalle, aux deux bouts du monde. L'un était banquier au Costa Rica.

Les locaux du journal et de son imprimerie étaient situés à Cholon, la ville chinoise accolée à Saïgon, mitoyens d'une grande prairie et du Lycée Petrus Ky, alors occupé par le 1er bataillon de Binh Xuyen. Or, c'était le moment où le premier ministre Vietnamien Ngo Dinh Diem entreprit de les éliminer. Cela canardait dans tous les sens.

Petite explication : pour soustraire le peuple de Cochinchine à l'emprise du Vietminh, qui procédait à la fois par la terreur et par une propagande de tous les instants, les Français avaient en quelque sorte sous-traité à des locaux capables de battre les Viets sur leur terrain, et cela avait fonctionné. Parmi ces sous-traitants, il y avait les milices catholiques du colonel Jean Leroy, un eurasien, les Caodaïstes de Pham Cong Tac, les Hoa-Hao de Tran Van Xoai, et les pirates Binh Xuyen du « général » Le Van Vien. Ces Binh Xuyen présentaient la particularité d'exploiter le jeu et la prostitution à Cholon, que Bao

Daï leurs avait affermés : ils lui versaient la redevance convenue. Le Vietminh était devenu squelettique en Cochinchine.

Quand Ngo Dinh Diem, de son prénom français Jean-Baptiste, prit le pouvoir, l'un de ses premiers mouvements fut de changer tout cela. Mandarin né d'un mandarin à Hué ville impériale, il n'était pas francophile ; catholique rigoriste, il haïssait les communistes, mais aussi le vice sous toutes ses formes. S'étant fait dans son exil dans un monastère américain de solides relations parmi les catholiques US, il était le poulain des États-Unis, qui, après avoir pris une part économique croissante dans la guerre d'Indochine, entendaient en tirer le bénéfice politique en nous évinçant du pays. Il mit donc Bao Daï sur la touche, tout en éliminant nos « sous-traitants », à commencer par les Binh Xuyen.

Par un paradoxe caractéristique du nœud d'embrouilles qu'était alors Saïgon, il s'appuya pour le faire sur l'armée vietnamienne dont les Français avaient soigné depuis De Lattre la croissance et la formation, notamment sur nos frères de combat des BPVN, les bataillons de paras vietnamiens, les Bawouan, dont l'un, le cinquième, avait chargé à Diên Biên Phu en chantant la Marseillaise, seul chant de guerre qu'il connaissait. Le chef d'état-major de l'armée vietnamienne, Nguyen Van Hinh, né Français, et qui finira en exil en France grand-croix de l'ordre du mérite, l'appuie, en souvenir de Napoléon et Richelieu, pour rétablir pleinement l'autorité de l'État. Aucun ne songe qu'en nettoyant ces féodaux, ils se retrouveront un jour seuls, abandonnés par les Américains, face aux Vietminh infiltrés en masse du nord.

En attendant, ça flinguait partout, dans la rue, dans les maisons. On ne faisait pas de quartier. À la fin l'armée fut la plus forte. Les sectes, alliées de la France, furent trahies et vaincues. Les Bin Xuyen furent massacrés, les survivants passés à la mitrailleuse. La hiérarchie Vietminh du Sud ne bougea pas un cil, elle attendait son heure, imperturbable. La France avait perdu ses derniers atouts, les Américains commençaient à se montrer. Fut reçue une délégation officielle conduite par un tonitruant général O'Daniel qui lança :

– Nous allons montrer aux Français comment on gagne les guerres.

Allez-y, mon Général, ne vous gênez pas ! On ricana beaucoup dans les mess qui commençaient à remballer leur matériel. L'ironie reste le dernier plaisir des vaincus. Après vingt ans de guerre et des moyens dont nous n'aurions pas osé rêver, l'armée américaine devrait elle aussi s'en aller un jour. Dans des conditions bien pires que les nôtres. Cela dit, ils étaient gentils. Nous fûmes conviés à jouir de la piscine de l'ambassade et nous acceptâmes. Fut-ce un châtiment du ciel ? Luce-Marie y contracta une encéphalite virale.

Tout a une fin. En août 1955, il fallut faire son paquetage, cette fois définitivement. L'aventure française en Indochine était finie. Le communisme avait gagné la première manche, il remporterait la deuxième en 1975. Nous ne nous en doutions pas mais le cœur nous pinçait. Nous avons donné une bringue d'adieu à la Cabane, une boîte à la mode, Jacques, Luce et moi, avec un faire-part liséré de noir comme pour un enterrement. Y participa un correspondant de Radio France Asie qui allait devenir célèbre, Jacques Chancel. La « levée de verre » commença à cinq heures du soir et dura toute la nuit. À la santé des espoirs et des amis morts.

Le lendemain la famille qui me logeait m'invitait pour le dernier déjeuner. Ils s'étaient tous mis sur leur trente et un. Le père voulait que je l'emmène en France. Je ne pouvais pas, je ne savais pas de quoi je vivrais moi-même à mon retour, et puis, jamais nous n'aurions imaginé la fin de l'histoire. Les plats succédaient aux plats, on mange comme un prince là-bas, tout était raffiné, beau à regarder, tout sentait bon. À la fin mon « boy » me serra longtemps les mains en disant :

– C'est lieutenant avoir au moins soixante-dix ans !

C'était le plus beau compliment qu'il pouvait me faire. L'âge était le symbole de la sagesse et de la qualité d'un homme. Je ne savais que répondre. J'avais la gorge nouée. Comme tous ceux qui l'ont vue alors, l'Indochine m'avait conquis. Le pays était prenant, le peuple charmant, j'en aimais les bruits et les odeurs. Malgré la guerre sauvage, la saleté, la misère à l'occasion, ces gens minces et gracieux ne me répugnaient jamais. L'amour était simple. Les femmes pas lascives, mais douces, accueillantes. Avec les paysans, les rapports étaient naturels, ils ressemblaient aux paysans français, mêmes structures mentales et affectives. En plus petits, plus frêles. On avait l'impression de boy-scouts. Je me sentais leur grand frère.

En partant j'ai laissé un morceau de mon cœur sur place. Je n'y suis jamais retourné. Des camarades, comme mon ami Mouchard, le père de Laurent Joffrin, le journaliste de gauche, l'ont fait plusieurs fois. Pas moi. Le monde que nous avons connu est mort, je préfère garder mes images intactes. Depuis est survenue une catastrophe. En 1975, l'armée du Vietnam du nord allait conquérir le Vietnam du Sud et lui imposer sa terrible loi. De même que les communistes du Cambodge allaient plonger leur pays dans leur folie tyrannique. Je n'ai même pas la force de parler du Laos, l'agneau de la fable, mon préféré. La longue nuit communiste allait s'abattre, dont ces malheureux pays ne sont toujours pas sortis.

En 1975, on me demanda d'écrire un chant funèbre pour la chute de Saïgon et Phnom Penh, que je ne reproduirai pas ici, il est trop long et puis le temps et le ton ont changé. Mais je n'en renie pas l'esprit. C'est alors, quand les derniers vestiges d'une Indochine libre se sont effondrés, dans l'indifférence d'un occident honteux, quand des radeaux se sont lancés par milliers sur la mer de Chine pour échapper aux bourreaux communistes, que j'ai compris tout à fait mon « boy ».

Il n'était ni un « béni-oui-oui » ni un « collaborateur », pour reprendre le vocabulaire que parvient à comprendre une intelligentsia faisandée, c'était un homme du peuple qui avait senti au fond de lui-même que la moins mauvaise des tutelles qu'il pourrait connaître, la moins dictatoriale, la plus émancipatrice, était celle de la France. Quand Saïgon tomba, je me demandai comment rendre hommage à ce monde englouti d'un seul coup, à ce peuple abandonné à l'esclavage, dont la défaite bafouait les sacrifices. Je ne trouvais pas les mots, j'étouffais de honte, de rage, de peine surtout, le cœur assommé. Aujourd'hui je dirai, me rappelant les rides de l'homme dont je lâchai les mains, ses yeux plissés, que nous les aimions comme ils nous aimaient, et que tous nous aimions la France.

Je m'embarquai à Tan Son Nhut, l'aéroport de Saïgon. Dans l'avion il y avait les journaux. Je les mis de côté. Je les avais bien assez lus pour la revue de *Caravelle*. Ils m'exaspéraient. Déjà. Je les parcourus cependant. L'information m'était quand même indispensable. Déjà. Je feuilletai *Le Monde*, vis la signature de Jean Lacouture. Vingt ans plus tard il célébrerait la « libération » de Phnom Penh par les Khmers rouges. Olivier Todd et quelques autres de moindre volée joueraient la même partition. Présenter la nuit communiste, sa misère, sa mort, son atroce tyrannie, comme une libération ! Au-delà des larmes de rage, jusqu'à l'hébétude, on touche l'horreur de cette presse qui ment. Pour cela aussi, je devais faire de la politique. Pour combattre le mensonge. Flétrir non seulement le communisme, mais les modérés qui le laissaient faire, les compagnons de route, la sale presse qui s'en faisait complice. Pour les morts, pour les vivants, pour la France, pour les enfants à naître, il fallait rétablir la vérité.

7. Poujade, l'espoir

Il fait une chaleur de bœuf sur le tarmac de l'aéroport de Marignane où nous posons le pied en cette fin août 1955. À peine arrivés, transpirant à grosses gouttes, nous apprenons la mort de notre instructeur para de Philippeville, le caporal-chef Leroy qui nous a fait passer notre brevet. Il a été tué lors des massacres que le FLN vient de perpétrer à Philippeville, dont la presse fait ses gros titres. Morne retour vers la vieille Europe.

Luce et moi en atténuons la tristesse en allant passer quelques jours de notre congé de fin de campagne dans un centre de repos militaire à Saint-Raphaël. Nous en profitons pour rendre visite, chez ses parents nourriciers, à sa fille Yann, qui a cinq ans. Son père est mort à Diên Biên Phu.

La petite Yann aura une histoire. Elle épousera un quartier-maître de la marine. Un jour, las des ambitions qu'elle nourrit pour lui, il divorcera. Son deuxième mari, pilote de chasse, se nommera Piat. Plus tard, Yann Piat sera responsable du FN à Toulon, élue député en 1986, deviendra la compagne d'un autre député FN, François Bachelot, avec lequel elle quittera le FN, sera réélue, en 88, député du Var, écrira un livre de souvenirs politiques, *Seule tout en haut à droite*, puis finira assassinée, dans des circonstances inexpliquées, probablement pour s'être opposé à un projet immobilier plus ou moins maffieux.

Sa mère Luce, de son côté, s'étant séparée de moi, épousera quelques années plus tard un colonel et prendra Yann chez elle, mais l'enfant devenue adolescente devait être difficile, elle l'a fichue à la porte et remise à l'assistance publique. Pourquoi ? Je l'ignore. Un jour je reçois une lettre de Yann :

– Vous êtes la seule personne que je connaisse.

Elle me pensait son parrain. Je me suis un peu occupée d'elle, je lui écrivais, lui envoyais quatre sous de temps en temps, la voyais par-ci, par-là. Yann croira longtemps que je suis son père.

Pour l'instant l'été finit, je fais un saut de puce chez ma mère à La Trinité et rentre à Paris. J'y retrouve la Corpo de droit, qui m'offre une petite réception d'honneur, je me rends à mon premier dîner de la 5 ACED où les dirigeants de la Corpo reçoivent les anciens présidents pour boire et chanter. Je retrouve aussi ma chambre d'étudiant villa Poirier que j'ai continué à payer pendant mon séjour en Extrême-Orient. Mon coturne Tanneguy de Liffiac a trouvé autre chose, je récupère sa chambre, j'aurai un peu plus tard la totalité des quatre pièces que loue Monsieur Rochereau, mais il faut payer tout ça. Je ne dispose pour vivre que de mon pécule, la somme d'argent qu'a mise l'armée chaque mois de côté sur la solde en prévision de la démobilisation. Il ne sera pas éternel. Je dois choisir un état. Avant l'Indochine j'ai toujours été étudiant. Se pose une question très simple : que faire ?

À Tourane, avant de rembarquer pour la France, Saint Marc m'avait proposé d'entrer au SDECE. C'était, je crois m'en souvenir, sur la plage :

– Vous savez, Le Pen, il existe une autre façon de continuer à servir la France : le renseignement militaire extérieur.

– Merci, mon capitaine. J'ai décidé de dire les raisons de notre défaite. Elles sont politiques. Il me faut une entière liberté d'action.

L'actualité m'offrit bientôt l'occasion de faire de la politique. Le parti communiste n'avait pu prendre le pouvoir mais restait menaçant. Le peuple était las de l'impuissance des socialistes et des centristes, qui ne parvenaient à régler aucun des problèmes de l'après-guerre, en particulier celui des colonies. La catastrophe touchait maintenant l'Algérie. Avec les massacres de Philippeville, l'horreur du FLN emplit les journaux. Mendès président du conseil avait claironné :

– Les départements français d'Algérie constituent une partie de la République française. Ils sont français depuis longtemps et d'une manière irrévocable.

Il avait raison, l'incendie ne concernait plus quelque lointaine péninsule asiatique, il touchait la République au cœur. Mais Mendès n'avait pu assurer la sécurité de ses concitoyens. Son inefficacité bavarde ayant éclaté aux yeux de tous, Edgar Faure l'avait remplacé dans l'urgence. Les Français aspiraient à un pouvoir fort.

Après son triomphe aux élections municipales de 1947, le RPF du général De Gaulle avait été contenu par la magouille électorale dite des « apparentements » aux législatives de 1951, qui avait permis à la troisième force de conserver ses places. Mais le peuple continuait à gronder. Et le pouvoir s'en souciait car la démographie politique de la France était alors très différente d'aujourd'hui. Il restait d'importantes élites populaires par lesquelles pouvait passer le redressement du pays, en particulier des anciens combattants très nombreux, dont certains encore jeunes, de 14, 39, et des TOE.

On parlait aussi, je l'avais découvert en faisant ma revue de presse à *Caravelle*, d'un jeune nommé Poujade. Un simple papetier de Saint-Céré dans le Lot, qui avait monté une Union de défense des commerçants et artisans, l'UDCA. Rien d'extraordinaire ? Sauf que l'UDCA rassemblait des foules énormes et très actives. Son quotidien, l'Union, comptait 240 000 abonnés, son hebdo, Fraternité française, tirait à 450 000. Un pour cent de la population française de l'époque. C'est énorme. D'autant que ses fans étaient tous remontés à bloc contre le gouvernement et prêts à l'action. Ils formaient une extraordinaire masse civique stimulée par une méthode d'agitation simple mais efficace : l'opposition à contrôle.

Quand les agents du fisc, les polyvalents, venaient faire un contrôle fiscal chez un commerçant ou un artisan, des membres de l'UDCA les en empêchaient par une obstruction de moins en moins passive. Au début, il y avait vingt ou cinquante personnes et cinq ou dix gendarmes pour dégager les lieux. Mais bientôt il y eut foule, cinq cents, mille, deux mille personnes – et cinquante ou cent gendarmes ne suffisaient plus à assurer l'ordre. On frisait l'émeute. La rébellion fiscale s'étendait. Des milliers de commerçants et d'artisans étaient prêts à suivre leur idole en prison.

S'il y a bien quelque chose qu'aucun gouvernement ne supporte, c'est qu'on touche à l'impôt. Edgar Faure, président du conseil, réunit les préfets pour conjurer avec eux le « péril Poujade » et finit, en désespoir de cause, par dissoudre la chambre des députés, le 2 décembre 1955. Les élections se tiendront à la proportionnelle mâtinée d'apparentements un mois plus tard, le 2 janvier 1956.

C'est ce qu'attendaient tous les nationaux, impatients d'en finir avec ce régime pourri, et qui se sentaient un peu cocus après l'échec du RPF. Les Gaullistes n'espéraient plus vraiment prendre leur revanche, mais il y avait, à côté des poujadistes, tous les indépendants. Il restait même au centre, on devait le voir durant toute la guerre d'Algérie, des nationaux, qu'ils fussent radicaux ou chrétiens-démocrates, Bidault, Bourgès-Maunoury, André Morice.

Je résolus de tenter ma chance aux élections législatives dans le premier secteur, que je connaissais bien. Il comprenait les arrondissements de la rive gauche de Paris (cinquième, sixième, septième, treizième, quatorzième, quinzième). Au Quartier latin, mes amis avaient fondé les JIP, jeunes indépendants de Paris, que Taittinger aidait d'un don annuel de dix mille francs et que Jean Bourdier présidait, Alain Jamet, Jacques Martin, Olivier Évrard étant des membres éminents. Bourdier m'offre la présidence, et à l'automne 55 (on sait que la chambre n'en a plus pour très longtemps) commence la campagne. Les JIP peignent des LE PEN gigantesques en jaune sur les chaussées avec deux barils de peinture dont nous avait fait cadeau le petit ami d'une amie.

À Saïgon, j'avais sympathisé avec deux pieds noirs anciens du corps expéditionnaire, Placette et Ezaoui, qui faisaient un peu de commerce avec du matériel acheté à l'armée. Ils m'avaient dit :

– Si tu fais de la politique, tu nous le diras, on t'enverra quelques sous.

Je fréquentais aussi la maison d'Indochine au 45 de la rue de Naples. J'y rencontrai naturellement Roger Delpey, président des anciens d'Indochine, déjà connu pour son livre *Soldats de la boue*. Il me présenta Jean-Maurice Demarquet, étudiant en médecine prolongé qui avait fait un séjour en Indochine en tant qu'aspirant médical et avait été candidat du rassemblement national de Tixier à une législative partielle dans le Finistère. Il me fit aussi connaître Jean Dides, un ancien commissaire de police. Nous devînmes amis et résolûmes de nous présenter, symboliquement, à Paris. Delpey nous suggéra de rencontrer Poujade :

– Il n'est pas loin de vos idées. Il pourra peut-être vous aider.

Rendez-vous fut pris pour dîner dans un restaurant au Châtelet. Poujade arrive entouré de membres de son bureau. Jeune. Sympathique. Le physique de ceux à qui les bébés sourient et dont les chiens lèchent la main. Hélas, il nous annonce la décision toute fraîche du bureau :

– L'UDCA participera aux élections législatives.

Nous voilà un peu dépités. Faisant contre mauvaise fortune bonne figure, nous répondons :

– Bien sûr, nous ne combattrons pas vos candidats.

Mais lui, dans un grand sourire :

– J'ai mieux à vous proposer.

Pourquoi ne serions-nous pas candidats pour lui ? L'UDCA se préoccupe du sort des commerçants et artisans, mais par-dessus tout de la France. :

– Vous pourriez être le symbole de l'union des patriotes contre la décadence du pays.

La proposition me prend de court. Je ne connais de Poujade que ce qu'en dit la presse, il me faut des informations plus précises :

– Monsieur, nous voudrions savoir trois choses : ce que vous dites dans vos discours, qui sont les gens qui viennent vous entendre, comment votre discours est accueilli.

Nouveau sourire épanoui :

– Qu'à cela ne tienne. Je parle à Blois la semaine prochaine. Je vous enverrai deux voitures.

Le jour venu, nous sommes pris en charge par Damasio, un marchand des quatre saisons de La Bourboule qui fait partie de la garde rapprochée de Pierre Poujade. Nos petites amies nous accompagnent, le sentiment des femmes nous importe pour nous faire un jugement.

À Blois, le meeting se tient dans une église désaffectée. Dans la salle, trois mille personnes se serrent. Sur l'estrade Poujade parle sans notes, avec l'éloquence fleurie du Midi moins le quart, les phrases s'enfilent parfois l'une dans l'autre mais la chaleur en est convaincante. Il dit les malheurs de la France, ses échecs, la situation dramatique des commerçants et des artisans, écrasés par les impôts et soumis aux violentes perquisitions des Polyvalents. La foule exulte, applaudit, siffle les méchants, rit, bref vit au rythme du discours et fait une ovation finale à l'orateur en nage.

Au bistrot du coin, un assistant éponge Pierre, torse nu. Celui-ci remet sa chemise, nous offre une bière :

– Alors, qu'est-ce que vous en pensez ?

Demarquet, les femmes et moi-même nous sommes concertés avant d'entrer. Unanimement bluffés, nous sommes convenus qu'il s'agit d'un phénomène politique exceptionnel. Je prends la parole, un peu solennel :

– Monsieur Poujade, vous avez répondu aux questions que nous nous posions, et… nous sommes décidés à agir avec vous.

Alors, me tutoyant pour la première fois :

– Tu parleras avec moi à Rennes, la semaine prochaine.

Il me demande encore ce que je pense de ceux qui l'écoutent. Je revois la foule compacte. Aux premiers rangs, les bourgeois, veste, cravate club, médecins, avocats, professions libérales. Derrière les artisans et les commerçants, en tenue plus décontractée et encore derrière, par centaines, les paysans en canadienne et casquette. Une image me vient :

– C'est un régiment d'infanterie en civil.

La formule a fait balle à l'époque. Soixante ans après, la conscription a été supprimée, l'armée ne tient plus la même place dans la tête des Français, et l'on n'en mesure sans doute plus la portée. Un régiment d'infanterie, cela signifiait toutes les classes du peuple français unies dans une cause commune. Le mouvement Poujade était un rassemblement qui mettait en synergie les Français, quels que soient leurs intérêts particuliers, leur rôle social. À l'opposé de l'idéologie marxiste dominant le monde politique, qui opérait la division des Français par le dogme mortel de la lutte des classes, Poujade dirigeait un mouvement proprement politique, visant le bien commun de la Cité entière, non celui d'une seule classe. L'UDCA paraissait sectorielle, c'était en fait l'amorce d'un sursaut national.

Il n'est pas indifférent qu'il se soit manifesté contre les abus du fisc. Ce sont les abus du fisc qui ont jeté depuis des siècles les braves gens de France dans la révolte, des jacqueries à Jacquou le croquant, et le terme exaction fut d'abord appliqué aux exempts du fisc. Consentir à l'impôt est l'une des prérogatives majeures des représentants du peuple. Il n'y a pas de fiscalité heureuse, pour parler comme Alain Juppé, mais il y a des moments où le système de pompage installé par l'État est particulièrement injuste et spoliateur, et il est ressenti comme tel d'autant plus fort que le produit de l'impôt est utilisé à des choses qui ne servent pas à ceux que l'on tond, ou même qui les desservent. Il est clair aujourd'hui qu'une majorité de contribuables en a assez de financer l'immigration, de même qu'une majorité de catholiques contribuables renâcle à financer l'avortement. De même les commerçants et artisans trouvaient-ils saumâtre d'entretenir grassement un État qui les menait à la mort.

Au milieu des années cinquante se déroula une révolution qui allait faire disparaître assez vite non seulement la plupart des commerçants et artisans, mais aussi les paysans, c'est-à-dire la France traditionnelle des travailleurs indépendants, au profit d'une armée de salariés et de fonctionnaires. D'origine sociale modeste, l'homme qui allait disparaître était son propre patron, révolté par l'outrecuidance des irresponsables qui l'interpellaient au nom de l'État joufflu : le choc culturel était palpable, d'un côté les agents du fisc, de vrais pros, et de l'autre leurs victimes, des amateurs qui n'avaient pas les codes, ni social ni administratif.

La révolution sociale et mentale que les technocrates menaient par l'impôt devait engendrer, en matière de commerce, les géants de la grande distribution. Pierre Poujade se révolta contre l'État qui spoliait les petits au profit des gros. Il capta ce qu'il y avait eu de légitime, à travers l'histoire de France, dans les révoltes populaires jusqu'à 1789, et que les idéologues de la révolution ont détourné à leur profit. C'était, soixante ans avant Trump, l'espoir d'une contre-révolution nationale et populaire contre la trahison des élites.

J'ajoute que le mouvement Poujade, que l'on présente comme un combat d'arrière-garde de ploucs ringards, de beaufs menés par quelques fascistes, était en fait très en avance. D'une part, c'est l'agriculture industrielle et la grande distribution qui sont aujourd'hui obsolètes, alors que le bio, le raisonné, le commerce de proximité, les circuits courts ont montré leur intérêt : le coût social de prétendus progrès des années cinquante et soixante n'a pas fini d'être calculé. D'autre part, le fiscalisme, dont je n'ai cessé en soixante ans de carrière politique de dénoncer les méfaits, est non seulement un étrangloir économique, mais la matrice de l'État policier.

L'habitude de surveillance, les instruments statistiques qu'il crée, ont été mis à profit par le totalitarisme informatisé qui s'installe. La réaction du peuple était juste, et Poujade l'a exprimée avec talent. Nous eûmes quelques moments d'intense bonheur auprès de lui, à sentir battre le cœur de la France. Il avait su rendre leur fierté aux pauvres gens injustement traités, humiliés, offensés, bafoués. Il faut savoir que les polyvalents, armée recrutée à la va-vite, se croyaient autorisés à perquisitionner comme des policiers, vidaient les armoires, jetaient les draps par terre, laissant les mères de famille en pleurs :

– Ils nous traitent pire que faisaient les boches, ça va pas !

8. Poujade, l'échec

Rennes réserve à Pierre Poujade un accueil délirant. Dix mille personnes se pressent debout, place des Lices. Dans l'ordre des discours, il m'a placé en vedette américaine, juste avant lui. Une façon de me jauger, de savoir si je saurai affronter l'obstacle de la foule. L'atmosphère me survolte. Une fois passé le trac, terrible, au moment où je me retrouve ébloui par les projecteurs, quelque chose parle en moi, tout seul, et la péroraison arrive au bout de minutes qui m'ont paru très courtes :

– Pierre, je te présente mon peuple !

Le public breton rugit de plaisir. Poujade a levé le pouce. L'épreuve est réussie. La presse, elle, est unanime dans le sarcasme. Elle feint de croire que j'ai voulu dire le peuple qui m'appartient, alors que c'est évidemment le peuple auquel j'appartiens. À *Caravelle*, j'avais pu constater la malhonnêteté de certains journalistes, les textes falsifiés, les interprétations biaisées et malveillantes réservées à ceux qu'on veut discréditer. Désormais je fais partie de ceux-ci. Il faut que j'en acquière l'habitude. Ça me prendra quelque temps.

Le mouvement Poujade, d'abord soutenu par le PCF quand celui-ci comptait accaparer à son profit la colère populaire, est ensuite devenu la bête noire des communistes, dès qu'ils ont compris la vanité de leur tentative. Sur cette ligne, la presse britannique a popularisé le surnom de Poujadolf. Tous les résistancialistes ligués pour la conservation du tripartisme ont repris l'antienne : ceux qui expriment le mécontentement du peuple sont forcément des extrémistes de droite, des fascistes (on ne dit pas encore populistes). Les gaullistes participent à ce lynchage, bien contents de se tirer d'affaire eux-mêmes : quand le RPF triomphait, le général De Gaulle était décrit comme un « général fasciste ».

Deux mots de l'organisation de la campagne. Pierre Poujade qui n'aime pas Paris, lieu de corruption, Babylone moderne, ou feint de ne pas l'aimer, s'est installé en grande banlieue à Ablon. Il n'est pas candidat, par pureté antisystème. La plupart de ses présidents départementaux, par esprit de cour, l'ont imité. Il n'en faut pas moins présenter cent soixante listes, ce qui nécessite parfois un recrutement de bric et de broc. Et produit peu d'orateurs nationaux de bonne valeur. C'est pourquoi je serai souvent sollicité et ne tiendrai pas beaucoup de réunions à Paris. De Demarquet et moi-même, ses paras mousquetaires, Poujade dit en riant :

– C'est le drapeau tricolore sur le tiroir-caisse.

J'entre au bureau politique, à la commission d'investiture. Ça se passe à l'hôtel moderne. Quand on lui demande la consigne, Pierre répond :

– Écoutez, quand il y a doute, prenez le plus con.

Une façon de dire que les candidats, dans leur ensemble, étaient choisis certes parmi des militants respectables, mais incapables de faire de l'ombre au président et aux membres du bureau qui s'étaient engagés à ne pas briguer les suffrages. Sans doute ne croyait-on pas au succès, à la direction de l'UDCA, pas plus qu'ailleurs – du moins pas à un succès de grande ampleur.

Le mouvement Poujade était parti du sud-ouest et demeurait provincial, mais un beau jour, quand même, Pierre installe un bureau de l'UDCA rue Saint-Lazare à Paris. Je vois encore Jamet, Martin et les autres s'employant à trier les milliers de lettres et de chèques qui affluent. C'est un joli bordel. Certains sacs restent fermés plusieurs semaines. Cependant, petit à petit, Pierre parvient à articuler plusieurs organisations annexes autour de l'UDCA : une union de défense des paysans, une union de défense des professions libérales, une union de défense des travailleurs, et une union de défense de la jeunesse dont il me bombarde délégué général, à charge pour moi de la créer. Aussitôt dit, aussitôt fait : les cadres des JIP Paris en formeront l'ossature.

La campagne fut très courte, dans le froid rigoureux de l'hiver 55, encore raccourcie par la trêve des confiseurs. La dernière semaine, après Noël, je fus dépêché par Poujade contre les poids lourds de ce qu'on nommait « le Système ». À l'époque, les réunions contradictoires, qui sont devenues plus rares après 1968, étaient monnaie courante. Je me rendis donc à Nevers, où François Mitterrand tenait son meeting final sous la Halle de la ville, archibondée. L'astuce était que les poujadistes formaient les quatre cinquièmes de l'assistance. Or les sections locales avaient mené contre l'ancien ministre une campagne d'une haute tenue intellectuelle sur le thème :

– Fumier, voleur, salaud, enculé.

Lui avait répondu sur le thème, non moins académique, de « fascistes ». Tel était, tel est toujours, le niveau des campagnes républicaines. Il trônait au sommet d'une pyramide d'une dizaine de mètres, dans le meilleur style des années trente. J'arrive avec mon équipe, et là, pile, il tombe évanoui ! Comediante ? Tragediante ? Avec lui, difficile de savoir. Toujours est-il que ses amis l'emportent, j'en profite, je grimpe les degrés de la pyramide, je fais le meeting à sa place. En fait de contradiction, j'ai manqué d'opposition. La minorité de gauche présente a dû me supporter jusqu'à la fin.

Prochaine étape, Besançon. Là, fait extraordinaire, ma salle est presque vide. Un local me propose d'aller porter la contradiction au ministre socialiste Minjoz, qui réunit au même moment cinq mille personnes. J'y vais et suis accueilli par un Minjoz aimable et aphone, qui m'invite à la tribune auprès de lui et me cède la parole avant qu'un de ses lieutenants ne lance cette flèche du Parthe :

– Mais avant il faut que je vous dise ce qu'il dit de vous, vous les socialistes : que vous êtes des fumiers, des ordures, des voleurs !

Je n'aurai pas le temps de prononcer un mot. La foule se lève, furieuse. Heureusement les bûcherons du service d'ordre socialiste, des monstres de deux mètres de haut, parviennent à m'exfiltrer. Je plonge dans ma voiture, une onze chevaux Citroën, mais la foule a suivi, elle la retourne, elle y met le feu. Je réussis à sortir, et là ils me laissent aller, sous les huées, trop content de m'en tirer.

Après ce toro de fuego improvisé, c'était le lendemain bouquet final à Lons-le-Saunier, contre le président du conseil lui-même, Edgar Faure, dans son fief. Notre bête noire. Pour me mettre en jambes, je commençai par un meeting de plein air sur le stade de la ville. Il faisait -16°, le terrain était couvert de neige et les assistants acagnardés frileusement dans les tribunes. Le vent s'était levé et, au bout de quelques minutes, je dus m'arrêter, les lèvres engourdies de froid. J'eus quand même le temps de lancer un mot d'ordre :

– Ce soir, tous chez Edgar !

Il tenait sa réunion au théâtre municipal. Une heure avant le début, les poujadistes occupaient toute la salle, à l'exception d'une loge où les amis du président se serraient autour d'Henri Maire, personnalité du vignoble local, l'homme du Vin fou. Je profitai de cet étonnant rapport de force sans trop d'esprit chevaleresque, j'en ai encore honte. Sans laisser Edgar Faure prendre la parole, je déclamai :

– Vous, Monsieur, dont on sait que c'est par l'oreiller de votre épouse que passent les secrets de l'État dans le couple immonde qu'elle forme avec Monsieur Stéphane...

Non seulement c'était injurieux, mais ce n'était pas très bien informé, Roger Stéphane n'avait et ne pouvait avoir avec Lucie Faure qu'une complicité intellectuelle. Cependant l'insulté devenait aussi jaune que le célèbre vin du Jura sans se départir un moment de son sourire. Ce n'est pas lui qui m'aurait convoqué sur le pré comme un quelconque marquis de Cuevas. Quelques jours après, à peine élu député de Paris, je me rendais à la chambre des députés pour les formalités du novice quand je croise... Edgard Faure. J'étais dans mes petits souliers. Je me disais :

– Il va me fiche une paire de claques et je ne pourrai pas ne pas lui rendre un marron. Beau début à l'Assemblée !

Mais il s'approche avec le même sourire que l'autre soir et me prend les mains affectueusement :

– Cher ami, vous avez du talent. Beaucoup de talent.

C'a été ma première vraie leçon de politique. La politique est aussi un théâtre, comme la justice du prétoire ; on peut le déplorer mais il ne sert à rien de le nier.

Entre-temps j'avais donné une réunion à Paris, peut-être la seule, avec mon second de liste, l'Antillais Roger Sauvage, ancien de l'escadrille Normandie-Niemen, décoré de l'ordre de Lénine.

Les résultats du scrutin secouèrent la France et l'Europe. Cinquante-trois députés poujadistes entraient au Palais Bourbon. Quand j'y pénétrai, précédé des huissiers à chaîne, sous le roulement des tambours des gardes républicains, j'eus, avec la chair de poule, une pensée pour mon père, qui m'avait inscrit au collège de Vannes. C'était la première fois que je votais et j'étais élu. Je n'ai pas besoin de décrire la fierté de ma mère.

Étant donné le peu d'habitude de la tribune de la plupart de mes collègues poujadistes, je fus amené à prendre très vite la parole, sans respecter le temps de silence et d'observation imposé traditionnellement aux députés novices. J'étais le plus jeune élu de l'assemblée et je ne me débrouillais pas trop mal. Quelques journalistes eurent l'idée de me surnommer le « Minou Drouet de la politique ». Minou Drouet était une petite fille de neuf ans qui s'était fait connaître en publiant des poèmes que la critique disait très évolués pour son âge.

Le triomphe inespéré des élections de 1956 fut le début de nos ennuis. Le système que nous avions dénoncé contre-attaqua logiquement, avec ses armes. Le scrutin avait eu lieu à la proportionnelle, mais avec la variante des apparentements, qui donnait aux listes qui s'apparentaient et obtenaient la majorité une forte prime. Les partis du système s'étaient apparentés pour nous faire barrage. Pour éviter d'être laminés comme les gaullistes l'avaient été, les poujadistes avaient monté leur propre système d'apparentements avec les listes de défense des paysans, des travailleurs, des professions libérales. On en tira prétexte pour demander et obtenir de l'Assemblée nationale l'invalidation des députés élus de cette manière. Les poujadistes avaient remplacé le RPF comme bouc émissaire des modérés et ennemi prioritaire de la gauche, nous étions entourés d'un cordon sanitaire au Palais Bourbon comme le RPF l'avait été et comme le serait plus tard le Front National. L'interdit est encore la meilleure arme d'un système qui n'a de démocratique que le nom.

Hélas, les coups vinrent aussi de l'intérieur du mouvement. Le succès électoral avait fait élire de fort braves gens, mais souvent inaptes au métier de député. Le système et ses médias, avec un mépris social affiché, se moquèrent de la « république des crémiers ». En souvenir des restrictions de la guerre, les BOF (beurre œufs fromage) focalisaient les moqueries que la bourgeoisie intellectuelle devait réserver plus tard à leurs successeurs les beaufs. Le mépris du peuple est une constante de la gauche, souvenons-nous de la tirade que devait lancer Louis Mermaz, président de l'Assemblée Nationale socialiste sous Mitterrand, contre la « populace » du Front National.

Ce mépris eut des conséquences internes. Les dirigeants poujadistes conçurent du dépit, et du regret, de ne pas s'être portés candidats eux-mêmes, et bientôt de l'envie pour leurs obligés. De leur côté, quelques élus heureux eurent la tête tournée par les ors de la République et recevaient sans patience les consignes d'apparatchiks qui après tout n'avaient pas reçu le sacre du suffrage populaire. Quelques-uns montrèrent la plus noire ingratitude. Bref, en plus des brimades externes, nous connûmes bientôt la zizanie.

Puis, perdu dans ces considérations somme toute subalternes, Poujade ne sut pas profiter du moment historique. Il demeurait sur la défensive. Non contente de nous mettre en quarantaine à l'assemblée, la gauche organisait contre nous, à l'initiative du Parti communiste, des manifestations violentes. C'étaient des hurlements du genre :

– Poujade au poteau !

C'était surtout des voies de faits, des rixes, presque des émeutes. Lors de l'une d'elles, à Toulouse, je fus sérieusement blessé et manquai finir au canal. Nous tenions une réunion dans une salle municipale dont les grilles avaient été sabotées. Les écartant sur leur passage, les nervis du PC et de la CGT sont entrés armés de barres de fer et nous ont filé une sacrée branlée. On ne pouvait tolérer cela, ils tenaient la rue, ils intimidaient nos sympathisants. J'ai proposé à Pierre :

– On y retourne. On organise la méga journée des métiers, des dizaines de milliers de militants, la manifestation de force, les paysans avec leurs fourches, les maréchaux-ferrants avec leurs masses, etc. Ils seront forcés de caler.

C'est Poujade qui a calé. Il m'a répondu :

– Non, on peut pas. Ce serait la guerre civile.

À partir de là, ç'a été le déclin. Les gens ont commencé à ne plus y croire. En face, ils ont senti que nous mollissions. Les CRS, souvent commandées par d'anciens élus socialistes, nous avaient dans le collimateur. Nous n'étions plus placés pour soigner la fièvre de la France. La mise, au bout du compte, c'est De Gaulle qui allait la ramasser plus tard. Ça aurait dû être Pierre. C'est lui qui incarnait vraiment la vague populaire. Il n'en a pas eu les couilles. Il n'était pas assez mégalomane pour prendre le pouvoir.

Je m'en suis rendu compte à propos de l'Algérie. C'était le nœud de vipères de la Quatrième finissante, là que tout allait se jouer. Or il y était royalement reçu. Sa femme était pied-noir, infirmière d'Alger. Il était bien vu des commerçants et artisans, tant des Européens où commençait à se distinguer le cafetier Joseph Ortiz, que des musulmans, massivement affiliés à l'UDCA. Il a fait une tournée là-bas sans protection, c'est dire. Tous ces éléments devaient jouer un rôle déterminant dans le 13 mai qui ramena De Gaulle au pouvoir. Ils auraient porté plus naturellement et plus volontiers Poujade. Mais lui ne sut ni les encourager ni les organiser, pendant que les Gaullistes mettaient leurs pions en place. C'est à se demander s'il n'a pas cédé à leurs promesses (il recevait des émissaires), du genre :

– Tenez-vous tranquille et le Général ne vous oubliera pas.

Un grand ministère du commerce et de l'artisanat l'aurait comblé. Pour vouloir le pouvoir, il faut plus d'appétit qu'il n'en avait. En tout cas il n'a pas donné de consigne combative en Algérie. On sentait qu'il ne voulait pas aller plus loin.

Il s'est polarisé sur les difficultés du mouvement, sur les jalousies. Sa femme Yvette y a contribué. Au début, elle nous chouchoutait Demarquet et moi. Elle nous donnait des surnoms, moi Patrick et lui Babalou. Dieu sait pourquoi. En tout cas c'était gentil. Puis nous présentâmes au conseil national un projet d'organisation de parti politique à partir du groupe parlementaire. Une façon de transformer le mouvement syndical poujadiste en mouvement politique. Alors elle a commencé à nous regarder avec soupçon, elle a mis dans la tête de son homme que nous voulions prendre sa place avec l'aide des JIP. Dès lors plus de surnoms affectueux, plus de Patrick ni de Babalou.

Nous avons compris notre disgrâce quand le bureau de l'UDCA a interdit d'être à la fois président d'une des unions parallèles et parlementaire. Une seule personne cumulait ces fonctions : moi. Ce fut la première lex lepeniana qu'on m'a jetée dans les jambes. Un futur avocat, Galvaire, qui devait plus tard aller au Parti des forces nouvelles, puis au FN, puis chez Mégret, me remplaça. La mésentente s'installait, la confiance n'y était plus.

Sur ces entrefaites Guy Mollet décida d'envoyer les appelés du contingent en Algérie. Les socialistes sont très forts pour commencer les guerres. Voyant que Pierre ne faisait rien pour exploiter cette situation exceptionnelle, nous nous portâmes Demarquet et moi volontaires pour six mois en Algérie, afin que la représentation parlementaire donne l'exemple aux jeunes Français. Seuls deux collègues nous imitèrent, dont Pierre Clostermann, le héros de la Seconde Guerre mondiale. Avant de partir, en septembre 1956, nous passâmes voir Poujade à ses bureaux de Saint-Lazare :

– Pierre, on a un différend. Tu ne trahis pas positivement, on ne t'accuse pas d'être payé, mais tu trahis passivement, tu ne pousses pas le mouvement comme tu le devrais. Si on ne revient pas, ça ne nous regarde plus. Si nous revenons, on fera le point. En attendant nous ne dirons rien de nos divergences. Ce qu'on exige en échange, c'est que tu ne te serves pas de notre engagement pour la propagande du parti.

Tope-là, nous partons. C'est alors, pendant notre absence, que contre toute attente, Poujade, après avoir trop peu osé, se met à oser trop, au moment même où son mouvement décline. Il se déclare « prêt à exercer le pouvoir ». Et, après la mort du célèbre avocat et parlementaire Moro-Giafferi, il brigue son siège dans le premier secteur de Paris, où j'avais été élu au début de l'année. Il n'a pas pris garde à une différence : j'avais bénéficié du scrutin proportionnel, la partielle aura lieu au scrutin uninominal à deux tours, les 13 et 27 janvier 1957. En outre, les partielles favorisent en règle générale les modérés – qui en l'occurrence tiennent un discours très droitier, presque nationaliste, anticommuniste, pro-Algérie française et même de « défense des artisans et commerçants ». En d'autres termes, Poujade va au suicide politique.

S'en rend-il compte au dernier moment ? Malgré sa promesse, il parle lors d'un meeting de notre engagement à Demarquet et moi pour se faire mousser. Le pacte est rompu. Furieux, je pose une permission, rentre en métropole. Demarquet fait de même. Il va même perturber un meeting, un peu éméché, le corps dans un corset de plâtre à la suite d'un accident de saut. Il manque de se faire lyncher par les anciens copains. Je donne une conférence de presse. Paris Presse l'intransigeant, grand quotidien du soir, titre :

– Le Pronostic de Le Pen : Poujade ne fera pas vingt mille voix.

Il en fit exactement dix-neuf mille neuf cent six. Un plat ventre mémorable. Malgré deux meetings géants coup sur coup. Remplir deux fois le Vel d'hiv à la suite, ce n'est pas commun et ça le rassurait : mais ce n'étaient pas des gens du coin, c'étaient des militants venus de province et de toute la région parisienne.

Fin du mouvement Poujade. Il ne survivra pas à la déroute de son chef. Les États généraux prévus sont annulés, le candidat meurtri se replie sur Saint-Céré. La croisade des pauvres gens contre le système se termine en queue de poisson. La voie est libre pour le complot qui ramènera De Gaulle au pouvoir.

C'est pendant notre permission à Paris, à Demarquet et à moi, qu'aura lieu un événement presque loufoque. Le président de la

République, René Coty, a demandé à nous voir. Il nous reçoit dans son bureau en présence de son directeur de cabinet, Merveilleux du Vignau, et nous pose une question presque douloureuse :

– Écoutez, je ne comprends pas. Pourquoi, à Alger, les gens crient-ils : Coty au poteau ?

– Parce que vous graciez les tueurs du FLN, Monsieur le président.

– Je ne veux pas de sang sur les mains.

Du tac au tac je réplique :

– Vendez des tomates, c'est un métier où l'on ne risque pas de s'en mettre.

Il se lève, digne, sort du bureau. Je me souviens que jeune avocat il avait défendu des anarchistes au Havre. Comme beaucoup de modérés il a un fond sentimental de gauche. Son directeur de cabinet Merveilleux du Vignau intervient :

– Vous oubliez que vous parlez au président de la République.

– Et vous, vous oubliez que vous parlez à un député.

Il sort à son tour. Nous restons un moment seuls dans le bureau. Demarquet éclate de rire :

– Tu n'as plus qu'à t'asseoir, le coup d'État est fait.

Nous prenons rendez-vous avec Pierre à l'hôtel du globe pour un dîner d'adieu, mais il l'annule et se contente d'une entrevue administrative rue Saint-Lazare. Cela manque de grandeur, et pourtant Poujade fut quand même grand, il fut un précurseur. Il a donné un moment un véritable espoir au peuple. Ce fut un libérateur à moitié.

IV.

Quatrième partie

L'Algérie française

1. Politique arabe à Port-Fouad

À l'automne 56, son béret rouge sur la tête, Demarquet rejoignait à Constantine le 6e RPC alors en opération dans les Aurès. Moi, avec mon képi noir d'officier de Légion, j'arrivai à Zéralda, base arrière du premier bataillon étranger de parachutiste, ou plutôt du 1er REP, car l'unité où j'avais servi en Indochine était devenue un régiment depuis un an. Jeanpierre, qui n'était alors que chef de bataillon, en avait cédé le commandement au lieutenant-colonel Brothier. Lors de l'opération de Suez, celui-ci allait chapeauter le groupement qui débarqua le six novembre et Jeanpierre diriger le régiment. Quand j'entre dans son bureau, il ne se montre pas très encourageant :

– Je ne vais pas pouvoir vous prendre, Le Pen. Votre engagement est pour l'Algérie, or nous partons en opération extérieure.

Il ne dit pas où, car il respecte le secret, mais les matériels sont peints en jaune avec une belle lettre H. On chuchote que le théâtre d'opérations sera la Méditerranée orientale. Un nom circule : Suez ! On en a beaucoup parlé depuis le 29 juillet. Ce jour-là à Alexandrie, le colonel Nasser, raïs (guide) de l'Égypte, a soulevé son peuple d'enthousiasme en annonçant la nationalisation du canal construit par Ferdinand de Lesseps. Salué comme une libération, c'était un acte de piraterie et d'ingratitude. Il faut se rappeler que le canal n'avait pu être percé que grâce au génie de Lesseps et grâce à la mobilisation de dizaines de milliers d'épargnants français sous le second empire. La Grande-Bretagne, opposée à la France dans l'Orient de la Méditerranée comme partout dans le monde, et qui sabotait notre influence là-bas depuis Napoléon premier sans discontinuer, avait à plusieurs reprises tenté d'en empêcher la construction sous Napoléon III en faisant pression sur le gouvernement ottoman, qui avait la maîtrise de l'Égypte. Quand l'impératrice Eugénie vint inaugurer le canal de Suez en 1869, 56 % du capital appartenait à 21 000 investisseurs français, et 44 % à l'Égypte. Plus tard, en 1876, surendettée, celle-ci avait dû céder ses parts au Royaume-Uni pour une bouchée de pain – quatre millions de sterlings. Puis les Anglais s'étaient emparés du pays, étape importante sur la route des Indes, en 1881 et ne l'avaient lâché progressivement qu'après la Seconde Guerre mondiale, quand l'indépendance des Indes avait réduit son importance stratégique. Cependant le canal restait un point névralgique du transport du pétrole d'Arabie saoudite, des Émirats, de l'Irak et du Koweït, de l'Iran, et les troupes britanniques n'avaient quitté le territoire qu'au début de 1956.

La Grande-Bretagne avait donc avec le colonel Nasser un lourd contentieux qui touchait au canal et au stationnement des troupes britanniques. La France en fut l'otage. Elle allait perdre bien plus que le Royaume-Uni dans la crise de Suez, car elle avait, comme les Grecs et les Italiens, des avoirs matériels et humains en Égypte, écoles, églises, filatures, à la différence des Anglais dont le pouvoir était militaire et financier – mais n'anticipons pas.

Je me suis engagé pour servir la France dans mon unité, le premier régiment étranger de parachutiste, il n'est pas question que je reste à me tourner les pouces dans un bureau d'Alger. Mon père est allé sur l'*Edgar Quinet* dégager de malheureux Grecs massacrés par les Turcs à Smyrne, j'irai en Égypte soustraire celle-ci aux entreprises du désastreux Nasser. Je réponds à Jeanpierre :

– Mon Commandant, si vous n'y voyez pas d'inconvénient je viendrai avec vous !

Et je fais agir mes relais au ministère pour modifier mon contrat : je serai affecté quoi qu'il arrive à la première compagnie du 1er REP, sous les ordres du célèbre Loulou Martin. Il me nomme à la tête de la section de commandement et d'appui. Nous embarquons sur le

Jean Bart fin octobre en direction de Chypre. L'expédition, quand elle sera connue, déchaîne les passions. Communistes et poujadistes votent contre. L'avocat Jean-Louis Tixier-Vignancour et l'ancien commissaire de police Jean Dides, que je fréquente dans les milieux de la droite nationale, sont pour. Moi, j'ai peu de temps pour y penser, et rien à dire puisque je suis militaire en opération, mais le fait d'aller frapper Nasser, figure des non-alignés anticolonialistes, fournisseur d'armes et principal soutien diplomatique du FLN que nous combattons en Algérie, ne me déplaît pas.

La concentration se fit à Limassol sur la côte sud de Chypre, puis l'opération proprement dite débuta. Le 1er REP ne fut pas la première unité française mise en ligne, le Deuxième RPC de Château-Jobert avait d'abord sauté sur Ismaïlia, centre administratif de la gestion du canal, situé trente kilomètres au sud. Un jeune sous-lieutenant s'y illustra en prenant un pont. Il se nommait Jean de Brem, c'était aussi un poète dans le civil. Plus tard, il devait participer à l'OAS, et, à ce titre, se ferait abattre comme dans un mauvais film par la police, à la mitraillette, au Quartier Latin.

Le 1er REP, lui, n'allait pas être parachuté mais débarqué à bord d'amphibies blindés, des alligators américains prêtés par les États-Unis pour la guerre d'Indochine, qu'on devait laisser là-bas, mais dont la Légion avait récupéré une quarantaine. On nous transféra sur une barge de débarquement géante, la Rance, et nous prîmes la mer le 5 novembre au soir pour débarquer le six au matin sur la plage de Port-Fouad située à l'entrée méditerranéenne du canal, sur la rive orientale. Nous devions agir en liaison avec les Commandos de la Marine qui occuperaient la droite d'un dispositif dont le REP formait le centre et l'aile gauche.

On somnole la nuit. Rien à signaler. Les marins paraissent un peu nerveux, nous en apprendrons plus tard la cause, des sous-marins américains coupent la route de la flotte pour entraver sa marche. À quatre heures du matin, mise en route des moteurs. Dans un vacarme d'enfer une fumée irrespirable s'amasse dans le ventre de la barge. Puis c'est l'arrivée au petit jour en vue de Port-Saïd. Le spectacle est extraordinaire. On n'a pas vu pareil débarquement depuis le six juin 1944. La mer est noire de navires. Les avions anglais piquent sur leurs objectifs. Une énorme fumée noire monte de Port-Saïd sur notre droite où l'aviation britannique mitraille les nids de résistance. Cela va être l'heure H. On attend que les tourelles de trois cent quatre-vingts du *Jean Bart* pilonnent les positions ennemies. Rien ne vient. Pourtant la côte est là, je reconnais la plage de Port-Fouad où m'avait mené mon amie d'un jour lors de l'escale du *Pasteur*.

Qu'est-ce que c'est que ce bordel ? Ils s'emmêlent les pinceaux à l'État-major, les marins dorment, ou quoi ? La Rance s'est échouée, le tablier avant s'est ouvert, l'ordre d'avancer interrompt le spectacle. Sans préparation d'artillerie, on va se faire recevoir à la fourchette. On y va quand même. À la vitesse de nos alligators. À toute petite vitesse, celle d'excellentes cibles. Le temps est long. Soudain le cul de l'alligator devant s'élève. La poisse, il est touché, ou il a sauté sur une mine ! Non, il reprend sa marche, c'était juste un trou. Après tout va paradoxalement vite. On arrive bientôt sur le sable sec. Sur l'avenue qui conduit au Canal nous subissons quelques tirs d'une mitrailleuse qui la prend en enfilade. Par terre gisent des casques anglais ornés de têtes de morts et de tibias croisés peints en rouge : les « commandos de la mort » se sont repliés sans nous attendre. L'état-major en était informé, c'est pourquoi il s'est économisé la préparation d'artillerie du Jean Bart. Ils auraient pu nous tenir au courant. Tout se passe bien toutefois, sans trop de résistance. Nous arrivons au canal. Là, Jean Roy, de Paris-Match, me prend en photo. Jeanpierre m'engueule :

– On n'est pas là pour faire du cinéma.

Il n'a pas tort. C'est la guerre. Jean Roy sera d'ailleurs tué quelques jours plus tard en longeant les lignes égyptiennes avec un autre journaliste, l'Américain David Seymour. Nous continuons notre progression jusqu'à l'usine à eau. La nuit tombe. Fourbus, nous nous glissons mon ordonnance et moi sous une tente toute montée. Je m'enroule la tête dans mon chèche contre les moustiques et on tombe fissa dans les bras de Morphée. Nous ouvrons les yeux au petit matin sur des voisins que nous n'avions pas vus : des cadavres de soldats égyptiens, sans doute tués par l'aviation. Ils commencent à sentir. En plus, j'ai chopé des punaises. Nous ne traînons pas.

Pourtant le régiment cessa de progresser. Il avait atteint ses objectifs. Aucun nouveau mouvement ne fut esquissé. Nous attendions l'ordre de foncer sur El Qantara. Sur la rive gauche, les Anglais étaient accrochés, ils avaient du mal, on en avait croisé une compagnie, les officiers portaient comme arme individuelle un vieux fusil à crosse pliable, une véritable curiosité muséographique, pourquoi n'allions-nous pas leur donner un coup de main ? Le bruit courait qu'il n'y avait plus rien de solide entre Le Caire et nous, qu'il suffirait d'un coup de main pour prendre la capitale. Pourquoi Massu ne bougeait-il pas ? Un camarade observa :

– Peut pas. Il faudrait doubler les Anglais.

Nous haussâmes tous les épaules :

– Et ça n'est pas possible, ils ont tous les commandements !

– Sauf nous les paras, mais seulement si nous sommes en l'air. À terre, la dixième DP française reçoit ses ordres en dernier ressort de l'État-major anglais.

– Elle est belle la République.

À huit heures et demie vient enfin l'incroyable nouvelle : nous avons ordre de rester sur nos positions et de n'ouvrir le feu que si nous sommes attaqués. L'opération est terminée. La guerre est finie. L'Angleterre et la France victorieuses s'arrêtent, elles ont accepté le cessez-le-feu imposé par l'ONU. Tout le monde saura très vite que l'URSS a menacé (un pur bluff) d'utiliser l'arme nucléaire, et que l'Amérique d'Eisenhower a pesé de tout son poids contre la coalition. Antony Eden, sous la pression de son opposition depuis des semaines, a craqué, et Guy Mollet, une fois seul, n'a pas tenu plus de quelques minutes face au chantage des deux Grands. J'apprendrai un peu plus tard, par mes contacts au cabinet de Bourgès, que l'envoyé du ministre de la Défense a trouvé le Premier britannique au lit, complètement défait, presque inconscient, à se demander s'il n'était pas drogué ou empoisonné. Au 1er REP, nous sommes amers. Tout le monde rêve de guerres courtes, avec des pertes légères, et victorieuses, les Israéliens seront comblés dans dix ans avec leur guerre des six jours : mais là, nous sommes lâchés en plein vol après même pas deux jours, frustrés.

Il me faudra du temps pour reconstituer l'histoire de cette opération cafouilleuse où la victoire militaire a débouché sur une déroute politique. Je me suis demandé d'abord pourquoi tous les commandements étaient anglais. Cela tient à la genèse même de la guerre. Fière de sa politique arabe depuis Lawrence, la Grande-Bretagne a d'abord souhaité régler la crise en douceur, en retirant du canal ses pilotes les plus expérimentés, en gelant les avoirs égyptiens à l'étranger, afin de parvenir à une solution diplomatique. Ce n'est qu'après l'échec de la conférence de Londres le 22 août que le conservateur Anthony Eden s'est résolu à une solution de force, tout en la maintenant secrète le plus longtemps possible, tant il avait peur de la réaction de l'opposition, de ses propres amis et du monde entier. Il y eut à Sèvres entre le vingt-deux et le vingt-quatre octobre une réunion entre les dirigeants français et israéliens auxquels se joignirent des envoyés du gouvernement anglais, pour mettre au point le scénario final de l'attaque de l'Égypte. Israël mettrait en ligne cent soixante-quinze mille hommes, le Royaume Uni quarante-cinq mille et cent navires, la France trente-quatre mille et une cinquantaine de navires. Pour s'assurer du soutien d'un allié qu'il sentait branlant, Guy Mollet crut devoir lui concéder tous les commandements d'une opération nommée opération 700 par notre état-major et opération Musketeer par les Anglais. Guy Mollet était naïf : l'ampleur des moyens acheminés et mis en œuvre par l'Angleterre et Israël montrait suffisamment que c'étaient eux les principaux intéressés dans l'opération.

On pouvait le déduire de l'origine de la crise. Elle commença le quatre avril 1955 quand Nasser, au mépris du droit international, ferma le canal de Suez aux navires israéliens. C'était un acte parmi d'autres dans la guerre entre Israël et les Arabes. Pour Israël, cela signifiait l'asphyxie économique. Entre juin 1955 et juin 1956, les troupes anglaises quittèrent l'Égypte. Le Raïs satisfait cherchait un soutien chez les nouveaux grands contre l'ancienne tutelle coloniale, il avait le choix entre l'URSS et les USA (Ho Chi Minh avait bénéficié de l'aide des deux contre les Français). Au début, Nasser sembla préférer l'Amérique, Eisenhower promettant de financer le grand projet égyptien, la construction du barrage d'Assouan sur le Nil. Puis, en juillet 1956, coup de théâtre, les États-Unis se retirèrent. Nasser décida alors de nationaliser le canal et de se tourner vers les Soviétiques.

C'était un changement de pied spectaculaire. Depuis son alliance avec le roi Saoud, l'Amérique recherchait l'amitié des pays arabes alors que l'URSS était un soutien inconditionnel d'Israël. L'unanimité remarquable entre les quatre membres permanents du Conseil de sécurité, France, Royaume Uni, États-Unis et URSS, à la fondation de l'État hébreu par l'ONU avait en effet masqué les frictions entre l'ancienne puissance tutélaire, la Grande-Bretagne, et les juifs (notamment l'affaire de l'Exodus, ce bateau d'immigrants juifs interdit d'accoster en Israël et renvoyé de port en port).

Un petit rappel d'histoire est nécessaire. Un mois et demi avant la fin du mandat britannique sur la Palestine et la proclamation de l'État d'Israël par David Ben Gourion le 14 mai 1948, les forces juives avaient commencé un « nettoyage » de la Palestine qui eut pour but et pour effet d'en faire fuir 400 000 civils arabes (prise de Tibériade, de Haïfa, de Jaffa, de la Galilée, massacre de Deir Yassin, destructions de villages arabes sur la route de Tel-Aviv à Jérusalem). Cela indisposait les Britanniques qui avaient des intérêts et des alliés nombreux dans la région et qui stoppèrent l'Irgoun à Jaffa. Aussi le nouvel État fut-il reconnu immédiatement *de jure* par l'URSS mais seulement de facto par les États-Unis.

La première guerre israélo-arabe, qui succédait à des années d'affrontements entre Arabes et Juifs, commença dès le 15 mai. Le premier mois fut mauvais pour Israël, battu presque partout, coupé en deux. Il fut sauvé par le cessez-le-feu du 9 juin 1948. Malgré l'embargo décidé par l'ONU sous la pression des États-Unis, l'URSS l'arma alors en masse, lui assurant une supériorité qui lui permettrait, après la rupture de la trêve le 8 juillet par des Arabes trop sûrs d'eux, de redresser complètement la situation à Jérusalem et en Galilée, puis de conquérir le Néguev après une nouvelle rupture de trêve le 15 octobre. Tout cela, donc, avec les armes et le soutien actif de l'URSS.

Le revirement de celle-ci après le mois de juillet 1956 fut une catastrophe pour Israël et pour son chef charismatique David Ben Gourion : il n'avait plus d'autre allié que la France, l'amie la plus constante des juifs depuis la révolution de 1789, la république chérie de l'Alliance Israélite Universelle. Sa protection était d'autant plus urgente que les forces égyptiennes multipliaient les « incidents » avec l'armée israélienne. Lorsqu'il débarqua dans la nuit parisienne pour débuter les entretiens de Sèvres flanqué de Shimon Pérès et Moshe Dayan, Ben Gourion peignit la situation critique d'Israël, agita le spectre de la défaite entrevue en 1948 et la possibilité pour les Juifs d'être jetés à la mer. Il représenta à Guy Mollet, qu'assistaient le ministre de la défense Bourgès-Maunoury, celui des affaires étrangères Christian Pineau, et le chef d'état-major des armées, l'aviateur Maurice Challe, il représenta à Guy Mollet qu'Israël et la France affrontaient le même ennemi, le panarabisme. Il lança un cri de détresse devant la situation de son pays et obtint tout ce qu'il voulait de ses amis français.

Dans l'immédiat un soutien maritime et aérien français de grande ampleur contre la marine égyptienne, doublé d'une mise à disposition de dizaines d'avions et de leur équipage, leurs cocardes étant recouvertes de cocardes israéliennes. Par la suite, fourniture d'un important matériel de guerre, chars AMX, et les premiers avions à réaction de l'armée israélienne, Ouragans, Mystère IV, Mirage III, sans compter le coup d'envoi de la force de frappe nucléaire israélienne avec le cadeau de la centrale Dimona et la technologie militaire nécessaire. Israël, ayant mesuré le peu de fiabilité de ses appuis anglais, américains et russes, s'en remettait temporairement à l'alliance française pour gagner son indépendance militaire. À ce propos, c'est la Quatrième République finissante, et non le général De Gaulle, qui décida d'accélérer notre programme nucléaire : il n'est pas improbable que la demande d'Israël ait pesé d'un certain poids dans cette décision.

Sur le plan opérationnel, l'entrevue de Sèvres avait décidé ceci : Israël, soutenu comme on l'a vu par l'aviation et la Marine françaises, allait attaquer le 29 octobre. La France et l'Angleterre demanderaient alors un cessez-le-feu « aux belligérants », c'est-à-dire l'Égypte et Israël, et, celle-là n'obtempérant pas, clouer son aviation au sol (plus de 200 appareils détruits) et l'envahir à partir de Port-Saïd. Les choses se passèrent comme prévu et l'opération des 5 et 6 novembre marcha comme sur des roulettes, à ceci près que l'URSS et les États-Unis s'entendirent pour forcer à s'arrêter et renvoyer à la niche les deux anciennes grandes puissances méditerranéennes, la Grande-Bretagne et la France.

Tel est le piège politique dont notre corps expéditionnaire avait été victime. Peu à peu des contingents de l'ONU nous remplacèrent, ce fut la création sur le tas des casques bleus. Quant aux Israéliens, ils durent évacuer, après d'âpres négociations, les territoires qu'ils avaient conquis, la bande de Gaza, le Sinaï, mais conservèrent l'armement promis et fourni par la France. Deux généraux, deux aviateurs, s'occupèrent des transferts nécessaires, Maurice Challe et Edmond Jouhaud, deux sur les quatre qui allaient diriger le putsch d'avril 1961 à Alger. (Le dit putsch, vite embourbé dans la question difficile des ralliements, ne devait pas consacrer beaucoup de temps à explorer les moyens concrets d'exercer le pouvoir, ni à rechercher les alliés internationaux qui auraient pu ravitailler l'Algérie : l'un des rares noms à figurer dans les très courtes conversations à ce sujet serait celui d'Israël.)

L'opération de Port-Saïd n'avait pas duré deux jours et nous eûmes près de deux mois pour remâcher notre amertume sur place puisqu'on n'allait rembarquer que le 23 décembre. Nous avons vu débarquer les fameux combattants de la paix, avec leur dotation en munitions de six cartouches, pas une de plus, pas une de moins. Les Suédois avaient même apporté leurs vélos. Le guignol de l'ONU commençait. Quelques navires échoués obstruaient le canal, symboles lamentables de la politique qui nous avait menés là. Du temps de leur puissance, l'Angleterre et la France avaient presque toujours été ennemies, elles avaient enfin scellé l'entente cordiale dans l'impuissance partagée, la débâcle morale.

Les jours ne nous paraissaient pas si longs que cela, car le légionnaire ne reste jamais inactif. Quand l'actualité le prive d'opérations, il s'entraîne, il s'instruit : l'instruction est permanente. Et puis nous eûmes une distraction dont nous nous serions bien passés. Un de nos légionnaires espagnols déserta avec son arme. Loulou Martin négocia son retour avec les Égyptiens. Il nous fut livré les yeux bandés. On les lui débande. Il s'aperçoit épouvanté qu'il est devant son régiment. Martin était partisan qu'on le fusille sans perdre de temps, c'est la loi pour les désertions en temps de guerre. Mais la SM débarqua et nous l'enleva. Il prit cinq ans de prison. Ce n'est pas rien. Le temps d'engagement d'un homme du rang à la Légion.

Nous n'étions pas parfaitement inutiles, nous protégions le départ des nombreux juifs d'Égypte, persona non grata depuis un an déjà, et qui risquaient désormais leur vie. Une bonne part partit pour la France, d'autres vers l'Argentine, Israël, le Brésil et les États-Unis. Avec eux durent partir aussi de nombreux Français, Italiens et Grecs. Un monde qui datait de l'Antiquité se défaisait. Nos chefs de corps se faisaient prendre en photo sous la statue monumentale de Lesseps dressée sur les quais de Port-Saïd : il n'était que temps, le 23 décembre, une charge de TNT la jetterait à bas. En même temps, Nasser triomphait. Il devenait le chef adulé du monde arabe, fermement soutenu par l'URSS dont le prestige croissait au Moyen-Orient. Le FLN et ses amis allaient pouvoir narguer l'impuissance française. C'était pire qu'un fiasco, l'inverse de ce que ce nous étions venus chercher. En prime, l'indignation braillarde orchestrée dans le monde entier contre notre « expédition néocoloniale » faisait passer au second plan dans les médias l'écrasement du soulèvement national hongrois de Budapest par les chars de l'armée rouge. Un comble : l'ennemi se servait de nous pour faire passer ses crimes auprès de notre opinion publique.

Nous n'en savions pas grand-chose en Égypte, nous vivions en vase clos. La télévision était hors de notre portée et les portables d'aujourd'hui n'existaient pas, bien sûr, on était vraiment coupé du monde. La première intrusion de l'actualité dans une armée en guerre par un moyen de communication moderne devait avoir lieu pendant le putsch d'avril 1961 : les appelés du contingent écouteraient en direct sur leurs postes de radio à transistor le discours où le général De Gaulle leur ordonnait solennellement de désobéir à leurs chefs de corps. Cela ne serait pas sans incidence sur l'issue du putsch.

L'expédition de Suez donna lieu comme toute guerre à des pillages. Casernés un moment dans les bâtiments tout neufs de la Quarantaine, nous avions participé au sauvetage d'un entrepôt incendié. Mais bien sûr la troupe en avait prélevé sa part. Ce fut une vraie razzia sur les alcools forts. Le commandement fut sans pitié. Au moment de rembarquer, les sacs des légionnaires furent inspectés, et toutes les bouteilles qu'ils contenaient brisées sur le quai : une petite rivière de whisky.

Une chose mérite encore d'être mentionnée durant ce séjour, le grand nombre de cadavres qui jonchaient notre secteur sur la rive du canal. Des militaires égyptiens qui avaient fui devant l'offensive israélienne, des civils, hommes ou femmes, qui s'étaient trouvés là au mauvais endroit au mauvais moment. Avec la chaleur, il est urgent de les enterrer. J'en suis chargé avec ma section et je pare au plus pressé en creusant de vastes fosses communes, mais, Breton et catholique, j'ai le respect des morts. Je sais qu'un musulman doit être enterré la tête vers La Mecque, je les oriente comme il faut, les fait déchausser et enrouler dans des guenilles dégottées sous des huttes en guise de suaire. Quelques gars sèment le souk dans ces cabanes de pêcheurs. En voyant les filets sécher au soleil comme chez moi à La Trinité, j'interviens pour arrêter un début de saccage imbécile, ces gens sont d'une pauvreté terrible. Une chose me frappa, il n'y avait pas d'ustensile en métal. Rien que de la terre cuite. On n'est pas mécontent quand les fosses sont enfin refermées.

Le lendemain, me voilà convoqué chez le général Massu, le patron de la division. Qu'est-ce qu'il peut me vouloir ? Une espèce de sourire satisfait se lit sur son visage :

– Les écoutes du camp de prisonniers égyptiens font état d'un geste chevaleresque d'un officier français...

Je me rengorge. J'attends le compliment mais il continue :

– Je ne veux pas de problèmes. Désormais, vous les enterrerez tous.

Voilà. J'avais une fonction pour les jours qui suivaient. Car mes camarades de la rive asiatique avaient jugé expédient de jeter au canal les cadavres qu'ils rencontraient, ignorant sans doute qu'ils allaient remonter à la surface au bout de quelques jours. Les corps suivirent les uns après les autres les lois de la physique, avec des bulles, remplis de gaz, cela n'était pas particulièrement ragoûtant. L'anecdote fut rapportée par le capitaine Sergent et quelques autres témoins, aux correspondants de guerre et fit ainsi le tour du monde. Dans le corps expéditionnaire, on me surnomma lieutenant Borniol mais cela me valut quelque considération chez les musulmans : on peut être ennemis et faire proprement les choses.

Aujourd'hui je ne porterais pas le même jugement qu'alors sur le colonel Nasser. C'était notre ennemi à cause de l'Algérie, et parce que, pris dans le jeu diplomatique des Américains et de l'URSS, il avait fait main basse sur le canal, mais pour le reste, c'était un chef national sincère, qui tenait mieux son peuple que d'autres. Avec lui, l'islamisme ne menaçait pas l'Égypte comme aujourd'hui. Je ne crois pas que notre ploutocratie parlementaire hybridée de présidentialisme soit un modèle pour le monde, pour le monde arabe en particulier. Je ne suis pas de ceux qui veulent exporter partout notre « démocratie », dont les mérites même chez nous ne sont pas toujours évidents. J'ai observé depuis cinquante ans qu'un dictateur avisé, issu d'une minorité, était une assez bonne solution pour gouverner ces pays culturellement et religieusement divisés, parce qu'ils recherchent l'alliance d'autres minorités. C'était le cas du baasiste sunnite Saddam Hussein, qui composait avec les Kurdes et les chrétiens pour équilibrer la majorité arabe chi'ite. C'est aujourd'hui le cas du baasiste alaouite Bachar El Assad.

Le lieutenant Le Pen obéissait aux ordres qu'il recevait dans une opération décidée par le gouvernement socialiste de Guy Mollet. Le soldat Le Pen faisait la guerre comme le lui avait appris la Légion étrangère, sans haine. Le député Le Pen a tenté à tout moment de choisir la voie la plus conforme à l'intérêt national. Le mémorialiste Le Pen aujourd'hui mesure la part de propagande et d'erreur dans les opérations montées au Proche-Orient par l'occident. Encore celle de Suez, si elle évalua mal le rapport des forces et mit ainsi la France dans une impasse, avait-elle quelques justifications. Il n'en va pas de même de celles qui furent plus récemment menées en Libye, Irak et Syrie.

En vieillissant et en prenant de l'expérience en politique étrangère, j'ai eu le plaisir et l'honneur de m'insurger contre les persécutions injustes lancées contre certains chefs politiques du Moyen-Orient. Ainsi avec Saddam Hussein lors de la guerre du Golfe et par la suite. Je suis sûr d'avoir eu avec lui une relation particulière, différente. Je l'ai senti lors de nos rencontres, alors qu'il devait changer chaque jour de lieu de résidence. Une fois qu'il fut déchu, trahi et livré, j'ai suivi son parcours aux outrages, la façon dont les Américains et leurs médias s'ingéniaient à l'humilier, le jugement inique dont il fut victime, pour finir son martyre, qui a déshonoré ses bourreaux. J'ai considéré avec horreur ces grandes consciences démocratiques qui ont laissé mourir en prison Tarek Aziz, ou qui ont laissé massacrer la famille Kadhafi.

Même si on laisse de côté les personnes, la dignité, le simple droit des gens, il y a une question proprement politique qu'il faut poser aux chefs et aux suiveurs de la coalition du Bien formée derrière les États-Unis : sur quoi s'appuient-ils pour régenter le monde ? Elle s'est posée pour moi avec l'Iran comme avec l'Irak, bien que ces deux pays ne soient pas réputés amis. Au nom de quoi la communauté internationale, c'est-à-dire les affidés des États-Unis, s'en est-elle prise avec tant de virulence à l'Iran dans l'affaire du nucléaire ? Ou bien l'on devait virer l'Iran de l'ONU en tant qu'ennemi public et dire pourquoi, ou bien l'on devait lui reconnaître le droit à la recherche nucléaire. Mais le mot nucléaire suffit à hypnotiser l'opinion publique comme l'expression arme de destruction massive : c'est comme cela qu'on est parvenu à ruiner un grand pays, l'Irak, au nom d'un simple fantasme grossièrement fabriqué par les services secrets américains.

Je crois que les Iraniens d'aujourd'hui, comme les Irakiens d'hier, reconnaissent en moi un rebelle au prétendu axe du Bien qui, par la poursuite sciemment obtuse de l'utopie démocratique, a ravagé le Proche-Orient. Je suis un peu l'ami des mauvais jours. Je le dois à ma liberté. Ma liberté de lieutenant para en opération d'enterrer l'ennemi avec respect. Ma liberté, un peu plus tard à Alger, d'entretenir de bons rapports avec des Arabes. Ma liberté d'appréciation dans toutes les crises où l'on essaye d'entraîner la France. Cette liberté m'a fait choisir pour amis ceux que les imbéciles croyaient mes ennemis. Je note avec satisfaction que jamais des Arabes en tant que tels ne se sont attaqués au Front National.

Si je choisis par exemple de présenter Ahmed Djebbour à une législative partielle à Paris en 1957, c'est parce qu'il avait épousé sa femme non selon la charia mais selon le Code civil. Il assumait jusqu'au bout sa qualité de Français d'origine arabe et de confession musulmane. Quand il fut abattu un peu plus tard par les tueurs du FLN, je l'emmenai après l'hôpital en convalescence chez ma mère à La Trinité. Ce fut un acte spontané. Cette façon d'agir et de penser qui ne se démentit jamais en intriguait certains. Peu avant sa mort, à l'automne 1970, l'un des chefs historiques du FLN, Krim Belkacem, a demandé à me voir. Rendez-vous est pris, on me fait monter en catimini dans une Mercédès noire, je commence à me demander si je n'ai pas été un peu imprudent, et là je le découvre à côté de moi, il sourit, on bavarde. Il me dit d'abord :

– Si tu es vivant, c'est grâce à moi et à Abdelhafid Boussouf (le ministre de la guerre FLN) qui nous sommes opposés à Lakhdar

Bentobal (le ministre de l'intérieur). Lui t'avait mis sur la liste des ennemis à exécuter.

À la fin je lui demande pourquoi il a voulu me rencontrer. Il a encore un sourire, comme s'il se le demandait lui-même :

– Comme ça. Je voulais te connaître.

Quelques semaines plus tard, il était assassiné par ses anciens camarades de la SM algérienne en Suisse.

Revenons à Port-Saïd, ou plutôt sur le bateau qui tourne le cul pour toujours à l'Égypte et nous remmène à Alger. Nous étions arrivés à bord d'un cuirassé, nous repartons en cargo. Tout est dit. L'état-major français résume les guerres par les raccourcis de l'intendance.

Le soir de Noël, nous laissions la Tunisie sur notre gauche. La nativité est avec Camerone la plus grande fête de la Légion. Nous n'avions pas d'arbre à bord mais un légionnaire tailla dans un madrier, avec son couteau, un tronc, des branches et des copeaux qu'il transforma en aiguilles d'un coup de peinture verte.

2. La bataille d'Alger

Le retour à Zéralda fut maussade. Nous étions partis dans l'espoir d'éliminer en Nasser le principal appui du FLN et de rendre son prestige à la puissance française, nous revenions bredouilles, la France humiliée, ses ennemis triomphants. Nous étions partis sur le souvenir du coup fumant du 22 octobre, l'arrestation en plein vol de quatre chefs importants de la rébellion algérienne, Hocine Aït Ahmed, Ahmed Ben Bella, Mohamed Boudiaf et Mostefa Lacheraf, dont nos aviateurs avaient forcé l'avion à se poser à Blida, nous revenions sous les huées des juristes pointilleux qui faisaient profession de mépriser l'armée française. Ils reprochaient maintenant au gouvernement d'avoir approuvé cet acte illégal, sans vouloir noter que les hommes ainsi interceptés étaient coupables d'un nombre incalculable de crimes dont ceux d'atteinte à la sûreté de l'État, rébellion et organisation d'assassinats.

Alger, la blanche et riante Alger, se trouvait plongée dans la guerre, et la pire, la guerre terroriste. Là aussi, les juristes pointilleux n'allaient pas manquer d'accabler l'armée française.

C'est peut-être l'occasion de dire un mot de la rébellion algérienne, très simple, pour en fixer les grandes lignes aux yeux d'un lecteur qui n'a pas forcément tout cela en tête. C'est même un devoir civique aujourd'hui où la majorité des Français, enseignés par des criminels, croit dur comme fer à une pseudo-histoire anti-française.

Depuis les attentats du premier novembre 1954, c'est le FLN, le Front National de libération, issu du CRUA (comité révolutionnaire d'unité et d'action) qui menait la rébellion.

Il avait un concurrent principal, le vieux chef indépendantiste Messali Hadj, qui avait fondé successivement l'Étoile nord-africaine en 1926, le Parti du peuple algérien (PPA) en 1937, le Mouvement pour le triomphe des libertés démocratiques (MLTD) en 1946, avant de lancer le Mouvement national algérien (MNA) en 1954. Il y avait aussi, outre les Oulémas, érudits musulmans fondamentalistes, l'Union démocratique du manifeste algérien (UDMA) lancée en 1947 par le pharmacien Ferhat Abbas, ancien disciple de Charles Maurras, et enfin, *last but not least*, le Parti communiste algérien, né en 1936.

Entre toutes ces forces il y eut une concurrence qui finit par une fusion, forcée ou non. 1956 fut, sous ce rapport, une année cruciale. C'est en avril 1956 que Ferhat Abbas annonçait au Caire la dissolution de l'UDMA et son ralliement au FLN. Au mois d'août 1956, à l'initiative d'Abane Ramdane se tenait dans la vallée de la Soummam une réunion des principaux chefs du FLN qui avaient pu s'y rendre. On l'a nommée Congrès de la Soummam et elle a fixé l'organisation du FLN, découpant six Wilaya, ou circonscriptions administratives et militaires sur le modèle ottoman. Elle proclama aussi « la prépondérance du civil sur le militaire » et de « l'intérieur (ceux qui étaient en Algérie) sur l'extérieur (ceux qui se trouvaient en Égypte, au Maroc, en Tunisie, en Suisse) ». Furent fondés pendant ce congrès le CNRA (conseil national de la révolution algérienne) et le CCE. Tout ce petit monde se gargarisait de sigles, censés lui donner une importance et une visibilité internationale. Le CCE, comité de coordination et d'exécution, se voulait le véritable organe de décision, il se composait de cinq membres, Krim Belkacem, Saâd Dahlab, Abane Ramdane, Larbi Ben M'hidi et Benyoucef Benkhedda. Retenons ces trois derniers noms, ils auront un rôle important dans la bataille d'Alger. Ferhat Abbas, qui devait devenir le premier président du GPRA (gouvernement provisoire de la République algérienne) en septembre 1958 avant d'en être écarté en 1961 comme trop modéré, entra dès la fin du congrès de la Soummam au CNRA.

En 1956, le FLN entendit faire l'union des indépendantistes, de gré ou de force. Cela donna lieu à une guerre fratricide contre le

MNA, qui allait durer longtemps en métropole, où celui-ci était le plus fortement implanté. Le moment le plus connu de cette guerre, le plus tragique, fut le massacre de Melouza : le 28 mai 1957, par le fusil, le couteau et la pioche, le FLN massacrait les 378 habitants mâles du village de Melouza, au nord de M'Sila entre Constantinois et Kabylie, coupables de s'être soustraits à son emprise. L'ordre en fut revendiqué par l'un des sept chefs historiques du FLN, Mohamedi Saïd, ancien combattant du front de l'Est dans l'armée allemande et agent de l'Abwehr, les services secrets du *Reich*, en Afrique du Nord. Ce monument d'horreur et de terreur assit définitivement le pouvoir du FLN : celui qui faisait le plus peur était le plus fort.

Avec le parti communiste algérien, les choses se passèrent différemment. En 1945, le PCA, comme le PCF, avait soutenu le gouvernement du général De Gaulle où figuraient des membres communistes, dans la répression des émeutes de Sétif. Depuis les choses avaient évolué : la direction du PC soutenait l'indépendance, et le PCF allait aider de tout son poids la subversion en métropole, mais le PCA demeurait divisé, de nombreux membres européens craignant pour leur vie les effets de la rébellion. Les militants les plus durs cependant agissaient avec le FLN et finirent par le rejoindre. Cela se vit particulièrement lors de la bataille d'Alger. L'aspirant Henri Maillot, membre du parti communiste algérien (PCA), déserta le 4 avril 1956 avec un camion d'armes et de munitions qu'il livra au maquis communiste d'Orléansville dirigé par Abdelkader Babou. Condamné à mort par contumace pour trahison, il était accroché avec un petit groupe de maquisards le 5 juin par l'armée française et tué. Militant communiste lui aussi, son ami d'enfance Fernand Iveton posait une bombe le 14 novembre 1956 à l'usine à gaz d'Alger. Arrêté le même jour il fut jugé et guillotiné le onze février 1957.

Dès le printemps 1956, affirmant sa détermination et sa supériorité sur ses concurrents pour provoquer leur ralliement, le FLN avait décidé de se lancer dans le terrorisme aveugle et l'hyper-violence urbaine. Abane Ramdane créa là une nouvelle circonscription administrative et opérationnelle du FLN, la zone autonome d'Alger dont il prit la tête avec pour adjoints deux autres membres du CCE, Larbi Ben M'hidi et Benyoucef Benkhedda. C'est Ramdane, considéré comme l'intellectuel et le civil par excellence du FLN, qui choisit, d'après son biographe Khaifa Mameri, de lancer le cycle terreur-représailles-terreur. Après l'exécution de deux rebelles condamnés à mort le 19 mars 1956, il fit diffuser un tract où l'on pouvait lire :

– Pour chaque maquisard guillotiné, cent Français seront abattus sans distinction.

Joignant le geste à la parole, il lança dans le grand Alger une vague de 72 attentats, les uns réussis, les autres ratés, qui firent du 20 au 22 juin 1956 quarante-neuf tués et blessés. En juillet, nouvelle attaque, moins sanglante (un mort et trois blessés), mais symbolique : l'objectif en est Bab el Oued, quartier populaire pied noir. La provocation réussit. En août a lieu un attentat rue de Thèbes dans la Casbah, très meurtrier, 16 morts et 57 blessés. On soupçonne un gaulliste de choc, médaillé de la résistance, ancien du BCRA à Londres, ancien sous-préfet du Constantinois, André Achiary. On parle aussi, comme toujours quand on ne sait pas d'où vient le coup, de la Main Rouge, une mystérieuse organisation contre-terroriste formée d'ultras. Mais elle n'existe que dans l'imagination des journalistes et c'est une couverture bien pratique pour l'activité des services. La mécanique engrène. Elle n'arrêtera pas avant l'automne 1957. Le bilan du terrorisme FLN jusqu'à la fin de la bataille d'Alger sera, selon les sources les plus fiables, de 314 morts et 917 blessés. Les parachutistes de la Dixième division parachutiste viendront à bout de cette folie meurtrière en neuf mois, avec à peine plus de mille morts. Un bilan exceptionnel. Mais n'anticipons pas.

Le 28 décembre, juste après que le Premier Étranger de Parachutistes eut débarqué de retour de Port-Saïd, Amédée Froger, maire de Boufarik, vieux monsieur de soixante-quatorze ans, grand invalide de la Grande Guerre, président des maires d'Algérie et figure de l'Algérie française, était assassiné par l'un des chefs des tueurs algérois, Ali la Pointe. Le FLN avait choisi un symbole pour cible, toujours dans la stratégie de la tension.

Le 29, j'étais présent aux obsèques de Froger au premier rang derrière le corbillard, seul officier en tenue. Alors qu'une foule nombreuse venue de tout le pays se rassemblait en cortège, une bombe éclata au cimetière Saint-Eugène où on allait l'inhumer. Qui l'avait placée ? On ne l'a jamais su clairement. Le FLN ne l'a pas revendiquée, pas plus que celles qui éclatèrent le lendemain dans plusieurs églises. Il a en même accusé Massu. Du côté Français aussi, quelques-uns avaient choisi la stratégie de la tension par le contre-terrorisme. Plus que la main rouge, je soupçonne les gaullistes, qui ne pouvaient espérer ramener leur poulain au pouvoir qu'en exploitant le désordre civil.

L'effet fut affreux. Partout dans la ville, de jeunes européens enragés se lancèrent dans d'abominables ratonnades. Des passants musulmans, des clients attablés, furent happés et battus à mort, des femmes frappées à la tête avec des barres de fer. Ce fut une furieuse chasse au faciès, sur le front de mer, on jeta les Arabes sur les quais à dix mètres en contrebas. La police, surtout composée de pieds noirs, laissait faire. Les idéologues du FLN avaient gagné. La stratégie provocation représailles avait fini par jeter l'une contre l'autre les deux communautés d'Algérie. J'étais à la fois effondré et ahuri, d'ailleurs impuissant comme tout le monde à limiter si peu que ce soit ces mouvements de foule.

À vrai dire plus personne ne maîtrisait rien à Alger, ni le gouvernement français, ni le ministre résident Lacoste, ni le gouverneur général Catroux qui avait remplacé Soustelle, ni le préfet de police. De plus, ni l'organisation policière ni les procédures de temps de paix, ne permettaient de juguler le péril. D'autant que les rebelles bénéficiaient de complicités, certaines dans la hiérarchie policière, d'autres politiques, au plus haut niveau municipal. Le maire, Jacques Chevallier, ancien ministre de la défense nationale dans le gouvernement Mendès, fondateur de la Fédération des libéraux d'Algérie, qui devait prendre plus tard la nationalité algérienne, transportait alors des membres du FLN dans sa voiture pour leur faire passer les barrages de police.

Pourtant, à Paris, Guy Mollet continuait à professer, tout en négociant avec le FLN, la doctrine définie dès 1954 par Mitterrand et Mendès France : l'Algérie c'est la France.

Puisque l'administration civile et la fiction du maintien de l'ordre ne parvenaient pas à ramener la paix, Mollet décida de reconnaître, de fait et provisoirement, l'état de guerre, en confiant aux militaires la tâche d'assurer la sécurité : ce fut le début de la bataille d'Alger. C'est lui qui décida de nommer le général Massu préfet de police, lui donnant tous les pouvoirs sur la ville, à la tête de la dixième division parachutiste, huit mille hommes d'élite habitués à combattre le FLN. Le sept janvier 1957 le ministre résident Robert Lacoste publiait un arrêté qui stipulait :

– Sur le territoire du département d'Alger, la responsabilité du maintien de l'ordre passe, à dater de la publication du présent arrêté, à l'autorité militaire qui exercera les pouvoirs de police normalement impartis à l'autorité civile ».

Les choses sont claires : un pouvoir politique dépassé refilait la patate chaude à l'armée, à nous autres parachutistes en l'espèce. Ce même sept janvier, alors que le 1er REP avait repris ses quartiers à Zéralda, nous reçûmes un ordre de mission inhabituel : notre prochain théâtre d'opérations serait… Alger. Cela ne nous enchantait pas. Aucun soldat n'apprécie la guerre de rue, et de plus nous n'avions ni goût ni aptitude pour les fonctions de police que, nous le découvrîmes dès les premiers jours, nous allions devoir remplir. Mais les ordres sont les ordres et le 8 janvier au matin nous entrions dans Alger.

En face de nous, il y avait le FLN reconstitué dans la Zone Autonome d'Alger, dirigé par Larbi ben M'hidi, Abane Ramdane et Benyoucef Benkhedda, Krim Belkacem étant présent dans les premiers mois. Deux semaines après notre arrivée, ils lançaient une nouvelle vague d'attentats, puis, le 28 janvier, une grève générale considérée comme une manifestation de puissance, imposée au peuple algérois par la terreur. Le message tracté par le FLN est clair :

– Si vous n'interrompez pas votre travail pendant toute la durée demandée, l'Armée de Libération Nationale se verra dans l'obligation de vous éliminer impitoyablement.

Ces menaces de mort sont suivies d'effet. Le FLN liquide les musulmans qui le bravent. Malgré cela, nous brisons la grève en quelques jours et ramenons la confiance. Mais le premier objectif du triumvirat qui dirige les opérations est de terroriser la population européenne et de faire la une de la presse. Une directive du CCE le dit :

– Une bombe, causant la mort de dix personnes et en blessant cinquante autres, équivaut, sur le plan psychologique, à la perte d'un bataillon français.

C'est un discours de Tartarins de Tunis, car le FLN serait bien en peine d'anéantir un bataillon français, ni même une compagnie, il est très loin de la capacité de combat du Vietminh, mais cette rodomontade recouvre une vérité : le terrorisme urbain est la chance stratégique du FLN, il correspond à la fois à sa faiblesse militaire et à sa force médiatique. Si le FLN n'est pas assez fort pour nous infliger des revers significatifs dans le bled, où nous le contenons, il l'est assez pour infiltrer trois mille « combattants » à Alger. Le terrorisme contre les civils est plus facile à pratiquer que le combat contre l'armée française.

Cela va donner un poids capital au réseau bombes de la zone autonome d'Alger, dirigé par Yacef Saâdi, l'adjoint de Lharbi Ben M'hidi, homme sans pitié ni scrupule : agent double, il donnait au printemps 1955 au renseignement français les messalistes de la Casbah, puis, entré dans la clandestinité, il a continué ce « nettoyage » au profit du FLN. Il va récupérer les militants communistes les plus résolus dans son réseau bombes. À commencer par Daniel Timsit, responsable des étudiants communistes d'Alger, qui sera l'artificier du groupe. Plus tard, membre du premier gouvernement de l'Algérie indépendante, il s'exilera en France après le coup d'État militaire de 1965.

Puis il y eut surtout les poseuses de bombes. Yacef Saadi eut l'idée géniale d'utiliser des femmes, jeunes, avenantes, pour exploiter la galanterie et la naïveté naturelles du soldat français. Pas de voile, surtout, des talons hauts, une allure européenne, pour ne pas inspirer la méfiance : l'utilisation du faciès, d'un frais minois, pour éviter le contrôle. Ces demoiselles passaient messages et bombes dans leur sac au nez et à la barbe des parachutistes, comme Claudia Cardinale à ceux d'Alain Delon dans les Centurions. Le casting était parfait, mélange d'Européennes, de filles de la bourgeoisie musulmane évoluées et intellectuelles. On peut noter Annie Steiner, Raymonde Peschard, Jacqueline Netter épouse Guerroudj, toutes trois communistes. Raymonde Peschard fut tuée au maquis mais les autres s'en tirèrent avec quelques années de prison à la suite d'une campagne d'opinion menée par Simone de Beauvoir. Comme Danièle Minne, fille d'un premier lit de Jacqueline Netter-Guerroudj, qui plaça un engin mortel dans un bar d'Alger, l'Otomatic, et finit quarante ans plus tard poétesse et professeur à l'Université de Toulouse. Il y eut aussi Djamila Bouazza, qui simula la folie pour échapper à une juste condamnation, et Djamila Bouhired, qui sauva sa tête grâce à l'avocat Jacques Vergès. La future vedette du barreau, ancien agent communiste à Prague au sein de l'union internationale des étudiants d'Alexandre Chélépine, futur chef du KGB et agitateur anticolonialiste, publia aux Editions de Minuit *Pour Djamila Bouhired*, avec l'aide d'un polygraphe bourgeois mythomane et décavé, Georges Arnaud.

Je ne vais pas raconter la bataille d'Alger, à laquelle je pris une part mineure du début janvier à la fin mars, et dont le déroulement est connu. Le printemps permit à la Dixième DP de désorganiser la zone autonome d'Alger, d'où Krim Belkacem, Abane Ramdane et Benyoucef Benkhedda durent fuir après l'arrestation et la mort de Larbi Ben M'hidi. Pour l'anecdote je fus décoré de la croix de la valeur militaire avant de regagner la métropole fin mars, et mon camarade Demarquet reçut en mai la médaille militaire des mains du général Salan. Mais le mal n'était pas entièrement extirpé de la ville blanche : le 4 juin, de nouvelles bombes firent dix morts dont trois enfants, et 92 blessés, dont un tiers d'amputés. Le 9, une explosion au casino de la Corniche tuait huit personnes et en blessait cent. Les paras revinrent à Alger et finirent par emporter le morceau. Yacef Saadi était arrêté par le colonel Jeanpierre le 24 septembre en compagnie de la poseuse de bombes Zorah Drif, et le 8 octobre, Ali La Pointe, logé dans sa cache et encerclé, préférait mourir en compagnie d'une autre poseuse de bombes, Hassiba Ben Bouali, plutôt que de se rendre.

Il y a une vie après le terrorisme. Yacef Saâdi deviendra producteur de films, président du centre national d'amitiés avec les peuples, puis finira sénateur en 2001, il l'est toujours. Zohra Drif, avocate, enseignante, fut membre de l'assemblée constituante algérienne et vice-présidente du sénat jusqu'en 2016. À ce poste, Yacef Saâdi l'a accusée en 2014 d'avoir donné la cache d'Ali la pointe : elle a répondu en affirmant que les deux lettres qu'il en donne pour preuve sont des faux écrits par l'Action psychologique de l'armée française. Elle avait sans doute raison. Cela a provoqué une controverse en Algérie à l'époque. Il était frappant de voir combien la jeunesse algérienne méprisait ces héros de la révolution vieillis dans leurs sinécures.

Moi aussi j'ai été victime de campagnes de presse, et l'Armée française plus encore. C'est de cela qu'il est intéressant de parler aujourd'hui, à l'heure où le terrorisme renaît chez nous. Je vais régler pour commencer quatre questions : qu'est-ce que j'ai fait pendant la bataille d'Alger, qu'est-ce que la dixième DP a fait, ai-je torturé, a-t-elle torturé ?

Le premier régiment étranger de parachutistes était positionné au centre d'Alger, entre la Casbah et Hussein Dey. J'étais basé avec mon commandant de compagnie Loulou Martin et ma section de commandement et d'appui à la Villa des roses. Nous faisons surtout des arrestations, des blocages, des perquisitions. Bien sûr nous avions des prisonniers, que nous gardions dans un garage de la villa. Quand ils furent plus nombreux, on creusa des tranchées que l'on recouvrait de barbelés. Ce n'était pas Versailles, mais c'était cent fois moins pénible que le « tombeau » des légionnaires punis. Alger, à la fin de l'hiver, ce n'est pas Stalingrad ni Tataouine.

J'étais officier de renseignement de ma compagnie, non du régiment. Les interrogatoires que l'on va dire « spéciaux », pour l'instant et par souci de méthode, n'étaient pas de mon ressort, ils se faisaient sous la responsabilité de l'officier de renseignement du régiment, au PC de la division villa Sésini. Je suis allé à la villa Sésini pour me faire décorer par Massu et boire une coupe de champagne, pas dans les bureaux aux heures ouvrables. Aussaresses, qui a prétendu le contraire, était un affabulateur alcoolique, un pilier de bar désireux de se faire valoir.

Après l'indépendance, le parquet FLN convoqua la presse pour fouiller la fameuse tranchée où nous parquions nos prisonniers et qui avait été comblée. Il affirmait qu'elle contenait un charnier, on n'y trouva naturellement que des boîtes de conserve, des godillots usés et d'autres déchets anodins.

Cela ne veut pas dire que la guerre n'était pas là, avec ses haines et ses dangers. Mais la vraie menace pour les gens que nous interrogions survenait à la sortie, si leurs camarades les soupçonnaient d'avoir parlé. Je me rappelle qu'un détenu, isolé dans le local du chauffage central pour le protéger de ses codétenus qui l'accusaient de les avoir dénoncés, tenta de se couper la gorge avec un tesson de bouteille. Immédiatement averti, je bloquai l'hémorragie avec une serviette éponge, pris l'homme dans mes bras et me fis conduire par mon chauffeur à l'hôpital Mustafa, où il fut sauvé dans des conditions qu'a narrées le médecin qui l'a opéré, à l'occasion d'un procès inique qui m'était fait.

Maintenant, quelle était la mission de la division ? Identifier et démanteler les réseaux terroristes, essentiellement les poseurs de bombes. Le renseignement était capital, et l'on ne disposait pas des moyens techniques d'aujourd'hui qui permettent quasiment de suivre tout citoyen d'heure en heure. Quand un suspect était arrêté, il fallait le faire parler en moins de vingt-quatre heures. Passé ce délai, le contact avec ses complices cessait, donc l'espoir de trouver les bombes. La force des paras était leur rapidité, leur réactivité dirait-on aujourd'hui : ils exploitaient l'information avant que le reste du réseau n'ait eu le temps de se disperser.

Ils ont suivi à la lettre les instructions de la hiérarchie civile qui leur avait délégué les pouvoirs de police. Le ministre socialiste Max Lejeune avait ordonné de trouver les renseignements nécessaires à juguler le terrorisme « par tous les moyens », il répéta ces mots aux officiers qu'il avait réunis avant d'ajouter :

– Suis-je clair ?

C'était tout à fait clair, mais, la plupart du temps, dans l'immense majorité des cas, il n'y a pas eu besoin d'employer des moyens spéciaux, les interpellés vidaient leur sac d'entrée de jeu. Ils se mettaient en condition tout seuls et on les y aidait un peu : la réputation des paras, la tenue léopard, le pistolet à la ceinture, le stress, quelques baffes, et puis surtout, la menace qu'ils entendaient, une fois qu'on les avait mis à poil, les yeux bandés :

– On va te flinguer si tu ne parles pas.

Certains paras faisaient jouer leur cran de sûreté de leur revolver pour ajouter à la véracité de la chose. Ainsi, les plus fragiles, et presque tout le monde est fragile, se mettent dans l'idée qu'ils ne sortiront pas des griffes des parachutistes avant d'avoir parlé. Alors ils s'allongent, ils s'expliquent, ils donnent.

Il y eut cependant des réfractaires. La mise en scène de la garde à vue impressionne l'honnête homme, par conséquent le terroriste débutant, pas le professionnel, qui a l'habitude de la police. Alors oui, il y a eu des interrogatoires spéciaux, musclés. Ils ont été efficaces, dans l'ensemble, l'issue de la bataille d'Alger le montre. Ont-ils été supportables d'un point de vue moral ?

On a parlé de torture. On a flétri ceux qui l'avaient pratiquée. Il serait bon de définir le mot. Qu'est-ce que la torture ? Où commence, ou finit-elle ? Tordre un bras, est-ce torturer ? Et mettre la tête dans un seau d'eau ? L'armée française revenait d'Indochine.

Là-bas, elle avait vu des violences horribles qui passent l'imagination et font paraître l'arrachage d'un ongle pour presque humain. Je n'en dresserai pas la liste car elle est longue, horrible, répugnante. Mais la liste des blessures de guerre infligée aux combattants et aux civils, si elle ne témoigne pas de la même intention perverse et malsaine, est tout aussi effroyable : jambes arrachées, gueules cassées, yeux brûlés, et je m'arrête là. Cette horreur, notre mission était d'y mettre fin. Alors, oui, l'armée française a bien pratiqué la question pour obtenir des informations durant la bataille d'Alger, mais les moyens qu'elle y employa furent les moins violents possible. Y figuraient les coups, la gégène et la baignoire, mais nulle mutilation, rien qui touche à l'intégrité physique.

Le colonel Jeanpierre, ancien déporté, passa une nuit entière à assister à des interrogatoires spéciaux. Après quoi il donna son feu vert :

– J'en prends la responsabilité.

Il sentait bien cependant que ces actes extraordinaires, situés hors des missions normales des soldats, posaient une question politique sinon morale. Il en dispensa ceux qui ne voudraient pas s'y adonner. Et il me proposa de me muter, pour éviter d'avoir à en connaître. Je l'en remerciai mais déclinai son offre :

– Mon Colonel, ils vous couvrent de boue et la grande muette ne peut répondre. Moi, redevenu parlementaire, je serai libre de parler, je serai son porte-voix.

La dixième DP ne fut pas la seule accusée de torture. Des milliers d'articles furent écrits sur la torture pratiquée en Algérie par l'armée, la communauté internationale s'émut, des voyages d'étude furent organisés. Le préfet d'Oran, vieux militant socialiste, reçut ainsi une délégation de personnalités étrangères qui enquêtaient sur les violations des droits de l'homme. Y figurait un pasteur suédois qui s'indignait qu'un jeune détenu ait été torturé à l'électricité, à ce qu'il disait. Le préfet lui demanda :

– Monsieur le pasteur, votre protégé, ses couilles, il les a toujours ?

– Oui, répond interloqué l'homme du nord.

– Pas les militaires français qui se font prendre en opération, ni les musulmans que le FLN massacre : il les leur coupe et il les leur fourre dans la bouche. Je tiens les photos à votre disposition.

Et comme le pasteur se drapait dans les droits de l'homme et les règles intangibles de la garde à vue, il ajouta :

– Vous savez ce qu'il a fait votre gonze ? Il a lancé une grenade à fragmentation du haut du balcon d'un cinéma, tuant et lacérant les chairs de tas de braves gens de tout âge et de tout sexe. Et vous savez ce qu'il a dit :

– Je m'en fous d'être pris, nous sommes nombreux, ils jetteront d'autres grenades.

– Moi, Monsieur le pasteur, il m'importe d'arrêter ceux qui veulent jeter d'autres grenades dans la foule.

Ce bon sous-préfet situait le problème où il se trouve. Dans la violence de la guerre, et les moyens de la limiter ou au contraire de l'outrer. Il est plus que ridicule, il est pervers, il est profondément immoral, de jeter l'opprobre sur des hommes qui ont le courage d'utiliser sur ordre, pour obtenir le renseignement qui sauvera des civils, des méthodes brutales qui leur pèsent, qui leur coûtent. Ils sauvent des innocents des entreprises de professionnels volontaires de l'assassinat le plus lâche et le plus horrible. La campagne contre la torture en Algérie fut, d'un point de vue intellectuel, une pitrerie, elle fut surtout un scandale moral.

Il est temps de dire maintenant d'où elle est venue. Nous avons déjà vu passer les noms de Me Vergès et de Simone de Beauvoir, un agent communiste et une compagne de route. Descendons dans le détail.

Rendu à la vie civile, je déposai une motion pour réhabiliter l'armée française face à ses diffamateurs, et autoriser la Dixième DP à défiler pour le 14 juillet, ce qui fut fait. Une incroyable campagne de dénigrement avait en effet occupé toute la grande presse. En tête de cet escadron de la honte se trouvaient *Le Monde* d'Hubert Beuve-Méry, ancien jeune homme d'extrême droite, transformé sous Vichy en directeur des études de l'école d'Uriage avant de finir tartuffe en chef du tripartisme journalistique ; *L'Express* de Jean-Jacques Servan Schreiber, jeune polytechnicien riche, et de son amie Françoise Giroud, où officiait la grande conscience académicienne de François Mauriac, catholique torturé, sans doute par ses propres palinodies ; *Témoignage chrétien*, de Georges Montaron ; et, dans le rôle de la statue du commandeur, *L'Humanité*, appuyée sur l'organe des étudiants communistes, *Clarté*.

En somme tout le petit monde des communistes, de ses obligés et des chrétiens progressistes que j'avais connus à la fac et qu'unissait un anticolonialisme qui se muerait quelques années plus tard en tiers-mondisme.

Le poids du parti communiste dans la campagne est trop évident pour que j'y insiste beaucoup. Un seul exemple, en plus de ceux que j'ai déjà donnés, Henri Alleg, qui publia le livre *La question*, était rédacteur en chef d'Alger Républicain, le quotidien communiste d'Algérie. Or c'est ce livre qui imposa l'usage du mot torture, qui, je l'ai rappelé, n'a pas de valeur descriptive, recouvrant des réalités diverses : il avait en revanche une intention politique, discréditer ceux qu'on accolait à son usage prétendu. Il s'agissait donc d'une opération de diabolisation de l'armée française visant à valoriser par contraste le FLN.

Ce n'était pas seulement un mensonge, une inversion historique transformant des tueurs en victimes, c'était aussi une trahison en temps de guerre, puisque tout ce petit monde fournissait une aide à l'ennemi. Les porteurs de valise du réseau Jeanson, qu'ils aient acheminé des armes, ou seulement de l'argent et des papiers, ou encore fourni des caches au FLN, furent objectivement ses collaborateurs. Pourtant aucune des poseuses de bombe ne fut tondue, aucun des journalistes qui les avaient encouragées et couvertes de leurs mensonges, aucun des socialistes et des communistes qui assistèrent les tueurs ne fut fusillé ni même jugé : en 1988, alors premier ministre, Michel Rocard se fit une gloire d'avoir porté des valises. Traître, fier de l'être, et encensé par la presse collaboratrice pour cela. Cette canaille exploitait sans vergogne quelques idiots utiles, tel le général Paris de Bollardière, qui étalait les tourments de sa belle âme dans leurs journaux, sans proposer la moindre solution pour sauver les populations, avec le pathétique narcissisme des puritains.

Face à cette guerre idéologique multi-moyens, les militaires français étaient, il faut le dire, bien démunis. Faire la théorie de la guerre révolutionnaire est une chose, en supporter dans la pratique certains auxiliaires fut plus difficile à de nombreux officiers catholiques, habitués à tenir les gens d'église pour des amis. Les déclarations de Monseigneur Duval, archevêque d'Alger, que les pieds noirs avaient surnommé Mohamed Ben Duval, les épouvantaient moins que l'action des pères blancs. Moi-même, je m'étonnai que l'on découvre des grenades dans un tabernacle. Un petit curé progressiste me lança dans une discussion :

– Leur religion vaut bien la nôtre !

– Alors enlève ton froc ! Quand on vend du Palmolive, on vend pas du Cadum.

C'était parti tout seul. Je n'étais pas encore habitué à la tendance qui allait se dessiner, où les religieux se calquent sur les politiques et les politiques sur l'industrie : sous le nom d'autorités morales, loges, synagogue, croissant, conseils œcuméniques, églises, finissent par se constituer en gigantesque *Procter and Gamble* spirituel qui vend les mêmes produits sous différentes marques. Certains en profitent pour planquer leur véritable marchandise jusqu'au bon moment, cela s'appelle la Taqîya, c'est recommandé par le Coran et utilisé aujourd'hui par Al Qaïda et l'État islamique. Cette dissimulation peut réserver des surprises. On se félicite aujourd'hui que des imams appellent au calme, que dira-t-on quand ils appelleront à la guerre ?

J'attends, afin de clore ce développement sur la torture, qu'un lecteur soupçonneux me raille en ces termes : allons, Jean-Marie Le Pen, le soin que vous mettez à défendre l'armée française de l'accusation de torture en justifiant les faits qui lui sont reprochés dit assez que vous les avez vous-même commis. Lorsqu'après les élections européennes de 1984 le Front National a pris de l'importance politique, une série d'affaires rapportées par la presse a établi ce fait. D'ailleurs vous l'aviez officiellement reconnu dans le journal Combat du 9 novembre 1962 :

– Je n'ai rien à cacher. Nous avons torturé en Algérie parce qu'il fallait le faire.

Ces phrases, je les ai prononcées. Je ne les renie pas, mais je les explique, j'ai commencé à le faire dans un courrier envoyé à Combat le jour même de leur parution. Un, j'ai donné au mot torture le sens limité que j'ai défini plus haut, et deux, le *nous* désigne l'armée française dont je suis solidaire, non pas moi et mes camarades, qui n'étions nullement chargés, je le répète, des interrogatoires spéciaux. J'ajoute ici que nous avons agi, nous les paras, nous les légionnaires, nous les soldats français, en conformité avec la directive spirituelle que nous avions reçue de notre aumônier, le père Delarue. Nous, nous avons respecté les lois de la guerre, ce qui n'était pas le cas de nos ennemis.

Concernant les accusations portées contre moi par quelques journaux dont *Libération* et *Le Monde* bien que les faits présumés fussent prescrits et amnistiés, il s'agit d'une machination politique contre un parti qui avait le vent en poupe. Tout y est risible et sans fondement. À ce sujet on lira avec profit les biographies qui me sont consacrées par mes adversaires. C'est du bidon, du bidon évidemment bidon, qui ne résiste pas à la plus rapide analyse.

L'histoire la plus ridicule a sans doute été soutenue par *Le Monde*. Le fils d'un certain Ahmed Moulay a prétendu que j'avais torturé son père un soir chez eux, devant lui – au chalumeau pour changer. On imagine la scène, la soldatesque para se déplaçant au domicile du suspect avec son attirail et la bouteille de gaz pour procéder au flambage au vu de tous. Il faut être fou à lier pour y croire, mais la suite est meilleure encore : la *preuve* fournie par l'accusation est un poignard d'*Hitlerjugend* censément oublié sur place avec son étui, sur lequel se trouvait gravée l'inscription accusatrice : Lieutenant Jean-Marie Le Pen, 1er REP. On en pleurait de rire avec Loulou Martin.

– Je t'imagine oubliant ton ceinturon et ton poignard. Tu serais reparti en calebar, le treillis sur les godasses.

– Et le poignard ! Il fait onze centimètres de long ! Elle est belle, la Légion, avec des canifs de boy-scouts !

– En plus t'as fait ça en pleine Casbah, le secteur de Bigeard ! Marcel n'a pas dû être content, il est chatouilleux sur son territoire !

Ce type de contes à dormir debout, bons tout juste pour les lecteurs de *Pif le chien*, *Mademoiselle Âge tendre* ou du *Monde*, cela revient au même, fleurissait. Les membres du FLN en avaient la consigne, cela faisait partie de la guerre psychologique :

– Si vous êtes pris, dites que l'armée vous a torturé.

Ils l'ont appliquée sans jamais pouvoir, et pour cause, produire de certificat médical à l'appui de leurs affabulations. Alors il leur fallait donner du corps à l'accusation pour lui conférer quelque crédit, inventer des circonstances, et c'est là que ça se gâtait. J'ai ainsi été accusé de la même scène de torture le même jour à la même heure, à plus de cent kilomètres de distance. C'est horrible, l'ubiquité de la bête immonde !

Que des adversaires politiques m'aient lancé de telles fables dans les jambes pour me gêner fait partie d'un jeu ordinaire qu'on sait peu ragoûtant, mais que ces histoires traînent encore soixante ans après montre le niveau des « journalistes » et des « historiens » qui s'en sont occupés. Quant aux juges, si certains ont actionné les poursuites que j'ai lancées contre mes calomniateurs, d'autres ont trop vite fait droit à la présomption de bonne foi chez les diffamateurs, en particulier Michel Rocard. Pauvre bonhomme. Diffamateur de bonne foi, après tout, c'est un état ; et ce n'est encore pas le pire de ses états de service.

Je suis un client de Wikipédia, c'est très pratique, ça m'épargne des heures de recherche, j'interroge mon Smartphone pour avoir des précisions sur un sujet connu ou des lumières sur un sujet que j'ignore. Mais l'encyclopédie participative peut aussi hélas mener à la désinformation participative. Lisez l'article torture en Algérie, c'est une espèce de méli-mélo dont l'intention, elle, est très claire : il s'agit de dénigrer l'armée française et de porter le lecteur à croire qu'elle a torturé de la manière la plus abjecte partout et tout le temps en Algérie. Le bilan allégué est de 700 000 torturés et plusieurs milliers de morts. Vaut-il mieux parler ici de mensonge ou de folie ?

Cependant, les accusations de torture n'étaient que la branche moralisatrice, compassionnelle et pseudo-juridique de l'offensive menée en tenaille par l'ennemi : l'autre branche était le terrorisme. Il frappait en 1957 à Alger comme il frappe aujourd'hui. Et aujourd'hui comme hier les terroristes ont des soutiens dans les médias et les milieux issus du tiers-mondisme. C'est un fléau que je connais de près, j'en fus naguère la victime. Mon ami François Brigneau, et d'autres « à l'extrême droite » aussi. On associe souvent l'extrême droite à la violence. On a raison, à condition de préciser un détail : elle en est en général la victime, non le coupable. La piste de l'extrême droite, dans l'attentat de la synagogue de la rue Copernic en 1980, a fait pschitt.

J'ai prononcé le 12 novembre 1957 un discours sur le terrorisme. Pendant la bataille d'Alger, la France l'avait affronté avec deux handicaps : un, nous n'avions pas su déclarer la guerre, et deux, une vision fausse et maladive de la résistance nous retenait d'appliquer avec détermination les lois de la guerre. Le sujet me paraît toujours d'actualité. En voici quelques extraits.

Discours du 12 novembre 1957

« Nous devons nous rendre compte, au moins ceux d'entre nous qui n'habitent pas les allées fleuries de l'avenue Foch, que Paris et toute sa banlieue, que les grandes villes industrielles de France connaissent à leur tour la guerre civile qui faisait rage en Algérie. On ne s'étonne pas plus de voir rue de la Croix-Nivert, en plein cœur de Paris, des patrouilles de policiers armés de mitraillettes que d'entendre crépiter les rafales boulevard des Italiens. Chaque jour, les Parisiens lisent dans la rubrique des faits divers de leurs journaux que cinq, six, sept Algériens ont été abattus ou blessés. Je crois connaître le visage du terrorisme. Je voudrais me faire

l'interprète de tous ceux qui l'ont connu, soit qu'ils en aient été les victimes, soit qu'ils aient eu à le combattre. [...]

Le terrorisme n'est pas une arme nouvelle, mais, jusqu'à ces dernières années, il n'avait été employé que par des révolutionnaires dans un but extrêmement limité. Il a été employé comme arme de guerre essentiellement par les bolcheviques et son apparition comme instrument systématique de combat remonte à la deuxième guerre mondiale.

Ce qui caractérise le terrorisme, ce qui fait sa force essentielle et ce que vous devez savoir, c'est qu'il agit dans le cadre de lois bien définies. En effet, à Alger, quand on découvrait un dépôt de bombes, on y trouvait très souvent un Code pénal.

Le terrorisme ne prend aucun des risques habituels que prennent les criminels classiques ou les soldats sur le champ de bataille, ou les guérilleros et les francs-tireurs.

Le criminel classique tue dans un but précis un individu soit pour le voler soit pour se venger. Son crime a un mobile, facile à découvrir. Pour réussir, il est obligé de prendre des risques qui aboutissent généralement à son arrestation. Son forfait est perpétré dans un cadre connu. Une procédure d'instruction criminelle bien définie, employée sans difficulté, peut obtenir une saine justice tout en respectant les droits de l'individu et ceux de l'homme.

Le militaire qui affronte son adversaire sur le champ de bataille agit dans un cadre connu du droit séculaire, cette partie du droit des gens qu'on appelle les lois de la guerre. Les risques pris par lui sont les mêmes que ceux de l'adversaire qu'il combat. Quant au guérillero, au franc-tireur qui pourtant s'attaque à une armée régulière, le seul fait qu'il transgresse les lois de la guerre en se battant sans uniforme, évitant ainsi les risques que celui-ci pourrait lui faire encourir, s'il est fait prisonnier les armes à la main, le droit des gens autorise qu'on le fusille sur place.

Le cas du terroriste est autrement grave, il n'a pas d'uniforme, il s'attaque en général à des gens sans défense, désarmés, décidé à tuer n'importe qui, n'importe où et n'importe comment. Il ne prend aucun risque, il a donc les plus grandes chances d'échapper aux forces de police, et, en général, il leur échappe.

Si l'évolution du droit des gens a nécessité l'établissement d'une loi draconienne en ce qui concernait la lutte contre le franc-tireur, n'en devait-il pas être de même contre le terroriste ? [...]

En fait, et vous le savez, si nos lois étaient strictement appliquées on ne pourrait pratiquement arrêter que des terroristes en flagrant délit.

Les forces chargées du maintien de l'ordre n'ont donc d'autre alternative que d'avouer leur impuissance à remplir leur mission en laissant le champ libre aux terroristes ou bien transgresser les lois habituellement admises pour remplir leur mission. »

3. Le 13 mai

Quand la Quatrième République est-elle morte ? Le 4 octobre 1958, quand fut proclamée par René Coty la constitution de la Cinquième ? Le treize mai 1958, quand les manifestants d'Alger, conduits par Pierre Lagaillarde, prirent d'assaut le gouvernement général, lançant le processus qui devait ramener au pouvoir le général De Gaulle ? À Diên Biên Phu comme l'ont affirmé dans un film Jean Lacouture et Jérôme Kanapa ? À mon avis, la bonne date est le 2 février 1958, jour où l'aviation française bombarda le petit village tunisien de Sakiet Sidi Youcef.

Quand dix mois plus tôt j'étais retourné à la vie civile en avril 1957, j'avais trouvé une France en pleine déréliction. L'aventure poujadiste se terminait, je fus exclu le 30 avril, quittai le groupe parlementaire le 18 juin, je siégerais désormais avec les non-inscrits à l'Assemblée nationale. Bon vent !

La situation politique était trouble. Personne ne savait comment allaient évoluer les « événements », ce que préparait vraiment le gouvernement. Sans doute avait-on rappelé le contingent, et le nombre d'appelés croissait-il de jour en jour en Algérie, mais cela ne voulait rien dire, surtout pas que l'on était décidé à en finir avec la rébellion. Mendès France avait projeté de lancer le contingent en Indochine, et c'était pour lui une façon de hâter la négociation : en impliquant les familles on fait pression sur l'opinion pour finir la guerre. En Algérie, le président du conseil socialiste Guy Mollet n'était pas à la hauteur, c'était un apparatchik de la SFIO dépassé par les événements.

Je n'avais aucune confiance, ni en la gauche, ni en la droite, pour surmonter les divisions et les complots de la guerre. Je fondai un éphémère MNACS (Mouvement national d'action civique et social) avec ceux qui avaient quitté l'UDCA, dont j'offris la présidence à Louis Alloin, un ancien résistant socialiste passé par le RPF avant de rallier Poujade. J'y amenai des copains comme Reveau, Jamet et Dominique Chaboche. Puis, avec les anciens des deux guerres et de l'Indo, je lançai, le 14 août, le Front National des combattants. J'en bombardai Delpey président, Demarquet vice-président et je me réservai le secrétariat général. À l'époque, le modèle d'organisation était le parti communiste, qui n'avait pas de président, le secrétaire général étant le vrai patron. L'objet du FNC était, aux termes de notre déclaration à la préfecture de police de Paris, de « contribuer à la sauvegarde de l'union française en luttant contre le défaitisme et toute politique d'abandon ; défendre, en tout temps et en tous lieux, les intérêts et droits matériels et moraux des combattants français ». C'était sans ambiguïté.

Je formai pour l'été une caravane de l'Algérie française, qui descendit les côtes françaises de Dunkerque non pas à Tamanrasset, mais à Menton. L'armée nous avait prêté, grâce à mes entrées au ministère de la Défense, une douzaine de camions. Une cinquantaine d'étudiants pieds noirs conduits par le président de l'AG d'Alger Gautherot avaient rejoint les cent militants du FNC que nous avions pu mobiliser. On tractait la journée, le soir on montait un chapiteau pour tenir une réunion publique. Nous avions formé trois groupes que dirigeaient Delpey, Reveau et moi. Roger Holeindre faisait la popote. J'étais dans un triste état physique, une rechute de dysenterie amibienne, souvenir de l'Indochine ranimé par la chaleur caniculaire. Pendant huit jours je ne pus rien garder dans l'estomac. En arrivant à La Trinité, miracle, tout se remit en place. Il y a plus de choses sous le soleil que ne peut en comprendre notre philosophie.

Notre caravane n'était pas du goût de tout le monde. *L'Humanité* s'excita sur deux pages contre « Les colonnes infernales de Le Pen et Demarquet ». Le PC, toujours fidèle à sa stratégie de guerre civile, décréta qu'en tout cas nous n'entrerions pas dans Saint-Nazaire où la CGT avait lancé une grève générale. Nous relevâmes bien sûr le défi. Nos trois colonnes convergèrent sur la ville, très exactement sur l'immeuble de la CGT, d'où les militants nous balançaient tout ce qu'ils pouvaient sur la figure. Nous le prîmes d'assaut et les communistes regrettèrent leurs provocations.

Au lecteur que ces mœurs surprendraient, on doit préciser qu'il n'y eut pas de blessure sérieuse ni de plainte. On a vu plus haut que mes amis et moi-même avons reçu à diverses reprises des raclées, étant les moins forts et les moins nombreux ; nous en rendions quelques-unes, voilà tout. L'époque était assez physique, sans que cela donnât lieu ni à des jérémiades, ni à des leçons de morale. La police, dans ce contexte, n'était pas tendre.

Quelque temps auparavant, je défilai avec une vingtaine de manifestants tranquilles criant « Algérie Française » sur le boulevard Saint-Michel. J'avais ceint mon écharpe tricolore, mais ils nous triquèrent si dur que mon cuir chevelu fut entaillé sur plus de dix centimètres, ça pissait le sang, je me souviens j'en avais envoyé plein la vitrine du « Mahieu ». Un député en sang dans une manifestation pacifique ça fait désordre, et le commissaire, peut-être saisi de compassion, en tout cas pour me soustraire à la curiosité des journalistes, m'avait emmené à Cochin. C'était la troisième fois en quelques mois que j'avais le cuir chevelu ouvert – la précédente c'était sur la Seine dans le hors-bord de la mère de Willy Bouchara, nous avons été pris par la lame d'étrave d'un bateau-mouche à la hauteur du pont Notre Dame, elle nous a drossés sur une pile, nous avons coulé et dû rentrer à la nage sur la berge. En finissant de me recoudre, le professeur me dit :

– Vous avez la tête dure, mais n'exagérez pas.

Je m'aperçois que j'ai un peu dérivé depuis Sakiet Sidi Youssef. Revenons à notre point. Les élites politiques françaises ne savaient pas très bien ce qu'elles entendaient faire de l'Algérie. Elles n'osaient pas la lâcher, elles avaient été forcées d'appeler les paras pour ramener l'ordre dans Alger, mais, quand certains ministres recommandaient la fermeté, sincères, d'autres négociaient en sous-main. Cette indécision n'échappait pas à « la communauté internationale ». L'URSS poussait les pays non alignés, c'est-à-dire essentiellement les puissances récemment décolonisées, l'Inde, l'Indonésie, appuyées par la Yougoslavie de Tito, à réclamer la décolonisation. L'ONU était le théâtre de manœuvres sans fin. Les États-Unis et l'Angleterre, pourtant nos alliés, s'y prêtaient avec à peine ce qu'il convenait d'hypocrisie.

La mode était de demander « d'internationaliser la solution de la crise algérienne ». C'était le dada des Anglais et des Américains, qui estimaient qu'ils avaient leur carte à jouer au Maghreb, ils venaient de livrer des armes à la Tunisie d'Habib Bourguiba, bien que la France les ait avertis que ces armes pouvaient être détournées au profit de l'ALN. Bourguiba en effet se prétendait neutre mais offrait à ses « frères » du FLN une aide massive contre la France. Cela provoqua l'incident de Sakiet Sidi Youcef, dont devait mourir la Quatrième République.

Depuis au moins l'indépendance de la Tunisie, le 20 mars 1956, le FLN trouvait dans ce pays à la fois une base de repli et d'entraînement pour ses katibas, et un point de passage pour son ravitaillement en armes, munitions et matériel. Le flux d'armes et de combattants était si important qu'André Morice, ministre de la Défense, décida en juillet 1957 la construction d'une ligne électrifiée et minée le long de la frontière qui porterait son nom. Mais il y avait des endroits où le relief et la végétation permettaient aux Fellaghas de l'approcher, de la cisailler et de passer avant d'être repérés par nos unités d'intervention. Les troupes du FLN franchissaient la frontière tantôt pour aller s'installer dans l'une des wilayas intérieures, tantôt pour attaquer le territoire algérien avant de se replier en Tunisie.

C'était le cas dans la région de Sakiet Sidi Youcef, à une centaine de kilomètres au sud-est de Bône et à une trentaine du bourg tunisien de Ghardimaou. Là s'élevait, à cinq cents mètres d'un poste de surveillance français, un village tunisien qui avait la particularité d'abriter trois nids de DCA et une maison forestière occupée par l'ALN. Un peu au sud une mine désaffectée servait de cantonnement à une importante troupe de l'ALN qui déambulait en ville à ses moments de repos, et trouvait dans ses galeries à ses heures de service l'équipement et les armes qui lui étaient nécessaires, y compris de l'artillerie et des mitrailleuses lourdes. Elle s'y trouvait à l'abri de toute contre-attaque française, la Tunisie étant un pays indépendant et neutre – mieux, ami de la France.

À la fin de 1957 et au début de 1958, cet ami de la France poussa le bouchon un peu loin. Le 11 janvier à huit kilomètres au sud-sud-ouest de Sakiet en territoire français, un contingent de trois cents fellaghas prenait au piège 43 soldats français commandés par le capitaine Allard, faisant quatre prisonniers et tuant quinze hommes si l'on compte les blessés achevés, l'infirmier compris. Durant cette embuscade, les fellaghas furent appuyés de tirs de mortiers situés de l'autre côté de la frontière. À l'arrivée des renforts français, les trois cents combattants de l'ALN décrochaient vers la Tunisie, où des GMC de la garde nationale tunisienne les attendaient, les mêmes qui les avaient amenés à pied d'œuvre.

Le seize janvier le président du Conseil Félix Gaillard faisait porter un message au président Habib Bourguiba, qui refusa de recevoir l'un de ses envoyés, le général Buchalet, et de fournir la moindre explication. Le dix-huit, Jacques Soustelle, l'un des principaux fidèles du général De Gaulle à l'Assemblée nationale, protestait solennellement contre l'attitude de ce prétendu ami :

– Ceux qui meurent là-bas sont à porter au passif de M. Bourguiba.

Le 20, l'hebdomadaire tunisien Action publiait la photo des quatre soldats faits prisonniers. Félix Gaillard lança aux députés :

– Nous emploierons tous les moyens pour protéger le territoire algérien.

Mais il ne fit rien. Il gouvernait avec peine, sous la pression des Américains qui conditionnaient leur aide financière à une réduction du budget militaire et en fin de compte au départ de la France d'Algérie. Quelques jours plus tard, la presse cessa de parler de ce premier « incident ». Mais la bataille des frontières continuait, l'aviation y était employée notamment à la surveillance de la ligne Morice et à la protection des convois. Or, le 30 janvier, un T 6 était touché, alors qu'il évoluait en territoire français, par la DCA tunisienne. L'appareil put heureusement se poser et l'équipage fut récupéré par une patrouille. Cependant l'aviation, excédée, demanda au commandant en chef en Algérie, Raoul Salan, l'autorisation de se défendre. Celui-ci télégraphia au général Ély, chef d'État-major des armées, que, sauf contrordre de sa part, il autoriserait l'armée à une riposte automatique dans les trois heures à tout tir de provenance de Tunisie. Le 3 février Ély donnait son approbation écrite, même s'il devait en contester la portée plus tard dans ses mémoires.

Le 7 février 1958, rebelote, un autre T6, qui n'avait nullement franchi la frontière, était la cible de la DCA tunisienne, et le lendemain, jamais deux sans trois, les mitrailleuses lourdes de Sakiet touchaient gravement un troisième appareil qui devait se poser en catastrophe à Tébessa. Cette fois Salan donna son feu vert à des représailles, comme le chef d'État-major général, donc le gouvernement, l'y avait autorisé. On opta pour un simple bombardement de Sakiet, car une opération terrestre et aéroportée, dont les plans existaient, aurait été plus coûteuse à tous égards, elle n'était d'ailleurs pas autorisée par Paris, et pouvait difficilement l'être étant donné le précédent de Suez et la pression diplomatique exercée contre la France.

La riposte fut donc proportionnée aux nombreuses attaques subies. Le huit février à onze heures six Corsairs de l'aéronavale détruisirent les postes de DCA de Sakiet, pendant que onze Bombardiers B 26 attaquaient la mine désaffectée, assistés de huit chasseurs bombardiers Mistral. Il y eut quelques morts parmi la population civile que Bourguiba monta en épingle. Il en multiplia le nombre par dix, selon la méthode éprouvée du mensonge statistique, sans oser cependant aller aussi loin que le PC naguère avec ses prétendus « 75 000 fusillés ». Il saisit le Conseil de Sécurité de l'ONU. La presse française et internationale s'enflamma contre la France, les chancelleries étrangères aussi. Les amateurs de dentelle qui avaient opéré à Dresde ou Hiroshima et se préparaient pour le Vietnam joignirent leur voix aux démocrates qui venaient de rétablir l'ordre à Budapest et aux humanistes de Melouza pour nous faire honte d'avoir visé un objectif militaire où se mêlaient des civils.

Or voyons les choses posément : la France, attaquée à partir d'un pays neutre avait protesté auprès du gouvernement légal de ce pays qui n'en avait tenu aucun compte, et averti qu'elle allait riposter. Bourguiba eut le front de prétendre qu'il n'y avait pas de troupes de l'ALN sur son sol. Savait-il que ses propres soldats épaulaient les fellaghas ? S'il l'ignorait, c'était un minable, s'il le savait, c'était un criminel. En tout cas le fait de laisser le FLN opérer à partir de Sakiet exposait la Tunisie à des représailles et la population civile aux dangers de la guerre, et plus encore le fait d'avoir installé des batteries de mitrailleuses dans le bourg. Mais précisément, ce mélange odieux et pervers s'était fait à dessein : le pari était que jamais la France n'oserait frapper un objectif au milieu d'une population civile. Les habitants de Sakiet avaient donc été pris en otage par le FLN et le gouvernement tunisien et leur avaient longtemps servi de bouclier. Après le bombardement, le FLN et le gouvernement tunisien exploitèrent la mort des malheureux civils dans une honteuse comédie diplomatique. C'est une parfaite illustration de la guerre révolutionnaire dont le communisme avait fixé la théorie et qu'il avait pratiquée tant pendant la Bataille d'Alger que pendant la Seconde Guerre mondiale.

Du point de vue politique, la réaction la plus intéressante fut celle du ministre de la défense qui couvrit officiellement l'opération en faisant mine, contre toute évidence, de ne pas avoir été mis au courant, afin de condamner Salan. Jacques Delmas dit Chaban était un gaulliste rompu à toutes les souplesses parlementaires, fondateur avec Mitterrand et Mollet du front républicain, qui vit dans l'affaire une occasion de pousser ses pions en Algérie. C'était un homme mystérieux : depuis qu'il tenait le ministère de la Défense je n'y avais plus mes entrées. Il envoya deux hommes à Alger pour y préparer le retour du Général, deux hommes qui, sans comprendre leur véritable rôle, devaient y réussir par leur courage, leur honnêteté et leurs vraies convictions, Léon Delbecque, ancien socialiste et résistant, et Jean Pouget. Ce dernier, lorsqu'il était aide de camp du général Navarre lui avait demandé la permission de sauter sur Diên Biên Phu dans les derniers jours de la bataille, sachant celle-ci perdue, et y avait été fait prisonnier par les Viets.

En 1959, les frères Serge et Merry Bromberger, journalistes célèbres à l'époque, devaient publier chez Fayard un livre retentissant, *Les treize complots du 13 mai*. À les lire, on mesure la ténuité de certains de ces « complots » et l'on ne comprend pas la réussite du complot gaulliste : pour moi, cela tient au fait que le complot gaulliste fut le seul vrai, le seul correctement organisé, de longue date, à différents niveaux de la société. Pendant que l'antenne Delbecque s'installait à Alger, Soustelle agissait à l'Assemblée Nationale, Chaban tenait le ministère des armées et le sénateur Debré ranimait la flamme des militants dans *Le Courrier de la colère*, l'hebdomadaire qu'il avait fondé en 1957. Il y demandait tous les vendredis deux choses, le maintien de l'Algérie française et le retour du Général au pouvoir. Le 14 février il réclama un gouvernement « de salut public que le Général peut seul présider », le 21 il affirmait :

– L'autorité a un sens, elle a aussi un nom. Le nom, c'est le général De Gaulle.

Sous leurs coups répétés, la Quatrième République s'effondra dans les séquelles de Sakiet Sidi Youcef. Bourguiba ayant élevé une protestation auprès de l'ONU et demandant l'évacuation des bases militaires que conservait la France en Tunisie, les États-Unis et la Grande-Bretagne proposèrent leurs « bons offices » pour résoudre la crise. Félix Gaillard en acceptait le principe le 17 février, mais Robert Lacoste rappela que la commission internationale créée à la fin de la guerre d'Indochine, tout en coûtant cher à la France, avait surtout servi à espionner les forces françaises et à faire de la propagande pour le Vietnam du nord. Les bons offices seraient finalement rejetés le 8 mai.

Pris dans ces contradictions le gouvernement Gaillard tombe le 15 avril et le président Coty ne lui trouve pas de remplaçant. Pendant ce temps Américains et Tunisiens jettent le masque. Le 22 avril à la conférence d'Acra les États-Unis demandent le retrait de la France d'Algérie. Le 27 du même mois à Tanger l'Istiqlal marocain, le Néodestour de Bourguiba et le FLN proclament leur unité de vue et d'action pour la « libération de l'Algérie ».

Les divisions politiques en France, la déliquescence de l'État, et l'indécence souveraine des pressions internationales encouragent le FLN à la provocation. Le 30 avril, il fusille en Tunisie trois des appelés français qu'il détenait prisonniers, René Decoutreix et Robert Richomme du Vingt-troisième RI, et Jacques Feuillebois du Dix-huitième dragon. Le 9 mai, au lendemain des cérémonies marquant la fin de la Seconde Guerre mondiale, il se vante de cet assassinat. C'est trop. La colère d'Alger éclate et elle ne sera plus maîtrisable malgré les efforts du général Salan pour apaiser la foule.

Les manifestations succèdent aux manifestations. Partout les partisans de l'Algérie française en ont prévu une le treize mai, l'avant-veille de l'Ascension, pour protester contre l'investiture prévue du MRP Pfimlin à la présidence du conseil après une vacance du pouvoir d'un mois : l'homme préconise en effet de négocier avec le FLN sans victoire militaire préalable. La terreur et la colère d'Alger se comprennent : cela fait à peine plus de six mois que la ville a échappé aux bombes des terroristes. À Paris je mobilise le Front National des combattants et plusieurs milliers de personnes défilent sur les Champs Élysées. Place de la Concorde, nous sommes chargés par les gendarmes mobiles à coups de crosse. Pour transformer notre repli en conquête, je crie :

– À l'ambassade des États-Unis !

Au soir seulement nous apprenons que quelques centaines de manifestants conduits par Pierre Lagaillarde, président de l'association des Étudiant d'Algérie, officier parachutiste de réserve, ont pris l'immeuble du Gouvernement Général. Il se forme immédiatement un Comité de Salut Public répondant aux vœux de Michel

Debré, où les Gaullistes prennent des places stratégiques. Delbecque en devient vice-président et Massu président. Nous ne connaissons pas alors les efforts, couronnés de succès, du général Salan pour éviter les débordements en tous genres et l'effusion de sang, mais nous voyons bien que l'immeuble du Gouvernement Général, symbole de la présence française, est l'endroit où tout va se jouer. Et plus particulièrement son balcon, où se succèdent les orateurs qui enthousiasment la foule. Nous avons l'intuition, Jean Maurice Demarquet et moi, que celui qui sera là-bas en position de dire ce qu'il faut emportera le morceau.

C'est pourquoi nous décidons de partir pour l'Algérie. En avisant à la terrasse du Bourbon, près de la chambre des députés, Soustelle, Bénouville et La Tour du pin en conciliabule, nous pensons que les gaullistes ont une longueur d'avance et nous n'avons pas tort puisque Delbecque, d'abord traité de « voyou » par Salan dans les premières heures de l'insurrection parviendra à se glisser auprès de lui et lui suggérer le 15 mai de crier le fameux « Vive De Gaulle » qui décidera de l'avenir.

De Gaulle lui-même, qui sait tout des diverses machinations que les uns et les autres mènent à son profit, et qui les encourage discrètement, garde des coquetteries démocratiques. Il ne veut pas paraître officiellement l'obligé d'un Coup d'État, et c'est politiquement bien joué. Cela laissera le temps au régime de tomber tout seul comme un fruit mûr dans la peur et la confusion, aux réseaux gaullistes d'agir, aux autres de se découvrir. Pfimlin s'accrochera à son fauteuil de président du conseil jusqu'au premier juin. Cela nous laisse, à nous, l'espoir de faire quelque chose d'utile. Nous rappelant son discours de Brazzaville, nous ne pensons pas en effet que De Gaulle soit l'homme de l'Algérie française.

Les vols pour Alger étant interdits au départ d'Orly, nous faisons un détour par la Belgique. C'est ma jeune amie du moment, Pierrette Lalanne, qui va nous conduire à Bruxelles dans la voiture de sa mère, assise, quand ce sera nécessaire, sur mon pistolet que je suis passé prendre en catastrophe, avec un peu d'argent liquide, villa Poirier.

Nous n'avons pas de plan précis, l'idée est de se rapprocher d'Alger. Le vol Bruxelles – Elisabethville prévoit une escale à Lisbonne : le Portugal faisant partie de l'OTAN, nous pourrons y descendre sans avoir besoin de visas.

Si Pierrette ne dépassa pas Bruxelles, Demarquet avait embarqué sa petite amie, séduisante mais redoutable irlandoïde : elle était rousse, joliment roulée et parfaitement incontrôlable. Je me souviens qu'un peu plus tard sur le *Cambronne*, un voilier que j'allais acheter, elle devait envoyer à l'eau le ravier des crevettes du hors-d'œuvre ; elle manquerait l'y suivre. À l'hôtel Alphonse XIII de Lisbonne, on nous signale qu'un cargo suédois est en partance pour Alger. Nous sautons dans un taxi pour le port, juste à temps pour voir s'écarter du quai la poupe du scandinave. Retour à l'hôtel. Une manchette de journal nous saute aux yeux :

– Le Bruxelles-Elisabethville s'écrase à Casablanca, 54 morts.

Précisément l'avion que nous venions de quitter ! Ce n'était pas notre heure, mais cela ne résolvait pas notre problème. On décida de passer par Madrid. Or pour pénétrer en Espagne un visa était nécessaire, il fallait laisser passer l'Ascension, et une nouvelle nuit d'hôtel. Le vendredi à la première heure nous foncions à l'ambassade y décrocher le précieux visa. C'était nécessaire mais pas suffisant : une fois à Madrid, il fallut trouver un moyen de gagner Alger, car les vols réguliers étaient supprimés. Je finis heureusement par trouver un avion de location, un quadrimoteur Languedoc dont le pilote consentait à se rendre là-bas. C'était hélas trop cher pour nous. Une équipe de télé américaine accepta heureusement d'en payer un tiers et trois Français un autre tiers.

On décolle mais presque aussitôt le pilote fait demi-tour, se pose, monte avec une échelle sur l'aile, farfouille dans un des moteurs, referme, avec pour tout commentaire :

– Plus de problème !

De fait nous atteindrons l'aéroport d'Alger sans autre difficulté. Je suis euphorique, on y est arrivé. Maintenant tout dépend de notre détermination et de notre talent. Nous allons pouvoir peser sur les événements. On va nous accueillir à bras ouverts, des députés hier encore engagés dans les paras pour l'Algérie française, on ne peut pas faire mieux. En plus mon chef Jeanpierre vient de faire un boulot excellent lors de la bataille d'Alger, puis tout récemment dans celles des frontières, et par-dessus le marché nous sommes d'anciens poujadistes : de quoi plaire à Lagaillarde autant qu'à Ortiz, deux des principales figures du comité de salut public !

Las, au contrôle d'identité, c'est la douche froide. Des militaires gueules bloquées nous tirent à part et nous tiennent plusieurs minutes en garde à vue, le temps de vérifier la consigne au téléphone. Je m'étonne :

– Il doit y avoir erreur. Nous entretenons les meilleures relations avec le général Salan.

Pour toute réponse le colonel d'aviation qui nous a alpagués pose son combiné en ricanant :

– Ça m'étonnerait. Jouhaud a dit de vous flinguer si vous faisiez les zouaves. Les ordres sont formels, vous êtes expulsés. Vous devez repartir avec votre avion.

Il nous y raccompagne. On redécolle direction Madrid, très marris et un rien intrigués : quelle mouche avait piqué Salan ? Nous n'étions pas au bout de nos surprises. Alors que nous volions au-dessus de la Méditerranée dans l'espace international, une patrouille de la chasse française nous rejoignit : ordre de revenir sur Alger. Comme le pilote espagnol refusait, un des chasseurs posa son aile sur la nôtre. C'est assez impressionnant. On imagine que l'aile va casser, ou que les deux appareils vont se caramboler. Mais le militaire connaissait son métier, et le civil ne prit pas de risque inutile. Il fit sagement demi-tour, nous étions bientôt de retour à Alger. Une véritable histoire de fou.

En plus, à l'atterrissage, en bout de piste, j'aperçois trois voitures noires qui nous attendent. Cela me paraît si mauvais signe que je tire mon revolver de ma mallette pour le glisser dans ma ceinture. Dans ces périodes troublées tout est possible. Rien ne se passe pourtant. Une escouade de militaires qui ne sont pas habilités à nous donner la moindre explication nous emmène dans un salon. On nous y laisse attendre des heures sans boire ni manger. Enfin, le soir tombé, on nous ramène à l'avion, direction Madrid à nouveau.

Nous étions épuisés de fatigue. Demarquet et son irlandoïde s'endormirent à peine assis, quant à moi j'essayais de tenir les yeux ouverts pour comprendre, quand, me dirigeant vers le poste de pilotage dans l'espoir d'y trouver un sandwich, je me demandai tout à coup si je ne rêvais pas : aux commandes se tenait un petit garçon ! Je crie :

– Pilote ! Pilote !

Celui-ci se lève, un peu embrumé, des sièges où il s'était couché. Je le houspille :

– Mais qui pilote ?

– Ma cé mon fils.

– Mais vous êtes complètement fou !

– Ma s'il apprend pas, il saura jamais !

Son garçonnet avait la consigne d'appeler en cas d'événement quelconque. C'était encore le temps de la fantaisie. Le souvenir de Mermoz et Lindbergh n'était pas si loin.

À Madrid, on décida d'attendre une nouvelle occasion en prenant un peu de repos. Cela signifiait une nouvelle nuit d'hôtel. Mon portefeuille commençait à se plaindre, d'autant que Demarquet et son irlandoïde, sous prétexte qu'ils étaient en couple, prenaient toujours le grand lit et me laissaient royalement le canapé. J'inversai cette fois les choses en leur expliquant :

– Écoutez, vous êtes bien gentils mais c'est moi qui paie. J'ai sommeil, je prends le lit double, je dors avec celui que vous voulez. Choisissez !

Je pus tranquillement faire l'étoile de mer en travers du matelas, car Demarquet n'osa ni placer sa belle à côté de moi ni lui déplaire en lui préférant une couche moelleuse.

Il allait falloir attendre plusieurs jours pour profiter de la première liaison rétablie entre Madrid et Oran. Hélas comme nous le craignions, nous sommes arrêtés à notre descente d'avion et transférés d'ouest en est jusqu'à Constantine par un commandant d'État-major et placés sous la garde du général Gracieux qui est à la tête de la Dixième division parachutiste. À peine sommes-nous posés qu'un commandant de paras béret rouge m'annonce :

– Jean-Marie, ton patron vient d'être tué à Guelma.

Il prononça ces paroles avec gravité, Jeanpierre était une figure de l'armée que tous estimaient, et je les reçus avec tristesse. Il avait été mon chef en Indochine, à Suez, à Alger. Mais le commandant d'état-major, sans se soucier de troubler ce moment, se manifesta d'une voix aiguë :

– Les menottes !

On n'a pas le droit d'entraver un prisonnier avec des menottes à bord d'un avion, on les avait donc ôtées pendant le vol : le rond-de-cuir sous uniforme exigeait qu'on nous les remît. Le béret rouge se tourna vers lui :

– C'est à toi qu'on va les mettre, les menottes, connard, si tu insistes !

Nous sommes conduits sans menottes jusqu'à l'état-major de Gracieux. Sur la table de la pièce où l'on échoue reposent des verres et une bouteille de whisky. Demarquet, qui connaît l'âme humaine, remarque :

– C'est bon signe !

Le lendemain 31 mai nous sommes autorisés à nous rendre aux obsèques de Jeanpierre à Guelma. Salan est là. Le régiment pleure un père, la Légion un as. Toute l'armée, du commandant en chef au simple deuxième classe, salue ce grand soldat. Même le général De Gaulle, pendant son premier voyage de président du conseil qu'il fera en Algérie à partir du 4 juin, viendra s'incliner devant sa veuve. Et pourtant Jeanpierre n'était pas gaulliste. C'est pour cela qu'il avait dû gagner ses galons un à un par des faits d'armes dont ses innombrables citations témoignaient, dans tous les coups durs. Sous-lieutenant en 1937 au premier étranger, lieutenant en 1938, il était affecté au Levant en 39 au sixième étranger. Les troupes du général Dentz ayant été attaquées à l'été 1941 par les anglo-saxons et les gaullistes lors de l'affaire de Syrie, il resta fidèle à ses chefs et gagna Marseille avec son unité avant de rejoindre la résistance en 1942. Fait prisonnier par les Allemands en 1944, il fut interné à Mauthausen, d'où il ne sortit qu'en mai 1945. Depuis, il n'avait pas cessé de combattre pour la France.

Après une cérémonie poignante nous allions faire passer l'émotion qui nous avait retournés au mess, selon la règle d'or de tout enterrement, quand un jeune sous-bite nous interpella :

– Alors, les politicards, De Gaulle va vous tordre la gueule !

Je lançai un bref regard circulaire sur les officiers les plus proches, qui allaient à eux seuls collectionner au moins deux cents ans de taule en 1962, et je répondis, plus las qu'agressif :

– Connard, c'est à toi, à vous tous, qu'il va tordre la gueule.

J'avais hélas raison. On connaît la suite, la fraternisation entre communautés bientôt trahie et l'armée avec, l'Algérie française exaltée à Mostaganem pour être plus tard délaissée au profit de l'autodétermination puis de l'abandon pur et simple, Salan et Massu félicités, promus, écartés, les comités de Salut Public dissous, etc. Je ne pus même pas observer le début du processus : dès l'annonce du voyage de De Gaulle le 4 juin, j'étais à nouveau expulsé.

Sous le coup de cette décision administrative, assis dans l'avion qui me ramenait à Paris, j'eus enfin le temps de réfléchir. Après celle de Jeanpierre, on m'apprit la mort du capitaine Petit, mon camarade de rugby à la Fac qui avait fait Saint-Maixent et l'Indochine avec Peyrat et moi, que nous surnommions Pitou. Officier SAS à In Amenas dans le Fezzan, il venait d'être assassiné en mai dans le tunnel des facultés d'Alger par deux professionnels à moto. Cela n'entrait pas dans les méthodes du FLN, qui d'ailleurs ne bougeait pas à l'époque. Avait-il été la cible des services ? Et lesquels ? Il y a du pétrole dans le Fezzan.

Je songeai aussi à la guigne bizarre qui me poursuivait depuis trois semaines : d'un événement exceptionnel qui aurait pu changer le destin de mon pays dans le sens que je souhaitais, je n'avais rien vu, rien vécu, à part le deuil de mon chef et d'un ami, rien que l'attente dans des hôtels, des formalités administratives, des arrestations absurdes, des allers retours en avion, des ordres et des contrordres plus incompréhensibles les uns que les autres

Si je ne devais jamais retrouver, bien sûr, ni le temps ni les occasions perdues, j'eus quand même un peu plus tard, après des conversations avec l'entourage de Salan, l'explication de cet étrange fiasco. Elle est très simple. Trop content de trouver des volontaires pour partager les frais de l'avion que j'avais loué en Espagne, je n'avais pas fait attention aux noms des passagers, qui figuraient sur le plan de vol communiqué à l'état-major d'Alger. On y trouve un certain Knecht qui tira l'œil du commandant en chef : il avait fait partie d'un complot visant à l'assassiner. Ce complot, dit du bazooka, avait abouti le 16 janvier 1957 à la mort du commandant Rodier, proche collaborateur de Salan, tué par un projectile antichar tiré d'un immeuble voisin. Le commanditaire visible du complot fut un médecin nommé Kovacs mais celui-ci mit en cause certains politiques pendant le procès. Salan nous fourra dans le même sac que Knecht, craignant que nous ne fussions venus en Algérie le flinguer. Il nous expulsait donc, quand Lagaillarde en eut vent et menaça de faire sortir ses voitures porte-voix et de rameuter la population – d'où contrordre et demi-tour en vol. Mais Lagaillarde avait autre chose à faire que de suivre l'affaire dans le détail : quand il eut tourné le dos, ils attendirent un peu par prudence et l'on nous remit dans l'avion le soir.

Quant à l'expulsion de juin, elle fut liée à l'arrivée du Général. On l'a croisé et on a débarqué à Paris le lendemain ou le surlendemain du jour où l'assemblée lui avait voté les pleins pouvoirs. Ainsi finit le plus long et le plus parfait des contretemps.

4. Un sang neuf

Le pire n'est pas toujours sûr. Les six mois qu'il passa à Matignon, De Gaulle fit des choses excellentes. Son voyage de juin en Algérie fut un rêve. Les foules escortaient sa voiture au pas, elles l'auraient porté en triomphe s'il s'était laissé faire. Des paroles vibraient dans l'air brûlant. *Je vous ai compris. Vive l'Algérie française.* Les pieds noirs buvaient du petit-lait. L'armée jubilait. De Dunkerque à Tamanrasset il n'y avait plus que des Français à part entière qui soupiraient de soulagement : enfin quelqu'un prenait les choses en main.

Depuis la guerre, l'Indochine, Suez, je n'avais jamais entendu que deux mots, *trop tard*, il y en avait un nouveau maintenant : *vite*. Les choses allaient vite. À l'été une constitution était mise sur pied qui allait donner au futur président les moyens d'agir. Elle était approuvée par plus de trois Français sur quatre par voie de référendum en septembre, promulguée en octobre. Des législatives suivirent en novembre, au scrutin uninominal à deux tours. Je m'y présentai dans mon secteur à Paris en indépendant. Je fus élu. Sur la vague Algérie française, ma réputation de député combattant, mon talent, et grâce aussi à l'appui d'Édouard Frédéric Dupont, un ancien de février 34 alors très influent (ses ennemis le surnommaient Dupont des Loges, député des concierges, croyant l'abaisser ainsi alors que c'était en fait un beau compliment. Les gardiens des immeubles lui savaient gré en effet d'avoir supprimé l'antique règlement qui les obligeait à se réveiller la nuit quand un locataire rentrait tard pour lui livrer passage).

En décembre le général De Gaulle, dernier président du conseil de la Quatrième République, était élu premier président de la cinquième, à l'ancienne, par un collège de quatre-vingt mille grands électeurs. On avait changé d'ère. Il ne lui restait plus qu'à gouverner.

J'ai oublié dans tout cela la date la plus importante de ces mois échevelés, le 16 mai. Ce jour-là, des centaines de milliers de musulmans descendirent de leurs douars et casbah, drapeaux bleu-blanc-rouge en tête, hommes et femmes, jeunes, vieux, enfants mélangés pour démontrer leur attachement à la France et se mêler aux Européens, en une seule foule qui criait de joie. C'est une mer humaine bigarrée qui devait porter la DS du général De Gaulle comme un petit bateau noir sur les routes de son voyage. La fraternisation, impensable un mois plus tôt emportait l'Algérie. Les émeutes de Constantine et Philippeville, les bombes de la bataille d'Alger, les ratonnades, les rigueurs de la répression, tout semblait oublié, Européens et musulmans se côtoyaient, se parlaient, s'embrassaient.

On a dit depuis que c'était du faux, que chacun gardait ses arrière-pensées, que l'armée avait orchestré tout ça. Ce n'est pas vrai. Il y a eu un moment de fête où les deux communautés se sont senties libérées de la peur et ont envisagé un avenir commun. Sans doute les moyens de l'organiser n'étaient-ils pas clairement définis, mais l'élan fut réel. Il aurait pu fonder une politique.

Quant à l'armée, elle a bien sûr prêté ses camions et distribué des drapeaux au mouvement, mais elle ne l'a pas créé. On ne force pas à boire un âne qui n'a pas soif, on ne fait pas exulter sur ordre une population qui n'en aurait pas envie.

Cette fraternisation fut une libération pour tout le monde, y compris les femmes musulmanes. C'est par milliers qu'elles ôtèrent leur voile, qu'elles le brûlèrent par un acte de foi dans le progrès et dans la France. Ou que, symbole tout aussi fort, elles devaient s'en défaire en public lors des scrutins de l'automne. Significativement, le FLN restait silencieux, ne faisait rien. Il ne savait pas comment prendre les choses, comment même les concevoir. Mentalement, il n'existait plus.

L'armée, si elle n'inventa pas la fraternisation du mois de mai, l'avait pouponnée. Cette fraternisation était comme l'enfant de ses amours avec l'Algérie. On ne parle guère aujourd'hui dans les histoires que les lycéens lisent, quand ils en lisent, des SAS. Non pas les commandos britanniques où s'illustra pendant la guerre le futur député du FN Michel de Camaret, mais les sections administratives spéciales françaises qui ont quadrillé le territoire algérien à partir de 1955. Albert Camus, issu du petit peuple pied-noir, avait décrit dans ses reportages avant la Seconde Guerre mondiale la pauvreté, le manque de soin médicaux et d'écoles qui frappaient une très grande part des campagnes musulmanes. Sous la direction d'officiers du contingent, les SAS servirent, jusque dans les coins les plus reculés, à la fois de médecins, de secrétaires de mairie, d'instituteurs, d'agronomes : dans leur esprit, le développement devait venir à bout à la fois de la misère et du FLN. Dans beaucoup de cas, cela marcha. Les SAS se prirent de passion pour leur tâche et d'amour pour les populations. Des témoignages en demeurent.

Jean-Jacques Servan-Schreiber, dans son livre *Lieutenant en Algérie*, s'est complu dans la description de l'ennui et de l'échec d'une partie de l'armée, et la presse a fait une promotion éhontée de son livre, entre camarades journalistes et camarades politiques. J'y ai contribué involontairement. J'entretenais les meilleures relations avec Abel Thomas, le directeur de cabinet de Bourgès Maunoury, le ministre de la Défense, on échangeait des idées :

– Faut lui foutre la croix de guerre, à cet antimilitariste ! Ça va bien l'emmerder.

Ça ne l'a pas emmerdé du tout, cela a donné du poids à ses récriminations. Mais d'autres appelés racontaient heureusement de tout autres expériences. Jean-Yves Alquier écrivit *Nous avons pacifié Tazalt*, Philippe Héduy *Au lieutenant des Taglaïts*. Ils s'y réjouissaient d'avoir ramené la paix, tiré toute une population vers la lumière et la joie. Avant la lettre, ils travaillaient à en faire des Français à part entière.

Patrick Buisson a publié un album sur la guerre d'Algérie qui contient des photos remarquables parce que, paradoxe dans un conflit atroce, la joie s'y manifeste. On lit la joie dans les yeux des écoliers, dans les yeux des bidasses qui leur apprennent à lire, dans ceux des femmes qui regardent les défilés militaires, dans les sourires des petites filles, des scouts, des vieux cadis, des fatmas qui votent, même dans ceux des légionnaires du 1er REP qui contiennent la foule lors du putsch d'Alger en avril 61. Cette joie solidaire naît de la conscience d'accomplir une tâche hors du commun, de participer à une belle aventure. On parle aujourd'hui beaucoup de vivre ensemble : alors, grâce à l'armée, l'Algérie eut le sentiment de frayer une nouvelle façon de vivre ensemble.

Pour ma part, je n'ai pas eu le même coup de foudre pour cette terre que pour l'Indochine. Cela ne se commande pas. Mais j'ai senti cette ferveur et je l'ai partagée. Elle naissait d'un idéal généreux. C'est par un contresens total qu'on a prêté aux partisans de l'Algérie française des intentions égoïstes et une forme d'esprit raciste. Dans la foulée du 13 mai allait être annoncé le 3 octobre une sorte de petit plan Marshall français pour l'Algérie, le plan de Constantine qui serait lancé dès le début de 1959, dont l'ambition était d'amener par paliers le niveau et le genre de vie de l'Algérie à rejoindre celui de la métropole. En même temps que les soldats professionnels ou appelés donnaient leur temps et leur sang, la France donnait son argent, ses ingénieurs, ses entrepreneurs, ses administrateurs pour l'Algérie. L'un des hommes politiques qui incarnait le mieux l'esprit de l'Algérie française, Jacques Soustelle, gaulliste de gauche, venait du marxisme. La solidarité qui naissait d'un espoir commun, des SAS et de la fraternisation, cette amorce d'amitié franco-algérienne devait plus à Michelet qu'à Barrès.

Nous n'avions pas pu lui donner corps en Indochine, il me tenait à cœur de la réussir en Algérie. Je l'avais dit avec force à la tribune de l'Assemblée nationale quatre mois avant le 13 mai, le 29 janvier 1958, dans un discours dont j'extrais ici deux passages :

– J'affirme que dans la religion musulmane rien ne s'oppose, au point de vue moral, à faire du croyant ou du pratiquant musulman un citoyen français complet. Bien au contraire. Sur l'essentiel, ses préceptes sont les mêmes que ceux de la religion chrétienne, fondement de la civilisation occidentale. D'autre part, je ne crois pas qu'il existe plus de race algérienne qu'il n'existe de race française. Il y a une collectivité que les us et coutumes ancestraux séparent à la fois du monde moderne et de la collectivité d'origine métropolitaine. Aux musulmans, offrons l'entrée et l'intégration dans une France dynamique, dans une France conquérante. Au lieu de leur dire, comme nous le faisons maintenant : « Vous nous coûtez très cher, vous êtes un fardeau, disons-leur : nous avons besoin de vous. Vous êtes la jeunesse de la nation.

C'était un peu plus ambitieux que la politique de la ville !

Peu après j'ajoutai :

– Ce qu'il faut dire aux Algériens, si nous voulons en faire des Français, ce n'est pas qu'ils ont besoin de la France, mais que la France a besoin d'eux, c'est qu'ils ne sont pas un fardeau. Ils seront, au contraire, la partie dynamique et le sang jeune d'une nation française dans laquelle nous les aurons intégrés.

Ce texte fut exhumé dans les années quatre-vingt par *Le Quotidien de Paris* alors que je combattais vivement l'immigration en France et que Bernard Stasi prétendait y voir une chance pour la France, afin d'une part de me mettre en contradiction avec moi-même et de l'autre de montrer que, de De Gaulle et de moi, c'est le Général qui avait une conception capétienne, limitée, religieuse, ethnique, essentialiste dirait-on aujourd'hui, et moi une conception ouverte, impériale, existentialiste, plus tournée vers le devenir commun que vers les origines communes. Depuis, il a été cité plusieurs fois dans l'intention de montrer que j'avais manqué de prescience.

Je ne prétends pas avoir toujours raison. J'avais sans doute méconnu le poids juridique, social, proprement politique de l'islam, n'en considérant que l'aspect religieux – il faut dire qu'à l'époque son caractère conquérant s'était engourdi dans la puissance française. Mais ce qui a rendu caducs mon espoir et mon analyse, c'est la démographie. L'islam faible est pacifique, voire indolent, l'islam en expansion veut conquérir et imposer sa loi. C'est conforme au Coran et aux Hadiths. L'islam est une religion qui recommande la conquête, y compris par les armes, les textes sont clairs, même si dans ses phases de sommeil elle peut se présenter comme une religion de paix. Baise la main que tu ne peux couper est l'un des préceptes de la Taqîya. La différence de dynamisme entre les Maghrébins et les Européens a tout changé. Pour que les Algériens (ou d'autres) puissent devenir le sang jeune de la France, il aurait fallu non seulement que les cadres propres à les intégrer, à leur enseigner des us et coutumes français, c'est-à-dire l'école, l'armée et l'église, maintiennent leur capacité de le faire, mais aussi que les éléments à intégrer ne deviennent pas trop nombreux par rapport à la capacité d'accueil et d'intégration de la population appelée à les accueillir. C'est l'évidence même, la prudence élémentaire à respecter pour éviter une catastrophe sociale.

C'est pourquoi, bien que je ne partage nullement le mépris affiché un jour par De Gaulle pour « ces gens-là », je tombe d'accord en fin de compte avec la phrase qu'il dit en confidence à son jeune ministre Alain Peyrefitte :

– C'est très bien qu'il y ait des Français jaunes, des Français noirs, des Français bruns. Ils montrent que la France est ouverte à toutes les races et qu'elle a une vocation universelle. Mais à condition qu'ils restent une petite minorité. Nous sommes quand même avant tout un peuple européen de race blanche, de culture latine et de religion chrétienne.

En politique comme en chimie, tout est une question de nombre, une question de concentration. Un saut quantitatif peut engendrer un saut qualitatif. Il en va de même en cuisine : si vous mettez un cheval dans le pâté que vous avez fait avec six alouettes, le goût change. L'identité française se trouve soumise à la même règle. Avec l'intégration généreuse que je préconisais, j'ai eu les yeux plus gros que le ventre.

Ce n'est donc pas par haine des Algériens, ou des Marocains, ou des Sénégalais, qui ont été mes frères d'armes, que j'ai combattu la politique d'immigration de la Cinquième République à partir des années soixante-dix, mais par amour de la France. Et ce sont les gaullistes, et avec eux la gauche qui les a soutenus, qui se sont mis en contradiction avec leurs principes. Puisqu'ils venaient de séparer le destin de la métropole d'avec celui des peuples de son empire chez eux, au nom de quoi le renouer subrepticement chez elle ? Après avoir coupé un fil au nom de l'anticolonialisme, pourquoi le renouer en installant des colonies étrangères en France ?

Ce phénomène me paraît d'autant plus catastrophique qu'il est né dans les années soixante-dix, au moment même où, après la crise des années soixante dont Mai 68 n'est qu'un signe que l'on garde par commodité mnémotechnique, les principaux cadres d'intégration, école, Église et armée s'affaissaient. Aujourd'hui les populations de l'arc boréal, de Gibraltar à Vladivostok, ce qui fut qu'on le veuille ou non durant des millénaires le monde blanc, ne se perpétuent plus. Par l'effet mécanique de l'allongement de la vie, elles semblent croître encore, mais cela va bientôt cesser, un peu plus tôt, un peu plus tard suivant les pays. Depuis les années soixante-dix, l'indice de fécondité de ses femmes est passé en dessous du taux de 2,1 % nécessaire à ce que les générations se renouvellent. On peut dire que toutes les populations européennes de souche meurent. Le phénomène est particulièrement rapide et spectaculaire en Allemagne et en Italie. Cela est frappant pour un homme de mon âge : c'est au nom de la croissance démographique allemande qu'Hitler réclamait de « l'espace vital » ! Et l'Italie, depuis des siècles jusqu'aux années soixante, était une terre d'émigration.

Le phénomène n'épargne ni le Portugal, ni l'Irlande, pays catholiques de forte émigration traditionnelle, ni la France, qui se vante pourtant d'avoir la moins mauvaise démographie d'Europe. Si l'on regarde les choses de près, on s'aperçoit que le taux de fécondité des femmes qui habitent en France ne suffit pas à renouveler la population des habitants de la France ; encore la part des nouveaux arrivants dans la natalité des habitants de la France est-elle en proportion plus forte que celle des Français de souche. Le taux de fécondité des Françaises de souche ne dépasse pas 1,5 %, ce qui laisse prévoir une diminution de la population française de souche rapidement.

Aujourd'hui 35 % des naissances sur le sol national sont d'origine immigrée. On le sait malgré le manque de statistiques ethniques grâce au dépistage médical systématique chez les nouveau-nés d'une maladie qui ne touche que certaines populations, la drépanocytose. Quant au solde migratoire apparent, il est faible, mais c'est un mauvais indicateur pour trois raisons. La première est que l'INSEE publie, entre deux recensements, des chiffres provisoires minorés qu'il doit ensuite revoir à la hausse : ainsi a-t-il « décidé » un solde migratoire annuel positif de 88 000 personnes avant de le réviser à la hausse en catimini à... 182 000, soit plus du double. Les politologues dans leurs débats utilisent naturellement le chiffre faux, minoré. La seconde est que, par définition, il ne prend pas en compte les clandestins. La troisième est que, par définition aussi, c'est un solde : il masque deux mouvements, l'arrivée des immigrés, dont de très nombreux sans qualification et inaptes à la vie en société en France, et le départ vers l'étranger de Français de souche utiles à la société française. En somme, par l'immigration, clandestine ou non, et par les naissances, le grand remplacement de la population de France s'accumule et s'accélère chaque année.

Si l'on regarde les choses d'un peu plus haut, la terre quand je suis né comptait deux milliards d'habitants, dont un quart d'Européens ; pendant la guerre d'Algérie, elle comptait trois milliards d'habitants, dont vingt pour cent d'Européens ; aujourd'hui, le globe porte sept milliards et demi d'habitants dont moins de dix pour cent d'Européens, encore ces « Européens » ont-ils bien changé – ce changement étant particulièrement visible dans les neiges de la Scandinavie. Cessons de faire les chochottes la bouche en cul-de-poule et ouvrons les yeux : le grand remplacement est un fait, que tous les démographes reconnaissent, mesurent, et que les courbes de naissance et de mortalité annonçaient depuis longtemps.

Le monde blanc est en train de mourir : la démographie enseigne que si l'on passe sous un certain seul de fécondité, atteint ou en passe de l'être par certains de nos voisins, alors le phénomène devient irréversible et le collapsus certain. L'Afrique reste noire, la Chine jaune, mais l'Europe devient un espace métis : certains s'en félicitent, ils en ont le droit, mais nul ne saurait le nier sans ridicule ni mauvaise foi.

Or l'invasion (le mot est de Giscard) progressive qui a frappé l'Europe surprend : quand elle se met en branle, dans les années soixante-dix, elle ne correspond nullement au remplissage « naturel », comme par un phénomène de vases communicants, d'une zone peu peuplée par des zones très peuplées. Ce ne sont pas en effet des habitants des vallées du Gange ou du Yang Tse Kiang, zones de haute pression démographique, qui vont d'abord s'installer en Europe : les immigrés viennent d'Asie mineure et d'Afrique du Nord, qui ne sont pas surpeuplées, et d'Afrique subsaharienne, qui est à l'époque carrément sous-peuplée. En outre l'Europe occidentale, leur première destination, figure parmi les régions les plus peuplées du monde (la densité de population de la Hollande est le triple de celle de la Chine). Et les populations européennes, dans l'ensemble, se renouvellent encore au début des années soixante-dix. Comment expliquer dans ces conditions la mise en route d'un tel flux migratoire ?

Par les besoins de l'économie en main-d'œuvre ? Mais les gains de productivité et le choix de l'automatisation auraient pu épargner aux sociétés européennes l'importation de main-d'œuvre non européenne, le Japon en a donné l'exemple. On a vu d'ailleurs notre volant de chômage augmenter de façon brutale, ce qui en faisant pression sur les salaires a pu satisfaire certains patrons à courte vue mais ne répond pas à une saine gestion de l'économie, ni à la moindre nécessité économique.

Par l'équilibre des caisses de retraite ? C'est l'approche principale de deux études de la division population de l'ONU dans les années 1990. Pour préserver le rapport entre ceux qui cotisent et ceux qui perçoivent, elles recommandaient l'importation par l'Europe de plusieurs dizaines de millions de migrants (jusqu'à cent cinquante millions) d'ici à 2050. Mais cette argumentation ne tient que si l'on prend pour point de départ indiscutable que la démographie européenne est très faible et qu'elle ne peut s'améliorer. Or, quand commença le processus dans les années soixante-dix, ce n'était absolument pas le cas. Nous étions alors tout proches du taux de renouvellement des populations, et une politique nataliste classique nous y aurait ramenés.

Alors ? Alors tout porte à croire que la principale cause de cet étrange phénomène est politique. Il s'agit d'une volonté de changer la société européenne, de la rendre multiculturelle et multiethnique pour y expérimenter un nouveau « vivre ensemble ».

Examinons en effet la chronologie du processus en France. L'indice de fécondité des femmes françaises est passé au-dessous du taux de renouvellement des générations entre 1973 et 1975. Or, c'est pile à cette époque que trois décisions sont prises, concernant le peuplement de la France. Une circulaire du ministre Gorse sous Pompidou régularise une première vague d'immigrés clandestins. Le regroupement familial des immigrés est décidé par Giscard et Chirac, qui imposent aussi à leur électorat la loi Veil qui dépénalise l'avortement. Autrement dit, au moment même où la natalité française flanche, on la réduit, tandis qu'on encourage l'immigration.

On va me dire, vous voyez des complots partout, il s'agit d'une simple coïncidence. Pourquoi pas, en effet ? Mais alors, les gouvernants, qui ne sont pas si bêtes que cela, disposaient de toutes les statistiques nécessaires, ils pouvaient s'aviser de cette coïncidence, en noter les effets au bout de quelques années, et inverser la tendance. Aider à la natalité française et limiter l'immigration. C'est d'ailleurs ce que proposait le Front National au début des années quatre-vingt, préconisant en particulier le salaire et la retraite des mères de famille. Mais c'est le contraire qu'ont fait, en toute connaissance de cause, Mitterrand et les socialistes d'une part, Chirac lorsqu'il devint premier ministre en 1986, de l'autre.

Il y a donc eu une volonté de toute la classe politique dominante de limiter la population de souche et d'importer une population de complément, qui devait devenir par la force des choses une population de substitution. Ainsi le grand remplacement a-t-il été voulu et organisé. Au départ du processus, au tout début des années quatre-vingt, je me souviens qu'aux propositions natalistes du Front National les experts adverses répondaient qu'une politique démographique prend du temps pour porter ses effets, ce qui est vrai. Vingt ans sont nécessaires, d'après l'expérience du passé. Mais ces politiques natalistes sont efficaces, on l'a vu par exemple en Suède. Si donc les mesures natalistes que nous préconisions au début des années quatre-vingt avaient été prises, la question serait réglée depuis dix ans et les graves dissertations qui ont servi de prétexte aux recommandations idéologiques de l'ONU n'auraient pas lieu d'être.

Maintenant, si l'on porte le regard sur les populations de souche de l'Europe, on peut se demander avec les psychologues et les sociologues à quoi tient leur faible fécondité. La façon de vivre y est pour beaucoup. Les nouvelles formes de « famille » furent déterminantes, c'est-à-dire l'éclatement de la famille et l'aliénation de la femme à un certain modèle masculin par le féminisme, le tout au nom d'une argumentation très pauvre. J'ai beaucoup de considération pour les femmes et ne doute pas qu'en moyenne elles puissent concurrencer les hommes dans la plupart des emplois, parfois faire mieux qu'eux, mais elles ne doivent pas oublier sous peine de mort qu'elles ont la mission sacrée de transmettre la vie et d'éduquer les enfants, de leur transmettre tout ce que l'école s'avère incapable de leur donner. Du point de vue de la société, je préfère une paysanne inculte mère de six enfants à une dame major de polytechnique qui n'en a pas.

Sans doute le devoir des femmes est-il lourd et douloureux, et la pression publicitaire de la société tend-elle à les en détourner. La grossesse, l'accouchement, « torcher les gosses », comme certaines disent avec mépris, détournent des succès sociaux. Or le consumérisme, l'hédonisme, l'égoïsme sont donnés en modèle. Avec toutes sortes de justifications morales ou philosophiques. Procréer augmente l'empreinte carbone et menace l'avenir de la terre, selon la propagande écologiste. En Allemagne, les nouvelles générations préfèrent les chiens aux enfants. Les millions de nouveau-nés qui manquent au peuple allemand, qui dessinent sa mort, soit qu'ils aient été avortés, soit qu'ils n'aient pas été conçus, manifestent le droit qu'ont pris les individus de vivre pour eux seuls, de refuser le sort commun de leurs pères et de leurs mères, qui était d'accepter d'être un maillon d'une chaîne. Et cette folie égoïste culminant en suicide trouve sa justification morale, altruiste, dans un prétendu devoir écologique.

Il y a aussi dans cette évolution une dévaluation de la femme. Elles se contentent de concurrencer les mâles au lieu d'être ce qu'elles sont. De mères et maîtresses, elles se font simples ouvrières. Quelle perte d'efficacité spécifique ! Quel gâchis ! Elles croient s'en sortir en excellant. Nouveau piège. Quand elles accèdent aux plus hautes responsabilités, elles se virilisent, ce qui est l'aboutissement de leur aliénation, et rend leur vie de couple difficile, sauf avec des hommes féminisés. Bref, de quelque côté qu'on examine le phénomène, on n'observe que déperdition et malheur. Le refus de s'accepter tel que la nature vous a fait est le vice fondamental des utopies modernes.

Cette régression morale entraîne une régression économique et politique. Le coût social qu'engendrent la destruction de la famille traditionnelle et l'aliénation de la femme par le travail salarié n'a pas été calculé. L'accroissement mécanique du PIB par la croissance du nombre de crèches, assistantes sociales, policiers, et de l'industrie de la cuisine toute prête, etc., est une pure apparence qui ne traduit aucune amélioration des services, au contraire, et ne compense pas la perte que représente pour l'équilibre de la société la disparition des mères au foyer. Mais je ne pense pas que le bien-être des Européens soit l'un des objectifs de cette évolution.

Parmi les causes de la baisse de la natalité figure aussi un dégoût de transmettre chez les générations en âge de le faire. Il ne doit pas tout à l'égoïsme mais se trouve accentué par la haine de l'héritage à transmettre, haine qui fait l'objet d'un enseignement systématique par le biais de la repentance. On apprend aux jeunes Européens de souche à ne pas se perpétuer, à y voir une opération illégitime. Comme si l'Europe devait devenir le lieu de vie d'un agrégat viager de populations, dont les bénéficiaires seraient renouvelés en permanence par l'immigration. Il paraît toutefois que cette chose est impossible, car le grand remplacement des populations entraîne nécessairement le grand remplacement des valeurs, les sociétés fracassées par l'invasion ne pouvant trouver les forces qui permettraient de perpétuer les formes mentales qui les ont produites.

En d'autres termes l'invasion en cours doit précipiter le déclin et la mort de l'Europe si rien n'est fait pour l'enrayer. D'autant qu'à la poussée de l'immigration venant de l'extérieur s'ajoutent les millions d'étrangers entrés depuis quatre décennies, à la cadence de 200 000 « légaux » par an, qui ont fondé des familles plus nombreuses que celles des indigènes. Erdogan, le président turc, a lancé naguère un mot d'ordre à ses ressortissants en Europe : « Vous ne devez pas vous contenter de faire trois enfants, vous devez en avoir au moins cinq ! » À vue humaine, je suis très pessimiste. La situation démographique de la planète est objectivement terrifiante. Mais en politique le désespoir est une sottise absolue. La vie trouve des ressources imprévues, y compris les plus cruelles. La grippe espagnole a tué en un an plus de monde en Europe que la Grande Guerre. D'autres régulateurs démographiques peuvent survenir, dont d'autres parties du monde seraient le lieu. Je ne forme aucun vœu en disant cela ni ne manque de compassion pour nulle communauté. Je constate qu'il faudrait un miracle pour sauver l'Europe. Doit-on le dire ou notre mission est-elle d'aider les gens à vivre, c'est-à-dire en l'espèce à les accompagner doucement vers la mort ? Les hommes politiques ressemblent au cancérologue qui hésite à dire la vérité à son patient. Ils l'ont cachée si longtemps quand la maladie était encore curable. Aujourd'hui c'est bien tard et j'ai peur que dire la vérité n'enlève ce qui reste de courage à nos peuples. Pour ma part j'ai dit ce qu'il fallait dire quand il fallait le dire, quand il était encore temps d'agir. Je n'ai jamais prétendu être un devin, juste une vigie.

Méritons-nous de survivre ? Je l'ignore. Si nous croyons que la question a un sens, c'est que nous nous référons à un jugement supérieur à nous. Pouvons-nous perdurer ? Je l'ignore aussi. L'événement le dira. Pour répondre à l'une et l'autre question je réclame le droit de faire à mon idée. Je refuse par principe la fin de notre civilisation, la submersion de notre peuple. Le ciel a montré plusieurs fois une sollicitude spéciale pour la France. Je ne puis me résoudre à croire que l'action de Dieu ne passe plus du tout par elle.

Je sais bien que les civilisations sont mortelles et que le destin des empires est de passer. Mais où en sommes-nous sur la courbe de notre vie ? Nul ne connaît ni le jour ni l'heure. Aucune partie n'est perdue tant qu'elle n'est pas terminée. Au reste, pour un gangster la loi de l'histoire est de prendre mon fric, pour moi, de l'en empêcher. J'ai le saint devoir de défendre les miens. On n'a pas le droit de se laisser tuer. Le suicide est interdit par notre Sainte Mère l'Église. Quand un flux menace de submerger on dresse des barrages. Il n'y aurait pas de Hollande s'il n'y avait pas de digues. Les Néerlandais n'ont pas accepté de voir la mer occuper la moitié de leur pays, c'est comme cela qu'ils existent. Je dois encourager mon peuple à survivre.

Mais comment faire ? Parmi les Français de souche, seuls quelques isolats catholiques font des enfants. Une politique nataliste profiterait surtout aux familles immigrées. On ne peut rien faire dans le cadre qui est le nôtre. Il faut décréter l'état d'urgence démographique, inverser sans retard les flux de l'immigration, barricader nos frontières à toute nouvelle entrée, y compris, surtout, au titre du droit d'asile. Aujourd'hui, des guerres que nous contribuons à provoquer servent de prétexte à nous envahir via le droit d'asile. Hier il garantissait la sûreté d'individus en danger de mort, il se trouve aujourd'hui détourné par des masses qui font courir un risque de mort aux pays qui les accueillent. Elles peuvent déferler sur nous en prenant n'importe quel prétexte pour invoquer le droit d'asile, maintenant réfugiés de guerre, demain réfugiés climatiques ou je ne sais quoi.

La menace immédiate est à nos portes, sur notre frontière sud. L'Algérie compte quarante-trois millions d'habitants dont la moitié de moins de dix-huit ans. C'est une poudrière. À la mort de la momie Bouteflika, un équilibre précaire et artificiel va se rompre, ce sera le chaos et la guerre civile. La guerre n'a jamais cessé en Algérie depuis l'indépendance, entre Arabes et Kabyles, entre progressistes et traditionalistes, entre civils et militaires, entre laïcs et religieux. Le ressentiment des islamistes est fort. Ils se souviendront du FIS, du pouvoir qui leur a été volé par le FLN en 1991 malgré leur victoire électorale, avec la bénédiction des démocrates du monde entier, de la terrible répression militaire qui a suivi. Leur envie de revanche engendrera une guerre féroce, et nous risquons de nous retrouver avec quinze millions de ces gens qui débarqueront en France. Or ces futurs envahisseurs ont déjà des points de chute chez nous.

Ce sera la première vague. La prochaine pourrait être les Chinois. Eux aussi ont des points de chute en France. Quand la Chine refera des enfants, le monde entier tremblera, et cela ne va pas tarder, elle pourra se répandre partout grâce à sa diaspora mondiale, riche, puissante, organisée, discrète. Ils sont un million en France, ils bossent et sont polis, une tête de pont idéale. On va dire que je vaticine, on ricanera. Hélas, l'événement, depuis quarante ans, confirme mes prophéties, et au-delà. La réalité d'aujourd'hui, ce sont mes prévisions de 1980 en pire. La solution, c'était peut-être d'aller au bout du plan de Constantine, de puiser de nos départements d'Afrique du Nord une part modérée du sang de la France. Ou alors d'aller au bout de la logique gaullienne et de couper les ponts démographiques. Mais ce que nous avons choisi, l'abandon hier et l'invasion aujourd'hui, est le pire. Au reste il ne sera mauvais ni pour nous ni pour lui de renvoyer le produit d'une immigration incontrôlée vers ses pays d'origine.

Du point de vue du droit, on n'a pas hésité à chasser d'Afrique du Nord un million de pieds-noirs dont la majorité y était implantée depuis un siècle, certains beaucoup plus. Ce n'est pas le cas des communautés extra-européennes qui sont aujourd'hui chez nous. Un phénomène analogue a chassé de leurs terres après la Seconde Guerre mondiale dix millions d'Allemands dont certains les habitaient depuis sept siècles, en tuant un million au passage. La communauté internationale ne semble pas s'en être trop émue. Je précise, car il faut se méfier de tout, que mon intention n'est pas de traiter aussi mal les populations que nous renverrons chez elles.

À qui objecterait que l'exode des populations allogènes serait une catastrophe économique pour la France (en alléguant le précédent de la fuite de nos compatriotes protestants après la révocation de l'Édit de Nantes), je réponds que la sociologie des partants n'est pas la même et que l'appauvrissement serait bien moindre pour nous, d'ailleurs plus que compensé par les Français qui fuient la France aujourd'hui et désormais y resteraient. Et ce serait un enrichissement formidable pour les pays d'origine, une chance inespérée pour le Maghreb, l'Afrique noire, le Proche-Orient et le sous-continent indien. En somme, gagnant gagnant.

5. La trahison du Général

Couronne, Courroie, Cigale, Prométhée, Jumelles, Étincelles, Flammèches, Rubis, Turquoise, Émeraude, Topaze, Trident, l'armée française a un certain talent pour donner des noms poétiques à ses opérations. Le plan du nouveau commandant en chef en Algérie, Challe, l'homme qui a fourni Israël en avions à Suez, déroule sa mécanique pour assommer le FLN et réduire à rien sa puissance militaire, y compris dans ses sanctuaires, wilaya après wilaya. Paris lui a donné les moyens de gagner la guerre, il veut le faire vite. Il commence le 6 février 1959. Au printemps 1961, la capacité opérationnelle de l'ALN de l'intérieur sera quasiment égale à zéro. Fort du référendum de l'automne 58 et des nouveaux députés élus en novembre, le plan de Constantine se met à l'œuvre, vite. Appuyé sur les unités territoriales constituées de pieds noirs, le contingent entend terminer la pacification dans les zones libérées, vite, vite. Les SAS travaillent à ramener la paix civile. Tout va vite, tout va bien en apparence. Partout pourtant, les musulmans qui se rallient en masse posent une question :

Mon lieutenant, est-ce que c'est sûr que la France va rester ?

La question est légitime : ils ont besoin d'une garantie. Pour s'engager aux côtés de la France, il faut qu'ils soient sûrs qu'on ne va pas les laisser tomber aux mains de l'ennemi, comme ce fut le cas en Indochine. C'est clair. Mais la réponse est tout aussi claire. Le général De Gaulle, l'homme qui a tenu bon quand tout semblait perdu en 40 et que la IIIe République demandait l'armistice, est aux manettes. Il a été net. Il a répondu à l'appel de la population d'Algérie. Je vous ai compris. Vive l'Algérie française. Alors, partout, dans les postes, les SAS, dans les douars, en ville, des centaines de lieutenants promettent :

– Qu'est-ce qu'il vous faut de plus ? Oui, bien sûr, la France va rester. Je t'en donne ma parole d'officier.

Sur cette parole, l'Algérie se rassure. Des centaines de milliers de musulmans s'engagent, combattants comme les harkis et moghaznis, ou civils, dans les mairies, dans l'administration, dans les douars. Les pieds noirs soulagés s'engagent eux aussi dans la réconciliation.

Tout cela est bel et beau mais certains restent méfiants. J'en fais partie. Ma nouvelle fonction me renforce dans mes doutes. Je suis nommé rapporteur du budget des armées, l'un des plus gros du budget de la Nation, que je suis chargé de faire voter. C'est un beau poste, qui me permet en outre d'inspecter les unités sur le terrain pour me faire une idée précise de la situation. L'équivalent de contrôleur des resto-u quand j'étais à la Corpo, mais au niveau de l'État. Je rencontre souvent de l'enthousiasme et de la compétence, mais je constate aussi qu'il est difficile de changer les habitudes. Les unités exécrables existent toujours. Lors de l'inspection d'un poste, j'avise une sentinelle qui lit un polar, son fusil à côté de lui. J'arrive sans faire de bruit par-derrière, je lui mets mon pistolet sur la tempe :

– Poum, t'es mort.

Le pauvre n'était hélas pas responsable. Tout le poste respirait un laisser-aller sordide, le capitaine m'offre l'apéro pour commencer, il est jovial, flou et mou, il manquait un bouton à sa patte d'épaule.

Même dans les postes bien tenus, l'esprit administratif de Paris l'emporte souvent sur l'enthousiasme d'Alger. Je visite Claude Gambiez qui commande une compagnie en Kabylie. C'est l'un des fils du Général qui sera commandant en chef après le putsch d'avril 1961. L'autre est mort à Diên Biên Phu : l'avion qui venait l'évacuer, il était blessé, a été abattu juste après qu'il y eut embarqué. Claude est soucieux :

– Les fells viennent la nuit. Ils tirent sur mes gars du haut de la tour près de la mosquée.

– Tu l'as fait piéger, cette tour ?

– Impossible. *Ils* me l'ont interdit. La consigne du ministère est formelle. Ne rien faire qui puisse être interprété comme une attitude hostile à l'islam.

Paris sera toujours Paris, et les ministères les ministères. Plus ça va, moins je trouve que ça sent bon, malgré l'optimisme de mes camarades. Les Gaullistes, je ne les sens pas. Leur patron, surtout. Il ne m'a pas fait bonne impression après la guerre. Et puis, malgré ses déclarations pompeuses sur la France, ce n'est pas l'homme de l'empire. Ses actes commencent à démentir ses paroles. L'organe de mai 1958, l'âme de l'Algérie française, là où les pieds noirs, l'armée et les musulmans se retrouvaient, les comités de salut public, a été dissous. Quant à leur patron, Massu, l'idole d'Alger depuis 1957, il a dû rentrer dans le rang.

Pour Salan, l'homme du « vive De Gaulle », c'est encore pire : De Gaulle l'a couvert de fleurs, puis, quand il n'en a plus eu besoin, il l'a éloigné avec un titre ronflant qui ne recouvre que le vide, « inspecteur général de la Défense nationale ». Maréchal de va voir ailleurs si j'y suis, oui ! Salan, dont beaucoup se méfiaient parce qu'il passait pour un militaire politique, pour un vieux roublard, s'est fait rouler dans la farine, il en fera l'aveu dans ses mémoires, produira des lettres de l'autre, d'abord cajoleur, puis sec, cynique. Il a l'air piteux d'un renard qu'une poule aurait pris, un renard qui serait tombé amoureux de la poule le temps de se faire éjecter. Cela, je ne le sais pas encore, mais ce que je peux voir des actes de De Gaulle m'inquiète.

Une des raisons pour lesquels nos amis américains avaient hâte que nous lâchions l'Algérie est que la France avait découvert du pétrole et du gaz dans le Sahara. La prospection avait commencé avant-guerre, avait abouti en 1953 et les forages commençaient : le premier puits, découvert le 15 juin 1956 à Hassi Messaoud, était mis en exploitation le 6 janvier 1958 et le pétrole arrivait à Philippeville par camions-citernes le onze. Les recherches avaient demandé des investissements colossaux et l'effort soutenu de nos techniciens dans des conditions extrêmement pénibles, mais la récompense était là, une huile d'excellente qualité, dont les réserves paraissaient immenses. Cela signifiait la fin de notre dépendance énergétique à laquelle les sept sœurs, les *major companies* anglo-saxonnes nous soumettaient depuis cinquante ans. C'est pour nous spolier des pétroles d'Irak que les Anglais avaient violé après la Grande Guerre les accords Sykes-Picot, il n'était donc pas probable que les États-Unis, qui étaient désormais avec l'URSS les nouveaux maîtres du monde, nous laissent jouir en paix de notre indépendance énergétique et des fruits de nos travaux au Sahara.

Or cette indépendance énergétique, était, avec notre sécurité militaire, la principale raison géopolitique commandant notre maintien en Algérie. C'est pourquoi le FLN importa sa guerre au Sahara, et le 1er REP y fut envoyé. À Noël 1958 il stationnait à Hassi Messaoud, où je le rejoignis. J'amenai mon amie du moment, Lulu Arpels, de la famille des bijoutiers, Van Cleef and Arpels, une famille juive, ce qui en étonnera certains qui me connaissent mal. Elle avait du chien, de l'entrain, elle avait été infirmière et résistante pendant la guerre, elle était bien sûr Algérie française. C'était une amie de Mme Massu, Simone Rosambert, dite Toto parce qu'elle avait été mariée en premières noces à Henri Torrès, cet avocat juif d'abord communiste puis socialiste qui s'était fait une spécialité de défendre les assassins politiques.

Ce fut une soirée un peu cahotée. J'avais apporté d'Alger deux caisses de Cognac et un sapin. Nous logions avec Lulu dans un des Algécos des ouvriers. L'un des deux puits était opérationnel, on finissait d'installer le deuxième. Pour minuit nous montons en haut du derrick, on arrête le trépan et nous prenons le champagne. Il fait très froid les nuits de décembre au Sahara à vingt mètres d'altitude, avec le vent. En redescendant, nous avons assisté à un concours de crèches, tradition légionnaire. Un adjudant a fait un esclandre, il était furieux de ne pas avoir gagné.

Avec Lulu nous nous plaisions mais j'ai assez vite arrêté les frais, elle avait, entre autres, un appartement à l'année au Raphaël, un des grands hôtels de Paris, je ne pouvais pas suivre. De toute façon, le temps courait, de plus en plus vite, et nous allions vite sortir de l'illusion où l'on vivait depuis le 13 mai. Je l'ai revue plusieurs fois par la suite, au bar du Georges V. En 1981 elle a filé en Suisse. Elle avait peur de la révolution communiste.

Le 19 septembre 1959, je croisai le colonel Godard. Le général De Gaulle venait de prononcer l'allocution radiotélévisée, comme on disait alors, annonçant l'autodétermination en Algérie. Elle sonna la fin de l'ambiguïté. Pour tout observateur qui renonçait à faire la politique de l'autruche, le Général enterrait l'Algérie française et mettait un terme aux espoirs de ceux qui l'avaient suivi avec enthousiasme. J'étais furieux d'avoir eu raison, cela me rendit caustique :

– Il s'est enfin découvert, le vieux traître !

Godard me saisit par le revers de mon veston en hurlant :

– Je t'interdis de parler sur ce ton du général De Gaulle.

Je me dégage :

– Godard, je te signale que je ne suis plus militaire. Si tu ne me lâches pas, je te colle une tête.

Je le plante là. Il a le droit d'être con et d'aimer se faire rouler, mais tout porte à croire qu'il ne sera pas le seul. *Il* va leur tordre la gueule un à un, pour reprendre le vocabulaire du sous-lieutenant de Guelma. Cela sera terriblement douloureux pour tout le monde.

Arrêtons-nous sur ce point, il est capital. Le 16 septembre 1959, De Gaulle annonçait aux électeurs de l'Algérie qu'ils auraient à choisir leur destin par voie de référendum. Il leur proposait trois solutions, mais en écartait deux, la francisation et la sécession, pour leur recommander la troisième, l'indépendance en association avec la France. Peut-être était-ce nécessaire. Peut-être était-ce la bonne solution, ou la moins mauvaise. Je ne veux pas rouvrir un débat politique qui n'a plus lieu d'être. Mais c'était contraire aux paroles qu'il avait prononcées en arrivant au pouvoir, à ses engagements moraux envers ceux qui l'avaient porté au pouvoir, et qu'ils avaient pris à leur tour envers les populations.

Jamais les musulmans ne se seraient engagés si l'on ne leur avait dit que la France resterait. Jamais les comités de salut public ne se seraient soumis, jamais Salan n'aurait appelé le Général, s'ils avaient su que cela finirait comme cela. Soustelle, Delbecque, et les autres promoteurs de De Gaulle dans les semaines cruciales de mai furent victimes de la même illusion. Ils l'ont dit et écrit.

Depuis, les historiens disputent de la chose. Certains disent que le « vive l'Algérie française » a dépassé la pensée du Général. D'autres que, à regarder ses discours à la loupe, on peut leur donner un autre sens. Une autre controverse classique est de se demander si De Gaulle avait décidé de lâcher l'Algérie avant de prendre le pouvoir et qu'il a menti cyniquement pour s'y faire porter par des gens qu'il était résolu à trahir, ou si, découvrant peu à peu les difficultés à résoudre, il s'est résolu à changer de cap avec l'expérience.

Cela ne manque pas d'intérêt pour pénétrer la psychologie du bonhomme mais ne compte pas ici : ce qui est certain, c'est que des populations, des militaires, des politiques, qui ne connaissaient pas le dessous des cartes ni les détours de l'âme du Général, étaient fondés, en écoutant ses paroles et en se fondant sur les conditions de son retour au pouvoir, à croire qu'il défendrait l'Algérie française, et, convaincus de cela, à prendre les engagements qu'ils ont pris.

Tout ce qui a suivi, les déceptions, le désespoir, les rébellions, les abandons, la fuite des pieds noirs pour échapper au massacre, la rébellion de l'armée, l'OAS, l'abandon des Harkis, etc., tout cela découle de la trahison du général De Gaulle. Inutile d'en dire plus, je reparlerai de De Gaulle plus loin, mais ce point me semble acquis sans contestation possible.

Je ne juge pas ici l'omelette que De Gaulle a servie à la France, je décris les œufs qu'il a cassés.

6. Barouds d'honneur

À partir de l'automne 1959, l'air devint irrespirable. Les pieds noirs se sentaient abandonnés, l'armée trahie, les populations musulmanes devenaient évasives. Le discours de De Gaulle avait installé la gangrène. À chaque retour de mes tournées de rapporteur du budget, je passais par Alger. Les bourgeois ne m'y recevaient pas plus que pendant la Bataille d'Alger, alors qu'officier rengagé je faisais partie d'une unité qui risquait sa peau pour sauver la leur. Le commandant en chef, lui, écoutait mon rapport. En décembre, il m'avertit, en présence de son chef de cabinet, le colonel Georges de Boissieu, le cousin d'Alain, aide de camp de De Gaulle :

– Allez dire à vos amis que s'il faut que j'en mette quelques-uns au tapis, je n'hésiterai pas.

– Faites vos communications vous-même, mon Général.

Il ne m'impressionnait pas avec ses cinq étoiles et son ton de proconsul. Je professais avec Cicéron que les armes doivent céder à la toge. Puis, je ne voyais pas de quels amis il voulait parler. J'étais civil, député, déterminé à mener le combat à l'Assemblée Nationale, non dans l'illégalité violente. Mais j'entendais bien, comme lui d'ailleurs, le mécontentement et la peur monter de l'Algérie, comme avant le 13 mai. Mes collègues et amis musulmans partageaient cette inquiétude, Si Hamza Boubakeur, député des oasis, qui devait devenir recteur de la grande mosquée de Paris, ou le bachaga Boualem, vice-président de la chambre des députés.

L'incident qui précipita le malaise en drame fut une simple interview du général Massu par le journaliste allemand Kempski le

18 janvier 1960. À celui qui était l'idole des foules depuis la Bataille d'Alger, la Süddeutsche Zeitung prêta des propos très critiques sur le général De Gaulle, que Massu a par la suite toujours nié avoir tenus. Quoi qu'il en soit, vrai ou pas vrai, piège ou pas piège, l'imprudent était illico rappelé en métropole pour manquement grave au devoir de réserve. Le dernier vestige du 13 mai, la dernière garantie, bien ténue, de l'Algérie française, s'envolait pour Paris. La détermination de De Gaulle à en finir avec l'Algérie éclatait aux yeux des plus lents à la comprenette.

À l'appel de Lagaillarde, Ortiz, Martel et d'autres, la population se soulève le 24 janvier. Comme Challe menace de faire tirer sur la foule si elle investit l'ex GG, Ortiz et Lagaillarde établissent des barricades et un camp retranché dans le quartier des facultés. Sur un ordre absurde du général Costes, les gendarmes du colonel Debrosse avancent au contact, et la fusillade éclate, provoquée par un tir dont on ne saura jamais d'où il est venu. Le bilan est lourd, quatorze gendarmes et huit manifestants tués, des blessés par dizaines. Heureusement, l'intervention et l'interposition du 1er REP commandé par le colonel Dufour ramènent le calme. Challe et Paul Delouvrier, délégué général du gouvernement en Algérie, quittent Alger et les tractations politiques commencent. L'armée reste loyale, mais n'obéirait pas à l'ordre de dégager le camp retranché, les officiers ne marcheraient pas. Cependant, après un discours très ferme du général De Gaulle le 30 janvier, les insurgés reconnaissent qu'il n'y a plus d'issue. Ortiz file dans la clandestinité le 31, Lagaillarde se rend le 1er février aux parachutistes. Il est incarcéré à la Santé malgré les promesses de « pardon » faites par Delouvrier. Challe sera limogé dans les trois mois, il prendra le commandement du secteur centre Europe de l'OTAN. Le pouvoir lui reproche sa sympathie silencieuse pour l'Algérie française.

Quant à moi, je n'étais pas en Algérie le 24 janvier mais à Paris. Connaissant les mœurs de la police de De Gaulle, j'évitai de coucher villa Poirier, mais il fallait bien que je change de linge et je fis un saut chez moi vers quatre heures du matin. C'était l'erreur, une souricière avait été placée. À peine entré, j'entendis frapper à la porte :

– Police, ouvrez !

– Vous n'êtes pas la police, foutez le camp, je suis armé.

– Attention, attention, il est armé !

J'entends une cavalcade dévaler l'escalier. Une discussion s'engage avec une autorité de police dont j'apprendrai qu'il est le directeur de la P.J, Max Fernet. Ils dérangent du beau linge pour me pincer. Je prends le temps de me changer, et, rassuré sur l'identité des loustics sur le palier, j'ouvre la porte, me croyant à l'abri de mon immunité parlementaire. Je suis aussitôt désarmé et arrêté en toute illégalité. Pas de libertés républicaines pour les ennemis présumés de la République. Je passerai quelques jours en détention sauvage, non dans une prison, mais dans les locaux d'une brigade territoriale du quatorzième arrondissement.

À Neuilly, ma femme vient d'accoucher d'une petite fille, Marie-Caroline. Son papa est en taule mais la radio donne le détail de ses menus (c'est tout à fait supportable), ce qui rassure la maman. Embastiller un élu de la nation contre lequel nulle charge n'est retenue ni même articulée, est pourtant un coup de canif suffisamment important dans l'état de droit pour que Jacques Soustelle, alors ministre délégué, chargé du Sahara, des Territoires d'outre-mer, départements d'outre-mer et de l'Énergie atomique auprès du premier ministre Michel Debré écrive à celui-ci pour protester. J'ai gardé la photocopie de la lettre qu'il m'a fait parvenir après coup. La voici :

Paris, le 28 janvier 1960,

Mon cher ami,

J'apprends par la presse l'arrestation de Le Pen. Comme je vous l'ai écrit la semaine dernière à propos de Bidault et de Massu, là encore je crois que c'est une erreur. Mettre en prison un membre du Parlement est une chose grave. Je souhaite pour l'honneur du gouvernement qu'on n'ait agi que sur preuves, et sur preuves sérieuses. Il reste, en tout cas qu'on ne fait toujours rien contre les communistes et les défaitistes, et que de plus en plus notre gouvernement apparaît comme soutenu par L'Express, Libération *et* L'Humanité. *Si des mesures de rigueur doivent être prises, qu'elles ne le soient pas à sens unique. [...]*

Cordialement à vous

Jacques Soustelle

Les policiers du quatorzième arrondissement me relâchèrent après la reddition de Lagaillarde. Comme je faisais remarquer au chef de brigade que dans ces circonstances exceptionnelles, on peut tout craindre. Il me répondit en riant :

– Ici, Monsieur le Député, vous ne risquiez rien, nous totalisons plusieurs dizaines d'années d'indignité nationale à la Libération.

Une plaisanterie pareille ne serait plus imaginable aujourd'hui. Elle renseignait sur l'état d'esprit de la police. Pas sur celle de l'opinion, hélas ! En métropole, entre les gaullistes de toujours qui suivaient le Général parce que c'était le Général, bien que sa politique algérienne les choquât un peu, et la gauche qui le ralliait au contraire pour cette politique algérienne, qu'elle n'avait pas osé faire elle-même, les gens soutenaient De Gaulle majoritairement. Se dessinait ainsi une fracture qui irait s'agrandissant entre l'opinion métropolitaine et les pieds noirs – ce serait la caractéristique de la fin de la guerre d'Algérie.

Je filai à la clinique embrasser ma progéniture et la maman puis résolus d'agir. Le Front National Combattant ayant été dissous par le pouvoir après les barricades, je fondai le Front National pour l'Algérie française (FNAF) en reprenant les mêmes pour recommencer la même chose. Pour tenter d'apaiser les pieds noirs, le gouvernement ouvrit des élections cantonales au scrutin de liste à Alger et dans sa banlieue. Je rendis visite à Pierre Lagaillarde en sa prison pour lui suggérer de se porter candidat. J'y croisai d'autres figures connues. La Santé était encore à cette époque assez indulgente aux politiques. Les portes des cellules étaient ouvertes pendant la journée et les détenus étaient autorisés à recevoir ce que l'on nommait des « parloirs-cousines », une serviette de bain coincée dans le chambranle incitait les copains à la discrétion.

J'exposai à Pierre qu'il devait exploiter cette élection, comme les communistes le faisaient dans des circonstances comparables, pour apporter la preuve qu'il n'était pas un « activiste », un « factieux », un « ultra », un « fasciste », comme la presse aux ordres l'en accusait, mais un député soutenu par le peuple d'Alger. Il acquiesça et fit connaître qu'il serait candidat.

Par retour du courrier, le Gouvernement faisait voter une loi d'exception pour l'en empêcher. Cette loi ad hominem, qu'on nomma *Lex Lagaillarda* parce qu'elle le visait seul, rendait inéligibles les « prévenus d'atteinte à la sécurité intérieure de l'État ». Au mépris éclatant de la présomption d'innocence. Je suggérai à Pierre de résister à cette offensive totalitaire et me mis à sa disposition pour engager le combat sous le nom d'un de ses parents, l'un et l'autre avocats et anciens bâtonniers. Il me donna carte blanche pour agir à sa place. Son père et sa mère, sollicités par moi de prendre la tête de la liste, déclinèrent l'un et l'autre. Finalement sa femme, Élisabeth, que l'on surnommait Babette, comme le personnage de Brigitte Bardot dans un film alors célèbre, *Babette s'en va t'en guerre*, accepta.

Je l'aide à constituer ses listes pour la circonscription d'Alger-Ville, listes composites européo-musulmanes bien sûr, et je mets mes équipes à son service. Fait caractéristique du guêpier qu'est à l'époque Alger et des « chicayas » qui divisent les partisans de l'Algérie française, alors que Lagaillarde en prison est une figure emblématique du 13 mai et des Barricades, il se trouvera tout de même cinq listes de candidats pieds noirs pour se présenter contre son épouse !

Notre initiative est évidemment mal vue par tous ceux qui sont, en le manifestant ou sans l'avouer encore, des ennemis de l'Algérie française. Par un phénomène nouveau dont témoigneront un certain nombre d'incidents une partie de l'armée, elle-même, nous devient hostile. Les gaullistes restent loyaux envers leur chef, la propagande menée par la gauche porte, la lassitude de la métropole déteint sur une part de plus en plus grande d'appelés. Du haut des barricades, provoqués par le pouvoir, les insurgés ont tiré sur les gendarmes de Debrosse. La guerre civile est commencée.

Parmi les « incidents » caractéristiques de cette hostilité nouvelle, un colleur d'affiches de Babette Lagaillarde est abattu devant l'hôtel Aletti, en plein midi, par une patrouille de militaires français, qui sera immédiatement exfiltrée en métropole.

Tenant meeting dans les locaux de l'Association Générale des Étudiants, je fus victime d'une panne de micro organisée et aggravée par l'ouverture des fenêtres. Lagaillarde, même en prison, même chez les étudiants, n'avait pas que des amis.

Pour le reste, la campagne se déroule assez classiquement, visite de commerçants, accueil très chaleureux et même affectueux pour la petite Babette qui va au charbon à la place de son « taulard » de mari.

Le jour du scrutin, en revanche, les choses se gâtent. Visitant le bureau de vote de la Cité Mahieddine, gros bidonville musulman au cœur d'Alger, je suis reçu par un capitaine devant une brochette de dignitaires en djellabas blanches, décorations pendantes. L'accueil est froid :

– Germiny.

– Le Pen.

Il m'attaque d'entrée :

– Mossieu le député vient contrôler nos élections !

– Oui, Mossieu l'officier...

– Alors, je vais montrer à Mossieu le député, comment on vote ici

Et, prenant des enveloppes remplies, il met tout le paquet dans l'urne. Je crache à la figure du crapuleux capitaine. Devant l'outrage, il met la main à son pistolet, moi au mien. Me tournant vers les dignitaires musulmans, médusés, je leur dis :

– Cet officier français n'est pas digne de son uniforme.

Plus tard je m'interrogerai sur cet étrange capitaine de Germiny qui ressemblait furieusement à un provocateur. Je n'ai jamais retrouvé sa trace, ni les amis militaires à qui je m'en suis ouvert.

Le soir des résultats, l'atmosphère est électrique. El Madaoui, qui sera égorgé quelques semaines plus tard, comme d'ailleurs les colistiers musulmans de Babette, annonce :

Bureau numéro 3

Liste n° 1	*3 voix*
Liste n° 2	*2 voix*
Liste n° 3	*4 voix*
Liste n° 4 Algérie française, Lagaillarde	*789 voix*

À chaque annonce, la foule éclate en applaudissements. Les candidats concurrents s'esquivent sous les lazzis. 92 % des votants ont plébiscité la liste Algérie Française de Babette Lagaillarde. La conviction du peuple d'Alger n'est pas contestable. À Alger Banlieue les députés Marçais et Lauriol ont été élus en tête de liste.

Le lendemain je regagnai Paris et demandai à l'Assemblée la mise en liberté de Pierre Lagaillarde. La motion échoua à quelques dizaines de voix.

L'année soixante devait se poursuivre toujours plus mal et finir en véritable catastrophe. Sans doute le plan Challe se déroulait-il imperturbablement, mais la défaite politique se dessinait aussi nettement que la victoire militaire. Sûres maintenant de la fin du scénario, les populations musulmanes basculaient en silence du côté du FLN où le pouvoir les poussait. Le 4 novembre, De Gaulle annonçait un référendum sur l'autodétermination pour le 8 janvier 1961. Le même jour s'ouvrait le procès des barricades. Le Tribunal militaire décidait de mettre les accusés en liberté provisoire. Lagaillarde, Ronda, Demarquet et Susini en profitèrent pour filer en Espagne, n'ayant qu'une confiance limitée dans le gouvernement de Michel Debré. Le 24, Delouvrier était muté, puis, le 9 décembre, le Général décidait une énième tournée en Algérie. Cela devait être la dernière, car elle vira à l'aigre.

Le 10, le FLN hisse son drapeau sur la ville. Des manifestations musulmanes, sans doute provoquées par les services français, se transforment en émeutes. Des foules armées défient l'autorité de l'État et pénètrent le dimanche onze les quartiers européens pour les mettre à sac, attaquant aussi les CRS. L'armée doit intervenir. Le bilan officiel, de 61 morts à l'époque, est aujourd'hui de plus du double. De Gaulle poursuit son voyage impavide jusqu'au 14 décembre. Mais c'est désormais un fait acquis, les communautés qui hier fraternisaient s'empoignent, et, si l'État a du mal à garder la maîtrise de la rue, les musulmans inclinant vers les rebelles savent avec certitude que le vieillard qui leur serre la main, raide comme l'injustice, a pris parti pour eux contre les pieds noirs. Selon le témoignage écrit de son fidèle Louis Terrenoire, alors ministre de l'information, De Gaulle dira sa satisfaction d'avoir provoqué une « cristallisation » de la situation par son voyage. Il ajoutera :

– Tous les musulmans sont nationalistes et regardent avec sympathie du côté du FLN [...]. Nous assistons à la gestation d'une Algérie nouvelle ; elle se fait, elle va naître, elle est en pleine évolution psychologique et politique [...]. Cahin-caha, on va vers la solution. Ainsi, pour se justifier, De Gaulle fait-il mine de constater ce qu'il a provoqué, puisque, dès le 10 novembre en Corse il affirmait :

– Le FLN a avec lui la presque totalité des musulmans d'Algérie.

Et il ajoutait le 10 décembre aux officiers réunis sur l'aéroport de Blida :

– C'est une Algérie algérienne qui, tous les jours, deviendra par la force des choses plus algérienne que la veille.

Le FAF, qui avait participé aux manifestations du 11 novembre contre De Gaulle, est dissous le 29 décembre.

Raconter la suite me pèse. Touchant à la fin de ma vie, je n'ai pas envie de raconter celle de l'Algérie française, la mort, la trahison, la détresse. Le printemps 1961 connut un ultime sursaut : le vendredi 21 avril, en l'absence du chef de corps, le premier régiment étranger parachutiste, aux ordres du commandant Hélie Denoix de Saint Marc, s'emparait d'Alger. Jusqu'au mercredi 26 avril, quatre généraux, Challe, Salan, Jouhaud et Zeller, détinrent le pouvoir militaire nominal en Algérie, tentant désespérément de rallier à leur mouvement la majorité de l'armée. Les officiers d'active et les régiments d'élite étaient de cœur avec eux, sans que la plupart osassent ou voulussent bouger, le contingent, qui écoutait De Gaulle sur ses transistors, contre.

La situation échappait en fait aux putschistes au point qu'un essai atomique fut tiré au centre d'expérimentation de Reggane à leur insu. Devant l'échec, Challe et Zeller devaient se rendre le 26, ainsi qu'Hélie Denoix de Saint Marc. Salan, Jouhaud, Argoud, Sergent, et tant d'autres, disparurent : ils allaient former l'OAS. La reprise en main de l'armée par le chef de l'État fut impitoyable. 220 officiers furent relevés de leur commandement, 114 traduits en justice. Un millier démissionnera par solidarité. Les commandos de l'air et trois régiments qui avaient été en pointe furent dissous. Dont le mien, le premier étranger de parachutistes, dont ni les Viets ni les fells n'avaient pu avoir la peau. Après avoir transmis la responsabilité du maintien de l'ordre à Alger aux gendarmes mobile, il se retira dans le calme vers ses quartiers en chantant une chanson d'Édith Piaf :

– *Non, rien de rien, non, je ne regrette rien !*

Puis, ceux qui le souhaitaient, et ils furent nombreux, disparurent pour continuer le combat de l'Algérie française dans l'OAS. Dans un pays en guerre où se trouvaient sept cent mille soldats, déchiré par les luttes de factions et de communautés, ils avaient réussi un putsch en ne provoquant qu'une mort. Grâces leur soient rendues. Avec leur retrait l'aventure de l'Algérie française se terminait.

L'espoir est long à tuer au cœur d'un peuple. Contre la métropole et toute sa puissance, contre le FLN, contre la communauté internationale aussi, l'OAS et les pieds noirs n'avaient pourtant pas la moindre chance. L'agonie fut pénible. Les coups désespérés de l'OAS éloignèrent un peu plus de l'opinion métropolitaine les pieds noirs, présentés en bloc par la presse comme factieux et fascistes. Le FLN et la gauche se ripolinèrent en victimes.

Le 17 octobre 1961, le FLN qui menait une sale guerre en métropole depuis des années, eut le front d'organiser à Paris une manifestation dite pacifique. Il ne faut pas oublier qu'à l'époque, outre le quotidien du racket, de l'impôt, des menaces, punitions et règlement de compte, le FLN menait dans Paris des patrouilles en armes. Pas seulement à Barbès. Que ses dirigeants aient eu l'idée de lancer une manifestation dans le climat de haine qu'ils provoquaient en dit long sur la profondeur de leur cynisme. La police les triqua sans modération, et des mouvements de foule, il n'y a pas besoin d'imaginer des ratonnades, en précipitèrent un certain nombre à la Seine ou, pire, sur la chaussée des berges. C'est par un phénomène analogue que la manifestation de la gauche du 8 février 1962, tout aussi indécente dans son principe, causa la mort de manifestants étouffés par leurs camarades dans la station de métro Charonne.

Si la mémoire collective officielle entretenue par la gauche célèbre ces deux dates, seuls les pieds noirs, abandonnés de leurs compatriotes, se souviennent du 26 mars 1962, quand une unité de tirailleurs algériens mitrailla une foule de manifestants qui protestaient contre le blocus de Bab el Oued par l'armée française, faisant au moins quatre-vingts morts selon les rapports officiels. Des tirailleurs musulmans non préparés au maintien de l'ordre, pas assez nombreux pour former des barrages, revenus épuisés du bled et mal commandés, ne surent pas tenir leurs nerfs et tirèrent dans tous les sens, vraisemblablement à la suite de la provocation de barbouzes.

Voilà, on arrive au bout du bout du calvaire. Inutile de rappeler que le cessez le feu fut décrété le 19 mars 1962 à la suite des accords d'Évian, que ni l'un ni les autres ne furent respectés. Il ne mit nullement fin à la guerre d'Algérie mais permit à l'armée française de se laver les mains de ce qui allait se passer – sauf pour agir contre les pieds noirs et l'OAS. Celle-ci allait se désagréger très vite. Jouhaud, Salan, Degueldre, étaient arrêtés. Le peuple pied-noir en tira les conséquences. Entre la valise et le cercueil, il choisit, se massant sur les quais des grands ports, sans rien emporter que quelques pauvres hardes, pour gagner la métropole. Des fumées noires montaient dans le ciel. Encore. Comme à Lorient, comme en Indochine. Les incendies signalent toujours les départs en catastrophe. D'autres horreurs encore bien pires survinrent en ces jours. J'en parlerai au moment de conclure. Des référendums successifs avaient donné par paliers mandat à De Gaulle de larguer l'Algérie. Elle fut indépendante le 3 juillet.

Et vous, me demandera-t-on ? Que faisiez-vous ? On s'étonne parfois que je n'aie pas participé aux barricades, au putsch du 22 avril, à l'OAS. À tous les barouds d'honneur de l'Algérie française. Une première explication est justement que ce furent des barouds d'honneur. Des gestes, pour le principe sinon pour la montre, en protestation contre un sort injuste, plus que des actes pour infléchir le destin. Un titre de Cecil Saint-Laurent exprime assez bien l'atmosphère de l'époque, *Les Agités d'Alger*. Tout était complot, conciliabules, esquisses de *pronunciamientos*, chimère et théâtre. Certains militaires y excellaient. Je me souviens du général Faure, grand sportif, porte-drapeau de la délégation française aux J.O. de Garmisch-Partenkirchen en 36, beau chasseur alpin, belle guerre, mais un pois chiche dans la boîte crânienne. C'était un brave type professionnel qui affichait ses sentiments Algérie française. Rapporteur du budget de la guerre, je dîne un soir avec lui à son Q.G. de Kabylie et son adjoint le général de Camas, et déplore le cours inexorable de notre politique en soupirant :

– Tant que De Gaulle sera là, il n'y aura rien à faire.

J'apprendrai par mon ami le lieutenant Godot, témoin direct, qu'il a pris une voiture pour descendre dans la nuit de Tizi Ouzou à Alger pour me dénoncer à l'état-major :

– Le Pen veut faire assassiner De Gaulle !

Le pauvre se fera poisser dans l'un des complots où sa tête légère s'était laissée entraîner, le putsch d'avril 1961. Il fera cinq ans de prison à Tulle avant d'être libéré en avril 1966.

Les militaires restaient sur le modèle du 13 mai. Avec les civils d'Alger, le marché était : vous créez l'incident, nous intervenons et reprenons le manche. Ils avaient oublié un temps dans le schéma, le dernier, la prise du pouvoir. En 58, Salan s'était tourné vers De Gaulle pour le lui donner. En 60, pour les barricades, un petit détail avait changé, De Gaulle était à l'Élysée. Le Général n'était ni Pfimlin ni Coty, il en fallait beaucoup pour l'impressionner. Il avait toujours méprisé Alger et ce qui s'y passait n'était pas fait pour le faire changer d'avis. Les barricades eurent un côté pour rire. Si la mort et le désespoir n'y avaient rôdé, ç'aurait été une opérette méditerranéenne pleine de faux-semblants comiques, chaque partie cherchant dès le début une sortie. Brochant sur le tout, réfugiés hors de la ville à Rocher noir, le commandant en chef menaçait de faire tirer tout en retirant les unités capables de le faire (c'est à son honneur), et le délégué général du gouvernement prononçait un discours où il disait comprendre les insurgés, quand il savait pertinemment que son chef ne les comprenait pas et ne voulait pas les comprendre. Au-dessus de tout cela, dans sa tour d'ivoire de l'Élysée, De Gaulle, froid comme une tombe, dur comme un caillou dans la chaussure de la France, laissa jouer l'intermède jusqu'au bout comme on laisse dégorger des coquillages avant de les cuire, puis siffla la fin de la récréation. Les militaires calèrent et les meneurs civils furent foutus au trou.

Pour le putsch, il y a eu une variante, l'armée n'a pas mis les civils dans le coup, les jugeant peu fiables, sans même noter qu'aux barricades elle n'avait pas été plus fiable qu'eux. Les putschistes ont mené leur affaire en grand secret, pour n'appeler la foule à le soutenir qu'après. Cette fois, je fus mis dans le secret. Par Tixier. Cela me parut à nouveau une opération alibi, sans véritable plan ni espoir, étant donné le rapport des forces. Godot me conseilla :

– Ne te mets pas dans ce coup, c'est un coup fourré. On est là pour faire semblant.

Sorti en tête de la botte de Saint-Cyr, c'était un des militaires les plus intelligents que j'aie rencontrés. L'événement confirma son intuition. Le putsch d'avril frappe par le contraste entre la technique d'une opération militaire parfaitement huilée, qu'on pourrait ériger en modèle, et la nullité de l'opération politique qui aurait dû l'accompagner. Rien n'était prévu ni pour durer en Algérie ni pour sauter sur la métropole. Pendant que Debré, amateur et personnage de Labiche, exhortait les civils à gagner les aéroports « à pied ou en voiture », pour barrer la route à d'éventuels parachutistes, De Gaulle demeurait goguenard :

– Fidel Castro serait déjà là. Mais ce pauvre Challe n'est pas Castro.

La force militaire sans résolution politique n'est rien. Le pouvoir était-il renseigné sur le projet du putsch, l'a-t-il laissé faire pour mieux casser l'armée ? Des historiens le pensent. Sans doute des gens sérieux comme Sergent ou Saint Marc y ont-ils participé. Peut-on dire qu'ils ont été floués ? Disons qu'ils se sont placés dans le cadre de la hiérarchie militaire, hiérarchie rebelle, mais hiérarchie quand même.

Sergent s'est mis aussi sur le coup suivant, l'OAS. C'était un type bien, qui plus tard devait me rejoindre au Front National, en être député. Lors de la formation de l'OAS métro, après le putsch, j'étais encore parlementaire, il vient me voir avec Godot. Je m'en souviens, c'était chez ma belle-mère rue du cirque. L'objet était de préparer la résistance Algérie française en métropole.

J'ai décliné sans hésiter. Pour plusieurs raisons. Je n'entre pas dans une organisation dont la hiérarchie est secrète, car je n'y aurais aucun moyen de connaître les chefs, leur objectif réel, leur stratégie. Je pourrais être commandé par mon concierge. C'est pour cela entre autres que j'ai refusé d'intégrer la franc-maçonnerie les trois fois où on me l'a proposé, quand je fus élu président de la Corpo, député, et rapporteur du budget de la guerre.

En plus apparaissaient des figures douteuses, dont on ignorait le pedigree, je pense à Canal, l'homme qui a commandité les nuits bleues. C'est à lui que l'on doit l'explosion d'une bombe qui, visant André Malraux, toucha la petite fille de ses propriétaires, la malheureuse Delphine Renard, qui en resta borgne et devait devenir, vingt-cinq ans plus tard, aveugle des suites d'un glaucome. Si c'est pour faire aussi mal que l'ennemi, ce n'est pas la peine. Je sais que l'intention n'était pas la même que celle des poseuses de bombes de la bataille d'Alger, mais en la matière les bonnes intentions ne suffisent pas. Certain type de combat demande de la précision pour ne pas sombrer dans l'odieux. J'étais un parlementaire national, pas un desperado. Il me semblait utile, pour maintenir l'unité d'une France au bord de la guerre civile, d'agir dans la légalité. D'autant que le rapport des forces n'était pas favorable. Les contacts que j'ai eus dans la clandestinité m'ont renforcé dans mon opinion. J'ai fait la connaissance de Susini en Espagne avec Lagaillarde. Après nous avons pris un verre et j'ai dit à Pierre :

– Attention à ce garçon, il me paraît avoir quelque ambition.

C'était un étudiant en médecine qui avait pris une part déterminante à l'organisation des journées des barricades. Fort intelligent, assez radical, il a été soupçonné depuis d'avoir préparé l'un des attentats manqués contre De Gaulle, celui du mont Faron. Il devait devenir par la suite professeur de médecine, ce qui n'est pas rien. Plus tard encore il rejoindrait le FN, serait secrétaire départemental des Bouches du Rhône, j'avais des rapports plutôt cordiaux avec lui. À la fin de la guerre d'Algérie, il signa avec le docteur Mostefaï des accords FLN-OAS qui ne furent pas plus appliqués que les accords d'Évian. De Gaulle abandonna définitivement l'Algérie au GPRA en ouvrant le 2 juillet les frontières du Maroc et de la Tunisie à l'ALN de l'extérieur. Combats et massacres inaugurèrent une guerre civile qui n'est toujours pas terminée. Pour les pieds noirs, pour l'OAS, pour la France, tout était désormais perdu, il ne restait plus que la fuite, vite, en silence.

7. Soldats perdus

Tandis qu'en Algérie la faction arabe et la faction kabyle se combattaient plus que jamais, la guerre civile prit en France désormais presque réduite à la métropole une forme nouvelle. Le maire socialiste de Marseille, Gaston Deferre, refusait d'accueillir les pieds noirs, la CGT manifestait contre leur communauté, décrétée « fasciste ». L'armée et les pieds noirs de leur côté ne pardonnaient pas à De Gaulle de les avoir brisés. Quelques-uns tentèrent de l'assassiner, à Pont-sur-Seine le 8 septembre 1961, au Petit-Clamart le 22 août 1962, en pleines grandes vacances, alors que le yé-yé triomphait sur les plages, et encore le 15 août 1964 au mont Faron. La haine qu'il avait semée ne s'apaisait pas. Il en prit prétexte pour poursuivre ses adversaires avec la plus grande rigueur devant toutes sortes de juridictions d'exception. Le dernier mort de la guerre d'Algérie devait tomber le 11 mars 1963 sous des balles françaises : il s'agit de Jean-Marie Bastien-Thiry, fusillé au fort d'Ivry.

Ce que De Gaulle ne pardonna jamais aux pieds noirs et à l'armée, c'est de l'avoir porté au pouvoir. Sans 13 mai, pas d'Élysée pour le retraité de Colombey. S'il a pu à soixante-sept ans commencer une carrière de demi-dictateur, c'est grâce à Lagaillarde, Massu, Salan, et quelques autres. En outre, les barricades, le putsch, l'OAS, lui ont permis de mettre en œuvre l'article 16 de la constitution, qui lui donnait, sinon les pleins pouvoirs, du moins les coudées franches avec les règles ordinaires de la démocratie. En somme, après lui avoir offert le pouvoir, ses adversaires lui garantirent le moyen d'une dictature à la romaine. Il était leur obligé. Il le leur fit payer cher.

Le procès des barricades, de novembre 1960 à février 1961, avait encore été relativement clément, Lagaillarde prit vingt ans, mais par contumace. Juges et avocats généraux se faisaient la main, et puis l'Algérie française était encore bien reçue dans la bourgeoisie, la partie politique n'était pas tout à fait gagnée pour De Gaulle. Des anciens ministres, des présidents du conseil, venaient témoigner en faveur des prévenus. Le procès du putsch fut déjà plus expéditif. Challe écopa de quinze ans. Trop de militaires prenaient la chose au sérieux, ils passaient de l'opinion mondaine à la rébellion, il fallait y mettre le holà.

Avec l'OAS, on changea radicalement de ton, et d'époque. Le pouvoir rameuta la gauche, sa presse, ses agitateurs, pour crier leur haine contre les accusés : la guerre civile fut invitée sciemment dans les prétoires. Il y eut plus de trois mille jugements et quarante-deux condamnations à mort, dont quatre furent exécutées. L'assureur Claude Piegts et le sergent Albert Dovecar furent fusillés le 7 juin au Trou d'Enfer dans la forêt de Marly, le lieutenant Roger Degueldre achevé à plusieurs reprises trois jours après l'indépendance de l'Algérie, le 6 juillet 1962, et Jean Bastien-Thiry en mars 63. C'est pour eux que j'allais publier bientôt l'album « Fors l'honneur », nommé ainsi en souvenir d'un autre désastre, Pavie.

J'ai lu quelque part que De Gaulle voulait se venger d'une armée pétainiste. Rien n'est plus anachronique. L'armée de 1960 gardait des traces de la baraque à Juin, de la baraque à De Lattre, mais le souvenir de l'armée d'Afrique et de celle de l'armistice se perdait au fil des amalgames successifs que l'Indochine et l'Algérie avaient opérés. C'était l'armée des guerres de décolonisation, et, la France n'ayant plus de colonies, De Gaulle prétendait se défaire de cadres qu'il jugeait désormais inadaptés aux futures missions pour construire une armée de techniciens.

S'il nourrissait un ressentiment réel pour les hommes qu'il éliminait, ce n'était pas qu'ils fussent « pétainistes », mais qu'ils témoignaient de la diversité de la résistance d'hier, et surtout que leur résistance présente à sa politique lui rappelait son indignité d'aujourd'hui. Il leur avait donné vingt ans plus tôt l'exemple d'un officier politique en rébellion contre un pouvoir qu'il estime injuste, ils avaient suivi son exemple, il incarnait lui-même désormais le pouvoir injuste à leurs yeux. Ils étaient les témoins de son crime, il fallait les en punir.

Ainsi l'armée fut-elle sinon décimée, du moins écimée, privée de ses plus hautes pousses. Caractères et consciences trop raides furent soit condamnés, soit poussés à la démission. Je m'abstiendrai de juger ceux qui restèrent. En dehors des gaullistes inconditionnels et des carriéristes, ils sont nombreux dans toute profession, il y eut aussi des militaires très militaires, qui obéirent jusqu'au martyre, comme on le voit faire au supérieur du *Crabe Tambour* imaginé par Schoendorffer.

Je note deux grands absents dans ces procès de l'Algérie française, deux des plus grandes figures de l'armée d'Algérie. D'abord Jeanpierre, mort au combat. Et puis Bigeard, officier alors hypermédiatique avec sa casquette aussi connue que celle du père Bugeaud, devenu plus tard général de corps d'armée et ministre. Les deux hommes étaient tous deux d'un bois excellent, pas le même cependant. Bigeard était un beau soldat, mais un peu ficelle. Pendant l'opération d'Égypte, son régiment était resté à Chypre : il n'en a pas refusé pour autant son contingent de croix de guerre, alors que Jeanpierre, qui lui y était, a refusé le sien en raison de la brièveté et de la facilité des combats. Je lui représentai qu'il avait tort, dans dix ans plus personne ne saurait qui avait combattu ou non, ne resteraient que les décorations... Il n'a rien voulu savoir. Il était taciturne, gabinesque, comme mon père, trapu, costaud, réservé, l'inverse de Marcel, lui aussi magnifique officier, mais moderne, expert en communication, chaleureux d'ailleurs.

Si ces deux-là, l'un mort, l'autre ayant décidé d'obéir, manquèrent dans les prétoires de l'Algérie française, il en défila mille plus pathétiques l'un que l'autre, du seconde classe au général d'armée. Ce fut un paroxysme tragique. Des baroudeurs jetaient leurs médailles aux pieds des magistrats, des lieutenants posaient des questions terribles aux généraux qui les accusaient. La nation s'y donnait en spectacle dans un psychodrame en direct, les journaux en étaient pleins, la gauche y déployait une haine méticuleuse des *fascistes*, un sectarisme hystérique, sans borne, à la mesure de la peur qu'elle avait eue. Les héros en étaient des hommes que le pouvoir désignait à la vindicte du peuple et à son mépris. On les jugea sous les huées.

À tout seigneur, tout honneur, commençons par Raoul Salan, ancien commandant en chef et gouverneur général de l'Algérie française.

Son procès s'ouvrit le 15 mai 1962 pour se clore le 23. Ce fut un événement de portée internationale, le théâtre moral où se joua et se jugea la politique du régime et de ses adversaires. On s'y pressait, on y murmurait, on s'y empoignait, on s'en faisait expulser. Avant de devenir le chef de l'OAS, Salan avait accompli une brillante carrière tout en cultivant un certain mystère. Soldat le plus médaillé de France, homme du renseignement ayant travaillé pour Georges Mandel avant la guerre, homme de l'amalgame entre l'armée d'Afrique et les FFI à la fin de la guerre, il avait bonne réputation à Paris, partant mauvaise à Alger, il passait pour un général républicain. Dans le complot du bazooka qui tua son collaborateur le commandant Rodier, le commanditaire direct de l'opération, Kovacs, avait affirmé que Michel Debré en était le véritable instigateur, et que le but était de remplacer un général défaitiste par le général Cogny, fervent gaulliste.

Je suis persuadé que cette affaire fut au cœur du procès et qu'elle valut à Salan de sauver sa peau. Quand il fut condamné à la perpétuité, cela fit l'effet d'une bombe, chacun attendait la mort. Il se trouve que le général Jouhaud, le numéro deux militaire de l'OAS, venait, lui, d'être condamné à mort. Georges Pompidou, alors premier ministre, et Jean Foyer, garde des Sceaux, firent le siège du général De Gaulle pour qu'il accorde la grâce au numéro deux puisque le numéro un avait la vie sauve, sous peine de provoquer un mouvement d'opinion incontrôlable.

Pour Salan, la relative clémence du tribunal a été négociée directement avec le général De Gaulle. La colère que celui-ci a montrée en apprenant que Salan avait sauvé sa tête était jouée, j'en suis sûr. Voici pourquoi. Me Tixier-Vignancour qui défendait le chef de l'OAS avait cité François Mitterrand comme témoin de la défense. D'après ce que je sais, l'objet du témoignage aurait été le fait suivant : ministre de la justice au moment de l'affaire du bazooka, Mitterrand aurait reçu la visite du sénateur Debré lui demandant de ne pas faire pousser les investigations trop loin. J'étais dans la salle réservée aux témoins le jour où Mitterrand fut cité. Nous nous étions regroupés par affinités entre partisans de l'Algérie française. Quand François Mitterrand entra, sans s'asseoir à l'écart comme l'y invitait un huissier, il piqua droit sur nous. Avec Lacoste-Lareymondie nous nous levons par courtoisie parlementaire pour aller à sa rencontre, et taillons une petite bavette. Puis il est appelé par le tribunal, et le président passe la parole à Me Tixier-Vignancour :

– Maître, c'est à vous.

Alors Tixier, impérial :

– La défense n'a rien à demander à Monsieur Mitterrand.

Il ne s'en est jamais expliqué. Les deux hommes avaient l'habitude des coups de théâtre. Celui-ci fit jaser. Ma conviction est que le silence sur l'affaire du Bazooka fut échangé contre la tête de Salan. Par la même occasion, l'homme de Jarnac s'assurait que les gaullistes ne l'ennuieraient plus avec l'affaire de l'Observatoire.

On se souvient de cette histoire rocambolesque : dans la nuit du 15 au 16 octobre 1959, la voiture du sénateur de la Nièvre, François Mitterrand, est criblée de sept balles et la prétendue victime assure aux policiers n'avoir échappé aux tueurs qu'en sautant dans le jardin de l'Observatoire. On s'oriente d'abord, la presse aidant, vers la thèse d'un attentat « fasciste », mais l'enquête établit vite, en se fondant sur les données balistiques, qu'il s'agit d'un attentat bidon. Mais quoi exactement ? Il est prouvé que Pesquet, le principal inculpé, s'est entendu avant l'attentat avec Mitterrand, mais pour qui travaillait-il ? Pour sa « victime », comme il l'avait d'abord affirmé ? Pour le discréditer comme il l'a prétendu par la suite ? Mais pour le compte de qui ?

Les déclarations de Pesquet, gaulliste devenu poujadiste, ne furent ni claires ni convaincantes, celles de Mitterrand non plus. Il est clair que Mitterrand a donné son accord à un attentat simulé, mais qu'en attendait-il ? On ne comprend pas comment un fin loustic comme lui s'est laissé embarquer dans une affaire pareille. Pesquet lui aurait-il vendu une salade sentimentale, avec un commando de tueurs d'extrême droite à l'appui ? L'atmosphère journalistique s'y prêtait. Du genre, je suis chargé de vous tuer et si je ne fais pas au moins semblant ils me tueront. Alors Mitterrand aurait acquiescé par bonté d'âme. Plus par pitié que par intérêt. Un des rares bons mouvements de sa vie politique se serait alors retourné contre lui. C'en serait presque touchant.

Salan et Jouhaud, bientôt transférés à Tulle où ils devaient attendre leur élargissement en 1968, suivi plus tard, du temps de Mitterrand, par leur réintégration dans l'armée et la récupération de leurs droits et grades, étaient des généraux. Comme tels, ils n'étaient pas représentatifs de la majorité des condamnés de l'Algérie Française. Ceux-ci étaient jeunes, rebelles, le ventre plat et le regard en colère. Je ne les avais pas suivis dans leur révolte mais j'en connaissais les causes et j'en approuvais les mobiles. Tous, sans grade, lieutenants, enseignes de vaisseaux ou capitaines, auraient fait en d'autres temps des maréchaux d'empire, ils furent les derniers soldats d'un empire porté en terre. Figures splendides de courage et de désintéressement, ils se sont dressés contre l'injustice, l'imposture et la trahison. Ils avaient tout supporté, la défaite et l'horreur en Indochine, la victoire désastreuse à Suez, et maintenant l'abandon en Algérie malgré la victoire. Ils ne le supportèrent plus. Le premier à le dire clairement fut le colonel Broizat au procès des barricades :

– Nous avons décidé que nous ne trahirions plus.

Superbe phrase dans sa sainte simplicité. Tous ces soldats perdants devinrent soldats perdus pour ne pas perdre leur honneur. Leur état d'esprit se trouve assez justement résumé dans le texte qui ouvre en épigraphe *Les Centurions* de Jean Lartéguy. Je le cite en entier non seulement pour lui-même mais parce qu'il a une histoire, on va le voir :

On nous avait dit, lorsque nous avons quitté le sol natal, que nous partions défendre des droits sacrés que nous confèrent tant de citoyens installés là-bas, tant d'années de présence, tant de bienfaits apportés à des populations qui ont besoin de notre aide et de notre civilisation. Nous avons pu vérifier que tout cela était vrai, et, parce que c'était vrai, nous n'avons pas hésité à verser l'impôt du sang, à sacrifier notre jeunesse, nos espoirs. Nous ne regrettons rien, mais alors qu'ici cet état d'esprit nous anime, on me dit que dans Rome se succèdent cabales et complots, que fleurit la trahison et que beaucoup, hésitants, troublés, prêtent des oreilles complaisantes aux pires tentations de l'abandon et vilipendent notre action. Je ne puis croire que tout cela soit vrai et pourtant des guerres récentes ont montré à quel point pouvait être pernicieux un tel état d'âme et où il pouvait mener. Je t'en prie, rassure-moi au plus vite et dis-moi que nos concitoyens nous comprennent, nous soutiennent, nous protègent comme nous protégeons nous-mêmes la grandeur de l'Empire. S'il devait en être autrement, si nous devions laisser en vain nos os blanchis sur les pistes du désert, alors, que l'on prenne garde à la colère des légions !

Lartéguy, de son vrai nom Lucien Osty (c'était le neveu du chanoine Osty, traducteur de la Bible), résistant, combattant de l'armée d'Afrique, d'Indochine, de Corée, finit capitaine et décoré avant de se lancer dans le journalisme et le roman. C'est son ami le commandant Jean Pouget, lui aussi glorieux combattant autant qu'écrivain, qui lui a fourni ce texte : il leur semblait à tous deux coller comme un gant à la situation politique du moment, tant il exprimait l'état d'esprit de l'armée. Ils l'attribuaient, de bonne foi, à un centurion de la Légion Augusta, Marcus Flavinius écrivant à son cousin Tertullius, à Rome. Mais c'était trop beau pour être vrai, et si cette prétendue lettre collait si bien à la réalité que nous vivions, c'est qu'il s'agissait d'un faux, rédigé à dessein par l'un des comploteurs gaullistes les plus actifs et les plus talentueux, Roger Frey. Héraut de l'Algérie française converti à l'action gouvernementale, il devait être ministre de l'intérieur de 1961 à 1967 et comme tel réprimer ses anciens camarades qu'attirerait l'OAS, faire enlever aussi bien le colonel Argoud que l'opposant marocain Mehdi Ben Barka et finir, cela ne s'invente pas, président du conseil constitutionnel !

Un autre texte, authentique celui-là, exprime la même lassitude et le même point d'honneur, il s'agit de la déclaration que fit à son procès Hélie Denoix de Saint Marc, commandant par intérim le 1er REP qu'il entraîna dans le putsch :

Ce que j'ai à dire sera simple et sera court. Depuis mon âge d'homme, Monsieur le président, j'ai vécu pas mal d'épreuves : la Résistance, la Gestapo, Buchenwald, trois séjours en Indochine, la guerre d'Algérie, Suez, et puis encore la guerre d'Algérie...

En Algérie, après bien des équivoques, après bien des tâtonnements, nous avions reçu une mission claire : vaincre l'adversaire, maintenir l'intégrité du patrimoine national, y promouvoir la justice raciale, l'égalité politique. On nous a fait faire tous les métiers, oui, tous les métiers, parce que personne ne pouvait ou ne voulait les faire. Nous avons mis dans l'accomplissement de notre mission, souvent ingrate, parfois amère, toute notre foi, toute notre jeunesse, tout notre enthousiasme. Nous y avons laissé le meilleur de nous-mêmes. Nous y avons gagné l'indifférence, l'incompréhension de beaucoup, les injures de certains. Des milliers de nos camarades sont morts en accomplissant cette mission. Des dizaines de milliers de musulmans se sont joints à nous comme camarades de combat, partageant nos peines, nos souffrances, nos espoirs, nos craintes. Nombreux sont ceux qui sont tombés à nos côtés. Le lien sacré du sang versé nous lie à eux pour toujours. Et puis un jour, on nous a expliqué que cette mission était changée. Je ne parlerai pas de cette évolution incompréhensible pour nous. Tout le monde la connaît. Et un soir, pas tellement lointain, on nous a dit qu'il fallait apprendre à envisager l'abandon possible de l'Algérie, de cette terre si passionnément aimée, et cela d'un cœur léger. Alors nous avons pleuré. L'angoisse a fait place en nos cœurs au désespoir.

Nous nous souvenions de quinze années de sacrifices inutiles, de quinze années d'abus de confiance et de reniement. Nous nous souvenions de l'évacuation de la Haute Région, des villageois accrochés à nos camions, qui, à bout de forces, tombaient en pleurant dans la poussière de la route. Nous nous souvenions de Diên Biên Phu, de l'entrée du Vietminh à Hanoï. Nous nous souvenions de la stupeur et du mépris de nos camarades de combat vietnamiens en apprenant notre départ du Tonkin. Nous nous souvenions des villages abandonnés par nous et dont les habitants avaient été massacrés. Nous nous souvenions des milliers de Tonkinois se jetant à la mer pour rejoindre les bateaux français. Nous pensions à toutes ces promesses solennelles faites sur cette terre d'Afrique. Nous pensions à tous ces hommes, à toutes ces femmes, à tous ces jeunes qui avaient choisi la France à cause de nous et qui, à cause de nous, risquaient chaque jour, à chaque instant, une mort affreuse. Nous pensions à ces inscriptions qui recouvrent les murs de tous ces villages et mechtas d'Algérie : L'Armée nous protégera, l'armée restera ». Nous pensions à notre honneur perdu. […]

Aujourd'hui, je suis devant vous pour répondre de mes actes et de ceux des officiers du 1er REP, car ils ont agi sur mes ordres.

Monsieur le président, on peut demander beaucoup à un soldat, en particulier de mourir, c'est son métier. On ne peut lui demander de tricher, de se dédire, de se contredire, de mentir, de se renier, de se parjurer. Oh ! je sais, Monsieur le président, il y a l'obéissance, il y a la discipline. Ce drame de la discipline militaire a été douloureusement vécu par la génération d'officiers qui nous a précédés, par nos aînés. Nous-mêmes l'avons connu, à notre petit échelon, jadis, comme élèves officiers ou comme jeunes garçons préparant Saint-Cyr. Croyez bien que ce drame de la discipline a pesé de nouveau lourdement et douloureusement sur nos épaules, devant le destin de l'Algérie, terre ardente et courageuse, à laquelle nous sommes attachés aussi passionnément que nos provinces natales.

Monsieur le président, j'ai sacrifié vingt années de ma vie à la France. Depuis quinze ans, je suis officier de Légion. Depuis quinze ans, je me bats. Depuis quinze ans j'ai vu mourir pour la France des légionnaires, étrangers peut-être par le sang reçu, mais français par le sang versé.

C'est en pensant à mes camarades, à mes sous-officiers, à mes légionnaires tombés au champ d'honneur, que le 21 avril, à treize heures trente, devant le général Challe, j'ai fait mon libre choix. Terminé, Monsieur le président.

Les délicats trouveront trop de pathos à ces paroles, mais on ne peut leur dénier la conviction, l'honnêteté ni la grandeur. Si j'avais été militaire au 1er REP le soir du putsch, malgré ce que je pense de cette opération, j'aurais obéi à mon chef.

Saint Marc, en s'aventurant sur le terrain de la discipline militaire, lançait une pierre dans le jardin du général De Gaulle, lui rappelant que lui-même avait été un insoumis et qu'il avait justifié sa rébellion par une légitimité politique supérieure. Jean-Marie Bastien-Thiry, lui, se plut dans son procès à montrer longuement que l'assassinat du Général était un tyrannicide recommandé par la morale et par la démocratie. Le mieux est que son développement, quoiqu'un peu long, était solidement charpenté. Il ne manqua pas de citer saint Thomas d'Aquin. Il accusa enfin le général De Gaulle de « forfaiture, haute trahison et complicité de génocide ». Il alla même – ô crime de lèse-majesté – à comparer le chef de l'État à Hitler soi-même :

– En juillet 1944, des officiers qui représentaient l'élite de l'armée allemande, menèrent, contre le dictateur Adolf Hitler, une action qui, si elle fut sur le plan pratique très différente de celle que nous avons menée, présentait, nous le croyons, certaines analogies dans les mobiles.

Enfin, avant de conclure, il lança : « Nous ne devons de comptes qu'au peuple français et à nos enfants. En faveur de ces populations, nous avons exercé le droit qui est au cœur de l'homme, le droit qui exprime sa volonté de vivre et de survivre, et qui est le droit de légitime défense. Nous n'avons transgressé ni les lois morales ni les lois constitutionnelles, en agissant contre un homme qui s'est placé lui-même hors de toutes les lois : hors des lois morales, hors des lois constitutionnelles, hors des lois humaines. C'est pourquoi, si vous vous conformez aux lois de la République, vous devez nous reconnaître innocents. Car, avant de nous faire condamner, le pouvoir de fait devrait faire modifier, par le Parlement, l'un des points essentiels de la Constitution qui reconnaît à l'homme, en tant que droit fondamental et inaliénable, le droit de résistance à l'oppression. »

Dans sa démonstration, Bastien-Thiry avait proclamé la légitimité du CNR : il s'était en effet formé avec l'OAS un Conseil National de la Résistance imité de celui de la Seconde Guerre mondiale et présidé par le même homme, Georges Bidault, ancien MRP, ancien mouton démocrate-chrétien que les reniements gaullistes en Algérie avaient enragé, assisté de Jacques Soustelle, Antoine Argoud et Pierre Sergent. Les soldats perdus avaient entraîné avec eux des civils perdus, brûlés comme eux au feu de l'affaire algérienne. Venus de la gauche, ces démocrates pointilleux, doublés d'universitaires distingués, prirent le chemin de la clandestinité et de l'exil. Ils menèrent une vie de bohèmes ravagés par le chagrin et traqués par le pouvoir jusqu'en 1968, année de l'amnistie, où le CNR s'autodissout.

Jamais De Gaulle ne pardonna à ces hommes le simple fait d'exister et de dire ce qu'il ne voulait pas entendre. Eux vivaient de rien, de petits boulots, de prêts d'amis, en espadrille ou en baskets, fuyant de Bruxelles à Munich et Madrid, s'accrochant à l'illusion d'agir, pas vraiment dupes, le cœur vitrifié. Quelques-uns écrivirent. Jean Brune publia des livres magnifiques, *Cette haine qui ressemble à l'amour*, *Interdit aux chiens et aux Français*, Sergent, *Ma peau au bout de mes idées*, Soustelle, *28 ans de Gaullisme*. Tous expriment la même stupeur mortelle face à la trahison. Chacun ensuite revint à la vie à sa façon. Soustelle devait retourner à ses études amérindiennes. Quelques-uns donnèrent dans le banditisme. D'autres rejoignirent leurs frères « mercenaires », si mal nommés, qui faisaient souvent, en relation avec les services, les tâches difficiles et dangereuses que l'occident ne voulait plus accomplir au grand jour, au Congo, au Yémen, au Biafra, partout où le combat faisait signe.

Dès cette époque et plus tard à Montretout Bob Denard et Roger Faulques passaient me raconter leurs campagnes. Roger, qui avait été officier de renseignement du 1er REP pendant la bataille d'Alger, était un conteur tordant. Je me souviens de la fois où il avait fait prisonnier au Katanga un bataillon entier de l'ONU avec quelques hommes et beaucoup de culot :

– Déposez vos armes, vous êtes cernés !

Il y a quelques années je lui ai demandé pourquoi il n'écrivait pas ses mémoires. Il a secoué la tête :

– Les services que j'ai rendus ne sont pas de ceux qu'on raconte.

Quelques-uns enfin, après avoir réussi dans les livres, revinrent sur le tard, avec le Front National, à la politique. Ce devait être très brièvement le cas de Georges Bidault, ce fut celui de Pierre Sergent, qui serait élu député en 1986. Mais il mit longtemps à cicatriser ses plaies, si elles le furent jamais tout à fait. La mort du lieutenant Degueldre, qu'il avait eu sous ses ordres, lui inspira ces lignes :

– Les hommes sont rares. Les familles, les patries, les civilisations, et même les régiments peuvent mourir. Ça va, ça vient, et rien de tout cela n'a vraiment d'importance. Mais voir mourir des hommes, c'est vraiment dommage.

C'est ma foi une belle conclusion, quoique trop désabusée. Nous avons vu mourir beaucoup d'hommes dans l'affaire algérienne, et les procès iniques menés contre les partisans de l'Algérie française en ont rajouté quatre à la liste, quatre de plus, quatre de trop.

8. La SERP

L'histoire passait, chacun s'en rendait compte. Elle me laissa sur le sable. Le 4 octobre 1962 la chambre des députés votait la censure du gouvernement Pompidou, le 9 elle était dissoute, les 18 et 25 novembre de nouvelles législatives avaient lieu, et ce fut le début de la bipolarisation qui a dominé depuis l'essentiel de la Cinquième République. Les Gaullistes gagnaient douze points et 56 sièges, frôlant la majorité absolue, la SFIO en gagnait 107, les radicaux 41, les communistes 41 aussi. Au contraire le MRP et le centre national des indépendants étaient laminés. Ce dernier perdait 97 sièges pour n'en retrouver que 12. J'étais moi-même battu à Paris par le juriste gaulliste de gauche René Capitant.

Du jour au lendemain je me retrouvai sans revenu, n'ayant jamais eu d'autre état, quand je ne représentais pas la nation, que celui d'étudiant ou de soldat. Il me fallait trouver un métier pour nourrir mon épouse et ma petite Marie-Caroline. Par chance, ou plutôt dans un élan de solidarité exceptionnel, Philippe Marçais, doyen de la faculté et député d'Alger, m'offrit de partager son indemnité : les élus d'Algérie la conservaient en effet jusqu'au terme prévu de la législature, c'est-à-dire à l'automne 63. Cela me donnait quelques mois pour voir venir. Quand quelqu'un me déçoit, je me remémore ce geste, et quelques autres dont j'ai bénéficié tout au long de ma vie, ils me préservent d'une vision trop noire des choses et des gens qui vous gagne avec l'âge.

J'avais mon certificat d'aptitude à la profession d'avocat, mais ni les relations nécessaires, les moyens d'aménager un cabinet. Les amis de Corpo se réunirent au Mahieu, d'où l'on pouvait voir la place du Panthéon, pour me trouver un boulot. Deux d'entre eux me proposèrent des postes. Hélas, pour l'un il fallait partir pour Quito, ce n'était pas le Pérou, mais presque – l'Équateur. C'était fort bien rémunéré, mais très loin, et je ne voulais pas trop m'éloigner de Paris, la politique restant mon premier souci et mon premier mobile pour agir.

Pour cette même raison je déclinai la seconde place, en or pourtant : Lafitte, le propriétaire du Who's Who, disposait d'un poste d'adjoint au contentieux d'une grosse entreprise de grands travaux Spie Batignolles. C'était fastueux, le salaire mensuel équivalait au montant de ma bourse annuelle quand j'étais étudiant avec la promesse de succéder au chef de contentieux dans les cinq ans. Les locaux me parurent dignes d'un conte de fées, les moquettes étaient épaisses comme la neige, les huissiers à chaînes donnaient du « Monsieur Jean » ou du « Monsieur Jacques » aux cadres et le directeur me reçut avec une exquise amabilité. En plus, je faisais l'affaire. Je m'en faisais déjà une félicité lorsqu'on me précisa deux conditions, la première, commencer tout de suite, pas de problème, la deuxième, s'engager pour dix ans. Je demandai vingt-quatre heures de réflexion, puis, avec un petit regret, je m'enfuis comme le loup de la fable : dix ans, c'était trop long à 34 ans, c'était me fermer en pratique les portes de la politique.

Pour finir je préférai m'établir à mon compte et fonder en mars 1963 la SERP, société d'études et de relations publiques, SARL au capital de dix mille francs : Philippe Marçais, Léon Gaultier, d'autres amis, Bourgine, les frères Vieiljeux, armateurs à La Rochelle, Pierre Durand, Roger Holeindre, mirent la main à leur portefeuille. Ainsi devins-je mon propre patron, comme mon père, seul maître après Dieu d'une micro-entreprise de quatre personnes. Je m'établis rue de Beaune, dans une arrière-cour que me louait une vieille dame pour trois fois rien, tout près de ce quartier latin qui demeurait mon port d'attache, dans deux pièces de quatre mètres carrés chacune, plus un dépôt sans fenêtre.

Je m'aperçus vite que l'activité de relations publiques était une simple chimère pour un vaincu de l'Algérie française, mais cette même qualité de quasi proscrit me donna l'idée qui devait réussir.

Le procès Salan n'avait pas été seulement un événement politique, un événement mondain qui fit bruire tout Paris, mais aussi un événement dramatique, avec le suspens sur son issue, peine de mort ou pas, et l'admirable plaidoirie que prononça Tixier. Une entreprise suisse l'enregistra et cela se vendit comme des petits pains. La vidéo n'était pas développée comme aujourd'hui, c'était l'apogée du disque, tant pour le pop et la variété que pour les imitations politiques que faisait Henri Tisot du général De Gaulle. Je me dis qu'il serait sot de laisser ce succès à des adversaires politiques ou à des inconnus.

Il se trouve que je connaissais bien les avocats de l'Algérie française. Me Isorni, d'abord. J'avais fait sa connaissance en 1951 en faisant le coup-de-poing pour défendre contre les commandos gaullistes l'une de ses réunions salle Wagram. J'avais dîné chez lui plus tard avec Demarquet. Hélas, quand j'avais dégrafé mon ceinturon et déposé mon revolver sur une console, il avait tordu le nez. Cachez ce P38 que ma toge ne saurait voir ! Il était fort courageux, mais c'était un civil dans l'âme, et d'origine suisse, il devait juger cela mal élevé. J'étais aussi proche de Tixier, et de Me Le Coroller. Ce dernier était comme son nom l'indiquait un Breton, calme, réservé, en parfait contraste avec Tixier. Souvent il freinait les débordements du grand homme en lui touchant le bras :

– Maître, Maître, je vous en prie !

Il faut dire que l'autre avait des envolées parfois parfumées au whisky. Je m'étais arrangé avec eux avant l'exécution de Piegts, Dovecar et Degueldre pour faire tenir aux suppliciés des foulards, foulards de l'Algérie française pour Piegts, de la Légion pour Dovecar et Degueldre. J'espérais les récupérer pour un futur musée du souvenir, mais on n'a pas pu les ravoir tant ils étaient ensanglantés. J'ai quand même gardé le béret vert sans insigne que Degueldre portait lorsqu'il fut fusillé. J'avais connu Degueldre en Indo, je l'ai revu en Algérie, où il était devenu officier grâce à son mérite exceptionnel.

Pour le procès de Bastien-Thiry, je décidai donc de lancer avec la SERP une collection de documents sonores authentiques, et tout y fut authentique, y compris la salve du peloton d'exécution :

– Raaaaaaak.

Et le coup de grâce ;

– Tek.

C'était au fort d'Ivry, et j'étais de l'autre côté du mur d'enceinte. La nuit où cela s'est passé, nous avions pris rendez-vous avec Claude Joubert, présentateur du journal TV et membre non repéré de l'OAS, devant la maison de l'ORTF avant de nous placer devant la prison où nous avons attendu toute la nuit jusqu'à cinq heures du matin. Il en est sorti trois fourgons et nous nous sommes dit :

– Le vieux salaud leur a refusé la grâce à tous.

Alain de la Tocnaye et Jacques Prévost avaient en effet été condamnés à mort comme Bastien-Thiry. Mais celui-ci seul avait commis le crime de lèse-majesté en condamnant De Gaulle dans la note fleuve qu'il avait lue au début du procès, et il fut seul exécuté. Nous avons suivi son fourgon jusqu'au fort d'Ivry à bord de la voiture de l'ORTF. Stoppés par un barrage de gendarmerie nous avons longé les murs du fort et c'est de là que j'ai entendu la salve et le coup de grâce. On a pris une photo avec Claude Joubert au carré des suppliciés au cimetière de Thiais – une fosse commune où ils ont fait passer un camion pour qu'on ne puisse pas repérer l'endroit. Puis nous sommes allés dire une prière à Saint-Germain-des-Prés, les églises restaient ouvertes jour et nuit à l'époque.

Pour les audiences, j'avais confié à Me Le Coroller un magnétophone miniaturisé allemand, une petite merveille technique, qui a rapporté de l'excellent son avec lequel nous avons produit le premier disque de la SERP. C'était vraiment tout nouveau pour moi : jusqu'alors, un disque, c'était une galette noire qui fait de la musique en tournant. Ce fut un succès retentissant et cela nous permit de continuer. Il porte le numéro 2 du catalogue. Le numéro 1 s'intitulait Plaidoirie pour la défense : dans le procès s'était invité un autre procès, Me Isorni allait d'ailleurs être radié pour insulte à la cour, et nous avons enregistré le texte que prononça Tixier à cette occasion, Plaidoyer pour la défense.

Si l'on excepte un passage au service publicité de *Minute* et un autre, plus court, dans le groupe Bourgine, la SERP a fait bouillir ma marmite pendant treize ans, de 1963 à 1976, date à laquelle l'héritage Lambert devait modifier ma situation. Je m'adressais à une clientèle limitée et ce n'était pas toujours facile. J'y ai vraiment consacré toute l'énergie que me laissait l'action proprement politique. Cela fut couronné de succès puisque je reçus des récompenses académiques de l'industrie du disque. L'Académie du disque prévit même de me primer, puis annula au tout dernier moment, pour remplacer la SERP par la Comédie française, j'étais trop compromettant. Arthur Conte, alors patron de l'ORTF, venu pour le déjeuner, n'avait pas été prévenu. Il demande :

– Où est Jean-Marie ?

Gênés, les interlocuteurs répondent :

– Finalement, le lauréat a été changé.

Royal, il reprend son pardessus et s'en va :

– Au revoir, Messieurs.

Il serait ennuyeux de détailler la liste de mes productions tout au long de ces années, et pourtant elles me tiennent à cœur. Je pourrais dire à la manière de Flaubert :

– Mon catalogue, c'est moi.

La variété de mes centres d'intérêt y transparaît, ma diversité dirait-on à gauche, mes obsessions, selon mes adversaires, des chants anarchistes à ceux de l'armée rouge, des brigades internationales ou de l'armée allemandes (quatre disques, parmi les plus grands succès, ils ont servi de cheval de trait à la SERP, cent mille exemplaires chacun en vingt ans), de la musique d'harmonie écrite pour cuivres par les grands musiciens (cela n'a pas très bien marché, seul le disque de la musique de kiosque a plu) aux discours du général De Gaulle, de la musique de la police française (le chef d'orchestre s'appelait

Dondeyne) à celle des Marines (un privilège qui me fut accordé parce que je faisais partie de l'*American Legion*).

Les guerres sont des événements discographiques. Aussi ai-je consacré à l'histoire de la deuxième guerre mondiale (12 disques), la guerre d'Indochine (3), la guerre d'Algérie (4), les chants de l'armée allemande, la révolution irlandaise, etc. Tout le spectre du combat politique et militaire m'attirait, Lénine, Léon Blum, le maréchal Pétain, les papes de notre temps, le centenaire de Camerone. Et même au-delà comme le prouve le document sur le marquis de Cuevas et ses ballets, avec les inoubliables voix d'Yvette Chauviré, de Cécile Sorel, de Maurice Chevalier, Serge Lifar, Philippe Erlanger et tant d'autres...

Mon catalogue, c'est aussi mon public. On cherche ce qui lui plaît, c'est lui qui vous guide. Il arrive qu'on se trompe. Je m'en suis aperçu pour la guerre d'Espagne. Sur une face j'avais placé les chants nationalistes, sur l'autre les républicains. Cela rebuta beaucoup d'acheteurs. Deux populations opposées n'aimaient qu'à moitié.

Certains disques furent l'occasion de rencontres. Pierre Fresnay, l'un des plus grands comédiens d'entre les deux guerres, acteur fétiche de Marcel Pagnol, lut les poèmes de Fresnes, de Robert Brasillach. Il a refusé d'être rémunéré. Je suis allé dîner un soir chez lui, ils se sont engueulés tout le repas avec sa femme, Yvonne Printemps. Quand la maquette du disque a été prête, nous l'avons écoutée avec la sœur et la mère de Brasillach rue Râteau chez Maurice Bardèche son beau-frère, tous groupés autour de la table dans la pénombre. Religieusement.

La poésie a rendu plus tragique le destin de Robert Brasillach. Je suis féru de poésie, j'ai eu le chanteur et poète Mouloudji pour ami. Oui, l'homme qui a fait le succès du Déserteur de Boris Vian, qui chantait à la fête du PSU, le parti de Michel Rocard. Il m'a fait cadeau d'une magnifique édition originale de ses *Complaintes* illustrée par lui-même. Je lui ai demandé un jour :

– Comment se fait-il que tu sois allé voir du côté de Sartre et Beauvoir ?

Il m'a répondu :

– J'allais du côté où l'on me donnait à manger.

Les poètes doivent vivre, le sort n'est pas toujours tendre avec eux et la politique leur réussit mal. Brasillach fut le troisième poète français exécuté, après André Chénier et Fabre d'Eglantine. Jeune prodige de la littérature, il avait écrit des romans, un livre sur la guerre d'Espagne avec son beau-frère Bardèche, et surtout une *Anthologie de la poésie grecque* qui est avec ses *Poèmes de Fresnes* un de mes livres de chevet. Rentré en 1942 d'Allemagne où il était prisonnier de guerre depuis 1940, Brasillach a écrit jusqu'en 1943 dans *Je suis partout*, journal devenu collaborationniste. Il s'est livré en 1944 à la police pour prendre la place de sa mère arbitrairement incarcérée, il a été jugé en quelques heures et fusillé le six février 1945, sans doute en expiation des émeutes de 1934. Pupille de la Nation comme moi, De Gaulle lui refusa sa grâce, l'ayant, dit-on confondu, avec Doriot sur une photo. Je ne le lui ai pas pardonné.

J'ai publié aussi un texte en hommage à Pierre Dudan, poète, suisse et slave qui s'était rapproché des cathos tradis. La langue française était sa patrie, c'était le plus français des Français.

La SERP a satisfait toutes mes muses ensemble, celles que j'emprunte à la mythologie classique, Calliope, muse de l'éloquence et de la poésie épique, Érato, qui préside à la poésie lyrique, Euterpe qui règne sur la musique et la danse, Clio enfin, qui gouverne l'histoire et l'épopée. Et si je m'en tiens à la classification de Pausanias, qui ne comptait que trois muses, cela me va aussi : Aédé personnifie le chant, la voix, Mélété la méditation, Mnémé, la mémoire. Il me semble que c'est exactement ce qu'entendait illustrer la SERP.

La poésie est la fleur de la langue, éblouissante, poignante, forte et légère. On la goûte mieux quand on a fait l'effort de la connaître, quand on a subi les contraintes qui la construisent. Elle est d'abord orale, comme le fut longtemps notre civilisation. Nous n'aurons peut-être été qu'une parenthèse, on pouvait facilement vivre sans savoir lire ni écrire du temps de mes grands-mères et j'ai l'impression que ce sera le cas de mes arrière-petits-enfants.

Le « par cœur » a tenu une grande place dans mon éducation intellectuelle, elle tenait la première dans la génération qui m'a précédé, on connaissait des chants entiers de l'Énéide. On se transmettait l'histoire des familles de vive voix. La génération qui dispose de wiki sur son portable ne s'embarrasse d'aucun bagage de savoir, se dispense de l'effort. Celui qui tape sur un clavier ne forme pas ses lettres, c'est pénible. Déjà mon écriture est laide par rapport à celle de mes parents, pas facile à lire : les écoliers d'aujourd'hui seront vite illisibles, ils ignorent le plein et le délié.

L'effort est l'une des conditions de la qualité. C'est une ascèse où entrent la volonté, les privations, les souffrances, la performance va dépendre des efforts pourtant pas toujours couronnés de succès, car il y a partout le don de la nature, les costauds et les souffreteux, les vifs, les bêtes. Mais par l'ascèse de l'effort, l'individu se sera élevé, si peu que ce soit, au-dessus de sa condition natale. J'en reste reconnaissant aux instituteurs de naguère. Et aux « Jèzes », qui pour encourager le goût de la poésie en jouant sur celui de la transgression dans une société réglée, permettaient que l'on cite des vers satiriques et irrévérencieux de Boileau. Ou La Fontaine, notre plus grand auteur sociologique, moraliste dans la plus belle et la plus déliée des langues, avec un sourire inimitable, castigat ridendo mores. Ses fables sont géniales. Je me rencontre dans cette opinion avec des millions de gens de bon sens, y compris Fabrice Lucchini.

C'est pourquoi j'ai choqué un jour le Landernau des petits esprits parisiens et des universalistes à deux francs lorsque je me suis écrié :

– Le rap est une attaque barbare !

Pourtant c'est l'évidence. Dans le Rap, le sens et la forme concourent à la même barbarie anti-française, les mots disent la haine de la France, ses us, ses mœurs, ses lois, ses institutions, ses populations, les phrases et leur rythme sont une agression sinon toujours contre la syntaxe de sa langue, du moins contre la métrique de sa poésie.

Sur ma table de chevet voisinent Villon, Brasillach et Musset. J'aime à réciter *Le jugement des juges*, je l'ai fait un jour dans une compagnie où se trouvait Patrick Le Lay, qui était alors PDG de la Une, et j'ai eu l'heureuse surprise de le lui entendre reprendre. J'aime aussi beaucoup Musset, et d'abord sa *Tristesse* :

J'ai perdu ma force et ma vie
Et mes amis et ma gaîté
J'ai perdu jusqu'à la fierté
Qui faisait croire à mon génie

Quand j'ai connu la Vérité
J'ai cru que c'était une amie
Quand je l'ai comprise et sentie
J'en étais déjà dégoûté

Et pourtant elle est éternelle
Et ceux qui se sont passés d'elle
Ici-bas ont tout ignoré

Dieu parle, il faut qu'on lui réponde
Le seul bien qui me reste au monde
Est d'avoir quelques fois pleuré.

La poésie n'est jamais loin de la chanson, dont j'ai déjà dit la place qu'elle tient dans ma vie, et la chanson comme la poésie se marie souvent à la politique, à l'émotion sociale, révolutionnaire ou nationale. Ce fut très remarquable avant et après la Seconde Guerre mondiale. Un exemple me revient à l'esprit avec une ritournelle d'Armand Mestral. De son vrai nom Zelikson, cet acteur et chanteur a joué avec Brel dans *Mon oncle Benjamin*, ou dans la trilogie du *Grand Pardon* d'Alexandre Arcady, il a donné dans l'opérette avec *le Pays du sourire* de Franz Lehár, il a enflammé enfin un certain public de la chanson politique en chantant *l'Internationale* et *Le Chant des partisans*. Mais je préfère pour ma part son touchant éloge du drapeau :

Flotte petit drapeau
Flotte, flotte bien haut
Image de la France

Symbole d'espérance
Tu réunis dans ta simplicité
La famille et le sol
La liberté

Quand je chante, je n'ai plus d'ennemis politiques. En 1942, Monseigneur le cardinal Saliège réunissait à Toulouse vingt mille jocistes. La jeunesse ouvrière chrétienne n'est pas ma paroisse, pas plus que le *Sillon* de Marc Sangnier, mais leur chant de guerre ne manquait pas d'ardeur, surtout en temps d'occupation :

Jeunesse debout ! Entends l'appel suprême
D'un monde qui meurt.
Il faut nous dépasser nous-mêmes
Il faut monter vers la grandeur
Tous debout, jeunes travailleurs,
Pour bâtir un monde meilleur
Belle jeunesse, chantez
Partout, sans cesse, chantez
Le printemps, le ciel pur, la beauté
Le travail, l'amour et la gaieté
Belle jeunesse chantez
Pour que renaisse la paix
Que nos cœurs soient remplis d'allégresse
Belle jeunesse, chantez.

On n'est pas forcé de partager les illusions des autres pour les écouter chanter. Les chansons de cette époque me reviennent toutes seules à la mémoire, parce que ce sont celles de ma jeunesse, de la détresse et de la guerre. J'en ai entendu certaines sur le poste Radiola de ma mère, avec ma tante dont le mari était prisonnier en Allemagne :

Il est venu sur la route
Sur la route bleue
Il m'a dit : c'est la déroute
Je suis malheureux

O la fille écoute-moi
Et prends pitié de moi
Et dans l'eau limpide et pure
J'ai baigné son front
Et j'ai soigné ses blessures
Sans savoir son nom
Dans mes bras je l'ai bercé
Pour le consoler
Contre lui, il m'a serrée
Pour mieux m'embrasser

Celle-ci était chantée par Renée Lebas, née Lieben à la Bastille en 1917, réfugiée en Suisse. Elle a chanté aussi *Je suis seule ce soir*, mais je préfère la version de Léo Marjane, qui l'a créée en 1941, sur une musique de Paul Durand et des paroles de Rose Noël et Jean Casanova :

Je suis seule ce soir
Avec mes rêves
Je suis seule ce soir
Sans ton amour

J'avais un vrai béguin pour Léo Marjane, elle avait triomphé en 1937 avec *La chapelle au clair de Lune*, puis elle était partie cinq ans aux États-Unis, elle en avait rapporté le jazz en France, elle fut une grande vedette sous l'occupation. À la Libération, les comités d'épuration ont voulu lui chercher des poux dans la tonsure parce qu'elle avait chanté devant des officiers de la *Wehrmacht* et qu'elle avait été diffusée par Radio Paris. Elle leur a répondu :

– Je ne pouvais pas empêcher les Allemands d'entrer. Les Français ont eu honte d'eux-mêmes, alors ils en ont voulu à ceux qui étaient sur le devant de la scène. J'aimerais bien savoir qui n'a pas chanté ? Et ceux qui prétendent ne pas l'avoir fait n'ont pas de mémoire. Il fallait que je gagne ma vie.

Ça ne manque pas d'un certain bon sens. Comme son amant de l'époque, qui devait l'épouser en 1948, était un résistant connu et qu'elle finançait son réseau, on lui a finalement fichu la paix. J'ai un faible particulier pour sa chanson *Sainte Madeleine*. C'est pratique Internet. L'autre jour j'ai demandé à un collaborateur de me la trouver sur Deezer. Ça me change de la politique :

On écoute bien toutes les autres
Celles qui n'ont rien à se reprocher
Celles qui toute leur vie se vautrent
Dans le médiocre sans pêché
Alors pourquoi ne pas entendre
La voix des filles de l'amour
Dont tout le mal est d'être tendres
Et d'aimer un peu chaque jour ?

Sainte Madeleine, écoute-moi !
Sainte Madeleine, entends ma voix !
Sainte Madeleine, je n'ai que toi !
Sainte Madeleine, réponds-moi !
Que la haine soit écartée
Que les chaînes soient évitées
Que les peines soient rapportées
Sainte Madeleine de bonté

Mais la politique sortie le matin par la porte rentre l'après-midi par la fenêtre, à la SERP comme ailleurs. Notamment lorsque je fis un disque sur les chansons anarchistes. Pour en établir la liste et le texte, je travaillais avec une figure de l'anarchisme, le vieux Louis Lecoin. Un jour je sors dans la rue de Beaune bras-dessus bras-dessous avec lui, non pas que nous fussions si intimes, on sympathisait bien sûr, mais c'était pour l'aider à marcher, il était aveugle. Survient en face de nous le rédacteur en chef du monde, Raymond Barillon. Il a failli tomber de son haut. Lecoin, le militant révolutionnaire, l'un des premiers pratiquants de l'objection de conscience, le défenseur de Sacco et Vanzetti, et Le Pen, l'ancien para de la Légion !

Nous avions peut-être plus en commun qu'il ne pensait. D'abord une grande méfiance de la guerre et de ceux qui la décident, et puis d'être nés du peuple et d'avoir travaillé de nos mains. À la fédération anarchiste ils étaient tous très gentils. J'étais à l'aise avec eux, j'étais un opposant, je ne faisais pas partie de l'établissement, et nous avions un ennemi commun, les communistes. Je les intéressais aussi dans la mesure où je m'intéressais à eux. Je suis devenu très copain en Loire atlantique avec le fédéral de FO, Alexandre Hébert. C'était un anarcho-syndicaliste, un réformiste, négociateur efficace. Sa pensée, c'était qu'il faut partager les bénéfices de l'entreprise entre les investisseurs et les travailleurs. Cela n'avait rien qui puisse me choquer.

C'était un géant normand très sympathique. Affecté au dépôt de Munich pendant la guerre, il a lancé une grève avec l'aide d'antinazis de toutes nationalités et... obtenu gain de cause. Il avait quitté la CGT en 1947 après les grèves insurrectionnelles du PC. En 1948 dès la création de CGT-FO il devenait départemental de CGT-FO Normandie. Dans les années cinquante il s'était lié d'amitié avec Pierre Boussel, dit Pierre Lambert, avait fricoté avec les trotskistes, avait fréquenté Messali Hadj pendant la guerre d'Algérie. Lui et moi serons les témoins de mariage de Joël Bonnemaison qui était son adjoint à CGT-FO et qui a été responsable du FN dans la Loire Atlantique et même membre du comité central en 1976. Pour compléter le tableau, on peut noter qu'il était franc maçon et libre penseur, et qu'il buvait de bons coups.

Avec la SERP, j'ai toujours voulu montrer à ceux qui achetaient mes disques la complexité de la vie sous le glaçage des idées toutes faites, y compris quand la politique s'en mêle, et l'iniquité des juges lorsque l'histoire est en jeu. J'en fus moi-même victime. Je l'avais vu lors des procès de l'épuration, cela s'était confirmé dans ceux de l'Algérie française, Thémis est la servante du pouvoir. Je fais confiance à la justice de mon pays pour ne pas juger en équité ni même en droit, mais pour faire droit aux exigences de la politique.

Poujade

Pierre Poujade était un homme chaleureux. Le courant passe tout de suite.

« L'opposition à contrôle » était l'arme du poujadisme : on réunissait commerçants et artisans pour empêcher le fisc et ses polyvalents d'exercer leur inquisition.

En 1956, la campagne des législatives fut courte. Envoyé spécial de Poujade en province, je tins une seule réunion dans ma circonscription de Paris. Avec mon second de liste Roger Sauvage, un Antillais, héros de l'escadrille Normandie-Niemen.

L'hiver était gelé mais l'ambiance était chaude, et les adversaires du poujadisme, violents : on note le service d'ordre au premier rang.

Les politologues n'avaient pas vu venir la vague. Nous-mêmes fûmes surpris par ma victoire à Paris.

Une fois élu, on continue à manifester contre un pouvoir dont la politique algérienne inquiète. Et la police cogne toujours autant, mon écharpe tricolore n'y change rien.

Suez – Algérie

Au métro Richelieu-Drouot, je harangue les miliants du Front National des combattants en 1956.

Port Saïd devant l'immeuble de la Compagnie du Canal de Suez. Le matin du débarquement. À gauche, le commandant Jeanpierre devant le char amphibie. Jean Roy, le journaliste de *Paris-Match* qui prend cette photo, sera tué quelques jours plus tard, le long des lignes égyptiennes.

Lieutenant au 1e REP.
Décoré à Alger de la Croix de la Valeur Militaire par le général Massu en mars 1957.

Devant Notre-Dame, départ des 12 camions de la caravane Algérie Française qui animeront une tournée le long des plages en août 1957.

La Trinité-sur-Mer, été 57.
De gauche à droite : Maman, ma grand-mère Hervé, moi, Ahmed Djebbour, Pierrette et deux petites cousines.

À la ferme de ma grand-mère Hervé, avec Pierrette, un oncle, et Ahmed Djebbour en convalescence.

Témoin du Marquis de Cuevas à son duel contre Serge Lifar. Il est très ému d'avoir blessé son adversaire et ami, je le console.

Le 13 mai 1958, défilé sur les Champs-Elysées. Au même moment à Alger, Lagaillarde prend l'immeuble du Gouvernement Général.

Avec Babette Lagaillarde, tête de liste aux élections cantonales à Alger, en Avril 1960 : 92 % des voix.

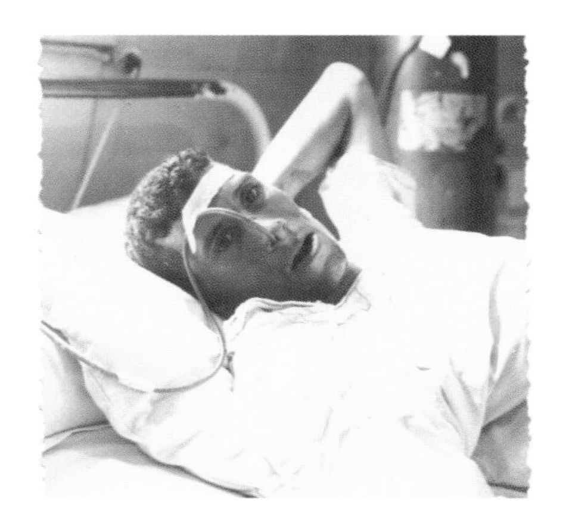

Ali, qui collait les affiches de Babette, est abattu à midi devant l'hôtel Aletti par une patrouille de l'armée française : il survivra.

Tixier et après

Caravane d'été de la campagne T.V. en 65. Les militantes se refont une beauté.
À droite Pierrette Le Pen et Michelle Colmant. À gauche la fille cadette du Doyen Marçais, Nicole, Chef de cabine de l'avion d'Air Inter qui s'écrasera à Clermont-Ferrand.
Elle fera partie des victimes.

POUR UNE GESTION MUNICIPALE JE

des hommes neufs…

…un

PREMIER SECTEUR
Jean-Marc VARAUT
avocat à la Cour

DEUXIÈME SECTEUR
Jean-Marie LE PEN
ancien député

DEUXIÈME SECTEUR
Philippe MARÇAIS

TROISIÈME SECTEUR
Michel de SAINT-PIERRE

QUATRIÈME SECTEUR
André GUIBERT
avocat à la Cour

CINQUIÈME SECTEUR
Georges ROBERT

HUITIÈME SECTEUR
Albert VIGNOLES
avocat à la Cour

NEUVIÈME SECTEUR
Bernard LE CORROLLER
avocat à la Cour

DIXIÈME SECTEUR
Alain de LACOSTE-LAREYMONDIE

ONZIÈME SECTEUR
Pierre DUFOUR

DOUZIÈME SECTEUR
François PATRIMONIO
avocat à la Cour

TREIZIÈME SECTEUR
Colonel THOMAZO

QUATORZIÈME SECTEUR
Robert TARDIF
avocat à la Cour

SEPTIÈME SECTEUR
Jean-Pierre REVEAU

OUI A L'UNION

Nos candidats, têtes de liste, au Conseil Municipal de Paris en mars 65. Ils firent 10%.
Il y manque la photo de Jean-Pierre Reveau dans le 7e secteur.

Avec Pierre Fresnay, lors de l'enregistrement du disque n°6 de la SERP, *Poèmes de Fresnes* de Brasillach.

Le Stand de la SERP au Midem de Cannes tenu par Pierrette Le Pen.

Je porte la contradiction à une réunion publique de René Capitant, député sortant, en 1968.
Sur la tribune, de gauche à droite, René Capitant, Émile August, Jean Tibéri qui sera maire de Paris en 1995.

Marie-Caroline, ma fille aînée, dans les bras d'Olivier de Kersauzon, alors équipier sur mon bateau *Général Cambronne*.

Le baiser de la mer avec un orque épaulard à Orlando en Floride.

En visite au Parthénon d'Athènes, toujours amoureux de la Grèce.

Ce phénomène déjà sensible dans les années quarante, cinquante et soixante, s'est considérablement aggravé à cause du Syndicat de la Magistrature, qui regroupe en réseau d'influence des magistrats formés par une même idéologie et mus par un même esprit de meute. Ayant toujours été opposé à ce système d'iniquité j'ai été traité en ennemi par la justice française dans son ensemble, même si j'ai pu bénéficier ici ou là d'erreurs techniques de mes ennemis ou de l'impartialité de magistrats intègres. En tout cas, c'est avec la SERP que j'essuyai mon baptême du feu. Pour un disque sur le Troisième *Reich*, ou plutôt pour sa pochette. Figurait au verso le texte suivant :

– La montée au pouvoir d'Adolf Hitler et du parti National-Socialiste fut caractérisée par un puissant mouvement de masse, somme toute populaire et démocratique, puisqu'il triompha à la suite de consultations électorales régulières, circonstances généralement oubliées. Dans ce phénomène, la propagande oratoire des chefs hitlériens et les chants politiques exprimant une passion collective jouèrent un rôle essentiel.

C'était la stricte vérité historique, sans interprétation ni jugement de valeur. Le paragraphe reprenait pour conclure :

– Ce disque en restitue l'esprit à l'aide de documents originaux d'une inestimable valeur historique.

La dernière phrase était de la publicité commerciale sans contenu politique. Je fus pourtant condamné. Malgré le témoignage de vingt-trois personnalités diverses, dont les généraux Koenig et de Bénouville, Arthur Conte, Alain Decaux, Éric Losfeld, Jean-Jacques Pauvert. Les attendus du jugement montraient une volonté prédéterminée de condamner coûte que coûte. L'un d'entre eux vaut d'être répété. On m'y reprochait d'avoir, à l'avers de la pochette, imprimé une photo montrant Hitler gravissant les degrés menant à sa tribune, ce qui était aux yeux des petits Cauchon décidés à me manger une preuve manifeste que j'entendais magnifier son ascension. Qu'auraient-ils trouvé s'il les avait descendus ?

Je n'eus épuisé toutes les voies de recours qu'au début des années soixante-dix. J'avais perdu. Je décidai pourtant de me battre jusqu'au bout à chaque agression judiciaire. Cela m'a coûté un bras, cela me ruine aujourd'hui encore, mais cela en dissuade beaucoup de s'y risquer, car il m'arrive de gagner.

Tout cela n'avait au fond pas d'importance. Je compris que j'étais l'ennemi. J'avais eu le tort de fonder en vue de l'élection présidentielle de 1965 les Comités TV, dont j'étais le secrétaire général et patron, afin de reprendre le combat contre notre ennemi De Gaulle, au nom de tous les Français patriotes qu'il avait trahis.

9. CECON

Longtemps il aura été de bon ton de se dire gaulliste, j'indiquerai plus loin quand, exactement, cela a cessé ; mais au temps qui nous occupe, dans les années qui suivirent la guerre d'Algérie, l'antigaullisme était en France la chose la mieux partagée. Tout le monde était antigaulliste.

La gauche, qui s'était défaussée sur le Général de la tâche ingrate de se débarrasser de l'empire, ne supportait plus, une fois la chose faite, les manières autocratiques et méprisantes de l'homme, elle voulait récupérer au plus vite le manche et les prébendes qui vont avec. C'est qu'elle n'était pas grasse, avec ses chefs dévalués, Mollet sous les tomates d'Alger, Mitterrand par l'affaire de l'observatoire, mais elle pesait tout de même quelque chose, avec les communistes à vingt pour cent.

Les républicains sourcilleux détestaient les façons de soudard qu'affectait De Gaulle devant la Constitution. Quand, en 1962, il l'avait modifiée pour que le président soit élu au suffrage universel direct, ils avaient crié à la « forfaiture ».

Les radicaux et démocrates-chrétiens, à qui diverses républiques avaient donné l'habitude de faire et défaire les princes, étaient dépités que celui-là les traite en quantité négligeable.

Les partisans de l'occident lui reprochaient d'avoir retiré la France du commandement intégré de l'OTAN et d'envisager d'utiliser sa « bombinette » contre le monde entier, « tous azimuts ».

Les Européistes forcenés sautaient comme des cabris à chaque fois qu'il rappelait quelque réalité historique pour s'opposer à leurs projets fédéralistes. Son front hautain les agaçait, et cette opiniâtreté qui devait déboucher en 1965 sur le compromis de Luxembourg par lequel la France imposerait à ses associés l'usage du droit de veto pour les questions vitales.

Quant à nous, patriotes trahis en Algérie, 1965 nous paraissait une occasion extraordinaire de nous débarrasser du traître. Cela ferait sept ans qu'il occupait l'Élysée. Sa réforme constitutionnelle pouvait devenir un piège mortel pour lui si nous savions convaincre les Français de sa nocivité. Les chances d'y arriver n'étaient pas minimes. Les pieds noirs pouvaient s'agréger naturellement aux métropolitains patriotes : la manière indigne dont on les avait traités avait ouvert les yeux de la plupart. Dans l'épreuve, les considérations de classe et de partis s'estompent : d'anciens socialistes et communistes de Bab el Oued étaient désormais décrits comme fascistes et se considéraient eux-mêmes comme patriotes antigaullistes. Pour mille braves gens résolus, on ne trouvait qu'un Guy Bedos, dont je me suis toujours demandé ce que certains lui trouvent de drôle. Sot, vulgaire, suffisant, la haine idéologique transpire par tous les plis de son visage. Ses lèvres où s'imprime un mépris dominateur lâchent un vent de paroles insanes, c'est une bouche en cul-de-poule qui pète. Sa mère elle-même reniait son délire politique.

Dès 1963 je constituai les CECON, sigle de mauvais augure, le comité pour l'élection du candidat de l'opposition nationale, afin de choisir celui qui porterait nos couleurs, tout en constituant l'appareil qui devait lui permettre de rassembler les forces nationales égaillées et de fonder un grand mouvement populaire.

Mon objectif était de cent mille adhérents dans cent fédérations. C'était possible. J'avais vu faire Poujade, j'avais fait moi-même avec le FNAF. L'Algérie était encore proche, les injustices toutes chaudes, le ressentiment qu'elles engendraient garantissait un vivier de militants. Sans doute les nationaux étaient-ils dispersés, beaucoup de militaires en prison, les pieds noirs en proie à leur souffrance, mais j'espérais que la campagne électorale présidentielle au suffrage universel allait nous donner l'occasion de fédérer dans l'action un véritable Front National. Le vide entraîné par la débâcle algérienne demandait en effet à être comblé. Une autre politique supposait un nouveau mouvement, organisé et discipliné. J'entrepris de le construire.

La gauche n'avait rien de neuf à dire ni d'espoir à porter. Les jeux olympiques de Tokyo amusaient le peuple et le pain était abondant. Pompidou, le nouveau premier ministre, n'avait pas la mine tourmentée ni les états d'âme de Michel Debré, mais une bonne trogne d'Auvergnat engraissé chez les Rothschild. Nouveau Guizot, il encourageait les Français à s'enrichir et rouler en bagnole, passant lui-même ses week-ends dans sa fermette rénovée à jouer au flipper avec les index pour les photographes de *Paris Match*, une gitane collée au coin des lèvres. C'étaient les années Pouic-Pouic.

Restait à trouver le candidat. Pas facile. Quelques-uns suggéraient Lacoste-Lareymondie. Un homme de bien, non une figure, comme en exigent les campagnes présidentielles au suffrage universel direct. La France d'alors n'était pas habituée à ce phénomène nouveau, elle allait découvrir en 1965 la manière américaine, les grandes affiches en couleurs, la campagne à la télévision, les premiers sondages. Je ne vis qu'une possibilité : Tixier, l'avocat de Céline et de Salan.

J'avais été frappé par ses plaidoiries, sa faculté de synthèse, je lui avais proposé d'être le parrain de Marie-Caroline. C'était de ma part un geste exprimant mon estime, non la recherche d'un parrainage flatteur. L'homme n'était pas en effet une personnalité sans ombres et il ne fut pas simple de l'intégrer au projet. Son image était épouvantable, y compris dans le milieu de la droite nationale. Il avait une réputation de picole, justifiée, et de collabo, injuste. C'était un sauteur aussi. Mais tout cela me parut secondaire : il me fallait un candidat et, nous étions, nous autres partisans de l'Algérie française, en pénurie de figures marquantes. J'avais été député, orateur poujadiste, rapporteur du budget de la guerre, mais j'étais assez timide, et puis mes aventures picaresques ne m'avaient pas mis au premier plan, les gens m'aimaient bien mais me trouvaient encore un peu étudiant, trop tendre pour un premier rôle. Nous n'avions pas de nom, il en avait un, il avait aussi un mandat : il était l'avocat des proscrits, des souffrants, des gens en prison, il avait défendu ceux qui allaient au poteau, cela lui donnait une image romantique. Alors tant pis, la majorité du CECON n'en voulait pas mais je parvins à l'imposer lors de deux repas houleux, dont l'un chez Bourgine. En 1964 le CECON se transforma en comité TV (sur le modèle américain, JFK pour John Fitzgerald Kennedy, mort en 1963) avec un marché simple : à Tixier la candidature, à moi le parti en formation, dont je devins le secrétaire général. La campagne put commencer. Longtemps, on ne connut pas le nom de ceux qui allaient concourir. De Gaulle se présentait à sa propre succession, mais il fut d'abord seul candidat sûr de l'être. *L'Express* tenta d'agiter les esprits en préparant la candidature d'un mystérieux monsieur X, censé incarner les espoirs de tous les démocrates, mais cet accaparement de l'espace médiatique déboucha sur un flop retentissant : sous l'écran de fumée, il n'y avait rien d'autre que le maire de Marseille, Gaston Deferre, qui se retira, les sondages lui prédisant royalement cinq pour cent des suffrages.

Mon premier souci était d'apporter notre champion à la présidentielle dans de bonnes conditions, et pour ce faire j'imposai que les Comités TV participent aux municipales de mars 65, malgré l'opposition de Tixier lui-même. Ce fut un succès, nos listes remportèrent dix pour cent en moyenne à Paris. Surpris par ce résultat favorable, Tixier se voyait déjà président. Un sondage lui donna, tout au début, quand les candidats n'étaient pas tous déclarés, 19 % d'intentions de vote. Il se disait déjà, avec mon talent, j'arriverai bien à 25 %, ce qui, additionné à la gauche, mettra le Général en ballottage, or, celui-ci a hautement annoncé qu'il ne supporterait pas le ballottage, il est infiniment probable qu'il va se retirer, dans ce cas, c'est du tout cuit, je fédère au deuxième tour la France qui ne veut pas de la gauche et je suis élu.

Las, son pied heurta un caillou et le pot au lait tomba. Adieu, sondages, électeurs, Élysée ! Le 9 septembre 1965, le piteux monsieur X s'étant retiré, François Mitterrand, discrédité mais toujours faraud, se présentait en candidat unique de la gauche, et, très vite, le centre, MRP et CNIP réunis, présentait le sien. Il hésitait depuis des mois entre Antoine Pinay, ancien ministre des finances et ancien président du conseil, populaire pour avoir sauvé deux fois le franc, qu'on appelait le « candidat de la sagesse », et le sénateur de Rouen, Jean Lecanuet, qui se voulait le « candidat de la jeunesse ».

Il avait alors 45 ans, mais cela paraissait jeune. Dans *Les Barbouzes*, Ventura, incarnant l'agent Francis Lagneau, venait au même âge d'emballer Mireille Darc, et, dix ans plus tôt, Gabin jouait encore les jeunes premiers à plus de cinquante piges. La fonction présidentielle demandait en outre aux yeux de tous d'être occupée par un homme assis, c'est d'ailleurs la vraie raison de fond pour laquelle je ne m'étais pas proposé moi-même pour candidat : face au père De Gaulle, à trente-sept ans, je m'estimais trop jeune.

Tout cela pour dire qu'entre le Général et Tixier se trouvaient désormais deux candidats importants, soutenus par des partis puissants, et qui avaient pris la mesure, en observant la campagne américaine de 1960, de l'importance de la télévision. Tixier, lui, ne l'avait pas fait. Son pire ennemi devait être lui-même. Orateur de prétoire insigne, déjà moins exceptionnel à la tribune, il fut catastrophique à la télévision, où les périodes classiques et les effets de manche ne passent pas. La télévision demande plus de discrétion, on entre chez les gens, presque dans leur intimité.

D'ailleurs, dès le début de la campagne, il avait été mauvais, et il en fut absent la plupart du temps. Un des premiers soirs, sur le quai de la gare d'Austerlitz en rentrant du banquet de lancement de la campagne en Haute-Loire, il tombe évanoui. On l'amène en urgence à l'hôpital, on lui retire un litre de pus des intestins. Diagnostic : tuberculose sénile à développement lent. Il s'en remettra, mais ne reviendra sur le terrain que dans la caravane que j'organise l'été sur les plages. Nous visitons près de trente villes rien qu'au mois d'août. Roger Holeindre chargé du réfectoire sert chaque jour 400 couverts, ramène des milliers de francs dans les drapeaux qu'il tend à la générosité des gens à la sortie des meetings.

Du succès naîtra la discorde. Chaque soir, passant en vedette américaine, je suis chargé de chauffer la salle avant le discours de Tixier. Hélas l'actualité est la même pour nous deux, et les thèmes chers au public ne changent pas, ce qui m'amène forcément à déflorer son propos. Je lui coupe l'herbe sous le pied. À la longue, il m'en veut. Plus je suis bon, plus c'est mauvais pour lui. Il finira par me haïr. Dans l'enthousiasme du moment, je ne m'en rends pas tout de suite compte. Mais le ressentiment s'installe chez lui, que son épouse entretient, et qui trouvera le moment de s'exprimer – quand viendra l'échec.

Pour l'instant, il cristallise et thésaurise autour de lui l'hostilité des gens que mon autorité blesse, à toutes fins utiles, mais j'ai d'autres soucis. La campagne est épuisante, avec l'organisation à surveiller, un discours chaque soir, et chaque jour le chapiteau à monter et démonter. À Hyères, en maniant le maillet pour enfoncer une sardine où l'on attache les cordes de tension, j'ai un choc à l'œil, on doit m'hospitaliser. Décollement de la rétine. La tuile.

Je dois quitter la caravane avant Nice, remonter en train les deux yeux bandés, appuyé sur le bras de Pierrette. À Lyon je consulte un grand ponte, le professeur Paufique. Son diagnostic est sans espoir : hémorragie dans le vitré. Il m'opère mais je perds la vue d'un œil qui restera cependant sensible à la lumière, sensible à la douleur qu'elle lui cause. C'est pourquoi je porterai un bandeau, d'abord pour me protéger contre les batteries de projecteurs que l'on affronte sur scène. Paufique m'a recommandé de faire particulièrement attention, je risque de perdre l'autre, par un phénomène qu'il nomme pathologie sympathique.

Quoi qu'il en soit, je suis hors service, physiquement épuisé, atteint au moral. Je serai absent de la campagne officielle, à l'automne, quand il serait utile de réagir aux candidats Mitterrand et Lecanuet, corriger Tixier de ses défauts à la télévision. Le résultat, 5,2 % des votants, alors que Lecanuet en recueille trois fois plus, accable notre candidat. Naturellement, il m'attribuera ce désastre. Cela ne me blessera pas, car l'accusation n'a aucune consistance. Il n'a rien compris au siphonnage de « ses » voix par « dents blanches », puisque tel était le surnom qu'on donnait à Lecanuet à cause de son sourire Colgate à l'américaine. Une part des Français, las de l'histoire, a préféré cette image qu'ils jugeaient plus moderne, et le côté ringard, excessivement théâtral de Tixier a fait le reste. Pour barrer la route à De Gaulle, Lecanuet a bénéficié du premier vote utile de la Cinquième République.

Au reste je n'avais plus d'illusion sur l'homme. Tixier était hâbleur, et même affabulateur. Un avocat est un menteur professionnel, il contracte à la longue la maladie professionnelle de ne plus savoir distinguer la vérité du mensonge. C'est l'un des effets de la procédure française, le parquet exagère pour charger la mule, l'avocat exagère pour la décharger, et le juge doit se faire une opinion entre ceux deux positions extrémisées par la mise en scène judiciaire. Pour donner de l'autorité à une opinion qui venait de lui passer par la tête, Tixier inventait une histoire :

– Je le sais de source sûre, de la bouche du président de la SNCF que j'ai croisé pas plus tard qu'hier soir dans l'escalier de l'opéra, il était d'ailleurs accompagné d'une dame ravissante qui portait une robe rouge.

Naturellement il n'y avait ni dame, ni robe rouge, ni escalier, ni surtout président de la SNCF, et Tixier, qui n'avait pas été à l'opéra, avait trouvé la phrase dans sa tête ou en bavardant avec le chauffeur de taxi qui l'avait ramené de chez la poule avec qui il avait passé la soirée. Car Tixier était une éponge, il avait une faculté de synthèse qui nous étonnait, Biaggi, Lacoste-Lareymondie et moi. D'une conversation à bâtons rompus il tirait un développement parfait, mais quand il allait voir les putes, il synthétisait ce qu'elles lui avaient raconté.

Or il avait un faible pour les demoiselles très fardées et très vulgaires, au point que je dus un jour supprimer d'une liste d'invités trois putes. Son épouse protesta, vous avez écarté trois amies de mon mari, oui Madame, ce sont de drôles d'amies. Tixier n'a jamais été ministre de Vichy comme il entendait le faire croire, mais il fut un éphémère secrétaire à l'information. Il menait grand train au bar de l'Hôtel du Parc avec sa jeune et très jolie femme. On les surnommait la faux-cils et le marteau. Le Maréchal n'était pas bégueule, mais quand même… Il a fait virer ce jeune homme qui se répandait trop.

Tout cela nous le savions et le supportions : ce que nous ne pouvions prévoir c'est que le soir même du premier tour, sans consulter personne, il appellerait à voter Mitterrand au deuxième. Coup de tonnerre. Il fallait voir la tête des militants nationaux qu'on invitait à voter pour le candidat de la gauche, parti communiste compris. Même contre De Gaulle, c'était un peu fort de café. Voter blanc, Jeanne d'Arc, s'abstenir, pourquoi pas, mais Mitterrand ! Le procédé, surtout, était contraire au marché fondateur que j'avais passé avec Tixier et que je lui avais rappelé :

– Tu es le candidat du mouvement, non le patron.

Tixier ne faisait pas ça méchamment, ce n'était pas un traître, c'était un égoïste. Tout pour sa pomme. Son idée, c'était de négocier ensuite cinq investitures dans des circonscriptions jouables pour les législatives de 1967, dont la sienne à Toulon, ville où il espérait que les rapatriés conjugués à la marine l'éliraient. Dans cet espoir, au congrès de 1966, il transforma les Comités TV en un petit parti, l'ARLP, alliance républicaine pour la liberté et le progrès, après que, suivi de la majorité du comité TV, j'eus jeté l'éponge.

J'étais frappé par une sorte de dépression qui était un mélange de burn-out et d'accablement politique. Je n'eus pas la force de m'opposer au coup de Tixier. J'avais sous-estimé la force de l'image, la puissance que donne au candidat sa fonction : l'appareil n'est pas tout, le candidat est porté par sa candidature qui lui confère une légitimité indépendante du parti. Il avait le nom, il avait le véritable pouvoir. Je devais m'en souvenir plus tard, en plusieurs occasions, notamment quand Bruno Mégret devait proposer d'emmener à ma place les listes du Front National lors des élections européennes de 1999.

Je me retirai donc, sans possibilité d'agir. Les cent fédérations, les cent mille militants s'évanouissaient avec d'autres rêves. Les législatives de 1967 allaient être une catastrophe, d'abord pour Tixier et son ARLP. Il avait vendu l'avenir de la droite nationale pour un plat de lentilles vide. Je lui en ai beaucoup voulu, notamment en 1968. S'il y avait eu un vrai parti de droite avec une organisation militante en ordre de bataille, la face du monde, ou au moins de la France, aurait pu s'en trouver changée.

Je lui ai pardonné. C'était un homme d'esprit et de talent, ce n'était pas un bon calculateur politique, voilà tout. Et puis il devenait un peu cinoque, avec sa tuberculose et tout ce qu'il biberonnait. À force d'affabuler, il avait fini par s'imaginer que le président américain, Johnson, suivait ses conseils. Il ne le disait pas qu'en privé, il le claironnait à la tribune, bien imbibé de bourbon pour l'occasion :

– Le discours sur l'état de l'Union du président Johnson, c'est moi qui l'ai écrit.

Heureusement, entre deux tirades, c'est passé au-dessus de la tête de l'auditoire.

Je l'ai revu beaucoup plus tard, quasiment sur son lit de mort, quand il fut hospitalisé au Val de Grâce, tout en haut dans une petite chambre mansardée. J'en demeurai saisi. Il était devenu tout gris. La fragilité de la vieillesse est pathétique. Ce moment du passé me laisse un regret aujourd'hui, qu'exprima Pierrette dès le premier repas où j'entrepris de pousser la candidature de Tixier :

– T'es bête, tu aurais dû l'être toi-même, candidat !

C'est vrai. Malgré ma jeunesse. J'aurais dû être moins timide. Je tenais bien en main le CECON. Nous aurions eu les cent mille militants. Gagné des années. Changé Mai 68. Réussi l'union des patriotes qui a toujours été mon objectif. Lancé quinze ans plus tôt, et dans une société beaucoup plus saine, l'aventure qui a produit le Front National. Mais rien ne sert d'imaginer plus avant. Nul ne récrit l'histoire, l'exercice est toujours vain et décevant. N'empêche. La candidature Tixier restera le grand regret de ma vie politique.

En résumé 1965 fut pour moi « l'annus horribilis », l'année terrible. Sur le plan politique, ce fut l'échec de la création d'un Front National de cent mille adhérents à partir du Comité T V. Les conséquences en seront catastrophiques : en 1968 il n'y aura pas pour s'opposer à la révolution petite-bourgeoise de Cohn-Bendit le grand parti national que nous avions projeté de construire.

Dans ma vie personnelle, ce fut pire encore. En quelques semaines j'ai perdu mon œil gauche, mon filleul qui avait trois ans, Jean-Marie, fils de mon cousin Yves Le Rouzic, avec sa sœur, Marie-Françoise, âgée de vingt ans, tués dans un accident de voiture – et surtout ma mère. Ma mère que j'avais pu entrevoir heureusement quelques semaines avant sa mort, lors du passage de la caravane Tixier. Elle fut admise à l'hôpital de Nantes pour une névralgie faciale. Elle y attrapa une maladie nosocomiale, une méningite foudroyante, et mourut. Elle avait soixante ans. Depuis que j'avais quitté La Trinité je n'allais plus la voir autant que je voulais. Étudiant, je lui écrivais, surtout pour lui demander de l'argent. Elle m'envoyait un billet quand elle pouvait. Plus tard, elle fut très fière que je sois député. J'étais dans le journal. Leader de groupe, orateur, le plus jeune. Pour l'Indochine elle avait seulement dit :

– Si c'est ton idée…

Quand elle est morte, j'étais à Paris. J'étais au téléphone avec la bonne sœur de Nantes :

– Madame Le Pen a eu un collapsus.

Je savais ce que cela voulait dire, mais comme la nonne n'avait pas prononcé le mot mort, j'ai gardé pendant tout le voyage l'espoir de la revoir vivante. Quand je suis arrivé l'hôpital était vide, les couloirs vides, j'ouvrais les portes des chambres les unes après les autres et pour finir j'ai ouvert la sienne, elle était là sur son lit, morte. Je l'ai ramenée à La Trinité, j'ai organisé la cérémonie religieuse. Dès que la messe a commencé dans l'église j'ai ressenti une grande paix. Tout le remue-ménage des dernières semaines, l'hôpital, c'était fini, elle était revenue chez elle, elle allait partir.

10. En famille

Il s'est passé quelque chose en 1967. Ou plutôt, exceptionnellement, quelque chose ne s'est pas passé. L'événement de 1967, pour moi, est que, pour la première fois depuis mon entrée dans la vie politique, je n'ai pas participé aux élections législatives. J'en avais plein mes bottes de saut, de la chose publique. Je demeurai frappé d'une sorte de *taedium publicae rei*.

La quille et les vacances, pensais-je ! La France se débrouillera sans moi. Puisque Tixier a décidé de se suicider, qu'il se suicide ! De fait ses candidats dépasseront à peine deux pour cent aux législatives. Dominique Venner et son REL, rassemblement européen pour les libertés, font à peine mieux. *L'extrême droite* française, comme ils disent, a du plomb dans l'aile pour un bout de temps. La gauche remonte, les gaullistes l'emportent d'un seul et petit siège, en comptant l'outre-mer. La révolte qui emportera bientôt De Gaulle se lit déjà dans les urnes. Je m'en contrefiche. Je pose le sac, défais mes godillots. J'ai envie de vivre pour vivre, comme le dit un film de Lelouch de ces années-là.

Le drame de l'histoire, c'est que la vie continue pendant les désastres. Pendant que les pays s'effondrent, les individus se sauvent comme ils le peuvent. En 62 je m'en étais tiré grâce à Marçais, en 63 j'avais eu la chance de fonder la SERP, puis j'avais rempilé dans les Comités TV : depuis, la SERP avait périclité, je ne m'en occupais plus assez. J'entrepris donc de la relancer, mais il me fallait plus d'argent pour nourrir une famille qui s'agrandissait, Yann est de 1964. Nous avions Pierrette et moi une cadence olympique, Marine devait naître en 1968, à la clinique de Neuilly comme ses sœurs.

Jean-François Devay me proposa gentiment de devenir chef de la publicité à *Minute*. C'était un type brillant et sympathique, qui avait eu la médaille militaire pendant la guerre pour avoir été chercher Roger Stéphane, un homosexuel honteux qui cachait sa particularité sous des grappes de belles asiatiques et habitait l'ancienne demeure de Mistinguett. Ancien de *Paris-Presse-l'Intransigeant*, il avait fondé son hebdomadaire en 1962 dans la foulée de l'affaire algérienne et sur une ligne antigaulliste résolue, avec un actionnariat où se côtoyaient les Dassault, Eddy Barclay, Juliette Gréco, Françoise Sagan et les frères Boizeau, et une équipe de talent parmi laquelle brillaient mes amis Brigneau et Bourdier. Bien informé et bien écrit dans l'ensemble, *Minute* vendait à l'époque deux cent cinquante mille exemplaires par semaine, mais il n'était pas très présentable, ni par sa ligne politique ni par son aspect, et les annonceurs ne se bousculaient pas. Pierrette m'aida à démarcher.

J'eus une première friction avec Devay quand il fit poser des micros dans ses bureaux pour savoir ce qu'il s'y passait. Je l'appris et m'y opposai :

– Que tu surveilles tes collaborateurs, c'est ton affaire, mais moi je reçois des gens de l'extérieur.

Cela laissa comme un froid. Bientôt survint l'incident qui devait amener notre séparation. En passant devant les morasses du numéro à venir, je remarque un article sur un annonceur important, ce devait être Boussac, où le rédacteur, croyant lui faire un compliment, le peint en grand « chevalier d'industrie ». Chacun se souvient bien sûr que ce terme équivaut à faisan, escroc. L'auteur de la légende devait avoir voulu dire *capitaine* d'industrie. Je vais le signaler à Devay avec un bon rire :

– Heureusement que je l'ai vu, sinon quelle bourde on aurait faite !

Il me répond sèchement :

– T'occupe pas de ça. Tu n'es pas chargé de la rédaction.

J'ai compris, mais un peu tard, que c'était lui l'auteur de la légende. Peu après, j'étais licencié. Royalement, je dois le dire. Devay pouvait avoir la tête près du bonnet, mais c'était un seigneur. Ensuite, Bourgine m'a employé par amitié pendant six mois avant de me licencier lui aussi. Ça m'a permis de franchir le mauvais moment et la SERP a repris son cap pour nous nourrir vaille que vaille, mon épouse, mes filles et moi.

Jusqu'ici le lecteur a entrevu de temps en temps la silhouette de Pierrette. Il est temps de la décrire un peu plus. Elle devait rester vingt-cinq ans ma femme et me donner trois enfants.

Pierrette était la fille de Pierre Lalanne, marchand de vin à Mont-de-Marsan, et de Jeanne Sirgue, Française d'origine suisse née à Alexandrie en Égypte, sa mère étant née elle à Assiout. Divorcée, Jeanne était montée à Paris avec sa fillette et s'était remariée avec un des pionniers de la parfumerie française, Louis Grolly, dont le laboratoire et l'appartement étaient situés à deux pas de l'Élysée, rue du Cirque. Jeune rejeton de la bourgeoisie de province habituée à ses aises, Pierrette était couverte d'admirateurs car elle était ravissante, le genre pin-up comme on disait alors. Elle se maria très jeune à mon ami Claude Giraud, riche imprésario à qui je dus de la connaître. Alors qu'ils étaient déjà séparés, elle acceptait de tenir le rôle de maîtresse de maison dans certaines soirées.

Il me semble que nous nous plûmes mais elle assure que je n'étais pas son genre, tenant trop le crachoir et trop entiché de politique. Quoi qu'il en soit nous nous revîmes et elle emménagea dans ma turne de la villa Poirier. Venant de là où elle venait, il fallait vraiment les yeux de l'amour pour survivre. Elle y tint le rôle de Blanche Neige dans la cabane des sept nains et donna bientôt forme humaine à cette tanière. Quand vint l'hiver, vint aussi le froid. Elle s'est frotté l'extérieur des bras qu'elle avait croisés, de haut en bas et de bas en haut en demandant :

– Il y a un chauffage central ?

– Il ne marche pas, fais venir le fumiste.

Sitôt dit, sitôt fait. Jamais en effet nous n'avions utilisé le chauffage mon coturne et moi, doublant nos couvertures de papier journal aux jours de gel. Le diagnostic de l'homme de l'art fut simple :

– Ça marche. Il suffit de mettre du charbon dans la chaudière.

Il suffisait. Désormais notre petit appartement devint un coin agréable, bien que réduit à une seule chambre : l'autre pièce était encore occupée pour quelque temps par le secrétariat du Front National des combattants, avec une secrétaire sous les ordres d'un ancien sergent de la Légion, Paul Malaguti. Quand enfin il déménagerait pour libérer ce local, la dernière trace de ma vie d'étudiant disparaîtrait.

Bientôt allait naître Marie-Caroline. Elle avait été conçue avant notre mariage, ce qui n'était pas encore fréquent. À l'été de 1959, j'avais emmené Pierrette en vacances à La Trinité. Personne ne vit qu'elle était enceinte, sauf la grand-mère Hervé. C'est en revenant à l'automne que nous avons récupéré le bureau du FNC villa Poirier pour en faire la chambre de Caro – et celle de Nana.

Puisque l'on parle de la famille, il faut maintenant présenter Nana. C'était une petite bonne qui vivait pieds nus chez sa grand-mère, ses parents lui lavaient les cheveux une fois par an, quand nous avons proposé de l'emmener à Paris elle a sauté de joie, chez nous c'était le paradis du confort. Pourtant Pierrette baignait encore Marie-Caroline dans une bassine posée dans le couloir. Nous n'avons récupéré les deux dernières pièces du quatrième étage qu'entre Caro et Yann, et l'appartement du cinquième entre Yann et Marine. Le temps – et l'argent – de faire les travaux, l'aménagement de l'ensemble ne serait achevé que quelques mois avant que l'appartement ne saute, en 1976.

Nana est restée treize ans chez nous, s'occupant jour et nuit des filles, avec cœur et abnégation. Elle est la marraine de Marine. Elle s'est mariée depuis à un policier maintenant à la retraite, elle est grand-mère. C'est moralement une perle. Quand nous partions en vacances en bateau, cela nous prenait parfois comme une envie d'éternuer, elle était là, on lui faisait une totale confiance. Nous étions plus mari et femme que parents, je l'avoue, nous nous reposions sur elle de bien des tâches d'éducation.

Pierrette partagea naturellement mon goût de la mer. Un jour sur le quai de La Trinité, un vieux marin, copain de mon père me dit :

– Jean, il y a à quai un bateau qui t'irait bien. Il ne doit pas être très cher, car il faut un équipage de deux matelots.

C'était un bateau d'importance, un « dundee » construit pour la plaisance mais sur des plans de thonier de l'île d'Yeu, dans les années trente. Il appartenait à un industriel de Guingamp, M. Couquet, qui se décida à le vendre après un drame survenu dans le port de La Trinité. Il avait, avec son épouse, invité à prendre un verre à bord, le sous-préfet de Guingamp et sa jeune femme enceinte. Or ce jour-là le vent soufflait en tempête et, circonstance rarissime dans ce port qui constituait un abri presque parfait, du Sud-Est, prenant en enfilade le chenal : avec la marée haute, il poussa des vagues exceptionnelles. Le canot qui menait au dundee les deux passagers chavira, le matelot qui ne savait pas nager put s'accrocher aux défenses d'un yacht mais eux se noyèrent. Les Couquet, bouleversés, décidèrent de vendre leur bateau

J'en fis l'acquisition par moitié avec un ami, Gérard Quehe, à qui j'avais permis l'acquisition de l'hôtel de Bretagne et qui ne mit les pieds à bord qu'une seule fois. C'était une belle bête de quinze mètres de long, tout équipée. Je n'eus à acheter la première saison qu'une paumelle, cette sorte de gant renforcé qui tient lieu de dé à coudre lorsqu'il faut repriser la toile épaisse des voiles. Du canot aux jumelles rien ne manquait. Jeunes gens et jeunes filles se pressaient pour embarquer sur le thonier des Le Pen, plus jeunes et plus sympas que leurs parents sur leur yacht. J'y eus, entre autres, d'abord comme mousse, novice, matelot, et enfin Bosco, une figure : Olivier de Kersauson.

Il a vite appris, il était déjà en herbe le marin qu'il est devenu. Il a navigué avec nous des années, il faisait partie de notre bande, il était drôle, il a du talent et de la gueule. Il est resté six mois chez nous à La Trinité, cohabitant avec l'oncle Louis. Je l'ai présenté à mon copain Éric Tabarly. Plus tard, il a préféré oublier cette période et dire qu'il avait fait ses premières armes avec Gaston Deferre. Chacun a ses prudences et ses imaginations. L'envie d'arriver est une terrible maîtresse. Le *Général Cambronne* était l'un des voiliers vedettes de La Trinité, mais nous naviguions aussi sur ceux des amis, Charlie Chanlin et son *Taïra*, sistership du *Firecrest II* d'Alain Gerbaut et Arnold Mabille avec son *Coq gaulois*, un 8 m. J.I.

J'aimerais dire un mot de Tabarly, bref, sans appuyer, pour me mettre à son diapason. C'était un taiseux, comme mon père, un discret. Je l'ai connu quand il avait quinze ans, il était plus jeune que moi, il était de 31, ce devait être en 46 ou en 47, j'avais la tête déjà pleine de Paris. J'ai navigué avec son père sur un huit mètres international. À nos âges respectifs, avec la mer et La Trinité en commun, nous sommes devenus copains. Son épouse le disait : pas amis, copains. Il était très amoureux de son bateau, le *Pen Duick*, surtout le premier. C'était un homme un peu fermé en public, il n'aimait pas la publicité, les caméras, mais un cœur d'or, très naturel et détendu dans une soirée entre intimes. Une fois nous avons eu un petit accrochage, il ne voulait pas porter de harnais de sécurité à la mer. Je le lui en fis le reproche :

– Éric, tu es un modèle pour les jeunes marins. Si tu n'en portes pas, ils n'en porteront pas. Tu dois montrer l'exemple. En plus, tu es officier de marine !

Mais il avait son idée et n'en a pas changé. Il en est mort, beaucoup plus tard, dans une croisière à l'est de l'Irlande, sans harnais par gros temps. On a tout de même retrouvé son corps dans son ciré jaune. C'est extraordinaire : le canal Saint-Georges fait deux cents kilomètres de large, et c'est un chalutier breton qui l'a remonté dans ses filets, des pêcheurs du Guilvinec je crois. La mer l'a pris, comme la mer l'avait fait. Je me souviens d'avoir été le voir dans sa propriété sur l'Odet, cette belle rivière en forme d'aber : la tempête (Celle de 99 ? Je n'en sais plus rien) avait couché de nombreux arbres par terre, et il s'en fichait royalement. Ça m'avait un peu choqué. Par ma mère, je tiens aussi à la terre. Les fenêtres de notre maison de La Trinité donnaient sur le jardin abrité du vent de mer. Mon père y planta le jour de ma naissance un platane sycomore, mon jumeau, dont je ne peux plus faire le tour avec mes bras quand je l'enlace, lors de mes trop rares visites. Les arbres et les pierres me parlent autant que les vagues.

C'est peut-être pour cela que j'aime tant la Grèce, cet autre pays, avec le Morbihan, où la terre et la mer n'en finissent pas de se mêler. J'ai toujours été philhellène et mes deux épouses ont une relation avec ce pays. J'y ai emmené la première un grand nombre de fois en croisière et la seconde, Jany, est à demi grecque. Son père, qui se nommait Paschos, venait de Salonique.

J'étais encore étudiant quand je fis mon premier voyage en Grèce. Je venais de passer à la radio pour la première fois dans l'émission « *Paris reçoit* », où des étudiants notables, major de l'X, de Centrale, président de la Corpo de droit, avaient pour mission de recevoir une personnalité. Moi, ce fut l'ambassadeur de Grèce.

À quelque temps de là je fus à une réception du Yacht Club de France qui organisait pour les plaisanciers une sorte de bourse aux équipiers. Un propriétaire cherchait pour les vacances quelqu'un pour aller à Madère, cela ne me convenait pas, un autre proposa que nous allions chercher ensemble son bateau mouillé au Pirée pour l'emmener en croisière. J'acceptai. Nous prîmes le train jusqu'à Brindisi, puis le bateau pour Patras, avec une escale à Ithaque, la patrie d'Ulysse, l'une des plus belles îles grecques. Nous arrivâmes à la nuit, je me souviens encore de la chanson grecque diffusée alors.

On aime un endroit de la terre comme une femme, avec son esprit, son cœur et ses cinq sens – l'odorat en particulier, Napoléon reconnaissait la Corse les yeux fermés. Le myrte, le thym, la sauge, les figuiers dont la tige saigne du lait, embaumaient, l'air chaud donnait à mes souvenirs livresques quelque chose d'enthousiaste. Je me récitais l'*Odyssée*, imaginant le héros d'endurance retrouvant chien et porcher après dix ans d'errance. La férule des Jésuites me parut douce tout à coup et les humanités ingurgitées parfois dans la douleur, étonnamment vivantes. L'enchantement ne faiblit pas quand nous prîmes pied sur le continent, la presqu'île du Péloponnèse.

C'est toute l'histoire grecque qui me sautait à la gorge, la guerre que Thucydide raconta, la mythologie. Il n'y avait pas alors d'autoroute en partant de Patras, on passait sous de grands pins dont l'allure avait bizarrement quelque chose de japonais.

Je ne me rappelle pas si nous sommes passés par le lac Stymphale, la forêt d'Erymanthe ou Némée, célèbre naguère pour son lion aujourd'hui pour ses vins, mais je vois encore l'arrivée à Olympie, les grands peupliers blancs sur les rives graveleuses de l'Alphée qu'Héraclès détourna dit-on pour nettoyer les écuries du roi Augias. Le site d'Olympie était alors vierge de toute exploitation commerciale, les ruines y poussaient pour ainsi dire à la campagne, surveillées d'un œil par de vieux gardiens qui cherchaient l'ombre. Fûts de colonnes et chapiteaux ouvragés gisaient dans l'herbe sous l'olivier et le chêne, le chêne si commun de Céphalonie à Dodone. On se fait des idées sur les arbres de la Grèce, on n'y trouve pas que des pins et des platanes, le chêne y est commun, et le frêne, et le hêtre en montagne, plus fréquent qu'en Bretagne, même si la forêt du Cranou est fort estimable au printemps.

J'arrivai au temple de Zeus seul. À la différence des Français qui relèvent un angle du monument qu'ils fouillent pour en suggérer la dimension et la forme, les archéologues allemands ne font nulle reconstitution. Les pierres gisaient à même le sol, comme le temps et ses outrages les y avaient mises. Je me dirigeai vers le stade. On n'y avait dégagé des sept mètres de limon apportés au fil des siècles par l'Alphée que les plaques de marbre avec des creux de cale-pieds au départ de la piste de 200 mètres (198 mètres exactement, un stade). Je me déshabillai et me mis dans la position du départ, comme les athlètes deux mille ans plus tôt, nu comme il convenait. Le spectacle était interdit aux femmes mariées mais conseillé aux jeunes filles pour qu'elles y contractent l'envie d'enfanter. Je n'en vis aucune ce jour-là.

Il y a quelque chose dans les sanctuaires de la Grèce antique qui rend sensible le sacré. Je cherchai la tombe où l'on avait enterré le coffret enfermant le cœur de l'initiateur des jeux olympiques modernes. Elle était couverte de ronces et d'orties, entourée de fer forgé comme naguère dans nos cimetières les tombes d'enfant. J'en arrachai les mauvaises herbes. C'était la toilette que lui devait le plus jeune vice-président du comité Pierre de Coubertin, né pour la défense du sport amateur, que j'étais. J'aime les gestes et les symboles.

Vint Athènes et le moment de naviguer. Hélas, le bateau n'avait pas bougé de son bassin depuis cinq ans, il était lourd d'algues et de coquillages, il fallait tout refaire, la peinture, le gréement. Surtout, le propriétaire ne me parlait pas d'égal à égal, comme à un équipier. Un matin, avec sa femme, il me fait porter les restes de leur petit-déjeuner. Pourquoi pas ses chaussures pour que je les casse ? Je n'ai pas apprécié, je n'étais pas un larbin, je le lui ai dit :

– Vous ne m'avez pas fait venir pour gratter la coque et la superstructure, mais pour qu'on navigue.

Cela a jeté un froid. Très peu après, à Athènes, j'ai eu un accident de voiture très grave, très grave pour la voiture, la quatre chevaux du propriétaire. On s'est séparé en mauvais termes, c'est-à-dire sans un sou pour moi.

J'emprunte sur place dix mille francs à un copain de la fac de droit, l'Union des Étudiants Grecs me trouve une chambre boulevard Patision pas loin du musée archéologique. J'étais réveillé dès cinq heures du matin par un tramway d'avant-guerre qui faisait un bruit de ferraille. Le musée était merveilleux, d'ombre, de silence, et de ses collections bien sûr. On n'y avait pas dépensé des millions pour la « muséographie », comme c'est la mode aujourd'hui, mais les objets étaient présentés par de petits panonceaux rédigés en français, souvent à la plume Sergent Major. Cela me rappelle qu'en passant à Pyrgos un jour de classe dans le Péloponnèse j'entendis les petits réciter :

– Ba, be, bi, bo, bu.

On enseignait le français en première langue, dès la sixième et même dans le primaire dans certains établissements. Le français avait alors encore, comme dans tout l'orient de la Méditerranée, une position dominante. Las, nos deux principaux vecteurs d'influence, l'école française d'Athènes d'archéologie et l'institut français, furent infiltrés par les communistes, et, après la guerre civile difficilement remportée par l'État grec sur la rébellion communiste, on nous le fit payer.

Je profitai de ma liberté pour monter à l'Acropole. En venant d'Omonia je passai par le marché m'acheter quelques olives et une pastèque – je bouffais des pastèques à haute dose, ce n'était pas cher et les dix mille francs filaient. Il était plus de midi. Je laissai à ma droite l'agora, à ma gauche la cathédrale, et je traversai Plaka sommeillant pour trouver la route qui monte aujourd'hui aux guichets. Elle n'était pas asphaltée et paressait entre les yeuses, les gattiliers, les pins, les lauriers roses, les lauriers tout courts que les Latins disaient *nobles*, les Grecs *d'Apollon* et que nous nommons *lauriers sauce*. Il faisait un soleil de plomb, mais je marchais d'un bon pas. D'un coup, sortant du maquis, je fus en dessous des propylées, comme un alpiniste au seuil d'un sommet convoité.

Je grimpai presque en courant vers le Parthénon. J'étais seul, encore une fois, et encore une fois je me mis nu. Puis je picorai mes olives et me repus de ma pastèque dont je jetai le vert sous un arbuste. Le Parthénon n'était pas alors cette espèce de puzzle de marbre, ce lego de différentes couleurs, du jaune au presque bleu, que les restaurations successives et incessantes de l'Union européenne produisent, entouré de cheminements bétonnés et séparés des visiteurs par une sorte de cordon chic semblable à ceux qui préservent à Cannes les vedettes de la promiscuité bruyante du vulgum pecus. On pouvait aller, venir, folâtrer où l'on voulait pour regarder la chose sous tous les angles, flâner à sa guise, rêver – j'y restai l'après-midi entière.

J'avais fait provision d'Histoire pour nourrir ma méditation, le Zeus de Phidias, l'explosion de la poudrerie, le vol de métopes par les Anglais. Une fois sur place je n'en eus plus rien à faire, plongé dans une tranquille admiration. J'avais lu comme tout le monde alors la *Prière sur l'Acropole* de Renan. C'est assez bien balancé, il n'y a pas à dire :

– Je suis née, déesse aux yeux bleus, de parents barbares, chez les Cimmériens bons et vertueux qui habitent au bord d'une mer sombre, hérissée de rochers [...]

Et la préface :

– Il y a un lieu où la perfection existe ; il n'y en a pas deux : c'est celui-là. Je n'avais jamais rien imaginé de pareil. C'était l'idéal cristallisé en marbre pentélique qui se montrait à moi.

Mais, à force, le fla fla un peu exagéré que Renan mène autour du miracle grec lui sert surtout à rabaisser notre Europe occidentale, quand il moque en particulier « Charlemagne gros palefrenier allemand ». Cliché de clerc en chambre, poncif de séminariste déçu, il opposait mécaniquement la clarté de la Grèce aux cieux d'orage de la Bretagne : moi au contraire je relevais en marin la similitude entre le Morbihan et l'Hellade. La Grèce a ses rochers, ses grains terribles, La Trinité son grand soleil de ciel bleu, et la beauté ne doit pas être l'occasion de faciles envolées idéologiques.

En rêvassant nu sur l'Acropole dans le raffut des cigales et le brasillement d'un sol écrasé de lumière, j'aimais la Grèce d'Homère et de Racine, celle aussi de Brasillach. Son destin, sa mort à trente-quatre ans m'avaient ému adolescent. Je ne récitai pas pour autant, là-haut, le testament qu'il écrivit avant qu'on le fusille, dont les premières strophes me reviennent spontanément à la mémoire aujourd'hui :

L'an trente-cinq de mes années,
Ainsi que Villon prisonnier,
Comme Cervantès enchaîné,
Condamné comme André Chénier,
Devant l'heure des destinées,
Comme d'autres en d'autres temps,
Sur ces feuilles mal griffonnées
Je commence mon testament.

Par arrêt, des biens d'ici-bas
On veut me prendre l'héritage.
C'est facile, je n'avais pas
Terre ou argent dans mon partage.
Et mes livres et mes images
On peut les disperser aux vents
La tendresse ni le courage
Ne sont objets de jugement.

En premier mon âme est laissée
À Dieu qui fut son Créateur,
Ni sainte ni pure, je sais,
Seulement celle d'un pécheur,
Puissent dire les saints français,
Qui sont ceux de la confiance,
Qu'il ne lui arriva jamais
De pécher contre l'espérance.

Quel don offrir à ma patrie
Qui m'a rejeté d'elle-même ?
J'ai cru que je l'avais servie
Même encore aujourd'hui je l'aime.
Elle m'a donné mon pays
Et la langue qui fut la mienne.
Je ne puis lui léguer ici
Que mon corps en terre inhumaine.

Les vers me sont venus à la bouche l'un après l'autre sans effort, comme l'eau sourd naturellement de sa source. Ils portent toujours le même espoir, le même amour, la même indignation. Elle m'habitait à l'époque, mais, là, sous le soleil de l'Acropole, je pensai à un autre Brasillach, celui qui choisit et traduisit, sans aucune des préciosités pédantes si communes aux novices en humanités classiques, les textes dont se compose son *Anthologie de la poésie grecque*. La merveilleuse variété d'Anacréon et d'Hésiode, de Sapho et d'Archiloque. Babioles, métaphysique, tous les sujets, tous les registres, tous les genres, le tout au naturel, sans chichi mais non pas sans art, la Grèce d'hier et d'aujourd'hui dans un éternel présent souriant. Il faut bien redescendre de l'Acropole. Une pastèque ne nourrit pas son homme, surtout moi. Assez rêvé le ventre creux, je dois rentrer en France. Au Pirée je rencontre les gens d'un pétrolier français, je bouffe à bord à ma faim mais ils ne peuvent rien de plus pour moi, ils vont en Amérique du Sud. Je traîne, je trouve enfin un embarquement sur un cargo grec, le *Florina*, qui allait charger à Salonique du minerai de nickel pour Trieste. Avec ce que j'ai gagné à bord je prends le train Trieste-Paris mais ce serait trop bête de ne pas faire un détour par Venise. Je compte mes sous, cela suffisait tout juste pour la troisième classe. Je monte en voiture, je sommeillais déjà, quand le contrôleur me dit :

– C'est un rapide. Il y a un supplément.

Je n'avais plus un sou. Ce sont les Italiens du compartiment qui se sont cotisés pour me payer le supplément. À Venise je vais dormir à YMCA. Une nuit plus le petit-déjeuner. Je m'arrange pour avoir vingt tartines. Je vais partout sans payer. On s'arrange sur les vaporetti. On est en Italie. Je visite la Salute près du grand canal. Je me goinfre de primitifs vénitiens, plus avide encore de sculpture.

Avec Pierrette je suis retourné je ne sais combien de fois sur cette terre que j'aime, y compris sur les rivages gréco-romains de la Turquie. Nous y avons ramassé une statuette de marbre sur un chemin près de la rive que la pluie avait lavé. On essayait de reconnaître les paysages d'Homère ou de l'histoire, de Troie aux guerres médiques. Mais tout a changé. Trois cents Spartiates seraient bien incapables d'empêcher de passer l'armée perse aux Thermopyles, il n'y a plus de défilé, des siècles de sédiments se sont déposés, formant une vaste plaine d'alluvions.

Notre croisière préférée, nous l'avons faite avec les Bourdier à bord du bateau de Brigneau, *L'homme tranquille III*. Brigneau, mon ami, mon presque frère, qui fut souvent aussi mon ennemi. Tout nous rapprochait dans la vie, beaucoup, en politique, nous séparait – les observateurs superficiels qui ne nous connaissent pas ni ne connaissent la droite nationale ne sauraient le comprendre. Je serai amené à en reparler quand viendra le temps du Front National. C'était le fils d'un directeur d'école socialiste (d'avant-guerre). Il était monté à Paris avec le drapeau des jeunesses socialistes pour le défilé de la victoire du Front Populaire en 1936. Il y trouva son chemin de Damas en voyant les têtes patibulaires des premiers rangs de la manif. La Seconde Guerre mondiale, le long service militaire qu'il y subit, finirent son éducation civique, militaire et politique.

Trapu comme un pilier de rugby, il avait le sens de l'honneur et le génie de la contradiction. C'est ainsi qu'il s'engagea dans la milice, le lendemain du débarquement du 6 juin 44, alors que tant d'indécis et même de collabos adhéraient aux groupements de résistance. Cet acte de dandy lui valut d'aller en prison à la Libération et de faire une connaissance qui allait marquer sa vie, celle de Robert Brasillach, qui vécut avec lui ses dernières semaines sur terre avant qu'on ne le fusille. Cela ancra définitivement Brigneau, une fois acquitté et libéré, dans le camp des parias de l'extrême droite dont il fut l'une des plumes les plus brillantes jusqu'à sa mort.

Quand ai-je connu François Brigneau ? Je ne m'en souviens plus. J'étais encore étudiant, il bégayait encore un peu. Il me semble que nous avons entretenu tout de suite ces rapports d'amour haine qui ne nous ont pas lâchés jusqu'à sa mort. Well Allot, alias Julien Guernec, alias François Brigneau, alias Mathilde Cruz, pour ne citer que ses principaux pseudonymes. Grand journaliste, écrivain ! Lui était de Concarneau. Une autre Bretagne, plus orageuse que la mienne. À l'époque, il signait Coco Belœil des romans policiers joliment troussés, un rien ironique, un rien érotique. Il avait un cœur d'or mais la tête près du bonnet, surtout après quelques lampées de « Jeanjean le Marcheur », alias Johny Walker, whisky qui avait ses faveurs avant qu'il ne découvre l'Irlande et son Bushmill. L'instant d'après, le coup de sang passé, son œil de sanglier furieux soudain frisait, et l'on retrouvait le fin diseur, la verve gouailleuse.

J'ai ramené *L'homme tranquille III* à Spetsai, chez Michel Déon (la dernière fois que nous nous sommes vus, avec Déon, c'était sur le trottoir, rue du Bac, nous devions nous revoir après son prochain voyage, et puis nous n'en avons pas eu le temps). Auparavant j'avais appris à nager à Jean en pleine mer, il y avait bien cent mètres de fond. C'est étonnant, cet homme délicat, si cultivé, ce journaliste de race, cet écrivain qui a produit de si beaux livres, cet homme qui connaissait tant de choses et de monde *ne savait pas nager*, il était comme un enfant perdu devant cette grande chose bleue, la mer. J'en ai ressenti une certaine émotion, comme une responsabilité, un devoir de protection, et la satisfaction de lui apprendre quelque chose. Ce fut l'événement de cette croisière. Jean en a tiré un livre très spirituel, *À la mer comme à la mer*, très vite écrit, mais porté par son alacrité, bien mieux qu'un livre de circonstance. Cette année-là, nous sommes rentrés par Rhodes. Nous avons cassé le moteur avant d'arriver, il a fallu entrer à la voile dans le port, c'était assez sportif, les gens ont applaudi. Rhodes, île suédoise.

Ce long périple grec nous ramène à Pierrette et moi, et à nos filles. Est-ce un mal l'indépendance des parents ? Mes filles considèrent que oui. Elles ont l'air de m'en faire grief. Je comprendrais mieux qu'elles me reprochent d'avoir été persécutées en classe à cause de moi par nombre de leurs maîtres qui ne valaient pas grand-chose. Les enfants n'osent pas se plaindre, ils ont peur que la réaction de leurs parents ne leur vaille des persécutions supplémentaires. Ce devait être épuisant pour mes filles. Le jour où *Libération* a titré en caractères d'affiche « Torturés par Le Pen » j'ai dit à Marine :

– Aujourd'hui tu peux te dispenser d'y aller.

Elle n'a pas voulu, elle y a été, et ses copines l'ont applaudie quand elle est entrée dans la classe. Elle a du cran.

En les mettant à l'école laïque j'ai privé mes filles des relations sociales qu'elles étaient en droit d'attendre. C'est un des reproches que je me fais. Je les y avais mises parce que tant qu'à apprendre le marxisme je préférais qu'elles le fassent sans la caution de Jésus. Mais évidemment, je les ai ainsi privées de relations qu'on pouvait se faire, enfant, avec l'élite catholique, dans les internats catholiques. Moi j'étais en classe à Vannes avec les Mulliez de chez Auchan, avec de Sèze, La Rochefoucauld, elles rien. Quant à l'élite maçonne laïciste, elle se concentre sur l'École alsacienne, certains grands lycées. Peut-être m'en veulent-elles de ce manque de relations.

Vers le milieu des années soixante nous avons acheté pour une bouchée de pain une petite propriété dans l'Eure-et-Loir sur un demi-hectare de terrain, Mainterne. C'était la mode. On y allait dans de grosses voitures américaines d'occasion, elles n'étaient pas chères, increvables et confortables au possible. On s'amusait. On dansait. Sur un volcan, comme tout le monde. Il n'y avait plus rien d'autre à faire.

Nous y passions des soirées d'automne à bavarder et des après-midi l'été à prendre le soleil au jardin. Mes filles et Pierrette riaient, elles étaient vives et gentilles, il faisait bon. Les amateurs d'arrêts sur image parleraient à bon droit de bonheur.

Pierrette avait une amie, Danny, dont le fennec faisait pipi sur la moquette des filles, villa Poirier. C'était aussi une amie de Georges Brassens, elle voulait nous inviter ensemble à dîner. Nous avions l'un et l'autre accepté, et puis ça ne s'est pas fait, ça ne collait jamais, une fois je ne pouvais pas, une fois c'était lui, il est mort avant que nous n'ayons trouvé un jour. Beaucoup plus tard je suis allé déposer sur sa tombe à Sète un petit bouquet de violettes. J'avais avec moi ce jour-là Jean-Claude Martinez et surtout Charles De Gaulle, le petit-fils, qui m'a été bien utile, pour me protéger du vent et de la pluie. Il tombait en effet une de ces averses qui aurait réjoui l'auteur de l'*Orage*, lui qui chantait « Le beau temps me dégoûte et m'fait grincer des dents ». Le feuillet que je tenais entre les mains était tout mouillé, gondolé, et l'encre de mes notes y dessinait des taches indéchiffrables.

Je multiplie les carambolages temporels mais ce n'est pas grave, la famille est une machine à faire des allers retours dans le temps. Cela me rappelle Yann, quand elle avait dix-sept ans. Elle était bonne en classe, brillante, mais timide. Mal à l'aise. À la fin, elle faisait semblant d'aller au lycée, et quand on la croyait là-bas, elle marchait dans les rues. Elle a tout laissé tomber un jour pour se faire professeur de planche à voile au Club Méditerranée.

Mais il est trop tôt pour parler de mes filles. Je pourrais en dire du mal, je le fais parfois quand on m'y provoque. Je ne comprends pas tous leurs actes, ni tous les reproches qu'elles me font. Elles peuvent changer, et moi aussi. Nous l'avons fait déjà depuis l'époque de leur enfance que je viens de visiter.

Il y a deux temps dans ces *Mémoires*, le temps dont je parle et le temps où j'écris. Marine vient de subir une présidentielle et des législatives décevantes. Philippot et les siens l'ont quittée, elle peine à faire sa rentrée. Le prochain congrès du FN s'annonce houleux. Elle est assez punie comme cela pour qu'on ne l'accable pas. Un sentiment me domine quand j'y pense : j'ai pitié d'elle. Je crois à la justice immanente. Elle a payé ses mauvais procédés absurdes envers moi (le mot parricide que certains ont prononcé est excessif, je ne suis pas mort) d'un échec retentissant. Sa stratégie et son aide stratège se sont « plantés ». Elle s'est pliée aux exigences morales et politiques de l'ennemi et cela lui a fait perdre la place unique qu'elle occupait. Un peu comme si Zorro adoptait les élégances du sergent Garcia : c'est un suicide. En s'appliquant à me rendre ringard, elle s'est éclaboussée dans la manœuvre par son échec, et sans doute le Front National aussi, ce qui est plus grave. Je veux croire que c'est rattrapable, mais il y faudra du temps, de l'adresse, des efforts, et surtout de la droiture. Assez là-dessus, je ne veux pas m'étendre, même si l'envie peut m'en prendre, ce livre n'est pas un commentaire d'actualité.

Mon biographe, Marcilly, qui a passé du temps à la maison voilà trente-cinq ans avant d'écrire *Le Pen sans bandeau* et de s'enfuir avec ma femme Pierrette, parlait de la « tribu » Le Pen, de l'esprit de famille qui y soufflait, de couple fusionnel. Le paradoxe est que ce n'était pas faux.

En y rêvant, je m'aperçois que je ne me suis marié qu'avec des femmes divorcées. Je ne suis donc pas marié du tout, je l'ai dit au curé qui me faisait je ne sais plus quelle remarque.

11. Mon bestiaire

La famille est inséparable des animaux de compagnie. L'homme ne peut pas vivre sans. Du moins moi. Je ne diffère pas de mes compatriotes sur ce point. Beaucoup de Français vivent dans la solitude, or l'homme a besoin d'amour quand il n'en reçoit pas de la part de ses contemporains. Un chat, un chien, un singe, tout lui convient, les pythons sont très affectueux dit-on.

Animal, *anima*, si le latin leur a donné ce nom paradoxal (beaucoup disent que les bêtes n'ont pas d'âme), c'est que les animaux sont de petites âmes à côté de nous pour nous aider à vivre. L'animal humanise l'enfant, ce sont de bons éducateurs sentimentaux pour les enfants.

Mais quand je me rappelle avec tendresse mes animaux de compagnie, il me semble que je ne saurais en parler sans esquisser un mot sur la nature et son rapport à l'homme, comme on dit aujourd'hui. Je n'ai pas attendu la mode de l'écologie pour m'y intéresser. J'ai lu en leur temps le docteur Carrel et le docteur Carton, qui furent plus que des précurseurs de l'écologie quand les progressistes, modérés ou de gauche, ne rêvaient encore que béton et bakélite : cela m'aide à ne pas perdre de vue que la récupération de l'écologie par l'extrême gauche est une imposture.

Cela ne doit pas nous cacher que la pression démographique, l'hypertrophie des villes, la consommation déraisonnable des biens matériels posent un problème. Quand je suis né, la planète comptait deux milliards d'habitants, elle en compte huit aujourd'hui. On a fait des merveilles pour nourrir tout ce monde, mais pas sans effets négatifs. Des terres s'abîment, des eaux sont polluées, des animaux se raréfient. C'est une menace. Le grand chef amérindien Seattle disait : « Si tous les animaux disparaissaient de cette terre, l'homme mourrait d'une grande solitude de l'âme ».

Chez moi en Bretagne, la chimie de l'agriculture et le remembrement destructeur de haies ont fait grand mal. Quand j'étais enfant, les oiseaux étaient si nombreux et si divers que nos activités prédatrices et dénicheuses avaient une incidence insignifiante sur leur population. La campagne bruissait de leurs chants, de leurs appels, du bruit de leurs ailes. Mésanges, pinsons, chardonnerets, rouges-gorges (en breton *rouzicoet*, le petit rouge des bois), roitelets, moineaux, bruants, rossignols, alouettes, qui chantaient tant qu'elles étaient en vol, fauvettes, bergeronnettes qui nichaient souvent dans les bateaux hivernants que venaient renforcer de façon saisonnière, les hirondelles et les martinets nichant dans les toitures et le fulgurant martin-pêcheur et ceux de la nuit : hiboux, chouettes dont le hululement fut le signal de ralliement des Chouans pendant la guerre de Vendée, mais aussi merles, grives, pies, corbeaux, geais et les pigeons dans une dimension supérieure, gibiers qui justifiaient nos frondes de jeunes chasseurs.

Dans nos presqu'îles du Morbihan, ils se disputaient parfois l'espace avec ceux de la mer : mouettes, goélands, dindins, cormorans, hérons, bécasses et bécassines. La mer, elle, protégeait les poissons mais aussi les dauphins, marsouins, phoques et cachalots. Il y avait aussi tous les animaux de la glèbe, les chevaux, les vaches, les moutons, les porcs, qui défilaient avec leurs maîtres, à Carnac, le jour de la Saint-Cornely, patron des bêtes à cornes. Et puis tous les sauvages : cerfs, daims, lièvres et lapins, loutres, belettes, renards, fouines, blaireaux et j'en oublie sûrement, dont les papillons, véritables fleurs volantes et les abeilles, décimées qui trouvent aujourd'hui refuge dans les villes, jusqu'à Paris.

Où sont-ils, Vierge souveraine, mais où sont les bêtes d'antan ?

Revenons enfin à mes animaux de compagnie. Enfant, je n'eus que des chats. Maman qui cultivait amoureusement un parterre de fleurs devant la maison ne voulait pas de chiens qui, disait-elle en employant un mot venant du breton, « *discrabellaient* » les jardins. Entendez qu'ils piétinaient les plates-bandes et cassaient les tiges.

Nos chats portaient des noms à la mode : Mickey, qui nous venait d'Amérique et qui était pourtant un nom de souris et qui était roux et Négus, un angora noir, du nom de l'empereur d'Éthiopie, alors en guerre.

Collégien, étudiant puis militaire, je n'eus plus d'animaux de compagnie mais à mon retour d'Indochine, retrouvant la villa Poirier, après m'être marié, nous eûmes (pluriel qui montre bien la copropriété) un chat : Chiffon qui fut aussi le premier compagnon de mes filles et aussi un chien Rainbow, un caniche nain argent, à l'époque un exemplaire rarissime à Paris, véritable acrobate de cirque, qui sans qu'on lui ait appris, poussait un gros ballon multicolore et le mettait en équilibre sur sa truffe !

Ils vécurent avec nous et survécurent aussi à l'attentat à la bombe qui éventra notre immeuble. On retrouva le chat, caché dans un placard, tétanisé, raide comme un morceau de bois ! Sous les caresses, il se détendit, … comme nous.

Après la villa Poirier, nous nous sommes installés à Saint-Cloud dans le Parc de Montretout, dans la propriété que j'ai héritée de mes amis Lambert. Côté chats, nous avons eu Pitou et Wasa et Flambard, mais il fallait un chien pour protéger ma famille. Un chien de garde. En effet, un grand cambrioleur m'avait fait un jour ses confidences. Ils repèrent les maisons à cambrioler, innombrables. Mais certaines les rebutent :

– Quand il y a des chiens on s'abstient.

J'achetai donc un berger allemand de grande lignée. Luther, étalon de l'élevage, champion d'Europe, mais très amoureux de sa maîtresse, ne nous adopta pas et se réfugiait dans les buissons, ne se laissant approcher que par ma fille Yann. Je dus le rendre. Il fit une fête émouvante à la directrice de l'élevage qui me fit la confidence qu'ils avaient eu le tort, pour des éleveurs, de le laisser nouer avec eux des liens de familiarité.

La difficulté était de trouver des chiens de garde qui soient dissuasifs à l'égard d'agresseurs mais sûrs à l'égard de mes jeunes enfants. One me conseilla des dobermans dont on me dit qu'ils étaient, selon la formule de la Chevalerie : Durs aux forts, doux aux faibles.

Je fis donc l'acquisition d'un couple, dans l'élevage d'un ancien sous-marinier allemand devenu français et dont une fille était pilote d'Air France. Il avait été à Lorient l'un des rescapés de cette arme terrible qui perdit les deux tiers de ses effectifs dans la bataille de l'Atlantique. Bien qu'il parlât français, il n'était guère loquace et sa femme me dit que j'étais la seule personne avec laquelle il acceptait de converser.

Odin et Nouba que je remplaçai à sa mort par Rumba furent les deux premiers dobermans d'une lignée qui devait en compter sept, suivis de Gaulois et Gitane qui furent immortalisés par le célèbre photographe américain Helmut Newton et sont parmi les vedettes de ses expositions. Et enfin Stiren et Stella, deux étoiles comme leur nom l'indique. Je garde de mes dobermans un souvenir tenace. Leur sûreté, leur beauté aussi en font des seigneurs. Ils ne sont pas seulement de garde, mais de la Garde.

En 1987 je quittai Montretout pour habiter chez Jany mon épouse à Rueil-Malmaison. Je gardai cependant mon bureau à Montretout, où je venais chaque jour ouvrable travailler. Quand mon dernier doberman mourut, les habitants de la propriété, Marine, Yann et leurs familles respectives, souhaitèrent désormais que l'on se fournît en chiens à la SPA. Est-ce, dans le cadre de la dédiabolisation, la marque d'une rupture avec le père et ses chiens de race pure ? Je ne sais. Quoi qu'il en soit, on recueillit Major, qui venait de Martinique et que l'on dut soigner d'à peu près toutes les maladies canines, puis Sergent qui nous fut donné par une amie. Tous deux sont un peu bas-rouge, un peu beauceron, noirs et très impressionnants, bons gardiens mais sympathiques.

À Rueil, chez Jany, je fis la connaissance de ses chiens. D'abord Sunday, un groenendael noir qu'elle avait trouvé en forêt, abandonné, attaché à un arbre par un fil de fer. Il était si terrifié qu'elle dût l'apprivoiser en lui offrant à manger avant de le faire monter dans la voiture par le hayon arrière. Ensuite Narcisse, un Podenco Ibizenco, lévrier d'Ibiza, une des quatre races primitives.

Ces chiens feu et blanc sont d'une grande beauté, fidèles et affectueux, très attachants mais fugueurs en diable. Nous n'en avons plus voulu d'autres. À Narcisse succéda Iamos, le roi de la lignée puis, Vlady et Clovis qui mourut à 9 ans d'une crise cardiaque après une après-midi de cavalcades effrénées dont il n'avait plus, à la Celle-Saint-Cloud, où nous étions réfugiés depuis l'incendie de notre maison à Rueil, l'habitude.

Tous nos chiens et chats reposent près de nous, après leur mort. Le chagrin est le prix que l'on paie de la différence de durée de la vie. À Vlady qui va en clopinant sur ses douze ans, nous avons adjoint une jeune fille de 18 mois, Camila, arrivée efflanquée mais saine par Lévrier 74, une association qui secourt cette race sublime souvent maltraitée dans son pays d'origine.

Dans le cadre d'une coexistence ordinairement pacifique, nous habituons nos chiens à la compagnie de chats. Le premier de ceux-ci fut Quenai, (en vietnamien, petite chose) qui me fut donné par S.M. Bao Dai, dernier empereur d'Annam. Il est mort empoisonné par un salopard qui jetait par-dessus les murs des boulettes que j'aurais souhaité pouvoir lui faire déguster. Son autopsie permit de sauver Iamos qui, lui aussi, en avait mangé. Puis il y eut Vassia, un chartreux qui m'attendait le soir en haut de l'escalier et m'accompagnait jusqu'à ma chambre. Il mourut une nuit dans les bras de Jany pendant que j'appelais Marine, qui est une maman chat, pour me conseiller.

Vanille, angora roux, vécut l'incendie de la maison et se foula une patte en sautant du deuxième étage pour échapper aux flammes.

Tandis que moi, de bien moins haut, du premier étage à la terrasse, un mètre plus bas, un pied resté bloqué dans la fenêtre qui s'était refermée, je tombais sur l'épaule et me blessais. Il est vrai qu'il y a un certain temps déjà que je n'ai plus une souplesse de chat.

Il nous reste Zorro, tout noir avec une petite tache blanche sur le ventre et des immenses yeux jaune d'or. Il s'entend très bien avec Vlady et avec Camilla.

Nos bêtes, qui nous aiment et nous rassemblent, peuvent aussi nous diviser. Ce sont des chiens qui ont servi de prétexte à Marine pour quitter Montretout. J'ai appris dans la presse que « les chiens de Le Pen » avaient tué sa chatte. Or ce ne sont pas mes chiens, ce sont les chiens qui protègent les gens qui vivent à Montretout, où je ne vis plus moi-même depuis plus de trente ans. Ensuite le chat était déjà aux trois quarts mort, tombé d'un arbre à terre, ils n'ont fait que l'achever en jouant avec lui comme avec une peluche. Enfin, comme je l'ai expliqué plus haut, je ne les ai pas choisis. Cette histoire n'était qu'un prétexte pour rompre. Qui veut tuer son père accuse ses chiens de la rage. Chez les oiseaux, les parents chassent les oisillons du nid pour qu'ils volent de leurs propres ailes ; dans la famille Le Pen, c'est l'inverse, l'oiselle a viré l'aigle de son aire pour devenir adulte.

Au reste, je ne convaincrai pas des adversaires pétris de certitude. Je suis sûr que mon amour des animaux semblera même suspect à eux qui me prêtent la haine des hommes. Et il se trouvera bien quelqu'un dans la paresse de la presse pour en faire une ressemblance avec Hitler : comme lui, j'aime les bêtes. Et, c'est vrai, plus je connais les journalistes, plus j'aime les chiens.

Cela m'ennuierait de finir ce chapitre sur cette note aigre-douce. Je préfère penser à nos animaux un peu inhabituels, à Jany et à moi. J'ai eu un grand rat blanc qui m'aimait beaucoup. Il m'attendait le soir dans sa cage. Aussi propre qu'un chat, plus propre que beaucoup d'hommes ou de femmes. Il se nommait Gaston. Il a son histoire. Abandonné par la mère du petit garçon qui l'avait adopté, il avait trouvé refuge dans le bas d'une gouttière à la sortie de laquelle l'attendaient quelques chats belliqueux. Un brave homme qui lui apportait quelques croûtes de fromage eut la surprise de le voir bondir et se réfugier sur son épaule. N'ayant pas le cœur de le livrer à je ne sais quel service de dératisation, il nous le donna. Cela se passait à Rueil où j'eus aussi des hérissons. Ils mangeaient dans mon assiette. Jany quant à elle est un grand défenseur des crapauds. Victor Hugo a écrit de beaux vers sur un crapaud martyrisé par des enfants, placé dans une ornière pour qu'il y soit écrasé. Jany préfère agir. Un jour à Cannes, sur la corniche, elle arrête sa voiture et ramasse un gros crapaud qui risquait une mort certaine en traversant un trafic dense et rapide. Surprise : au lieu de klaxonner, les gens que Jany avait bloqués en pilant sont sortis de leur voiture pour applaudir. Le pire n'est pas toujours sûr.

12. Mon 68

1968 ? C'est l'année de mes quarante ans. J'ai eu plus qu'un coup de mou, une espèce de gêne : je devenais plus vieux que mon père. On n'est plus un jeune homme à cet âge. J'ai observé les événements avec mes amis du cercle du Panthéon, de notre balcon sur Paris. Nous n'étions ni d'un côté des barricades ni de l'autre. Nous buvions un pot chez Roger Holeindre ou au bistro d'en face qui était tenu par une Bretonne, et de temps en temps nous descendions voir comment ça se passait au Quartier latin. Mes poumons en gardent un mauvais souvenir, l'air était hautement corrosif, saturé de gaz lacrymogène, on était gêné pour respirer. Je ne crois pas trop au bilan de Mai 68, zéro tué, sauf un qui se serait fait écraser par un camion, je suis persuadé qu'il y a eu quelques morts dont on n'a pas parlé.

La débandade de l'après Tixier nous avait laissé un local dans la rue Quincampoix qui touchait au vieux quartier des halles. J'avais nommé la chose cercle du Panthéon non pas en l'honneur du Club du Panthéon où les montagnards extrémistes rescapés de la Terreur se réunissaient pour écouter Gracchus Babeuf et orienter à gauche la politique du Directoire, mais juste pour me rappeler le panthéon et notre fac de droit. J'avais transplanté un peu du Quartier latin et de la rive gauche rive droite. Brigneau avait un étage pour ses Éditions du Clan, moi le mien pour la SERP, Hommes et faits du XXe siècle, tout en haut la salle de sport et au troisième il y avait le restaurant de Roger Holeindre, *le Grognard*. Résistant, combattant de toutes les guerres de la décolonisation, journaliste, écrivain, orateur hors pair, Roger est en outre à la fois fan de Napoléon et cuisinier de talent. Défilaient dans son rade tous les parias de la République, les vaincus de l'histoire récente depuis 1940, que venaient côtoyer de plus jeunes militants.

En bas dans la rue, il y avait des filles, nombreuses dans ce quartier passant et commerçant. Le ventre de Paris était tout près, le pouvoir gaulliste avait décidé en 1960 de transférer les Halles à La Villette et Rungis, mais le déménagement ne devait se faire qu'en 1969. On disait adieu au vieux Paris. Tout un peuple de vivandiers venus des banlieues et des provinces approvisionnait la capitale depuis le XIIe siècle dans un décor que le dix-neuvième avait rationalisé sans le changer en profondeur. Ce peuple qui avait fait naguère un triomphe à Poujade allait se trouver remplacé par un mélange de petits-bourgeois consuméristes le jour et de zonards la nuit. Les mots disent tout : un Forum remplacerait les Halles, des bobos multicolores à prétention intello en prendraient possession. Mais avant qu'un grand trou n'occupe symboliquement les lieux pour assurer la transition d'un passé millénaire vers la nouvelle ville, le quartier grouillait pour quelques mois encore de ses métiers et vivait intensément la nuit. Les putains en étaient l'ornement nécessaire. Elles avaient leurs spécialités. Les amateurs de petites filles venaient s'y fournir, non pas qu'elles fussent mineures, mais, même avancées en âge, elles se déguisaient pour complaire aux diverses marottes des clients. On appelait celles qui s'habillaient en douze ans des faux poids. Cela me semble à tout prendre préférable à la pédophilie. Il est arrivé à plusieurs reprises que l'une ou l'autre propose aux mercenaires qui passaient prendre le verre de l'amitié, ou à quelque ancien de l'OAS, de leur servir de maquereaux. Je dois dire qu'ils ont eu un certain mérite à décliner l'invitation.

Et mai, dans tout ça ? Mai avait commencé avec le mouvement du 22 mars et même avant, dès février, ce fut une chose longue et hachée, sans vraie consistance ni tension dramatique, aussi agaçante qu'une grève perlée ou un orage sec, pleine de pathos et de verbiage sur le moment, pleine de mythes par la suite, que nous regardions d'assez loin. Nous étions sur l'Aventin, observateurs ironiques, satisfaits quelque part de voir le gouvernement aux prises avec les conséquences de sa politique. Avant de prendre le rôle de l'incendiaire devenu pompier à son retour de Baden-Baden, le Général avait tenu celui d'arroseur arrosé pendant des semaines, sinon hagard, du moins dépassé, mettant à côté de la plaque à chaque fois qu'il tentait un coup pour maîtriser un incendie social qu'il n'avait pas vu venir à ses débuts, le prenant à juste titre pour un simple feu de feuilles dans un square pour enfants.

Mai 68 fut d'abord un monôme d'étudiants qu'un pouvoir démagogique et affaibli par sa quasi défaite aux législatives de 1967 a laissé dégénérer, avant de le récupérer très habilement pour se remettre provisoirement en selle. Ce fut une révolte d'enfants gâtés, de fils de bourgeois sur qui leurs pères n'avaient plus d'autorité parce qu'ils ne les respectaient ni ne les estimaient plus. Mai fut d'une certaine manière une psychothérapie parisienne des beaux quartiers.

Quand on dit révolte, encore faudrait-il préciser le mot. Son sens a évolué entre ma jeunesse et 68, comme l'université depuis mes années de Corpo et la mutation de l'UNEF. Sa prise en main par les éléments marxistes durs à la fin de la guerre d'Algérie, suivie de la création de la FNEF, avait, en rompant la vieille unité syndicale de l'Université, changé l'esprit estudiantin.

L'UNEF unitaire, de mon temps, était une organisation animée par des cadres formés dans leurs associations à des responsabilités concrètes. Ils étaient unis au-delà de leurs divergences par le désir sincère d'aider leurs camarades et cela n'allait pas sans générosité ni même sans utopie. Les futurs cadres de l'action publique avaient appris à se connaître et à s'apprécier. L'UNEF unitaire avait conquis une représentativité indiscutée grâce à la croissance constante de ses effectifs. Elle avait obtenu ainsi l'attribution de la SS en échange d'une cotisation de principe et fonda sous la direction de son président Le Berre, la Mutuelle Nationale des Étudiants de France. Celle-ci avait d'ailleurs été à l'origine de plusieurs initiatives heureuses. Quand la politique devait s'emparer définitivement de la rue Soufflot, provoquant l'éclatement et la ruine, elle n'ajouterait pas une conquête sociale à celles de l'UNEF, traditionnelle et unitaire. Même du strict point de vue des conquêtes sociales, la transposition désastreuse de la lutte des classes dans l'*Alma Mater* fut inefficace.

Après la scission il n'y eut plus désormais pour ceux qui devaient trouver les voies de l'avenir français de terrain de rencontre, il n'y eut plus que des champs de bataille. Chacun évoluait dans son petit monde manichéen et ne voyait dans les autres que des ennemis. Tel fut le terreau de l'intolérance folle de Mai 68. J'avais eu l'occasion de vérifier à la Corpo que les relations nouées dans la jeunesse rendaient plus faciles les nécessaires confrontations de l'âge mûr. Au demeurant, nous avions le sens de l'humour, en tout cas la plupart, et nos travaux sérieux s'accompagnaient de folklore estudiantin. Ceux qui affectaient d'en être choqués prouvaient seulement qu'ils s'étaient trompés de place et que la leur était dans des organisations plus dogmatiques, moins libres, plus politiques.

Nous suivions une tradition estudiantine de la révolte, dressée contre les hiérarchies et les disciplines, tous unis contre le guet, les professeurs, le gouvernement. J'avais parmi mes amis le radical (très radical) italien Marco Pannella. Je ne niais pas les tabous, au contraire, je les transgressais. Je n'ai pas changé sur ce point. Je reconnais la valeur de la loi même si je la contredis, je suis un homme d'ordre qui se conduit parfois de manière désordonnée, c'est l'esprit des Lupercales et du carnaval. Partant de là, mon copain Claude Chabrol m'a fait la réputation d'un bambocheur anticlérical. Elle n'est pas justifiée, même s'il est vrai que nous ne sucions pas que de la glace et qu'il m'arriva de prendre des postures peu respectueuses.

En effet, lorsque je faisais acte de transgression, c'était un acte de transgression personnel et moral dans un cadre traditionnel, c'est en cela que notre monde estudiantin s'opposait à celui de 68. La révolte de mai fut tout autre chose, ce fut un acte politique. À vrai dire ce ne fut pas une révolte mais une révolution déguisée. Des slogans fallacieux montés en épingle après coup, *sous les pavés la plage*, *l'imagination au pouvoir*, tendent à établir le caractère spontané, non politicien, de la révolte de Mai 68. C'est une imposture. Sous le chahut œuvraient des apparatchiks. Notre quartier latin était le lieu d'échauffourées où s'affrontaient des individus dont l'état d'étudiant était passager : l'UNEF nouvelle lança au contraire une révolution permanente qu'allait poursuivre indéfiniment une classe révolutionnaire perpétuellement renouvelée. Dany le rouge et les autres (il ne faut pas oublier que les futurs nouveaux philosophes et libéraux internationalistes, Lévy, Glucksmann et alii, se paraient de toutes les nuances du communisme international, de la pourpre maoïste au carmin castriste), s'ils n'avaient pas fait de gros frais en matière d'idées (ils recyclaient la vieille tambouille d'un Marx et d'un Freud, ré-assaisonnée avec les calembours de Reich et Marcuse), étaient d'habiles manipulateurs d'assemblées générales, alternant terrorisme intellectuel et violence physique. Roger Holeindre, qui avait organisé une exposition pour dénoncer les crimes du Viêt-Cong, put s'en apercevoir quand les nervis des CVB, Comités Vietnam de Base, vinrent la saccager le 28 avril. L'extrême gauche se rend coupable des violences physiques qu'elle a le front de reprocher à ses victimes. Significativement elle ne s'en prenait ni à l'État gaulliste ni au grand capital qu'elle prétendait combattre, mais elle s'attaquait à un patriote qui démontait le mensonge communiste : en rectifiant l'histoire, il menaçait son pouvoir !

Sûres d'elles et dominatrices dans l'attaque brusque et en surnombre, les brutes gauchistes devenaient volontiers geignardes lorsqu'elles tombaient sur un commando d'Occident ou pire encore une charge des forces de l'ordre. Alors elles venaient se plaindre à papa et maman en invoquant les droits de l'homme et en piaillant :

– CRS, SS !

Cela aussi avait changé depuis notre époque. Nous échangions avec les communistes de vraies peignées, chacun ayant tour à tour le dessus et le dessous, et je me suis plus d'une fois félicité d'être un étudiant pauvre, ma mère ayant fait monter par souci d'économie des talons sur des chaussures de foot, c'était très efficace dans les bagarres. Mais quand c'était fini on allait boire un coup. Et quand on prenait des marrons, ce n'était pas rare, personne ne portait plainte, personne n'y aurait songé. Nous n'étions pas de chouchous à leur maman qui font marcher des syndicats de lawyers.

La complaisance des forces de l'ordre, qui retinrent en 1968 sur instructions leurs matraques face à des révolutionnaires de boudoir, me parut particulièrement indécente après les débordements de violence auxquels elles venaient de se livrer en Algérie face aux populations européennes qui luttaient pour leur survie. Corollairement, la figure d'un Cohn-Bendit était particulièrement impudique et odieuse : avec ses mimiques frénétiques, il usurpait sans risque, devant les CRS, la fonction d'insurgé, alors qu'il était déjà le maître de la rue et des esprits, et qu'il allait le devenir un peu plus tard d'institutions gangrenées.

Pourtant, aussi détestables que fussent les adversaires du général De Gaulle, nous ne nous sentions pas de voler à son secours, en aurions-eu les moyens. Si les révolutionnaires jouaient la comédie de la révolte, le président de la République jouait la comédie de l'autorité. Rue Cujas, à la permanence de l'UDR, le parti gaulliste, osait la présence de deux portraits géants placés en vis-à-vis, l'une de Fidel Castro, l'autre du Général, avec une banderole :

– La révolution avec De Gaulle !

Nous pestions contre Tixier, qui, en sabordant la droite nationale, nous avait mis dans l'incapacité d'exploiter le ras-le-bol suscité par le vieux dictateur. L'extrême gauche en profita. Nous qui étions la seule opposition véritable au gaullisme nous étions fait souffler l'occasion, et la jeunesse allait se perdre durablement dans les vieilles lunes qui dominent encore aujourd'hui. Du point de vue strictement politique, avec la manifestation sur les Champs Élysées du 30 mai et les élections bleu horizon qui suivirent, le gaullisme allait se refaire pour un an. Mais il avait perdu définitivement la jeunesse, et le pourrissement massif des têtes, dont nous mourons aujourd'hui, commença.

La réforme d'Edgar Faure et la loi d'orientation scolaire signaient l'abandon de l'éducation nationale à la gauche, le Yalta culturel qui fut désormais le fondement de la Cinquième République, l'abandon de l'esprit public au marxisme.

D'un strict point de vue universitaire, ce fut une catastrophe. Amener toute la jeunesse à l'Université quels que soient ses possibilités et ses buts, c'est voler les contribuables français, c'est fourvoyer les jeunes, c'est gaspiller l'énergie et le potentiel de la Nation. L'Université tend aujourd'hui, sous la pression de ses milliers de mandarins, à l'Universalité. Bénéficiaire du premier budget de la Nation, l'Éducation nationale réclame chaque année plus de moyens, bien que le nombre d'enfants à scolariser diminue corrélativement à la crise démographique, un peu compensée par l'immigration. Le patient de Knock mourait guéri, nous mourrons tous savants.

Après avoir élevé l'âge et le niveau des scolarités obligatoires, on prétend enseigner les handicapés profonds, les aliénés, les immigrés, les malades, les détenus, les étrangers chez nous, chez eux, avant leur métier, pendant leur vie, après leur retraite. Ce rêve fou d'hégémonie scolaire est le fruit paradoxal de la « révolution » de Mai 68, qui vouait la fonction enseignante au nettoyage des WC. La Salope n'est pas crevée, tel un moloch femelle qui se renforce des armes tournées contre elles. L'*Alma Mater* affermit la Dictature des pions.

Verticale, son expansion est aussi horizontale. Tout est matière d'enseignements : la sexualité, le plaisir, la drogue. Ce n'est pas la République des robots qui nous menace mais celle des Pions, sous-système d'un ubuesque univers galactique de fonctionnaires. L'Éducation Nationale dicte sa loi au pays. Elle détermine les programmes, les orientations, l'avancement. Mais le dommage de Mai 68 est encore plus vaste, car au désastre de l'école s'ajoute celui des médias, de la littérature, des arts, du cinéma et de la télévision, de tout ce qui sous le mot impropre de culture influe sur la mentalité des hommes, et dont la maîtrise, le philosophe italien Gramsci l'a rappelé à toute une génération de révolutionnaires, permet de prendre le pouvoir sans peine.

Cela ne s'est pas fait en un jour. Considéré sous l'angle de la violence physique, Mai 68 fut une parodie de révolution, une mascarade, mais il a engagé subrepticement un processus que rien n'arrête. Je chercherai dans la technique de la gravure la comparaison propre à me faire comprendre. La gravure n'est pas un art mineur, elle demande une réflexion technique et philosophique non négligeable, comme la révolution.

En gros, vous pouvez entailler la plaque de cuivre que l'on va encrer pour imprimer, de deux manières. Soit directement avec un burin, c'est long, difficile et cela demande de la force : c'est la révolution à l'ancienne, brutale et aléatoire. Soit vous choisissez ce que l'on appelle l'eau-forte. Sur la plaque de cuivre vous passez un vernis qui résiste à l'acide, puis vous entaillez cette couche protectrice avec une pointe fine d'un maniement souple qui permet un dessin fin, avant de plonger la plaque dans un bain d'acide. En quelques heures les parties dont vous avez ôté la protection sont attaquées par l'acide et prêtes à recevoir l'encre. Ainsi a procédé la révolution de Mai 68.

Avec son slogan directeur, *il est interdit d'interdire*, elle a plongé la civilisation européenne dans un bain d'acide où nous sommes restés durant toutes les années soixante-dix, puis, au fil des années quatre-vingt, on a sorti la plaque, on l'a essuyée, et la gravure à l'eau-forte est apparue, l'image de la nouvelle civilisation, avec sa nouvelle morale, sa nouvelle esthétique, ses nouveaux fondements politiques, dans laquelle nous vivons. Le monde ancien, l'homme ancien, ont été dissous, et se dessinent maintenant l'homme nouveau et ses valeurs nouvelles. Aux héros et aux saints qu'on nous montrait en exemple a succédé l'écocitoyen LGBT friendly et phobophobe, ouvert au vivre ensemble, au culte de la terre mère, qui ne fume pas, accueille le migrant et se prépare à rouler en voiture autonome.

Toutes nocives qu'aient été leurs conséquences, 1830, 1848, 1789 et même 1793 et la Commune, toutes ces révolutions françaises eurent quelque chose de grand, parfois même de beau : avec Mai 68, pour la première fois, une révolution française ne se proposa rien de grand, rien de sacré. Elle postulait l'avènement du médiocre.

Massu ayant promis à De Gaulle les chars de l'armée d'Allemagne en échange de l'amnistie pour nos camarades du putsch et de l'OAS, l'agitation cessa, le pétrole revint, et des élections furent organisées en juin. J'y participai, avec pour seuls soutiens ma bonne, mon calibre et mon ami Pierre Durand. Une fois, à Jussieu, Jean-Pierre Reveau vint me prêter main-forte avec un camion de parachutistes. Le quartier était aux mains de ceux qu'on appelait les Katangais, les milices violentes du désordre universitaire. Ils distribuaient les doctorats avec les tampons dont ils gardaient pour quelques jours encore la maîtrise, validant UV sur UV. On pouvait devenir docteur en deux heures, plus fort encore que Cambadélis.

Les bourgeois avaient eu peur, mais ils n'avaient rien compris à ce qui s'était passé. Mes tracts électoraux glissèrent sur la conscience des électeurs comme l'eau sur les plumes d'un canard et ils retournèrent à leur vomissement comme le chien de l'Écriture, ils réélirent René Capitant. Il avait tout pour leur plaire, il était de gauche, c'était la mode, et gaulliste, c'était bon pour les affaires.

13. Vers le FN

Par deux fois, en 1944 et 1962, des patriotes malheureux s'étaient fait exclure de l'histoire, par le même adversaire, De Gaulle. Et quand une occasion leur était donnée de s'en débarrasser, leur division et leur maladresse les en privaient. Par la faute de Tixier, nous avions laissé la main en 1968 aux socialo-communistes. Le terme date, mais c'est celui que l'époque employait, il avait un sens.

En 1969 De Gaulle vaincu au référendum sur les régions démissionnait. Pompidou prenait sa suite, Tixier et l'ARLP se ralliaient pour rien, nous disparûmes. Quand un an plus tard le Général mourut, nous n'étions plus que des observateurs. La France était orpheline d'un monstre et nous d'un ennemi. Sans doute le gaullisme fait-il du bien quand il s'arrête, mais je me sentais un peu bizarre, comme quelqu'un qui tirerait sur une corde qui lâche d'un coup. Je n'avais plus d'assise politique.

Le départ et la mort du général De Gaulle rendaient sensible une chose qui s'était imposée insensiblement ces dernières années, après la fin de la guerre d'Algérie : nous avions changé d'époque.

Le temps des colonies et celui de la décolonisation étaient finis.

En fait, le premier signe en avait été le sabordage de *l'Esprit public* en 1966. C'était la revue des intellectuels antigaullistes de l'Algérie française. Denoix de Saint Marc, Michel Déon, Jean Marc Varaut, Roger Nimier, Ahmed Djebbour, Blondin, Pascal Arrighi, Marcel Aymé, Jacques Perret, y avaient collaboré. Et au comité éditorial d'origine figuraient Jules Monnerot, Jacques Laurent, Jean Brune, Roland Laudenbach, André Brissaud, Raoul Girardet et Philippe

Marçais. Le directeur en était Philippe Héduy, un garçon extrêmement brillant qui avait raconté son expérience algérienne dans *Au lieutenant des Taglaïts* et fondé les Éditions de l'esprit nouveau, avec la collection Item. L'élection de 1965 et le fiasco de Tixier l'avaient conduit à mettre la clef sous la porte.

Nous eûmes des relations amicales. Il nous arrivait de déjeuner au restaurant des ministères qui était la propriété de Mme Gardes, la mère du colonel. Nous devions rester longtemps en relations, il me commanderait en 1975 à la chute de Saïgon un requiem pour l'Indochine assassinée. Il était en ménage pendant la guerre d'Algérie avec la journaliste et poétesse Anne-Marie Cazalis. C'était une pied-noir née à Boufarik, une sorte de chèvre rousse et sensuelle admirée de Boris Vian, avec laquelle Héduy formait un couple ouvert sur toutes sortes de gens que les habitudes de pensée sommaires et sectaires d'aujourd'hui n'imaginent pas pouvoir se côtoyer. Elle était l'amie de Juliette Greco. Elle lui présenta Christian de la Mazière, le « rêveur casqué », engagé en 1944 dans la Waffen-SS pour défendre Berlin : la chanteuse le prit un an pour amant (L'homme n'était pas sans séduction, il eut aussi Bardot et Dalida).

Étonnante Greco ! Égérie de Saint-Germain-des-Prés, donc engagée à gauche, elle n'avait pas voulu pour autant signer le manifeste des 121 contre la guerre d'Algérie avec cette excuse :

– Les acteurs et les chanteurs ne sont pas des gens sérieux, que viennent-ils se placer dans une affaire aussi grave ? Je crois que mon nom au bas de ce manifeste en minimiserait la portée.

Sincère ou non, elle mettait le doigt sur une importante vérité, savoir que la notoriété de ce qu'on nomme aujourd'hui les people et que l'on appelait vedettes à l'époque ne confère nulle autorité à leurs paroles. Elle refusait d'avance l'évolution de l'intellectuel français qui aboutit à Bernard Henri Lévy, savoir, que l'on donne de l'importance à des opinions sans considérer si elles sont justes ou fausses, pour la seule raison que celui qui les émet est connu. Je suis sensible à cette question parce que le jugement du showbiz a été très souvent utilisé contre moi (et contre Donald Trump depuis), et j'ai quelque admiration pour Juliette Greco qui a su garder un silence de bon sens malgré la surveillance des pions Sartre et Beauvoir.

Quoi qu'il en soit, Héduy et Anne Marie Cazalis recevaient beaucoup. On trouvait autour de leurs marmites de spaghettis aussi bien Roman Polanski que Louis Malle ou le général allemand August Von Kageneck. Je ne suis jamais allé à leur campagne de Verderonne, mais je dînais chez eux à Paris, c'est d'ailleurs là que j'ai rencontré pour la première fois le lieutenant de vaisseau Pierre Guillaume, marin extraordinaire qui combattit en Indochine et en Algérie, inspira *Le Crabe Tambour* à Schoendorffer et devint mon ami.

Les années soixante finirent, j'entrais dans ma cinquième dizaine, la SERP me faisait vivre, j'avais maintenant trois enfants, j'avais pris par la force des choses un peu de champ du côté de la politique, il était temps de faire autre chose. À la différence de Peyrat, je ne hantais pas les réunions d'anciens combattants. Je ne suis pas fana mili ni attaché aux lieux où l'on retrouve l'armée. J'ai dû aller au cercle militaire quatre ou cinq fois en tout depuis l'Algérie. La dernière fois c'était avec Pierre Sergent dans la salle à manger des généraux à l'invitation de Loulou Martin. C'était un ami et un homme extraordinaire, qui fut vingt ans chef de la garde présidentielle au Gabon.

Je décidai de retourner à la faculté pour décrocher un doctorat et boucler ainsi en deux générations le cursus complet des honneurs académiques, en partant de mes grands-parents analphabètes. Je présentai un mémoire de Diplôme d'Étude Supérieure sur l'anarchisme, avec pour directrice Évelyne Pisier, la sœur de l'actrice Marie-France. C'était une figure : née à Hanoï pendant la guerre d'un père maurassien, emprisonnée à l'âge de quatre ans dans un camp de concentration par la Kempetaï japonaise, elle s'est lancée étudiante dans le féminisme gauchisant et le castrisme avant d'épouser Bernard Kouchner et en deuxièmes noces le politologue socialiste Olivier Duhamel. Elle vient de mourir.

Je fus reçu à mes deux DES mais n'allai pas plus loin : le doctorat suppose un travail de Romain, la thèse demande des recherches sérieuses et longues dont mon emploi à la SERP ne me laissait pas le loisir. J'avais choisi l'anarchisme pour sujet de mémoire parce que je venais de faire un disque consacré au sujet, il me suffisait presque d'exploiter la documentation déjà réunie. J'eus pour condisciple Gérard Longuet, ancien du SO des Comités TV et d'Occident, qui allait participer à la rédaction du premier programme du Front National avant de faire carrière dans la droite comme il faut, et Pierre Veil, qui devait devenir le patron de la SOFRES et qui m'a récemment invité à déjeuner, après trente ans de silence, pour parler du vieux temps.

Des zones grises envahissent ma mémoire, demeurée si vive quand elle considère d'autres moments. Pour l'année 1971, bien que Richard Nixon ait mis fin au système monétaire de Bretton Woods fondé sur l'or et que le *Manifeste des 343 salopes* avouant avoir pratiqué l'avortement indique que le Tout-Paris était décidé à le promouvoir, j'ai noté : rien. Comme Louis XVI le 14 juillet 1789. Pourtant quelque chose germait, tout au fond du terreau français, un obscur embryon de plante qui devait devenir la plus grande aventure politique française d'après la Seconde Guerre mondiale, qui fait que j'écris aujourd'hui avec l'espoir d'être lu de mes compatriotes, au lieu de finir dans la peau d'un éditeur de disques spécialisés.

C'est François Brigneau qui est venu me voir un jour. Quand ? Je ne saurais le préciser. Au début de 1972 je crois. Il m'a dit :

– Jean-Marie, tu ne peux pas rester comme ça les bras croisés à te tourner les pouces… !!!

Il espérait me faire sourire avec ses images improbables pour me disposer favorablement. Il agissait en émissaire du mouvement Ordre Nouveau dont il était membre. Il poursuivit :

– De Gaulle est mort, le gaullisme, c'est fini, il y a une place à prendre à droite pour les patriotes.

Nous n'avions pas cessé de nous fréquenter, avec *Minute* et la rue Quincampoix, Pour me faire sortir de ma retraite politique, il insista sur le mordant de la nouvelle génération :

– Il y a des jeunes militants à Ordre Nouveau qui n'hésitent pas à en découdre avec les gauchistes qui ont le vent en poupe depuis 68. Ils manquent d'un leader. Tu peux l'être.

– François, je te remercie de ta confiance, mais je ne veux pas être le chef d'un mouvement de jeunes gens, fussent-ils de courageux patriotes.

Nous argumentâmes longuement lui et moi, il m'assura qu'il n'avait pas l'intention de prendre la direction du mouvement. Je demandai de réfléchir avec les anciens du FNAF avec qui j'étais resté en relation. Bientôt nous établissions le principe d'un Front National regroupant Ordre Nouveau et les rescapés de plusieurs combats nationaux que je devais représenter.

Il est nécessaire de présenter au lecteur Ordre Nouveau. Des lycéens avaient fondé en 1964 le mouvement Occident, cornaqué par Pierre Sidos, ancien de Jeune nation. On trouvait parmi eux Alain Madelin, Gérard Longuet et Patrick Devedjian. Après que le groupuscule fut dissous en 1968 par le ministre de l'intérieur Raymond Marcelin, ils fondèrent en novembre 1969 Ordre Nouveau, avec d'autres, tels Alain Robert, William Abitbol, Gérard Écorcheville, ou Jack Marchal. Jean-François Galvaire devait en être le premier président et François Duprat allait les rejoindre en 1970. Leur but était, en prévision des élections législatives de 1973, de former l'ossature administrative, militante et dirigeante d'un parti politique à créer, où se retrouverait toute la droite nationale malmenée et dispersée depuis des années, un parti qui ne serait ni gaulliste, ni modéré. L'objectif du parti me plaisait, cela avait toujours été le mien, mais la question était : qui allait en être le chef ?

Ils se cachaient à peine de rechercher en moi un parlementaire qui serait leur vitrine respectable et qu'ils manipuleraient à leur gré. De mon côté, l'expérience accumulée depuis seize ans me fixait un cadre stratégique précis. Le rassemblement le plus large possible et l'unité du mouvement étaient la condition de la réussite, c'est eux que j'avais recherchés avec toutes les unions adossées au mouvement Poujade, au MNACS, au Front National des Combattant, au Front

National Combattant, au Front National pour l'Algérie française, au CECON, aux Comités TV. Un parti, un chef, cent fédérations, cent mille adhérents, mon ambition n'avait pas varié. Lorsqu'on proposa un Front National, cela me parut immédiatement la bonne formule, à condition de la compléter ainsi : Front National pour l'unité française, FNUF, qui devait être le vrai nom de baptême déclaré à la préfecture.

L'unité est pour moi capitale. J'avais été un soldat de l'union française contre tous les séparatismes qui sont une diminution et une régression. Quoique député indépendant, j'avais milité en Algérie aux côtés du groupe Unité de la République, qui refusait la scission de la France opérée par De Gaulle sous la menace fellagha. De même devais-je rechercher dans les années 1980 l'union des droites avec Malaud et Junot contre Chirac le diviseur. Par la suite, j'ai toujours souhaité l'unité du Front National dont j'étais le garant, et contre la stratégie de division lancée par Philippot, je me suis élevé contre l'exclusion de la prétendue extrême droite du FN.

Une fois acquis le principe d'une union nationale, il fallut en constituer le bureau et le comité central. J'avais vu de loin la fin piteuse de l'UDCA et celle des Comités TV, structures pourtant puissantes. Elles avaient été perdues par l'orgueil de deux hommes, leur incapacité à distinguer le bien commun. Je n'y avais rien pu parce que je n'étais pas maître à bord : mon objectif fut donc de le devenir. Bien qu'Ordre Nouveau apportât la grande majorité des militants, je m'arrangeai pour qu'il n'ait pas de majorité au bureau. J'étais président. Brigneau vice-président, Alain Robert secrétaire général, étaient d'Ordre Nouveau mais les suivants ne l'étaient pas, ni Holeindre, secrétaire général adjoint, ni Pierre Bousquet trésorier, ni mon vieil ami Pierre Durand, trésorier adjoint.

Il était clair qu'il y aurait un jour débat entre ma ligne de synthèse des nationaux et le nationalisme révolutionnaire des jeunes loups d'Ordre Nouveau, mais pour l'instant le moment était aux épousailles. J'assistai en juin au congrès d'Ordre

Nouveau pour souscrire au projet de Front National, celui-ci était officialisé de 5 octobre et les statuts en furent déposés le 22 à la préfecture de la Seine. Le 5 octobre, l'une des gloires les plus authentiques de la Résistance et de l'Algérie française, Georges Bidault, rejoignait notre bureau. La suite est une autre histoire, que je raconterai si Dieu me prête vie dans le deuxième tome de ces *Mémoires*.

14. De Gaulle, le communisme et moi

Quand j'ai commencé à écrire ces *Mémoires*, en 2016, j'ai décidé de les couper en deux tomes couvrant deux parties égales de quarante-quatre ans, la première allant de ma naissance à celle du Front National, la deuxième relatant l'histoire du Front National telle que je l'ai vécue. Au moment d'achever ce premier tome je reviens à mon début pour reprendre la perspective.

La chronologie est plus que l'exactitude, c'est la structure de l'histoire et de la vie. On ne devient ce qu'on est que dans le temps. Certains l'oublient, les uns disent, je puis être ce que je veux, d'autres au contraire, c'était écrit, Mektoub. Ce sont des erreurs symétriques. Ma vie, je l'ai écrite au fur et à mesure. J'ai agi à chaque époque en fonction de la manière de penser qui était alors la mienne. Je la raconte comme elle s'est faite, avec les outils mentaux du moment. Et je suis, en gros, la chronologie. Elle fixe le cadre de ces *Mémoires*.

J'ai narré dans le premier les aventures picaresques d'un petit Breton dans la grande France, il me reste à en crayonner vite les traits directeurs, ceux qui ont fait l'histoire de ce demi-siècle et ceux qui y déterminent ma place, ma fonction. Je redirai nécessairement pour cela deux ou trois choses que j'ai déjà dites. C'est normal dans un aperçu d'ensemble et j'espère qu'on me le pardonnera.

L'après-guerre s'est caractérisée par le déclin de l'Europe, la destruction de ses empires sous l'effet d'une décolonisation encouragée par ceux qu'on nommait alors les deux grands, les États-Unis d'Amérique et l'Union des républiques socialistes soviétiques, URSS. Avant même la fin des combats de la Seconde Guerre mondiale et immédiatement après commencèrent à se dessiner sous leur houlette la mondialisation des échanges et des institutions (création de : ONU, ISO, cour internationale de La Haye, OMS, UNICEF, Conseil de l'Europe, Déclaration universelle des droits de l'homme, etc.). En 1945, Roosevelt proposa lors de la Conférence de San Francisco que cette double hégémonie de fait s'organise pacifiquement. Staline préféra entrer dans une compétition qu'on allait nommer guerre froide et qui allait déboucher sur un condominium dialectique. Cela devait mettre la France en porte-à-faux entre tactique et stratégie, par exemple quand les États-Unis soutinrent un moment notre effort indochinois pour contenir le communisme, alors que toute leur politique tendait à nous éradiquer d'Indochine, de Suez, d'Algérie et d'Afrique.

On voit qu'il y a deux manières de lire l'histoire, légitimes en même temps. Le plan Marshall a fait en 1947 de l'Europe de l'Ouest un riche marché de clients pour les USA, le pacte de Varsovie un vivier de tributaires pauvres pour l'URSS, dans un double écrasement de notre continent : on peut donc décrire la guerre froide comme un processus dialectique employé par les deux grands pour asservir l'Europe et ouvrir la voie au mondialisme. Mais en même temps, il est clair que cette dialectique occasionna des combats réels et terribles, que le communisme est intrinsèquement pervers, comme l'avait proclamé une encyclique du pape Pie XI, et qu'il a connu, dans la période que couvrent ces pages, une expansion spectaculaire, à la fois territoriale et intellectuelle.

De l'immédiat après-guerre aux années soixante-dix la carte du monde s'est couverte d'avancées de régimes communistes ou soutenus par les communistes, en Europe (Allemagne, Hongrie, Tchécoslovaquie, Roumanie, Bulgarie, Pays baltes, la Grèce n'y échappant qu'à travers une terrible guerre civile), en Asie (Chine, Indochine, menaces sur la Malaisie), et en Afrique. En outre, la submersion de l'esprit public par une pensée unique marxistoïde, sensible dans la presse, les arts et l'édition a favorisé une collaboration massive de la classe intellectuelle, en France et en Europe, au communisme international et aux opérations insurrectionnelles qu'il menait en France. Marguerite Duras a pu dire à juste titre :

– Nous avons fait ce que les collaborateurs ont fait avec les Allemands, nous avons été des collaborateurs.

Cela sans l'excuse même de l'occupation. On a mis depuis en évidence les liens financiers et hiérarchiques existant entre Moscou et le PCF que nous dénoncions déjà. L'hégémonie du communisme dans les processus ambivalents de la guerre froide et de la décolonisation demeure le principal trait structurant de l'époque et je ne regrette nullement d'avoir désigné alors le communisme pour ennemi principal. La menace que faisait peser l'armée rouge était immédiate. Les camps du goulag et du Lao Gai opprimaient et tuaient massivement. Dans l'histoire il n'y a pas que des processus, il y a des hommes, et le bloc communiste était bien plus pénible pour les hommes que le monde qu'on disait libre, malgré les trucages et les faiblesses de celui-ci.

Beaucoup de grandes consciences n'ont commencé à se démarquer de Staline qu'après sa mort. Encore plusieurs d'entre elles, Sartre, Picasso, et d'autre plus petit gibier, se sont-elles signalées par les couronnes qu'elles ont tressées pour ses obsèques, ou le portrait qu'elles ont dessiné à cette occasion. La déstalinisation ne régla d'ailleurs rien : le grand déstalinisateur Khrouchtchev mit au pas Budapest et construisit le mur de Berlin. Plus, dans l'ensemble les compagnons de route du PC n'ont pas fait repentance et, pire, ils sont demeurés longtemps, sinon les seuls juges habilités de la période, du moins les principaux et les plus écoutés : le cas d'un Alexandre Adler est à cet égard fort drôle. Imagine-t-on Bormann parler des dérives de l'hitlérisme sur France Culture ?

En France, l'homme qui marqua les vingt-cinq ans qui séparent 1944 de l'avènement de Pompidou fut De Gaulle, qui entretint lui aussi des rapports complexes avec le communisme, tantôt s'opposant à lui, tantôt s'y alliant, tantôt allant chercher un sacre auprès des maîtres de Moscou. La phrase de Malraux est utile dans son ambiguïté :

– Entre les communistes et nous, il n'y a rien.

J'ai serré la main du grand homme deux fois, la première à Auray en 1945 et la seconde à l'Élysée en 1958. Il m'a dit le nez levé, faussement jovial :

– Le Pen... Je vous connais...

– Moi aussi, mon Général.

Je me sentais Till l'Espiègle devant le duc d'Albe, je savais n'avoir nul moyen de peser face à lui, rien d'autre à faire que lui opposer une rébellion de l'esprit, d'être à mon petit niveau un anti De Gaulle absolu. Lui, le mainteneur, bradait l'empire, lui, le national, rapetissait la France, lui, le rassembleur, divisait les Français. En apparence il y a deux De Gaulle, le rebelle de 1940 et le chasseur de rebelles de 1961. Mais tous les deux, ensemble, forment pour moi un faux grand homme dont le destin fut d'aider la France à devenir petite.

Le personnage a pris une dimension historique aux yeux des gens, on doit le reconnaître. Je me garderai donc de rouvrir des débats inutiles, d'autant que beaucoup de bons Français épris de leur nation, plus ou moins intoxiqués par l'histoire de prisunic qu'on leur a fait ingurgiter, placent leur amour de la France à l'ombre de son mausolée. Cependant il me semble que les actes de l'homme n'ont pas toujours été à la hauteur des gestes de la statue, et je crois nécessaire, pour guérir un esprit public bien malade, d'apporter quelques retouches à l'idée que la France se fait du général De Gaulle. Je le ferai sans haine, sans ressentiment même : ne lui ayant jamais fait confiance, je ne me suis jamais senti trahi et n'ai donc nulle raison personnelle de lui en vouloir.

Ne revenons pas sur la Seconde Guerre mondiale. Je ne reproche pas à De Gaulle son intuition, juste, de la victoire alliée : l'événement l'a confirmée. Je lui reproche son mépris des hommes, les petits moyens odieux dont il se servit pour prendre le pouvoir. Je déplore qu'il ait voulu et imposé à la France une guerre civile inutile et injuste. Sans doute eut-il le mérite d'être le quatrième à la belote, d'amener la France à la table des vainqueurs, même au bas bout, c'est une victoire politique extraordinaire dont il faut le remercier. Mais qu'avait-il besoin pour cela de diviser l'armée et les citoyens ? Pourquoi ses odieuses paroles après Mers el-Kébir, son équipée ridicule et fratricide à Dakar, la farce sanglante de Syrie où il devait finir par se faire dindonner, il l'a confessé avec humeur ? Pourquoi, alors qu'il avait le derrière au sec à Londres, prendre plaisir à fulminer l'anathème sur ceux qui faisaient survivre un pays sous la botte en y organisant la répartition des maigres denrées ? Pourquoi le venin indéfiniment distillé par le général Micro et ses affidés ? Pourquoi, une fois passées la guerre et les propagandes qu'on peut juger nécessaires, entretenir des décennies durant des mythes et des mensonges dont l'effet, et peut-être l'objectif, fut de répandre chez les Français une inextinguible zizanie nationale ?

J'ai vu cette pédagogie de la guerre civile contaminer l'esprit public : à mesure qu'on s'éloignait de la guerre le récit qu'on en fait s'éloignait de l'histoire pour se rapprocher de la légende et de la propagande, *id est* de la lecture obligatoire qu'on en fait et qu'on est obligé de répandre. Ici les successeurs ont dépassé, de loin, les intentions du général De Gaulle, qui gardait son estime au vainqueur de Verdun. Le portrait délirant qu'ils ont peint du maréchal Pétain s'impose à tous désormais. Ils ont fini par accréditer l'idée d'une France trahie dès avant-guerre par un complot à la solde des nazis. Je n'ai d'aucune façon participé à la politique de Vichy mais j'ai tout de suite refusé ce mensonge. Cet acharnement injuste, indécent, indigne, contre le maréchal Pétain est l'un des deux méfaits emblématiques de De Gaulle, avec le meurtre de Brasillach, qui m'ont révélé dès 1945 la laideur morale du personnage et sa nocivité, qui sont à l'origine de mon aversion pour lui.

Cette légende noire de Vichy ne me convenant pas, j'ai voulu lui substituer la complexité du réel, la sérénité d'un vrai débat. Hélas, c'est bien difficile. J'ai vu des « historiens » intéressés changer leur vision au gré des désirs du pouvoir. Les mythes historiques varient en effet en fonction de l'utilité politique qu'ils offrent à ceux qui les émettent, le récit dominant de la Seconde Guerre mondiale (le prétendu « consensus des historiens » qu'oppose le système à toute recherche qui le gêne) en offre une illustration éclatante par ses fluctuations.

L'orthodoxie gaulliste considérait que le mal fondateur de Vichy était la demande d'armistice. Faute de pouvoir prouver que cet armistice avait été préjudiciable à la France ou qu'il était possible à celle-ci de continuer le combat, elle agita le point d'honneur : le président du conseil Paul Reynaud ayant signé un accord avec le cabinet britannique interdisant toute paix séparée, et même toute recherche d'armistice séparée, le conseil des ministres, en confiant au maréchal Pétain la mission d'explorer les voies de celle-ci, avait manqué à la parole de la France. On sait aujourd'hui que c'est un gros mensonge : Reynaud n'avait pas reçu mandat de passer un tel accord, contraire aux intérêts du pays et à l'opinion déclarée du ministre de la guerre, il n'en informa ni les chambres ni le président de la République. Au reste, le texte invoqué fut un simple communiqué de presse, non signé, et ne fut pas ratifié par l'Assemblée nationale, constitutionnellement souveraine en la matière. Il s'agit donc d'un simple bluff de Reynaud agissant à la solde des Anglais, qui eut pour fonction de masquer une réalité inverse au mythe, savoir que ce sont les Anglais qui ont manqué aux devoirs de l'alliance pendant la campagne de France, par l'insuffisant soutien de leur aviation, le petit nombre des divisions engagées face à l'ennemi et leur retrait vers la mer au moment de la contre-offensive de Weygand sur Arras.

Cet exemple, parmi d'autres qui constituent le récit dominant de la Seconde Guerre mondiale, pourrait être soumis à l'examen des Français, mais c'est un peu passé de saison, car depuis les années soixante-dix l'orthodoxie gaulliste a fait place à la doxa paxtonienne. Le récit dominant de la Seconde Guerre mondiale a changé en 1972. L'Américain Paxton publiait alors *Vichy France* : *Old Guard and New Order*. Selon lui, le crime fondateur de Vichy n'était plus l'armistice mais la politique dite antijuive. Les deux statuts des juifs édictés par l'État français constituent pour les adversaires actuels du maréchal Pétain les éléments de l'acte d'accusation qu'ils dressent contre lui.

Naturellement le bouquin de Paxton, qui ne fait nullement autorité dans le monde anglo-saxon, est une rapide enquête à charge dont Robert Aron, le rabbin Michel, Amouroux, Legroignec ont établi la légèreté, mais qu'importe au mythe la solidité des éléments sur lesquels il prétend se fonder : seule compte son utilité politique. C'est un mensonge qui dit la vérité sur les intentions de ceux qui le répandent.

Ainsi le mouvement de guerre civile lancé par De Gaulle ne devait-il plus s'arrêter. Il domine aujourd'hui la scène politique française et en exclut les nationaux. De Gaulle lui-même finit par en pâtir. En 1998 Alain Peyrefitte dans *C'était De Gaulle* rapportait les paroles du Général sur le peuple français européen, blanc et chrétien, que seuls quelques-uns au Front National avaient alors relevées, en détectant la puissance apologétique : quand, vingt ans après, le grand public s'en saisit, et singulièrement Nadine Morano, la figure tutélaire de De Gaulle n'a pas suffi à lui servir de parapluie idéologique, elle parut au contraire contaminée par l'accusation de racisme et de xénophobie. De Gaulle commence à devenir une figure négative de l'histoire postmoderne dans la mesure où il est national.

Tout cela est à la fois ridicule, pervers et dangereux. La science historique n'y gagne rien, la diabolisation politique tout. C'est pourquoi, sensible aux enseignements d'Orwell et de Confucius, je me bats pour rectifier les faits et les mots. Mon passage à la SERP me porta sur ce front dès les années soixante. Il m'arrivait de prendre le café au Voltaire, au coin du Quai et de la rue de Beaune, avec Montherlant ou Chardonne, qui avaient vécu la guerre et ne croyaient ni aux mythes gaulliste et communiste, ni à ceux que Paxton allait lancer. J'y fréquentai aussi Joseph Breitbach, un type assez difficile à classer. Allemand, proche du PC, il était venu vivre en France dès 1929, ses livres furent interdits par les nazis en 1933, il fut interné en 39 par Daladier en tant qu'Allemand. Quand la *Wehrmacht* arriva en 1940, le SD saisit toutes ses affaires, y compris ses manuscrits, puis il fut exfiltré en zone libre grâce à Vichy, qui l'utilisa dans ses services de renseignement. Il fut naturalisé français en 1945, s'occupa des prisonniers de guerre allemands et travailla à réconcilier les deux pays en donnant notamment une chronique régulière au quotidien *Die Zeit*. C'était l'intellectuel allemand tel qu'on le montre dans les films, le front très dégagé, de fines lunettes et l'air dubitatif. Notre guerre civile l'étonnait.

Elle s'était apaisée un peu dans les années cinquante, ou transposée sur d'autres objets, elle se refocalisa avec l'Algérie. Il s'est produit après 1959 une inversion manifeste : des gens très gaullistes sont devenus très antigaullistes, non pas des seconds couteaux, mais du beau linge comme Soustelle. Cela conduisit nécessairement à une seconde épuration, qui cassa l'armée en 62 autant qu'en 44 – 45, peut-être plus. Les gaullistes sincères furent les plus touchés.

Répétons-le, en Algérie comme lors de la Seconde Guerre mondiale, la faute du Général touche moins son choix politique que son attitude morale.

La fin de la guerre d'Algérie a été bâclée sur le plan économique et politique. Krim Belkacem racontait que ce sont les négociateurs français eux-mêmes, en l'espèce Jean de Broglie, je crois, qui lui auraient soufflé à Lucerne :

– Vous devriez demander le Sahara.

Cela priva la France de son indépendance énergétique, sans base légale aucune en droit international. Je rappelle qu'à l'époque le Sahara dépendait de l'OCRS, l'organisation commune des régions sahariennes qui regroupait le Mali, le Tchad, le Maroc, la Tunisie, l'Algérie, la Mauritanie. On a « donné » au FLN quelque chose qui, du point de vue de la recherche et des investissements, appartenait à la France, et, du point de vue du territoire à cinq ou six peuples.

Mais laissons ces détails de côté. Je pense que De Gaulle avait une vue générale de la décolonisation, y compris en Afrique du Nord et en Algérie, et qu'il était décidé à la mettre en œuvre dès le début, sans faiblesse, le plus vite possible. Il n'était ni islamophile ni arabophile, il rêvait d'être le chef d'une troisième force mondiale, de ceux qu'on nommait les non-alignés. Il rêvait de mener l'Europe et les pays nouveaux, éclairés par ses soins, entre les deux blocs qu'il considérait comme autant d'écueils, on l'a vu par exemple lors de son fameux discours de Phnom Penh. Mais il craignait d'avoir très peu de temps devant lui. Alors il a dégagé, il a exclu, tout ce qui le gênait. Il a littéralement jeté l'Algérie. Les pieds noirs, l'armée, les musulmans francophiles gémissaient :

– Mais nous allons souffrir !

– Eh bien vous souffrirez !

Ils souffriront en effet. Et De Gaulle s'en moquait. Un officier de sa génération avait été formé à sacrifier dans des combats estimés nécessaires la proportion jugée nécessaire d'hommes placés sous ses ordres. Il n'avait pas le côté père du régiment ou de l'armée qu'eut Pétain en 17, ce n'est pas une question de circonstances, c'est une question de personnalité. Sa hauteur n'allait pas sans froideur.

De plus, il n'aimait pas l'Algérie, ni le rôle qu'avait tenu Alger dans la deuxième guerre mondiale. Il n'avait qu'une pensée : vite. Il n'a pas voulu sérieusement explorer les solutions intermédiaires qui auraient pu garantir les droits des populations françaises, la partition par exemple. Il n'a pas voulu non plus négocier l'avenir de l'Algérie avec d'autres que le FLN et son GPRA de l'extérieur, témoin la regrettable affaire Si Salah, le commandant de la Wilaya IV qui voulut en 1960 négocier une paix pour les combattants rebelles de l'intérieur.

Quitter l'Algérie était sans doute inéluctable, on peut même soutenir que la démographie a donné raison à long terme au général De Gaulle. Mais il y avait la manière, et la sienne fut horrible. Appelé au pouvoir par les pieds noirs pour les sauver, il les livra au bourreau. Il a abandonné les harkis et tous les musulmans qui nous étaient attachés. En se prêtant à cette opération, l'armée décapitée s'est déshonorée. Elle a désarmé nos partisans avant de les livrer à la vindicte des fellaghas. Quatre-vingt mille en sont morts, mais ne seraient-ils que cinquante mille, cela ne changerait rien ni à l'horreur ni au déshonneur. Ce désarmement n'allait pas empêcher la guerre civile algérienne qui a commencé le 2 juillet 1962 et n'a pas cessé depuis. Enfin, plusieurs milliers d'Européens furent abandonnés au

FLN, des centaines de femmes enlevées à destination de ses bordels, la troupe restant l'arme au pied.

Seul sauva l'honneur, à Oran, un capitaine musulman qui entra dans le stade où des pieds noirs avaient été parqués, fit mettre en batterie les mitrailleuses de sa compagnie pour en menacer l'ALN afin qu'elle libère ses otages. Cela ne dégage pas la responsabilité de De Gaulle mais cela engage celle de ses contemporains : beaucoup obéirent comme les veaux qu'il leurs reprochait d'être, d'autres même le surpassèrent en inhumanité, à droite pour se tirer d'un guêpier qui les dépassait, à gauche par aveuglement idéologique.

Je n'ai pas de haine, je trouve cela fatiguant. Mais De Gaulle reste pour moi une horrible source de souffrance pour la France. Sans doute fut-il un grand communicant, un grand acteur. Il avait à n'en pas douter une certaine conception de l'État classique qu'il appliquait d'autant plus qu'il en occupait la tête. Il eut aussi le talent de l'efficacité qui rachète bien des crimes, fautes et vices. On peut ajouter qu'il eut souvent la vue longue et juste, et qu'il savait résister non seulement aux appétits vulgaires où se vautrent ses successeurs, mais encore aux pressions des puissants, et rendit ainsi service à son pays. Cela pourrait faire le portrait d'un grand homme d'État, où l'estime suppléerait à la sympathie.

Hélas pour la France, il a péché gravement par deux fois, dans des circonstances où il aurait dû faire la paix civile.

Face aux évidences selon lui subalternes de la légalité (en 1940, Pétain était légalement investi des pleins pouvoirs ; en 1958, la République française était d'après sa constitution une et indivisible), il se flattait d'incarner une légitimité quasi royale, tirée de l'histoire. À Londres il se comparait au dauphin Charles confiné à Chinon, et voyait peut-être le Maréchal sous les traits d'Isabeau de Bavière, qui renonça par le traité de Troyes à la couronne pour l'héritier légitime au profit du roi d'Angleterre. Or jamais le Maréchal, malgré le poids de l'occupation, n'avait consenti à renoncer ainsi à la souveraineté de la France. Surtout, quand Charles VII termina la guerre de cent ans, son premier acte fut de réconcilier des factions qui s'entre-tuaient depuis des décennies. Le grand Charles VII sut rassembler des Français si multiples ; trop petit pour unir, Charles De Gaulle ne fut que leur plus grand commun diviseur.

L'occasion de les apaiser qu'il avait manquée en 1944, il la manqua à nouveau en 1962. Il a jeté sur les routes d'Europe, des centaines, peut-être des milliers de proscrits, puis bloqué dans un exil intérieur des millions d'autres qui s'y sont consumés. Ces citoyens excellents, comme brûlés, amers, stérilisés, devaient longtemps demeurer perdus pour la France, leur ardeur et leur compétence lui manqueraient. C'est en leur nom que je suis devenu président du Front National, au nom des Français rejetés. J'en voyais passer quelques-uns dans notre paria club de la rue Quincampoix, amicaux mais désolés, chassés, ruinés.

J'ai eu la chance, à la réflexion, d'être rejeté, pour pouvoir les représenter. Ils m'ont adoubé tribun des rebelles. J'ai pu devenir ainsi la voix des sans voix, l'homme qui préconise le gouvernement de la plèbe par la plèbe, des parias par les parias et pour les parias contre la caste mondialiste.

Si j'ai fondé le Front National pour l'Unité Française, c'est que mon ambition a toujours été d'être, à l'inverse du grand séparateur, le réconciliateur des Français.

Tel est le sens de ma longue bataille pour l'histoire. On connaît la force de celle-ci. Qui tient le passé tient l'avenir, la morale, la politique. Le jugement d'hier forme le jugement sur aujourd'hui et demain, il prescrit, il proscrit.

Je ne parle pas ici de l'histoire académique, de l'art difficile d'utiliser des méthodes scientifiques pour mettre un peu de lumière dans le récit des actes des hommes, je parle de l'histoire qui sert à toutes sortes de visées, de l'histoire instrument de pouvoir. Les légendes et les propagandes dominantes qui finissent par sédimenter dans les bassins de rétention de l'histoire démotique, en classe, dans les articles de journaux, à la télé, ou sur Wikipédia. Tout le monde se sert de Wikipédia et tout le monde peut y écrire. Sa science est irréfutable puisque c'est celle de tous. Mais regardez : l'article francophone sur le rembarquement de Dunkerque a d'abord été traduit de l'anglais, avant qu'on ne s'avise tardivement de rectifier un peu le tir. C'est aussi bête que ça : l'encyclopédie participative qui sert de référence au public français est informée par un point de vue radicalement anti-français. C'est un exemple parmi cent autres : les racines de la division des Français, de leur dégoût de soi, sont nombreuses et profondes. La classe dirigeante et ceux qui font profession d'éclairer notre peuple accentuent volontairement cet état de choses. Elle se demande, ils se demandent, gravement, s'il convient d'enseigner l'amour de la patrie. Elle jette le discrédit sur ce que Pierre Nora a nommé notre « roman national », qu'elle définit comme « un récit fortement teinté de patriotisme élaboré par les historiens du XIXe siècle qui valorisaient la construction de la nation ». À cette entreprise qu'ils jugent idéologique et fictionnelle, ils opposent un exposé qu'ils prétendent universel, scientifique et « dépassionné ». C'est ainsi qu'ils viennent de promouvoir une *Histoire mondiale de la France* qui n'a d'autre fonction que de détacher le peuple de ce qu'il sait encore de l'histoire de France. Or cette nouvelle approche n'est pas plus « scientifique » qu'une autre, elle a juste pour objet d'intimider les esprits inquiets par l'autorité de la chose universitaire. En réalité, on n'a pas commencé à écrire l'histoire de France avec Lavisse ni même avec Michelet, et la nation ne date pas de la révolution française. C'est l'histoire de notre pays elle-même qui a produit le récit national. On voit par ces quelques indications que la question est primordiale, donc brûlante. Le grand remplacement de notre peuple s'accompagne et prétend se justifier par le grand remplacement de notre Histoire.

C'est l'une des raisons pour quoi chez nous la controverse sur l'histoire est permanente et violente. Elle tue. La Seconde Guerre mondiale s'y taille une belle part. On me reproche d'y prendre part. Même ma fille Marine m'en a fait grief. À en croire la rumeur je serais un obsédé. Eh bien, remettons les choses à l'endroit ! Si obsession il y a, elle n'est pas de moi. C'est un fait simple, mais capital, qui doit m'être accordé comme tel : ce n'est pas Jean-Marie Le Pen qui parle à tout bout de champ des années les plus sombres et de tout ce qui s'ensuit, c'est le grand tam-tam du spectacle occidental, le cinéma, la presse, l'édition, la télévision, internet maintenant aussi. Demandez le programme depuis les années soixante-dix. Il faudrait qu'une équipe de jeunes sociologues fasse exactement le relevé du débit de ce fleuve sur quarante ans. C'est l'axe principal de la pensée et des discussions de l'Europe et de l'Amérique.

Cela fait bizarre. En 1988, soixante-dix ans après les faits, nous ne parlions pas tous les jours de Verdun ou du Chemin des Dames. La Seconde Guerre mondiale tient dans le monde mental occidental une place tout à fait ébouriffante. Qu'on le reconnaisse, et qu'on cesse d'incriminer Le Pen.

Or je récuse solennellement les jugements biaisés que produit une mémoire falsifiée travestie en histoire. Quel cœur juste, quel esprit droit, peut supporter qu'on condamne à mort un maréchal de France chef de l'État qui a sacrifié sa gloire et son repos à la France, pendant que des déserteurs sont ministres et des trafiquants de marché noir honorés ? Il ne faut pas s'étonner après cela que sa tombe d'Yeu soit profanée par de jeunes barbares : c'est le mensonge de notre classe politique qui a armé leur bras.

Quel cœur juste, quel esprit droit, peut tolérer que l'on fusille Brasillach, et que soixante-dix ans après on s'en fasse gloire, qu'on le piétine encore en pensées, quand on absout au nom du talent Louis Aragon, qui a écrit une ode au Guépéou ? Sans doute Brasillach, comme chacun de nous, eut-il des défauts, mais je ne sache pas qu'il ait écrit une ode à la Gestapo ! Je n'aime pas les fausses balances de l'histoire, elles sont à vomir, et le jugement des historiens sera un jour aussi terrible que le jugement des juges.

C'est dans ce contexte qu'un jour de 1987 un journaliste qui se prenait pour un procureur (on aurait dit que ma réponse jugerait tous mes actes, mes pensées, jusqu'à mon être même) m'a posé une question saugrenue, elle tombait vraiment comme un cheveu sur la soupe, sur la Seconde Guerre mondiale, à laquelle j'ai répondu en utilisant un mot qui a fait du bruit, détail.

Je n'en parlerai pas maintenant. Parce qu'ici c'est moi qui fixe mon rythme et mes objectifs, et les questions et les réponses, je ne suis pas l'accusé, je n'ai pas à me justifier. Cela me repose. Parce qu'aussi j'en ai parlé plusieurs fois sans jamais parvenir à faire comprendre ma pensée, et qu'à chaque fois cela fit plus de bruit, de fureur, d'inutiles et blessantes controverses (si je trouve la force et les bons mots, j'y reviendrai dans le deuxième tome de ces *Mémoires*). Parce qu'enfin la Seconde Guerre mondiale est un détail de l'histoire et de l'utilisation de l'histoire à des fins idéologiques.

Aujourd'hui c'est toute l'histoire de l'Europe qui est l'objet d'un grand mensonge, d'une gigantesque inversion dont l'objectif est à mon sens d'inculquer, avec la repentance, la haine de soi, de sa lignée, de son éducation, partant la non-résistance à l'invasion, au grand remplacement, à la décadence. Le pire est que l'on passe pour cela par les petits, les faibles, les enfants, les adolescents que l'Éducation nationale embrigade.

Eh bien pour moi c'est un crime. Déraciner les petits, les opposer à ceux qui les ont faits, ce qui les a faits, c'est un crime contre toute l'histoire de l'humanité. Pour moi tous mes devanciers en France n'étaient pas les monstres qu'on se plaît à décrire. Je me sens au contraire leur héritier. Maurras avait raison, l'enfant qui naît français ne pourra jamais rendre à son pays le millième de ce qu'il lui doit. Il lui doit la vie, l'éducation, la protection, les us, les coutumes : jusqu'aux paysages qu'il traverse sans toujours les regarder ont été façonnés par ses pères.

L'opinion générale, depuis Mitterrand, est qu'il faudrait « dépasser l'histoire ». Moi je crois qu'il faut la continuer. Aux mollahs de l'utopie, à leur table rase infernale, j'oppose le devoir de piété envers les pères et la patrie. Le quatrième commandement. Ma piété filiale est ma conscience française. La tradition de notre pays et l'ordre naturel ne sont pas un tissu d'erreurs, c'est au contraire la désobéissance à nos principes fondamentaux qui provoque la décadence dont nous mourons et qui appelle notre remplacement. Contre la parodie criminelle d'histoire à laquelle se livre un Emmanuel Macron, quand il affirme que la France a commis un « crime contre l'humanité » en Algérie, et tant d'autres sottises où il se complaît, je me sens le devoir de défendre, avec l'intelligence et la vérité, mon pays.

Alors vous savez, ma mauvaise réputation, mesurée à cette aune, je m'en moque. Je sais comment sonnent les trompettes de la renommée, et je m'en sur-contrefiche. Je sais que c'est mal de serrer la main de Léon Degrelle et de ne pas envoyer Faurisson en prison. Les dames patronnesses du système, depuis Alain Duhamel, m'ont assez expliqué que cela nuisait à mon avenir. Eh Dieu si j'eusse écouté les pions, jeune député indépendant suivant le cursus Giscard, j'aurais fini ministre, président peut-être. Les gaullistes m'ont d'ailleurs proposé le ralliement en 1962, après tout je n'avais trempé ni dans le putsch ni dans l'OAS. Mais merci pas pour moi, ces perspectives de douceur, prébendes et couche molle ne m'ont rien dit. Si j'ai eu un sens, c'est de crier la vérité à temps et à contre-temps comme fit mon saint patron Jean le Baptiste, d'être la voix qui refuse le mensonge, la voix qui réconforte et redresse le peuple des malades, des humiliés, des offensés. La politique après tout, ce n'était peut-être pas absolument mon truc. J'étais plutôt, comment dire ? Une vigie, une sentinelle, un lanceur d'alerte, un chien de tête qui flaire la crevasse où court l'attelage, un emmerdeur, un prophète ? Une voix, qui crie dans le désert jusqu'à ce qu'il se remplisse.

Chronologie

• Événements dans le monde ▷ Événements en France
▸ Événements culturels **Principaux éléments de la vie de Jean-Marie Le Pen**

1928 • Pacte Briand Kellogg qui prévoit de « mettre la guerre hors la loi », élection d'Herbert Hoover aux États-Unis.
Premières élections au suffrage universel au Japon et couronnement d'Hiro-Hito.
Création du Birobidjan, région autonome de Sibérie orientale réservée aux Juifs chassés de Russie ou apatrides.
Tchang Kaï-chek élu président de la République de Chine.
Fondation des Frères musulmans dont le but est de « promouvoir le bien et d'interdire le mal ».
Mustapha Kemal Atatürk remplace, en Turquie, l'alphabet arabe par l'alphabet latin.
Lancement du premier plan quinquennal soviétique.
En Espagne, fondation de l'*Opus Dei* par Josemaría Escrivá de Balaguer.
▷ Première liaison téléphonique entre Paris et New York.
Création de l'agence *Publicis* par Marcel Bleustein-Blanchet, le père d'Élisabeth Badinter.
Franc Poincaré, Loi Loucheur sur les habitations à bon marché.
Naissance de Jeanne Moreau, Robert Badinter, Serge Gainsbourg, Line Renaud et Annie Cordy.
▸ André Malraux *Les Conquérants*, André Maurois *Le Pays des trente-six mille volontés*, DH Lawrence *L'Amant de Lady Chatterley*.
Au cinéma : *La Passion de Jeanne d'Arc*.

Naissance de Jean-Marie Le Pen à La Trinité-sur-Mer.

1929 • Convention de Genève sur les prisonniers de guerre.
Jeudi noir de Wall Street.
Fondation de l'agence juive par Chaim Weizmann.
Trotski expulsé d'URSS.

Accords du Latran créant le Vatican.
Signature du plan Young pour le rééchelonnement de la dette allemande.
Ruban bleu pour le paquebot allemand *Bremen.*
Début de la Yougoslavie.
Staline annonce la fin de la NEP et la liquidation des koulaks en tant que classe.
Évacuation de la Rhénanie.
▶ *Tintin au pays des Soviets,* Erich Maria Remarque *À l'ouest rien de nouveau,* Ernest Hemingway *L'Adieu aux armes,* Albert Londres *Terre d'ébène,* Jean Cocteau *Les Enfants terribles,* Jean Giono *Un de Baumugnes.*
Au théâtre : *Marius, le Soulier de satin, Amphitryon 38.*

1930 • Première livraison postale par Mermoz sur la ligne Saint-Louis du Sénégal–Natal, au Brésil.
Enlèvement du général Koutiepov par le KGB.
▷ L'Assemblée Nationale approuve la construction de la ligne Maginot.
Assurances vieillesse pour les salariés modestes.
▶ Au cinéma : *L'Ange bleu, Le sang d'un poète, Sous les toits de Paris.*
Lancement de *Je suis partout* par Pierre Gaxotte.

Jean-Marie Le Pen mis à l'école des sœurs.

1931 • Début de la croisière jaune de Citroën, route de la soie entre Beyrouth et Pékin.
Mao Tse Toung proclame la République soviétique chinoise.
Destruction de la Cathédrale du Christ-Sauveur à Moscou sur l'ordre de Staline.
Proclamation de la République espagnole, début des exactions antichrétiennes graves.
Moratoire Hoover, l'Allemagne s'étant déclarée dans l'impossibilité de payer les réparations.
▷ Exposition coloniale à Vincennes.
Naufrage du *Saint-Philibert.*
▶ *Mata Hari* avec Greta Garbo, *À nous la liberté, L'homme qui assassina, Marius, Le Parfum de la dame en noir, Le million, La Grande Peur des bien-pensants, Les réprouvés, Le mystère de la chambre jaune.*

1932 • L'Allemagne se retire de la conférence mondiale sur le désarmement et annule les réparations de guerre.
Fermeture de la digue du Zuiderzee au Pays-Bas.
Salazar président du conseil au Portugal.

▷ Assassinat de Paul Doumer.
▶ Création de la revue *Esprit* d'Emmanuel Mounier.
Voyage au bout de la nuit, Le nœud de vipères, La route au tabac, Le meilleur des mondes, Boudu sauvé des eaux, Fanny, L'Atlantide, M. le maudit, Poil de carotte, Tarzan l'homme singe avec Johnny Weissmuller.
Mort d'Albert Londres dans l'incendie du *Georges Philippar* à Aden.
Obsèques nationales aux Invalides d'André Maginot.

1933 • Début du Troisième Reich : Hindenburg appelle Hitler à la chancellerie.
Franklin Delano Roosevelt 32e président américain, début du New Deal.
Retrait du Japon de la Société des Nations.
Famine en Ukraine.
L'Allemagne se retire de la conférence sur le désarmement et de la Société des Nations.
Massacres et vexations anti-catholiques en Espagne.
▷ Début de l'horloge parlante accessible par téléphone, première émission de télévision en France.
Instauration du 1er mai : fête nationale du travail. Création de la loterie nationale et d'Air France.
▶ Sortie de *King Kong*, naissance de Jean Paul Belmondo.
Intermezzo, L'homme invisible, La soupe au canard, Les quatre filles du docteur March, Madame Bovary de Renoir, *Zéro de conduite, La condition humaine.*

Jean-Marie Le Pen lit le journal.

1934 • Guerre civile autrichienne.
Début de la Longue Marche en Chine.
Nuit des Longs Couteaux en Allemagne.
Grande purge en Union Soviétique.
Guerre civile perlée en Espagne.
▷ Affaire Stavisky, manifestations du 6 février.
Naissance d'Anquetil, Gagarine, Édith Cresson, Sophia Loren, Brigitte Bardot.
Assassinat de Louis Barthou et d'Alexandre de Yougoslavie à Marseille.
Mort d'Hélène Boucher à 26 ans, elle venait de battre le record du monde de vitesse sur 1 000 kilomètres.
▶ Inauguration du zoo de Vincennes par Albert Lebrun.
Congrès des écrivains soviétiques présidé par Maxime Gorki avec Louis Aragon et André Malraux.

Vers l'armée de métier, Les cloches de Bâle, Les Contes du chat perché, Les Destinés sentimentales, Clochemerle, La Comédie de Charleroi, Mort, où est ta victoire, Les célibataires, Le crime de l'Orient-Express, La Machine infernale. Au cinéma : *Maria Chapdelaine, L'île au trésor, Tartarin de Tarascon, Angèle.*

Jean-Marie Le Pen entre à l'école du recteur.

1935 • La Perse prend le nom d'Iran.
Accords de Laval avec l'Italie et l'URSS.
Accord naval germano-britannique.
Mort d'Astrid, reine des Belges.
Propagande soviétique autour du mineur Stakhanov.
L'Allemagne récupère la Sarre, réarme, crée la Luftwaffe et la Wehrmacht et rétablit le service militaire. Drapeau à croix gammée, lois de Nuremberg.
▷ Maes vainqueur du tour de France.
▶ *La guerre de Troie n'aura pas lieu, La bandera, Le triomphe de la volonté, Les 39 marches, Les temps modernes, Les trois lanciers du Bengale.*
Mort de Paul Bourget et d'Henri Barbusse.

1936 • Guerre d'Espagne.
Grands Procès de Moscou.
Axe Rome-Berlin : pacte Anti Komintern.
Abdication d'Edouard VIII en Angleterre.
Jeux-Olympiques de Berlin.
Remilitarisation de la Rhénanie.
L'Italie quitte la Société des Nations.
Mort de Mermoz, Jacques Bainville, Rudyard Kipling, Oswald Spengler Gilbert Keith Chesterton, Luigi Pirandello et Roger Salengro.
▷ Victoire du Front populaire Grèves dévaluation.
Congés payés, Semaine de 40 heures.
Georges Speicher remporte Paris-Roubaix, Maes le tour de France et Antonin Magne le Championnat du monde sur route.
▶ *Retour d'URSS, Le journal d'un curé de campagne, Mort à Crédit, Les jeunes filles.* Au cinéma : *Les temps modernes, Autant en emporte le vent, Le faucon maltais, Les Bas-Fonds, La belle équipe, César, La vie est à nous, Pépé le moko, Topaze.*

1937 • Début de la seconde guerre sino-japonaise.
▷ Exposition universelle à Paris.
Achèvement du palais de Chaillot.
Création de la SNCF Inauguration de l'aéroport du Bourget.
Lapébie remporte le tour de France.
▶ *Bagatelles pour un massacre.*
Au cinéma : *La grande illusion, Mort sur le Nil, Le voyageur sans bagage, Electre, Drôle de drame, Blanche-Neige et les sept nains.*

Jean-Marie Le Pen choisit l'école laïque.

1938 • *Anschluss*, crise des Sudètes, accords de Munich, Nuit de cristal.
L'adaptation radiophonique de *La Guerre des mondes* provoque la panique.
Annexion du sandjak d'Alexandrette par la Turquie.
Invention du Nescafé en Suisse.
Mort d'Atatürk, Gabriele d'Annunzio et Suzanne Lenglen.
▷ Delahaye remporte les 24 heures du Mans Bartali remporte le tour de France Howard Hughes boucle le tour du monde avec escale en 3 jours 19 heures et 14 minutes.
▶ Au cinéma : *Le Schpountz, Quai des Brumes, Hôtel du Nord, La bête Humaine, la Femme du boulanger.*
Les Grands Cimetières sous la lune, Le château d'Argol, La nausée, Terre des hommes, Mangeclous, Les Raisins de la colère, Les Parents terribles.

Un oncle mobilisé raconte, après Munich, la mobilisation.
Voyage à Paris en famille.

1939 • Fin de la guerre d'Espagne.
Pacte germano-soviétique.
Début de la Seconde Guerre mondiale.
Invasion et partage de la Pologne entre l'URSS et l'Allemagne.
Élection du pape Pie XII.
Occupation de la Bohême et de la Moravie par l'Allemagne.
▷ Maes remporte le tour de France devant Vietto.
▶ *Bécassine* de Pierre Caron, *Fric-Frac, Le Juif Süss, La chevauchée fantastique, La Règle du jeu, Le jour se lève, Les Cadets de l'Alcazar, Sentinelles de l'Empire, Le Voleur de Bagdad.*

Jean-Marie Le Pen apprend la déclaration de guerre.

1940 • Campagne de Norvège. Campagne de France, Dunkerque et Mers El Kébir Bataille d'Angleterre.
Invasion de l'Indochine.
▷ Armistice. Pleins pouvoirs au maréchal Pétain. Entrevue de Montoire. Le boxeur Joe Louis conserve son titre mondial avec quatre combats. Bartali et Coppi très forts, pas de tour de France. Mort d'Henri Desgrange, fondateur du tour de France.
Pris dans des conflits politiques inextricables, le tour de France ne recommencera qu'en 1947, après le départ des ministres communistes du gouvernement.
▶ Au cinéma : *La Fille du puisatier, Le Dictateur, Pinocchio.*

Jean-Marie Le Pen entre au collège Jésuite Saint-François-Xavier à Vannes.
Il entend le discours du maréchal Pétain annonçant la demande d'armistice.

1941 • Conquête difficile de la Grèce et de la Yougoslavie.
Opération Barbarossa.
Attaque de Pearl Harbor.
Serment de Koufra fait par le colonel Leclerc et ses hommes.
Charte de l'Atlantique.
▷ Vietto remporte le championnat de France de cyclisme.
▶ Au cinéma : *Citizen Kane, Dumbo, L'assassinat du père Noël, Le mariage de Chiffon, Un chapeau de paille d'Italie.*
Notre Avant-guerre, La vouivre, Travelingue, Les beaux draps, Le zéro et l'infini.

1942 • Bir Hakeim, El Alamein, Midway, Guadalcanal, début de Stalingrad, débarquement en Afrique du Nord : le vent de la guerre tourne, mais les Japonais avancent en Asie du Sud-est.
▷ Fin de la zone libre et sabordage de la flotte à Toulon.
▶ *Les décombres, les yeux d'Elsa, Pilote de guerre, Le silence de la mer, L'étranger, La Peste.*
Au cinéma : *La reine morte, Bambi, L'assassin habite au 21, Les Visiteurs du soir, La belle aventure Macao, L'Enfer du jeu, Pontcarral, Les inconnus dans la maison, To be or not to be.*

Mort de Jean Le Pen, son père.

1943 • Défaites allemandes décisives à Koursk, Smolensk, contre offensive russe générale.
Campagne d'Italie.
Conférence de Téhéran avec Churchill, Roosevelt et Staline.
Défaites japonaises; les Japonais favorisent partout en Asie des mouvements indépendantistes anti-blancs.
Mussolini arrêté, armistice en Italie, les Allemands tiennent l'Italie, République de Salo.
▷ Création de la milice, du STO, bombardements anglais et américains des villes françaises. Les Allemands arrêtent le Maréchal Pétain.
▶ Au cinéma: *Le Corbeau de Clouzot, L'éternel retour, Les mystères de Paris, Au bonheur des Dames.*
L'Être et le néant, Le Passe-Muraille, Monsieur Ouine, Le Joueur d'échecs, Les mouches, Le soulier de satin.
Mort de Simone Weil.

Jean-Marie Le Pen entre au collège Saint-Louis de Lorient réfugié sur l'île de Berder.

1944 • Recul des Japonais en Asie.
Accords de Bretton Woods.
Conférence de Brazzaville.
Fin 44 Giap crée les premières forces Viet Minh.
Avance Russe Ukraine, Biélorussie, pays baltes, Pologne, Roumanie, Yougoslavie, Bulgarie, Hongrie.
Offensive en Italie, Monte Cassino, Garigliano.
Attentat contre Hitler.
▷ Débarquement de Normandie, de Provence, libération de Paris.
Giraud écarté, les communistes entrent au Comité français de Libération.
Metz et Strasbourg libérées.
Offensive des Ardennes.
Mort de Giraudoux Saint Exupéry Romain Rolland Max Jacob.
▶ *Le Bossu, Premier de cordée.*

Les pensionnaires rentrent chez eux le 6 juin.
Jean-Marie Le Pen passe au maquis de Saint-Marcel.

1945 • Conférence de Yalta.
Pacte Roosevelt-Ibn Séoud au retour de Yalta. Bombardement de Dresde.
Assassinat de Mussolini. Suicide d'Hitler.
7 mai : armistice. Les Soviétiques continuent d'avancer en combattant pendant huit jours.
Capitulation de l'Allemagne.
Conférence de Postdam.
Expulsion de millions d'Allemands de Prusse orientale et de l'ancien Reich à la suite de la conférence de Potsdam. La Russie se taille la part du lion. En Tchécoslovaquie les citoyens d'origine allemande et hongroise sont privés de leur nationalité. Allemands expulsés, épuration ethnique.
Bombardements de Tokyo, d'Hiroshima et de Nagasaki.
Charte des Nations Unies, UNESCO, FAO, Banque mondiale.
Émeutes de Sétif en Algérie.
Coup de force japonais en Indochine.
Création de la Ligue arabe au Caire.
L'Espagne exclue de l'ONU.
Début du procès de Nuremberg.
▷ Procès Brasillach, Laval, Pétain, Maurras.
Création de l'ENA, du CEA, du secrétariat général au plan et de la Sécu.
Comité d'épuration des écrivains.
▶ *Boule de suif, Les dames du bois de Boulogne, Les enfants du paradis, Les temps modernes, Poèmes de Fresne.*

Jean-Marie Le Pen, renvoyé du collège Saint-Louis, est admis au lycée de Vannes.

1946 • Fin du procès de Nuremberg.
Découverte des manuscrits de la mer Morte.
Début de la guerre d'Indochine.
L'ONU remplace la SDN, dernière réunion formelle.
Cour internationale de La Haye, OMS, Unicef.
Guérilla en Palestine.
À l'est les gouvernements à la solde des communistes s'installent.
Assassinat de Draza Mihailovic.
Arrestation de Mgr Stepinac.
Discours de Churchill en faveur des EU d'Europe.
▷ Constitution de la Quatrième République .
Accords Blum Byrnes.
Démission du général De Gaulle, création du commissariat général au plan et présentation du plan Monnet, charte du tripartisme PC SFIO MRP.

Nationalisation EDF et GDF.
Loi Marthe Richard sur la fermeture des bordels.
Création de l'INSEE.
37 % des logements ont l'eau courante, 13 % seulement dans les campagnes.
▶ Au cinéma : *La bataille du rail* de René Clément, *La Belle et la bête* de Cocteau, et *La Symphonie pastorale* de Jean Delannoy. *Le Corbeau de Clouzot, L'éternel retour, Les mystères de Paris, Au bonheur des Dames.*
Christian Dior ouvre son atelier de haute couture.
Sartre publie l'*Existentialisme est un humanisme.* Saint John Perse *Vents,* Kessel *L'Armée des ombres,* Boris Vian *J'irai cracher sur vos tombes,* Jules Romain termine *Les Hommes de bonne volonté,* Marcel Pagnol *César.*

Jean-Marie Le Pen, renvoyé du lycée de Vannes. À la rentrée scolaire, il est admis en classe de Philosophie à Saint-Germain-en-Laye.

1947 • Partition des Indes.
Plan de partage de la Palestine, novembre début de la guerre.
Gatt, ISO organisation internationale de normalisation.
Insurrection à Madagascar 150 colons assassinés.
Mohamed V demande la fin du protectorat.
Statut de l'Algérie, trois départements.
Lord Mountbatten vice-roi des Indes négocie l'indépendance de l'Inde avec Gandhi et Nehru. Partition le 3 juin.
La commission d'enquête de l'ONU publie un rapport préconisant le partage de la Palestine avec une immigration immédiate de cent cinquante mille juifs.
En Pologne, en Roumanie, en Hongrie, l'ordre communiste s'installe.
Guerre civile en Grèce.
Plan Marshall.
▷ Grèves insurrectionnelles en France.
Création du RPF à Strasbourg il triomphe aux municipales d'octobre.
Fin du tripartisme PCF MRP SFIO.
En décembre, les communistes font dérailler le train Paris Tourcoing, 16 morts et de nombreux blessés.
Canicule estivale comparable à celle de 2003.
Création d'un gouvernement sarrois, la politique étrangère et la défense dépendent de la France.

▶ Mort de Al Capone, Henry Ford, Max Planck, Philippe Leclerc, Ernst Lubitsch, Tristan Bernard, Victor Emmanuel II.
La Chartreuse de Parme de Christian-Jaque, *Quai des orfèvres* de Clouzot, *Le diable au corps* d'Autan-Lara, *l'Aigle à deux têtes*, de Cocteau.
Création du livre de Poche.
Exercice de Style de Queneau, *L'écume des jours* de Vian, *Tropique du cancer*, Henry Miller. *Si c'est un homme* de Primo Levi, *Un tramway nommé désir* de Tennessee Williams.
Gide reçoit le prix Nobel de littérature, Jean Vilar crée le festival d'Avignon.

Jean-Marie Le Pen obtient son baccalauréat, avec mention.
En octobre, il entre à la faculté de droit et devient membre de la Corpo de droit.

1948 • Coup de Prague.
Indépendance d'Israël.
Début du blocus de Berlin.
Déclaration universelle des droits de l'homme.
Réélection de Truman aux États-Unis.
Épuration ethnique en Birmanie : les Indiens s'en vont.
Victoire communiste en Mandchourie.
Assassinat de Gandhi.
Insurrection communiste en Malaisie.
Le modèle de l'après-guerre est celui de la vengeance, ou punition, et du nettoyage ethnique au profit des vainqueurs et de l'impérialisme.
Guerre en Palestine pendant l'évacuation anglaise.
Massacre de Deyr Yassin nettoyage ethnique en Palestine.
Israël menacé de tous côtés.
Israël reconnu *de jure* par l'URSS et de facto par les États-Unis. L'URSS ne respecte pas l'embargo sur les armes et arme Israël.
La Légion arabe obtient le repli de l'armée israélienne à Jérusalem.
Le territoire israélien coupé en deux ; Folke Bernadotte envoyé médiateur ; massacre de Palestiniens à Tantoura. Création de Tsahal.
Alors qu'ils sont partout vainqueurs les Arabes acceptent un cessez-le-feu le 9 juin. Les Israéliens en profitent pour se renforcer avec les armes soviétiques.

Juillet, renversement de situation, nouveau cessez-le-feu en position de force pour les Israéliens. Assassinat de Folke Bernadotte.
Blocus de Berlin.
Arrestation du cardinal Mindszenty, primat de Hongrie.
Création du Benelux.
La frontière entre l'Espagne et la France est rouverte.
Congrès de La Haye de l'Europe sous la présidence de Winston Churchill ; création du Conseil de l'Europe en mai 1949.
▷ Présentation au salon de l'automobile de la 2 CV.
Dévaluation de 44,45 % du franc, suppression du billet de 5000 francs, majoration de 40 % du prix du blé.
Emprunt obligatoire à 3 % sur 10 ans.
Amnistie fiscale.
Fondation de CGT-FO.
Inauguration de l'aéroport d'Orly.
Loi sur l'habitat ancien.
Grèves violentes à l'automne et rappel de soixante mille réservistes.
Les prélèvements obligatoires atteignent 18 % du PIB.
Perte de valeur de 80 % du franc par apport au dollar.
▶ *Jour de fête* de Tati.
Début du *Lagarde et Michard.*
Clostermann, *Le Grand Cirque,* Hervé Bazin, *Vipère au poing,* Roger Nimier *les Épées,* Saint-Exupéry, *Citadelle. Le Maître de Santiago,* de Montherlant, *Le partage de midi,* de Claudel, *Le Roi pêcheur,* de Julien Gracq.

1949 • Mao, République populaire de Chine.
Indépendance de l'Indonésie.
Pacte atlantique, OTAN.
Guerre entre l'Inde et le Pakistan.
À l'ONU autour de l'Inde, groupe afro-asiatique contre la France en Indochine et les Pays-Bas en Indonésie.
Pacte sino-soviétique entre Mao et Staline.
Israël pénètre dans le Sinaï, menace d'intervention de la Grande-Bretagne, arrêt des combats. Les USA reconnaissent Israël.
Israël atteint Akaba.
Condamnation du communisme par le Saint-Office.
Première bombe atomique russe à l'été.
Création de la RDA.

Début du procès Kravchenko.
Création de la république fédérale d'Allemagne Konrad Adenauer chancelier.
▷ Conseil mondial de la Paix à Paris, Le Mouvement de la paix est une organisation communiste. *La colombe* de Picasso.
Mort de Marcel Cerdan, Richard Strauss et du général Giraud.
L'abbé Pierre fonde la première communauté Emmaüs.

▶ *Riz amer, Le Deuxième Sexe, La Méditerranée et le monde méditerranéen à l'époque de Philippe II* de Braudel, *la Peau, L'Europe buissonnière, les Justes* de Camus.

Jean-Marie Le Pen est président de la Corpo de droit (jusqu'en 1951) et membre du comité Pierre de Coubertin.

1950 • Début de la guerre de Corée.
La Chine et l'URSS reconnaissent Ho Chi Minh.
Herzog sur l'Anapurna.
Appel de Stockholm du Mouvement mondial pour la paix contre la bombe atomique.
Déclaration Schuman en vue de la CECA.
Crise belge, attentats à la bombe, tentative de création d'une république wallonne séparatiste, grèves générales, au retour de Léopold III, qui finit par abdiquer au profit de Baudoin.
Encyclique *Humani Generis* du pape Pie XII.
Désastre de Cao Bang en Indochine.
▷ Création du SMIG.
Les HBM deviennent HLM.
Mort de Léon Blum et d'Albert Lebrun Nijinski, George Bernard Shaw et George Orwell.
▶ Julien Gracq publie *La littérature à l'estomac*.
Roger Nimier *Le Hussard bleu* Boris Vian *L'Herbe rouge*.

Jean-Marie Le Pen découvre la Grèce.

1951 • Victoires de De Lattre en Indochine, Giap battu dans trois batailles conventionnelles.
Affaire Mossadegh en Iran.
Traité de Paris créant la CECA.
▷ Loi sur les apparentements.
Première croisière de *La Calypso*. Gaz naturel de Lacq.
Création du CNIP.

Mort de Pétain, Jouvet, Gide, Alain et Jules Berry.
▶ *Les deux étendards, Mémoires d'Hadrien, Les enfants tristes, Le Hussard sur le toit, Le Rivage des Syrtes. Bande à part* reçoit le prix Interallié.

1952 • Révolution en Égypte.
Troubles en Tunisie et au Maroc.
Première bombe H.
Chou En Lai accuse les EU d'utiliser l'arme bactériologique en Corée, accusation relayée par le Conseil mondial de la paix.
Début du règne d'Elizabeth II en Angleterre.
Un avion d'Air France attaqué par des chasseurs soviétiques, un Catalina suédois abattu par les Soviétiques.
▷ Pinay redresse les finances en baissant les impôts.
Inauguration de la Cité radieuse à Marseille.
Mort de Maurras, De Lattre et Evita Perón.
▶ Au cinéma : *Jeux Interdits, le petit monde de Don Camillo.*
Convention internationale sur les droits d'auteur.
Le vieil Homme et la mer, À l'est d'Eden, En attendant Godot, Les Chaises.

1953 • Mort de Staline.
Dag Hammarskjöld secrétaire général de l'ONU.
Hillary grimpe l'Everest. Emeute en Allemagne de l'Est.
Fin de la guerre de Corée.
Arrestation de Mohammed V.
Exécution des époux Rosenberg.
Renversement de Mossadegh et retour du Shah.
Terrible répression anglo-américaine à Trieste contre les Italiens.
▷ Échec du RPF, De Gaulle rend leur liberté aux élus RPF, le parti sera mis en sommeil en 1955.
22 juillet, création à Saint Céré du mouvement Poujade.
Élection de René Coty au treizième tour de scrutin.
▶ Création de l'*Express*, de Jean-Jacques Servan-Schreiber.
Les vacances de Monsieur Hulot.

En janvier, Jean-Marie Le Pen participe à l'expédition de Hollande pour venir en aide aux populations inondées.
En octobre, il s'engage pour la durée de la guerre d'Indochine puis intègre l'école d'officiers de réserve de Saint-Maixent.

1954 • Diên Biên Phu.
Accords de Genève.
Début de la guerre d'Algérie.
Rejet de la Communauté Européenne de Défense.
▷ Création du carambar, de la TVA et de la Fnac.
Mort de Colette, Fermi, Furtwängler et Auguste Lumière.
▶ Chanson *Le déserteur* de Boris Vian.
Ali Baba et les quarante voleurs.
Le Journal de Paul Léautaud et les *Mémoires de guerre* de Gaulle, *Histoire d'O* de Pauline Réage, *Bonjour tristesse*, *Cellule 2455 couloir de la mort* de Caryl Chessman, le premier James Bond de Ian Fleming, *Casino royale.*

Jean-Marie Le Pen est breveté parachutiste à Philippeville. Départ sur *Le Pasteur* pour l'Indochine pour reconstituer le Premier Bataillon Étranger Parachutiste. Sert successivement à Hanoï, Do Son, Tourane, Hué, puis à Saïgon au journal de l'armée, *Caravelle.*

1955 • Conférence de Bandoeng.
Signature du pacte de Varsovie.
Soustelle nommé par Mendès Gouverneur général de l'Algérie.
Émeutes anti-françaises au Maroc.
Massacres anti-français dans le Constantinois.
Principe de l'indépendance et retour triomphal de Mohamed V au Maroc.
Diem renverse Bao Dai le 26 octobre.
La Sarre se prononce pour le rattachement à la RFA.
▷ Formation du front républicain par Guy Mollet, Mendès, Mitterrand et Chaban.
Premier vol de la Caravelle. Troisième semaine de congé payé, présentation de la DS, meubles formica, billet de mille francs Richelieu.
Mort de Claudel Einstein, Teilhard de Chardin, Thomas Mann, James Dean, Maurice Utrillo et Charlie Parker.
▶ Création en Sarre d'Europe 1.
Première version française du Scrabble.
Nuit et brouillard, d'Alain Resnais. *Tristes Tropiques* de Claude Lévi-Strauss, *l'Opium des intellectuels* de Raymonde Aron, *Lolita* de Nabokov.

Retour en France de Jean-Marie Le Pen, démobilisation.
Il rencontre Pierre Poujade, anime la campagne des législatives en tant que l'un des principaux orateurs poujadistes.

1956 • Début de la « déstalinisation ».
Indépendance du Maroc.
Création à Vienne de l'Agence Internationale de l'Énergie Atomique pour surveiller l'activité nucléaire des états.
Découverte de pétrole à Hassi Messaoud.
Ralliement de Ferhat Abbas et d'Ahmed Francis au FLN ; congrès de la Soummam ; l'ALN unifiée sous la direction de Krim Belkacem.
Capture de l'*Athos II*.
Interception de Ben Bella.
Traité de cession de Pondichéry.
▷ Ratonnade aux obsèques d'Amédée Froger.
▶ *Et Dieu créa la femme,* de Vadim avec Bardot. *Un Américain bien tranquille* de Graham Greene.

Jean-Marie Le Pen est élu député poujadiste à Paris, plus jeune parlementaire du Palais Bourbon.
Le contingent étant rappelé en Algérie par le président du Conseil socialiste Guy Mollet, il s'engage pour six mois. Participe à l'expédition de Suez. Rompt avec Poujade.

1957 • Bataille d'Alger 7 janvier-8 octobre.
Lancement de Spoutnik 1, Spoutnik II avec la chienne Laïka.
Attentat au bazooka contre Salan. Massacre de Melouza.
Bourguiba premier président de la République Tunisienne.
Mohamed V prend le titre de roi du Maroc.
Campagne des Cent Fleurs en Chine.
La Sarre rattachée à la RFA.
25 mars, Traité de Rome.
▷ Loi Deferre sur l'autonomie de l'AEF et AOF.
Première visite de la reine d'Angleterre en France.
Mort de Humphrey Bogart, Toscanini, Larbaud, Max Ophuls, Malaparte, Sacha Guitry, Christian Dior, Charles Pathé.
▶ Pagnol *La Gloire de mon père,* Céline *D'un Château l'autre,* Roland Barthe *Mythologies,* Samuel Beckett *Fin de partie,* Michel Butor *La Modification.*

Jean-Marie Le Pen participe à la Bataille d'Alger.
Décoré de la croix de la valeur militaire par le général Massu.
À l'Assemblée Nationale, il participe vigoureusement à la défense de l'Algérie française et de l'armée.

1958 • Proclamation de la République arabe unie.
Coup d'État du 13 mai à Alger.
Lancement par Mao Zedong du Grand bond en avant.
Les forces américaines interviennent au Liban.
Création de la Communauté française.
Le pétrole du Sahara arrive à Philippeville.
Bombardement sur le village tunisien de Sakiet Sidi Youssef.
Plan de Constantine ; départ de Salan, arrivée du tandem Challe Delouvrier.
Fidel Castro s'empare de Cuba.
Création de la Fédération arabe de Jordanie et d'Irak, dirigée par Fayçal II d'Irak. Le Yémen rejoint la République arabe unie.
Soulèvement d'Aref en Irak.
Accord Égypte-URSS pour la construction du barrage d'Assouan.
Hallstein devient président de la première ommission européenne ; première réunion à Strasbourg de l'Assemblée européenne ; Robert Schuman président.
De Gaulle propose un directoire à trois de l'OTAN : France, USA, Grande-Bretagne. Eisenhower refuse.
Mort de Gamelin, Rouault Farman Roger Martin du Gard, Pie XII, Maurice de Vlaminck, Francis Carco.
▷ Nouvelle Constitution. De Gaulle élu président par le congrès.
Plan Pinay.
Création de l'Union pour la nouvelle République. Aux élections de novembre les sortants sont sortis, 400 nouveaux élus sur 480.
Création du Nouveau franc. Assurance automobile obligatoire.
Création de l'assurance chômage des salariés.
▶ Yves Saint Laurent présente sa première collection : Trapèze.
Livre d'Henri Alleg, *La Question*. Lévi-Strauss *Anthropologie structurale*, Aragon l*a semaine sainte,* Beauvoir *Mémoires d'une jeune fille rangée*, Duras, *Moderato cantabile*, Julien Gracq *Un balcon en forêt,* Kessel *Le Lion*, Poirot Delpech *Le Grand Dadais* Lampedusa *Le guépard,* Pasternak *Le Docteur Jivago.*
Au cinéma : *Mon oncle, Ascenseur pour l'échafaud, Les Misérable, Le beau Serge, L'eau vive, En cas de malheur, Le gorille vous salue bien, Les grandes familles, Sois belle et tais toi, Les tricheurs.*

Jean-Marie Le Pen tente en vain de rejoindre l'Algérie pour participer aux événements de mai. Il est élu député de Paris au scrutin uninominal à deux tours. Il s'apparente au groupe des Indépendants où il côtoiera un autre jeune, Valéry Giscard d'Estaing.

1959 • Plan Challe sur le territoire algérien.
Première tournée des popotes de Charles de Gaulle.
16 septembre référendum sur l'autodétermination en Algérie.
Le PC du nord Viet Nam décide de promouvoir la violence armée dans le Sud et formation d'un groupe de transport par la piste ho chi Minh.
Mariage du chah d'Iran et de Farah Diba.
La République arabe unie branle dans le manche, le Baas dissous se reforme.
Entrée en vigueur du marché commun.
Mort de Ceci B. DeMille, Raymond Chandler, Sydney Bechet, John Foster Dulles, Boris Vian, Errol Flynn, George Marshall, Gérard Philippe, à trente-sept ans, son père croix de feu puis doriotiste.
▷ Scolarité obligatoire jusqu'à seize ans.
Mise en service des Mirages IV.
Attentat de l'Observatoire.
▶ *Zazie dans le métro*, *Les Quatre cents coups*, *Un Singe en hiver*.
Les séquestrés d'Altona, *Le Rhinocéros*, *Becket ou l'Honneur de Dieu*.

Jean-Marie Le Pen est élu rapporteur du budget de l'armée. Nombreuses missions de contrôle à ce titre en Algérie. Est élu sénateur de la Communauté. Épouse Pierrette Lalanne.

1960 • Incident de l'avion américain Lockheed U-2.
Début de la crise congolaise.
3 milliards d'habitants sur la terre.
Semaine des Barricades à Alger.
Affaire si Salah.
Sécession du Katanga.
Massacres et viols de Belges au Congo.
Enlèvement d'Eichmann en Argentine.
Khrouchtchev tape avec sa chaussure sur son pupitre à l'ONU.
Création de l'Association européenne de libre-échange (AELE).
▷ Entrée en vigueur du nouveau franc.
Première bombe atomique française à Reggane.
47 hypermarchés présents sur le sol français.
Arrestations de porteurs de valise du réseau Janson.
Soustelle viré du gouvernement.
Lancement du paquebot *France*.

Autorisation par décret du péage sur les autoroutes françaises.
Manifeste des 121 publié dans le magazine *Vérité-Liberté.*
Voyage de Gaulle en Algérie ; émeutes sanglantes. La population musulmane a basculé.
Mort de Coppi, Camus, Supervielle, Pasternak, Clark Gable.
▶ *Le matin des magiciens*, Pauwels et Bergier, *Critique de la raison dialectique* de Sartre, *Nord* de Céline, *Hiroshima mon amour*, *la Promesse de l'aube.*

Jean-Marie Le Pen est arrêté illégalement lors de la semaine des barricades.
Fait élire Babette Lagaillarde, l'épouse de Pierre, à une partielle à Alger.
Naissance de Marie-Caroline.

1961 • Gagarine, premier homme dans l'espace.
Débarquement de la baie des Cochons à Cuba.
Putsch d'Alger.
Construction du mur de Berlin.
Conférence des pays non alignés à Belgrade.
Mort d'Hammarskjöld ; nomination de U Thant à la tête des Nations Unies.
L'ONU décide que les corps célestes ne pourront pas être possédés par des nations.
Assassinat de Lumumba en République démocratique du Congo.
Crise de Bizerte entre la France et la Tunisie.
Mort de Blaise Cendrars, Mohamed V, Gary Cooper, Céline, Car Gustav Jung, Hemingway, Ramadier et Chico Marx.

Bien qu'il ne participe ni au putsch des généraux au mois d'avril, ni à l'OAS, son action militante pour l'Algérie française (MNACS, FNC, FNAF, etc) lui vaut une surveillance constante de la part du pouvoir gaulliste et l'aversion de celui-ci.

1962 • Accords d'Évian.
Crise des fusées à Cuba.
Début du Concile Vatican II.
Mariage de Juan Carlos et Sophie de Grèce.
Mise en place de la Politique Agricole Commune (PAC).
▷ Fusillade de la rue d'Isly.
Violence au métro Charonne.
Attentat du Petit-Clamart.

Voyage de De Gaulle à Bonn.
Référendum sur l'élection présidentielle au suffrage universel.
Mort d'Auguste Piccard, William Faulkner, Georges Bataille, Marilyn Monroe, Roger Nimier, Gaston Bachelard, René Coty, Albert Sarraut.

Barré par les gaullistes, Jean-Marie Le Pen n'est pas réélu député après la dissolution de 1962. Son ami Philippe Marçais, député d'Alger, partage son indemnité parlementaire avec lui.

1963 • Traité franco-allemand de l'Élysée.
Kennedy « *Ich bin ein Berliner* ».
Interdiction des essais nucléaires.
Assassinat de Ngo Dinh Diem et John Kennedy.
Fin de la sécession du Katanga, convention de Yaoundé sur la coopération avec la CEE.
Refus par De Gaulle de la candidature anglaise au Marché commun et de la proposition américaine d'une force nucléaire multinationale.
Attaque du train postal Glasgow-Londres.
Intensification de la course à l'espace entre Américains et Russes ; Valentina Terechkova première femme cosmonaute.
Mort d'Édith Piaf, Jean Cocteau, Aldous Huxley, et Jean XXIII.
▶ Au cinéma : *James Bond contre Docteur No, Lawrence d'Arabie, Mélodie en sous-sol, Huit et demie, Le Feu follet, Les Tontons flingueurs, Bébert et l'Omnibus, Le guépard.*

Aidé de quelques amis, Jean-Marie Le Pen fonde la SERP dont le principal objet devient vite la production de disques, documents sonores authentiques. Avec des hauts et des bas, cette (petite) entreprise le fera vivre jusqu'en 1976. Il sera récompensé par plusieurs Grands prix du disque.

1964 • Révolution anti-arabe à Zanzibar.
De Gaulle reconnaît la Chine populaire.
Incident du Golfe du Tonkin ; début officiel de la guerre du Vietnam.
Jeux Olympiques de Tokyo.
Guerre gréco-turque à Chypre, casques bleus de l'ONU.
Brejnev succède à Khrouchtchev.
Mort de Nehru, Gaby Morlay et Maurice Thorez.

▷ Création des départements de L'Essonne, de la Seine Saint Denis, du Val de Marne, des Yvelines et Hauts de Seine.
L'excédent budgétaire se monte à 1 % du PNB.

Naissance de Yann Le Pen.
Jean-Marie Le Pen crée le CECON (souvent appelé « Comité TV » dans la presse) dont l'ambition est dans l'immédiat de présenter dans de bonnes conditions un candidat d'opposition nationale à la présidentielle de 1965, et, à terme, de fonder un grand parti de droite. Le Pen en est le secrétaire général et patron ; il impose la candidature de Jean-Louis Tixier-Vignancourt. Le résultat déçoit, à peine plus de cinq pour cent, Tixier créera un petit parti, et Le Pen s'éloigne. Fondation du cercle du Panthéon, rue Quincampoix.

1965 • Fin du Concile Vatican II.
Coup d'État en Algérie ; le colonel Boumediene devient président.
Enlèvement de Mehdi Ben Barka.
Mobutu prend le pouvoir au Congo.
Début de la politique de la chaise vide qui mènera au compromis de Luxembourg.
▷ Inauguration du tunnel sous le Mont-blanc.
Élection présidentielle au suffrage universel.
Mort de Weygand, Churchill, Albert Schweitzer et Somerset Maugham.
▶ Au cinéma : *Les choses, Les Fleurs bleues, L'Évangile selon saint Mathieu, Le Corniaud, Mary Poppins, Les tribulations d'un Chinois en Chine, Pierrot le fou, Compartiment tueur, La vie de château, Les grandes gueules.*

***Annus horribilis*, Jean-Marie Le Pen perd sa mère, des cousins, et un œil.**

1966 • Révolution culturelle en Chine.
Massacres au Biafra.
Compromis de Luxembourg, retrait de la France du commandement intégré de l'OTAN. Discours de Phnom Penh.
Mort de Vincent Auriol, Walt Disney et Buster Keaton.
▶ Au cinéma : *La Grande Vadrouille, Un Homme et une femme, La Religieuse.*

Le K, De sang-froid, Oublier Palerme, La bataille de Toulouse, L'été finit sous les tilleuls.
Passage à *Minute* et à *Spectacle du Monde*.

1967 Naufrage du *Torrey Canion.*
Guerre des Six Jours et blocus français sur les armes.
Guerre du Biafra.
De Gaulle à Montréal : « Vive le Québec libre ! ».
Première bombe H chinoise.
Discours de De Gaulle à Varsovie : « La sécurité en Europe ne saurait résulter de l'affrontement de deux blocs mais de l'entente et de la coopération entre les peuples de l'Atlantique à l'Oural. »
Mort de Che Guevara, Adenauer, Alphonse Juin, Marcel Aymé, Martine Carol et Vivien Leigh.
▷ Élections législatives : les gaullistes conservent la majorité à une voix près.
Création de l'ANPE.
Télé couleur en France, carte bleue, autoroute Paris-Lille, première messe en français, première parution du *Petit Robert.*
Loi Neuwirth sur la contraception.
Budget en déficit, baisse de la croissance, la dette publique ramenée à moins de 20 % du PNB.
▶ *L'Histoire de l'épuration* de Robert Aron, *La société du spectacle.*
Au cinéma : *Playtime, Le Lauréat, La Chinoise, Vivre pour vivre, Le samouraï, Bonnie and Clyde, Indomptable Angélique, La Comtesse de Hong Kong, Blow-Up, Oscar, Belle de Jour.*
Béjart, *Messe pour le Temps présent.*

Pour la première fois depuis dix ans, Jean-Marie Le Pen ne participe pas aux élections législatives.

1968 • Accord de Washington et conférence de Stockholm : réforme du système monétaire international.
Révoltes estudiantines diverses.
Printemps de Prague.
La France quitte Mers el Kébir.
Assassinat de Martin Luther King et de Robert Kennedy. Élection de Richard Nixon.
Jeux Olympiques de Mexico.
Israël refuse de restituer les territoires occupés malgré la résolution 242 de l'ONU.
Le temple d'Abou Simbel est déplacé pour échapper à la hausse du Nil consécutive à la mise en eau d'Assouan.
Début des opérations de chantage de groupes terroristes contre les avions civils, inaugurées par les terroristes palestiniens.

La Grande-Bretagne se retire de toutes ses bases à l'est de Suez. Enoch Powel réclame l'arrêt de l'immigration et prédit les fleuves de sang qui couleront quelques décennies plus tard.
Publication de l'Encylcique du pape Paul VI *Humanae Vitae*.
Entrée en vigueur de l'Union douanière européenne.
La fusée *Véronique* est lancée depuis Kourou.
▷ Dissolution du MRP.
Amnistie pour les faits relatifs à l'Algérie.
Affaire Marković.
Après les élections triomphales pour la droite de juin, l'agitation estudiantine et gauchiste reprend de plus belle.
Jeux d'hiver à Grenoble, Killy trois médailles d'or.
▶ Début des Shadoks.
Le festival de Cannes suspendu.
Adieux de Maurice Chevalier.
Au cinéma : *Le Bon, la Brute et le Truand, La Galaxie Gutenberg, Belle du Seigneur, L'Œuvre au noir, Cent ans de solitude Le pavillon des Cancéreux, le Premier Cercle, Le Boulanger, la Boulangère et le petit Mitron.*

Jean-Marie Le Pen observe Mai 68 de l'Aventin. Il participe aux législatives de juin à Paris, sans appareil ni succès. Naissance de Marine Le Pen.

1969 • Les Américains marchent sur la lune.
Kadhafi prend le pouvoir en Libye. Assassinat de Sharon Tate.
Ouverture de la conférence sur le Vietnam à Paris.
Yasser Arafat président de l'OLP, Golda Meir premier ministre israélien.
Accords du Caire : le Liban autorise la présence de camps palestiniens sur son sol.
Franco désigne Juan Carlos pour son successeur en Espagne.
Willy Brandt chancelier allemand ; Ostpolitik.
Mort de Hô Chi Minh.
▷ Référendum sur le sénat. Vote non. Démission du général De Gaulle.
Élection de Georges Pompidou.
Affaire des vedettes de Cherbourg.
Premier vol de Concorde ; limitation de vitesse à 110 km/h sur les routes nationales à titre expérimental ; 4ème semaine de congés payés.
▶ Au cinéma : *Easy Rider, Il était une fois dans l'Ouest, La Piscine, Que la bête meure, Z, Satyricon, If..., Le Clan des Siciliens.*

Fermeture du cercle du Panthéon, vente du bail de la rue Quincampoix.

1970 • Septembre noir en Jordanie.
Fin de la guerre du Biafra.
Indépendance de la Rhodésie du Sud de Ian Smith.
Allende élu président du Chili avec un tiers des voix.
Hafez el Assad prend le pouvoir en Syrie.
Mort de Salazar, Nasser, Luis Mariano, Soekarno, Mauriac, Bourvil, Giono, Daladier, De Gaulle, Mishima.
▷ Incendie du 5-7 en France.
Création du Smic.
choix des réacteurs à eau pressurisée.
Attaque de Fauchon par un commando maoïste.
L'autorité parentale remplace l'autorité paternelle.
▶ Au cinéma : *Les Damnés, Le Boucher, Le Cercle rouge, Domicile conjugal, Enquête sur un citoyen au-dessus de tout soupçon, Drame de la jalousie, MASH, Le genou de Claire, Le hasard et la nécessité, Le choc du futur, Papillon, Monsieur Jadis ou l'école du soir, Love Story.*

1971 • Sécession du Bangladesh avec l'aide militaire de l'Inde.
Nixon impose la fin du Gold Exchange Standard, la fin de la convertibilité du dollar en or.
Idi Amin Dada prend le pouvoir en Ouganda.
Nationalisation du pétrole et du gaz en Algérie.
Fêtes de Persépolis organisées par le Shah d'Iran quelques années avant sa chute.
Indépendance des Émirats arabe unis.
La Suisse décide par une votation l'octroi du droit de vote aux femmes.
▷ Manifeste des 343 avortantes.
Stationnement payant à Paris.
Début de la destruction des Halles.
Première invalidation d'une loi par le Conseil constitutionnel.
Debré étend le camp du Larzac, début de l'agitation gauchiste antimilitaire, Pompidou gracie Paul Touvier.
▶ Au cinéma : *La Guerre à neuf ans, Vingt-huit ans de gaullisme, Les Chênes qu'on abat. Max et les ferrailleurs, Le Chagrin et la pitié, Les Aristochats, La Folie des grandeurs, Le Messager, Tombe les filles et tire-toi, Mort à Venise, Le jardin des Finzi-Contini.*

Premières tractations en vue de la création du Front National de l'unité française.

1972 **Création du Front National, Jean-Marie Le Pen en est le président.**

Index

Table des matières